Julian M
De Tegenst

De Tegenstrever is het vierde deel van de Sage van de Pliocene Ballingschap. De voorafgaande delen zijn:
Het Veelkleurig Land
De Gouden Halsring
De Troonveroveraar

De Tegenstrever

Julian May

Het Spectrum

Boeken van Het Spectrum worden in de handel gebracht door:
Uitgeverij Het Spectrum B.V.
Postbus 2073
3500 GB Utrecht

Oorspronkelijke titel: *The Adversary*
Uitgegeven door: Houghton Mifflin Company, Boston
Vertaald door: Wim Gijsen
Zetwerk: Euroset bv, Amsterdam
Druk: Koninklijke Wöhrmann, Zutphen

Eerste druk 1988
Zesde druk 1995

20-0690.01   ISBN 90 274 4564 8   NUGI 335

CIP-GEGEVENS KONINKLIJKE BIBLIOTHEEK, DEN HAAG

Voor drie meesterlijke opvoeders:
Julia Feilen May, mijn moeder
Norma Olson, mijn onderwijzeres
Ruth Davies, mijn buurvrouw

met dank

Ik ben de duistere, de weduwnaar, de ontroostbare,
Prins van Aquitanië voor zijn verwoeste toren:
Mijn enige ster is dood en mijn juweelbezette luit
verdraagt nog slechts de zwart berookte zon der Melancholie . . .

Mijn voorhoofd is nog rood van de koninginnekus;
Ik heb gedroomd in de grot waar de sirene zwemt,
En tweemaal heb ik de Acheron triomfantelijk overgestoken ---

El Desdichado, Gérard de Nerval

LOGE:
Zij haasten zich naar hun einde,
Zij die zichzelf als zo grondig onverschrokken zien.
Ik schaam me bijna aan hun daden deel te hebben!
Hoe sterk is de verleiding mij andermaal te veranderen
in lekkende vlammen, hen verterend die mij eens hebben bedwon-
gen,
liever dan in den blinde met de blinden teloor te gaan,
waren die ooit zo schitterend goden-gelijk!
Dat is niet zo'n slecht idee . . .
Ik zal erover denken.
Wie weet wat ik zal doen.

Das Rheingold, Richard Wagner

Inhoud

Samenvatting van de voorafgaande drie delen: Het Veelkleurig Land, De Gouden Halsring en De Troonveroveraar

Het Galaktisch Bestel en de Pliocene Ballingschap

De Grote Interventie van 2013 opende voor de mensheid de weg naar de sterren. Rond het jaar 2110, wanneer het verhaal uit het eerste deel van deze sage begint, waren de bewoners van de Aarde volledig geaccepteerd als leden van een vruchtbare federatie van planetaire kolonisten, het Galaktisch Bestel, die gezamenlijk deel had aan een hoge technische ontwikkeling en de vaardigheid om geavanceerde mentale handelingen uit te voeren die bekend stonden als metavermogens. De genen waarin de mogelijkheden voor de vijf belangrijkste metapsychische vermogens lagen opgeslagen -- helder- of vérvoelendheid, overreding, scheppingskracht, psychokinese en genezing -- hadden sinds onheuglijke tijden deel uitgemaakt van de menselijke erfelijkheid, maar die mentale krachten waren in het begin zelden manifest geweest en bleven voor het overgrote deel latent totdat de druk van de evolutie rond het einde van de twintigste eeuw resulteerde in de geboorte van toenemende aantallen menselijke metapsychici met werkzame vermogens.

De vijf rassen die aanvankelijk samen het Galaktisch Bestel vormden, hadden de langzame metapsychische ontwikkeling van de mensheid tienduizenden jaren gadegeslagen. Maar pas toen een kleine groep van belegerde metapsychische pioniers een wanhopige telepathische oproep uitzond, besloot het Bestel ten slotte in de Aardse zaken in te grijpen. Na enig overleg besloot de galaktische federatie om mensen tot het Bestel toe te laten 'nog voor hun psychosociale volwassenheid' vanwege het omvangrijke mentale potentieel van de mensheid dat te zijner tijd dat van alle andere rassen wel eens zou kunnen overtreffen.

In die hectische jaren na de Grote Interventie leken de aardse problemen van de mensheid vrijwel opgelost. Armoede, ziekte en onwetendheid werden weggevaagd. Met de hulp van de niet-menselijke rassen koloniseerden mensen van de Aarde meer dan 700 nieuwe planeten die eerder waren onderzocht en geschikt bevonden.

De mensen leerden hoe ze de ontwikkeling van hun metavermogens konden versnellen door speciale training en door genetisch ingrijpen. Hoewel het aantal mensen met werkzame metavermogens elke generatie toenam, was in 2110 het merendeel van de bevolking nog 'normaal', dat wil zeggen, ze bezaten metavermogens in zo geringe mate dat hun werkzaamheid latent bleef of verder onbruikbaar was vanwege psychologische barrières of andere factoren. De alledaagse activiteiten op sociaal en economisch terrein van het menselijk staatsbestel binnen het Galaktisch Bestel werden uitgevoerd door 'normale' mensen, maar menselijke metapsychici namen bevoorrechte posities in binnen de regering, de wetenschappen en op andere gebieden waar hun hoog ontwikkelde mentale vermogens waardevol waren voor het Bestel als geheel.

Slechts gedurende één korte periode tussen de Grote Interventie en 2110 zag het ernaar uit dat de toelating van de mensheid tot het Bestel een misvatting was geweest. Dat was in 2083, gedurende de korte Metapsychische Rebellie. Ingezet door een groep van op de Aarde wonende mensen, aangevoerd door Marc Remillard, lukte het de samenzweerders bijna om de hele organisatie van het Bestel omver te werpen. De opstand werd echter onderdrukt door trouwe mensen, onder wie Marcs eigen broer Jack en daarna werden stappen genomen om te voorkomen dat een dergelijke ramp zich ooit weer zou kunnen voordoen.

Een honderdtal van de verslagen overlevenden van de opstand slaagden erin aan bestraffing te ontkomen door Marc Remillard te volgen via een uniek ontsnappingsluik: een tijdpoort die in één richting ging en uitkwam in het Aardse Plioceen, zes miljoen jaar terug in het verleden. Na verloop van tijd vestigden de rebellen zich op het eiland Ocala in een deel van Noord-Amerika dat later Florida zou worden genoemd. Ze waren goed voorzien van geavanceerde technische hulpmiddelen uit het Bestel en leefden zevenentwintig jaar geïsoleerd terwijl hun aanvoerder een vergeefse speurtocht ondernam door de sterrenwereld van het Plioceen, geholpen door kunstmatige versterking van zijn metavermogens, op zoek naar een andere planeet die door metapsychici met een hoge technische ontwikkeling werd bewoond. Marc Remillard had zijn droom van menselijke dominantie over het sterrenstelsel nooit opgegeven, zelfs niet toen zijn oude bondgenoten begonnen te wanhopen en hun kinderen zijn plannen openlijk verwierpen.

Binnen het Galaktisch Bestel, zes miljoen jaar in de toekomst, betekende het neerslaan van de Metapsychische Rebellie het begin van een nieuwe Gouden Eeuw voor de mensheid. Menselijke metapsychici slaagden erin Eenheid te realiseren, dat wil zeggen, op te gaan in een bijna mystieke staat van mentale broederschap met de Galaktische Geest. Voor de anderen op de planeet Aarde en de honderden planetaire koloniën was er de vreugde van eindeloze levensruimte, een overvloed aan energie en de uitdaging van het zich vestigen op en het ontdekken van nieuwe werelden als burgers van een schitterende beschaving die een heel sterrenstelsel omvatte. Maar elke Gouden Eeuw heeft zijn mislukkingen: in dit geval mensen die, om wat voor reden dan ook, over een karakter beschikken dat zich niet liet inpassen binnen de nogal gestructureerde sociale omgeving van het Bestel. Deze ontevredenen kozen voor vrijwillige ballingschap via de tijdpoort die hen naar een Aarde bracht die zes miljoen jaar jonger was.

De tijdpoort werd ontdekt in 2034, in de opwindende jaren van wetenschappelijke kennisexplosie die volgden op de Grote Interventie. Maar omdat die plooiing in de tijd slechts in één richting ging (alles dat in de omgekeerde richting terugkwam werd prompt zes miljoen jaar oud en viel tot stof uiteen) en maar op één geografische plaats mogelijk was (een plek in de vallei van de Rhône in Frankrijk), besloot de ontdekker ervan dat het om een onbruikbare eigenaardigheid ging die geen praktisch nut had.

Na de dood van de ontdekker van de tijdpoort in 2041, kwam zijn weduwe, Madame Angélique Guderian, erachter dat haar echtgenoot het mis had gehad. De beduidende aantallen mensen die ontevreden waren met de zich ontwikkelende staatsvorm binnen het Bestel, bleken bereid aangename bedragen te betalen om overgebracht te worden naar een eenvoudiger wereld zonder regels. Geologen en paleontologen wisten dat het Plioceen een idyllische periode moest zijn net voor de dageraad van het menselijk leven op onze planeet. Romantici en stoere individualisten uit vrijwel alle etnische groeperingen ontdekten Madames 'ondergrondse spoorweg' naar het Plioceen die werd geactiveerd vanuit een vreemde oude herberg buiten het stadscentrum van Lyon.

Van 2041 tot 2106, vervoerde Madame Guderian klanten vanuit het Bestel naar het Pliocene 'Ballingschap' dat verondersteld werd een natuurlijk paradijs te zijn. Na tamelijk late aanvallen van gewetenswroeging over het lot van haar tijdreizigers, vertrok Madame zelf naar het Plioceen, waarna de clandestiene uitvoering van deze dienstverlening officieus werd overgenomen door de staat. De tijdpoort bleek een goed van pas komend valluik voor dissidenten.

Rond 2110, toen de poort naar de Pliocene Ballingschap bijna zeventig jaar in bedrijf was geweest, hadden circa 100 000 tijdreizigers hierdoor hun weg gevonden naar een onbekende bestemming.

Op 25 augustus 2110 maakten acht personen, die toen samen de Groep Groen vormden van die week, hun reis naar Ballingschap. Deze drie vrouwen en vijf mannen zouden elk een sleutelrol spelen in een drama dat niet enkel het Plioceen beïnvloedde, maar uitein-

11

delijk ook het Bestel zelf.

Groep Groen ontdekte, net als andere tijdreizigers voor hen, dat het natuurlijke paradijs van het Pliocene Europa onder controle stond van een mensachtig ras uit het sterrenstelsel Duat, een sterrennevel die miljoenen lichtjaren verwijderd lag van ons eigen deel van het universum. Deze buitenaardsen waren ook ballingen, van hun thuiswereld verdreven om hun barbaarse strijdreligie.

De overheersende buitenaardsen, de Tanu, waren groot en mooi om te zien. Ondanks hun duizendjarig verblijf op de Aarde, waren er niet meer dan 20 000 van hen, omdat hun voortplanting beperkt werd door van de zon afkomstige straling. Antagonisten van de Tanu en minstens vier maal groter in aantal, waren de Firvulag, hun oude aartsvijanden. Zij werden vaak het Kleine Volk genoemd omdat deze buitenaardsen doorgaans klein van stuk waren, hoewel er onder hen genoeg individuen waren van menselijke of zelfs reusachtige afmetingen. Zij plantten zich op de Aarde heel redelijk voort, maar leefden korter dan de Tanu.

Tanu en Firvulag vormden samen een dimorf ras, de eersten waren metapsychisch latent, de laatsten bezaten werkzame vermogens die echter tamelijk beperkt waren. De Tanu, met hun verder ontwikkelde technologie, hadden al lang geleden kunstmatige geestversterkers ontwikkeld die gouden halsringen werden genoemd en die de latente psychische vermogens van de dragers tot werkzaamheid brachten. Op het gebruik van die halsringen stond echter een prijs: een zeker percentage van de Tanu-kinderen bleek tegen het dragen ervan niet bestand; zij stierven aan wat het 'zwartringsyndroom' werd genoemd, ondanks alle inspanningen van de rouwende ouders. Deze tragedies maakten het toch al serieuze probleem van een veel te laag geboortencijfer onder de Tanu nog erger.

De Firvulag, die taaier en grover waren dan hun zoveel mooiere verwanten, hadden geen halsringen nodig om hun metavermogens werkzaam te maken. De leiders en de grote helden onder het Kleine Volk waren mentaal de gelijken van de Tanu, maar de meeste Firvulag waren zwakker. Koppig en conservatief ingesteld, hadden ze gedurende de meeste tijd van hun verblijf op Aarde zich verzet om in een metabundeling te handelen, dat wil zeggen gebruik te maken van een techniek om hun geesten te verbinden en gezamenlijk te laten handelen. De Tanu hadden hiermee wel geëxperimenteerd, maar nooit het optimale resultaat bereikt waartoe de metapsychici van het Galaktisch Bestel in staat waren.

Gedurende het merendeel van de duizend jaren die Tanu en Firvulag op de Pliocene Aarde (die zij het Veelkleurig Land noemden) hadden doorgebracht, hadden ze elkaar redelijk in evenwicht gehouden tijdens de rituele oorlogen die deel uitmaakten van hun strijdreligie. De grotere verfijning en de techniek van de Tanu woog ongeveer op tegen de veel grotere aantallen van de waanzinnig koppige Firvulag. De komst van menselijke tijdreizigers veranderde de situatie drastisch.

Al vroeg hadden de Tanu de controle gekregen over de uitgang van de tijdpoort in het Plioceen en namen ze alle menselijke nieuwkomers gevangen om hen als slaven te gebruiken. Ze deden de verrassende ontdekking dat het menselijke genenmateriaal zich liet mengen met dat van de Tanu. De betekenis daarachter interesseerde de Tanu weinig, maar ze waren verrukt dat ze hun menselijke slaven als fokmateriaal konden gebruiken, te meer omdat de gemengdbloedige kinderen van Tanu en mensen doorgaans fysiek ongewoon sterk waren en grote mentale kracht bezaten. De tijdreizigers bleken ook een waardevolle bron van nieuwe technische kennis, waardoor de nogal decadent geworden wetenschap van de Tanu een verfrissende injectie kreeg afkomstig uit het zoveel verder ontwikkelde Galaktische Bestel. Het was tijdreizigers volstrekt verboden om hoog ontwikkelde wapens mee te nemen naar het Plioceen (een beperking die vaker niet dan wel werd nagekomen) en de Tanu zelf waren terughoudend in het soort wapens dat ze hun menselijke bedienden toestonden te bouwen. Desondanks gaf de menselijke vindingrijkheid de Tanu ten slotte bijna de complete overheersing over de Firvulag, die zich nooit met mensen vermengden en die hen in het algemeen verachtten.

De meeste in slavernij gehouden tijdreizigers leidden overigens een redelijk bestaan onder het vaak welwillende gezag van de Tanu. Het zware werk werd verricht door kleine apen die, ironisch genoeg, deel uitmaakten van de menselijke lijn die zes miljoen jaar later uiteindelijk Homo sapiens zou opleveren. Deze apen, die rama's werden genoemd, droegen kleine grijze halsringen waardoor ze tot gehoorzaamheid werden gedwongen; ze waren eerder in grote aantallen gebruikt tijdens voortplantingsexperimenten van de Tanu vóór de menselijke tijdreizigers op het toneel verschenen.

Sommige menselijke slaven werden ook uitgerust met de op halsbanden lijkende ringen. Zij die vertrouwensposities innamen of werk deden van vitaal belang, droegen grijze halsringen die in principe gelijk waren aan die van de rama's. Deze ringen versterten de mentale vermogens niet, maar maakten telepathische communicatie met de Tanu mogelijk, die ook in staat waren door middel van de halsring straffen of beloningen uit te delen. Mensen met meer geluk, die blijk gaven bij een test meer mentale latente vermogens te bezitten, kregen een zilveren halsring. Die waren gelijk aan de gouden halsringen die de Tanu zelf droegen waardoor hun latente metavermogens werkzaam werden. De zilveren halsringen echter bezaten een controlecircuit waardoor ongehoorzaamheid snel en vernietigend werd bestraft. Mensen met een zilveren halsring

13

werden geaccepteerd als gelijkwaardige burgers in het Tanu-koninkrijk en onder bepaalde omstandigheden en bij uitzonderlijke verdiensten konden de dragers van zilver een gouden halsring en volledige vrijheid verwerven. Voor mensen zowel als voor Tanu hielden de halsringen een potentieel gevaar in. Van tijd tot tijd bleek de menselijke drager er niet tegen bestand en werd gek om ten slotte door het apparaat te worden gedood. Pathologische reacties kwamen vooral voor onder mensen met opvallende mentale vermogens.

De acht leden van Groep Groen werden door de Tanu op die vermogens getest bij hun aankomst in het Plioceen, zoals bij alle tijdreizigers de gewoonte was. Vijf van hen waren 'normaal', dat wil zeggen, hun vermogens lagen ver beneden de bruikbaarheidsdrempel. Dat waren Claude Majewski, een oudere paleontoloog, Zuster Amerie Roccaro, een arts en teleurgestelde priesteres; Stein Oleson, een machinist van herculische afmetingen die overal planeetkorsten had doorboord; Richard Voorhees, de van zijn functie ontheven kapitein van een sterreschip en Bryan Grenfell, een antropoloog die de vrouw van wie hij hield, Mercy Lamballe, naar het Plioceen was gevolgd.

De andere drie leden van Groep Groen waren allesbehalve 'normaal'. Aiken Drum, een charmante jonge crimineel, bleek zeer sterke latente vermogens te bezitten en werd toegerust met een zilveren halsring. Felice Landry, een gestoorde jonge atlete, wist van zichzelf dat zij buitengewoon sterke metavermogens bezat; zij weigerde, om redenen die zij alleen kende, met de Tanu samen te werken en zag kans de test voor onbepaalde tijd uit te stellen.

De achtste was het meest ongewone lid van Groep Groen, Elizabeth Orme. In het Bestel was zij een metapsychische Grootmeesteres geweest en een gerespecteerd lerares. Ten gevolge van een ongeluk dat haar hersens beschadigde, had ze haar metavermogens verloren en was teruggevallen naar de 'normale' staat. Wanhoop over het verlies van de metapsychische Eenheid die haar zoveel vreugde had geschonken, deed Elizabeth besluiten naar het Plioceen te vertrekken. Daar zou ze zich bevinden te midden van mensen als zijzelf, want mensen met werkzame metafuncties was het tijdreizen niet toegestaan.

Tot haar afschuw ontdekte Elizabeth dat de schok van de temporele overgang het herstel veroorzaakte van haar verloren gegane vermogens. Nog herstellend van de schrik, van afschuw vervuld en daarna razend van woede om de ironie van haar situatie hoorde Elizabeth de Tanu-opperheer Creyn tegen haar zeggen dat haar 'een prachtig leven' wachtte in het Veelkleurig Land. Als de enige mens met vermogens die werkzaam waren zonder halsring, werd zij beschouwd als een uitzonderlijke schat: de koning der Tanu zelf zou haar tot metgezellin nemen . . .

Die avond trokken twee karavanen weg uit kasteel Doortocht. Groep Groen was in tweeën gesplitst. Noordwaarts, in de richting van de staad Finiah aan de Proto-Rijn, vertrok een omvangrijke groep normale mensen, voorbestemd om doodgewone slaven en fokmateriaal te worden. Daartoe behoorden Claude, Zuster Amerie, Richard en Felice, die haar vrienden in vertrouwen had verteld dat ze niet alleen van plan was te ontsnappen, maar dat ze wraak wilde nemen op het hele ras van de Tanu!

De karavaan naar het zuiden was veel kleiner. Op weg naar de hoofdstad der Tanu, Muriah, gelegen in het Mediterrane Bekken, gingen de Tanu-opperheer Creyn, Elizabeth, Aiken Drum, twee andere met zilveren halsringen toegeruste mensen die Sukey Davies en Raimo Hakkinen heetten en de reusachtige boorder Stein, die al was uitgerust met een grijze halsring, vooruitlopend op een toekomst als gladiator, en de antropoloog Bryan Grenfell die geen halsring droeg, maar wiens vakkennis door de Tanu hooglijk werd gewaardeerd terwijl hijzelf hoopte ergens in Muriah zijn verloren geliefde terug te vinden.

De karavaan op weg naar Finiah raakte al snel verwikkeld in een opstand van de gevangenen, begonnen door Felice, de vroegere atlete. Ze was ongewoon sterk, bezat krachtige mentale bedwingende vermogens die haar in staat stelden waak- en rijdieren te overheersen. Ze had bovendien een kleine stalen dolk meegesmokkeld die de bewakers in kasteel Doortocht niet hadden gevonden. Samenwerkend met Richard, de voormalige kapitein van een sterreschip en twee mannen, Yoshimitsu en Tatsuji, die gekleed waren als samurai, slaagde Felice erin de Tanu-Vrouwe Epone te doden en het hele escorte van bewakers dat uit grijs-gehalsringde menselijke troepen bestond.

Eén groep van bevrijde gevangenen koos ervoor Basil Winborne te volgen, een bergbeklimmer en voormalig leraar uit Oxford, die van mening was dat de meeste kans op ontsnapping voorbij het Lac de Bresse lag in de hooglanden van de Jura. Claude, de oude paleontoloog, overtuigde zijn drie vrienden uit Groep Groen ervan dat het veiliger zou zijn de vlucht te nemen naar de zwaar beboste bergen van de Vogezen. De overlevende Japanner, Yoshimitsu, koos voor een eenzame weg en trok naar het noorden in de hoop de zee te bereiken.

Claude, Richard, Amerie en Felice vluchtten diep in de Vogezen en maakten daar na verloop van tijd contact met een ordeloze groep buiten de wet gestelde maar vrije mensen, vluchtelingen uit Tanu-nederzettingen, die zichzelf trots de Minderen noemden. Hun leidster was niemand minder dan Madame Angélique Guderian, vroeger bewaakster van de tijdpoort en de uiteindelijke veroorzaakster van zoveel menselijke ellende in het Plioceen. Ze droeg een gouden halsring, een geschenk van de Firvulag die met deze Minderen een breekbaar verbond hadden gesloten tegen hun aartsvijanden, de Tanu.

De Tanu zetten na de opstand een grote mensenjacht op touw. Basil Wimborne en de meeste mensen die hem waren gevolgd, werden opnieuw gevangen genomen en alsnog naar Finiah gezonden. De Heer van die Stad, Velteyn, leidde in eigen persoon een Vliegende Jacht door de Vogezen op zoek naar de andere ontsnapten; maar die waren veilig bij Madame Guderian en haar Minderen en luisterden ongelovig naar de plannen van de oude vrouw om de mensheid te bevrijden van het juk der Tanu, waarbij ze gebruik wilde maken van de nogal schoorvoetende medewerking van de buitenaardse Firvulag.

Honderden kilometers oostelijk van de Rijn lag het zogenaamde Scheepsgraf. Het reusachtige ruimtevarende organisme dat de Tanu en de Firvulag van het sterrenstelsel Duat naar hier had vervoerd, had zich daar in de Aarde geboord en een grote krater veroorzaakt. De passagiers van het schip, Tanu en Firvulag, aangevoerd door de Scheepsgade, een vrouw die Breede heette, hadden het stervende organisme verlaten in kleine vliegende machines voor het grote Schip te pletter sloeg. Later hadden beide groepen buitenaardsen hun vliegende machines, die rond de rand van de inslagkrater geparkeerd stonden, verlaten nadat aan weerszijden hun grote helden, Lugonn de Glanzende van de Tanu en Sharn de Verschrikkelijke van de Firvulag, een rituele strijd hadden uitgevochten ter ere van het vergane schip. Ceremonieel begraven binnen een van de kleinere vliegers, die verondersteld werden ook nu, na duizend jaar, nog bij de krater te staan, lag het lichaam van Lugonn, samen met zijn laserachtig wapen dat de Speer werd genoemd.

Madame stelde voor een expeditie van Minderen uit te zenden naar de krater van het Scheepsgraf om die Speer te vinden en te gebruiken tegen de Tanu zelf die dit voorwerp als heilig beschouwden. En wanneer de vliegende machines nog bruikbaar waren, wat heel goed mogelijk leek, dan zou de expeditie een poging kunnen wagen er één mee terug te nemen om te gebruiken in de gezamenlijke aanval van Firvulag en Minderen op Finiah, een versterkte stad van de Tanu.

Na veel wederwaardigheden werd die eerste fase van Madame Guderians plan voor de bevrijding van de Pliocene mensheid een succes. De Tanu werden gedwongen Finiah te verlaten en verloren daardoor hun eigen bariummijn die van vitaal belang was voor de vervaardiging van halsringen. Felice, die in toenemende mate de symptomen vertoonde van een ernstige psychose, zag kans voor zichzelf in de ruïnes van Finiah een gouden halsring te bemachtigen. Die kunstmatige versterker ontsloot de ontzaglijke vermogens van bedwingen, psychokinese en scheppingskracht die in haar latent waren geweest en maakten haar hevige verlangen om wraak te nemen op de Tanu nog sterker.

De volgende fase van Madames plan behelsde een infiltratie in de fabriek van halsringen in de hoofdstad Muriah, die samen moest vallen met een operatie die de bedoeling had de tijdpoort te sluiten.

Madame en tien andere samenzweerders, onder wie Felice, Claude, Zuster Amerie en Basil Wimborne, die weer was bevrijd na de val van Finiah, vertrokken dus voor een lange tocht naar het zuiden. Ze namen de laser, de Speer van Lugonn, met zich mee. De lading daarvan was tijdens de aanval op Finiah volkomen verbruikt, maar ze hoopten dat hun handige metgezel uit Groep Groen, Aiken Drum, een manier zou weten om het wapen te herladen wanneer ze hem om hulp verzochten.

Aiken echter had, samen met Elizabeth, Bryan, Stein en de andere bevoorrechte gevangenen, een heel andere kijk gekregen op het leven in het Veelkleurig Land nadat hij daar nu enige weken was. Zij werden aan de aristocratie van de Tanu gepresenteerd tijdens een uitbundig feest waar ze werden behandeld als vereerde gasten, niet als slaven.

Elizabeth kreeg van Thagdal, de koning, te horen dat ze eerst volgens de traditie van de Tanu zou worden ingewijd door Breede de Scheepsgade die de raadselachtige behoedster was van beide buitenaardse rassen. Wanneer dat was voltooid, zouden zij en de koning de fundamenten leggen van een nieuwe dynastie, bestaande uit gemengdbloedigen die geen halsringen nodig zouden hebben. (Koningin Nontusvel leek van harte met dat plan in te stemmen, ondanks het feit dat haar eigen omvangrijke nakomelingschap van mentaal krachtige volwassenen zonder twijfel door de kinderen van Elizabeth en Thagdal in de schaduw zou worden gesteld.)

Bryan, de antropoloog, kreeg de opdracht een studie te maken van de invloed die de komst van mensen had op de sociale economie van de Tanu. Koning Thagdal was ervan overtuigd dat menselijke genen en de menselijke vindingrijkheid voordelig waren geweest voor de Tanu en hij verwachtte dat de uitkomst van Bryans onderzoek zijn politiek van rassenvermenging en de toepassing van menselijke technieken zou bevestigen. Een minderheid van de Tanu, aangevoerd door Nodonn de Strijdmeester, de machtigste zoon van Nontusvel en veronderstelde erfgenaam van Thagdal, hield vol dat de cultuur der buitenaardsen door menselijke invloeden werd vergiftigd.

Terwijl het welkomstbanket voortging, werd duidelijk dat Stein Oleson een grimmiger lot te wachten stond. Deze gespierde voormalige boormachinist was echter bevriend geraakt met Aiken Drum. Stein werd bij opbod verkocht als gladiator en om hem van een zekere dood te redden, deed Aiken onbeschaamd zelf een bod. De menigte der Tanu werd met stomheid geslagen toen het hoofd van het Gilde der Heldervoelenden, Mayvar de Koningmaakster, dat bod niet alleen ondersteunde maar Aiken tot haar protégé maakte. Mayvar was er zich terdege van bewust dat deze jonge man, die een gouden kostuum droeg met talloze zakken, een enorm potentieel aan mentale krachten bezat die nu bezig waren tot volle werkzaamheid uit te groeien onder invloed van de zilveren hals-ring.

Diep geschokt doordat hij een glimp kon werpen in Aikens geest en door het feit dat Mayvar hem zo volledig accepteerde (ze werd niet voor niets Koningmaakster genoemd!), aanvaardde Thagdal Aikens bod. Na een periode van training zou Aiken echter ver-plicht zijn het koninkrijk te bevrijden van een zekere Delbaeth, een monsterlijke Firvulag die veel ongemak veroorzaakte.

In de weken die volgden werd Aiken door Mayvar getraind in het gebruik van zijn zich snel ontwikkelende vermogens tot hij die kon gebruiken zonder een halsring nodig te hebben, hoewel May-var dat feit voor de overige Tanu verborgen hield. Hij rekende met succes af met Delbaeth met hulp van Stein als zijn secondant en sloot een geheim vebond met de menselijke president van het Gil-de der Bedwingers, Sebi-Gomnol, die zijn eigen plannen had om ervoor te zorgen dat mensen het domein der Tanu gingen overheer-sen.

De antropoloog zonder halsring, Bryan Grenfell, deed zijn cul-turele onderzoek, maar besteedde nauwelijks aandacht aan de betekenis van de groeiende hoeveelheid informatie die hij ver-kreeg, omdat hij opnieuw onder de betovering raakte van zijn eer-der verloren geliefde, Mercy Lamballe. Deze vrouw was kort voor Groep Groen in het Plioceen aangekomen. Ze was een latente metapsychica met buitengewone scheppende vermogens die daar-om de metgezellin was geworden van de machtige Nodonn en zij had zich geheel bekeerd tot de wijze van leven der Tanu. Nodonn en zijn volgelingen uit de Clan van Nontusvel moedigden haar aan om Bryan te verleiden zodat de uitkomst van het onderzoek van de antropoloog tegen de koning en Gomnol kon worden gebruikt.

Ondertussen bevond Elizabeth zich onder de bescherming van de mysterieuze Breede de Scheepsgade nadat ze enige malen het slachtoffer was geweest van overigens mislukte mentale aanvallen door Nodonn en de Clan, die haar beschouwden als een bedreiging voor de dynastie. Veilig in Breedes 'kamer zonder deuren', beschermd door een vernuftig krachtveld dat fysiek en mentaal binnendringen onmogelijk maakte. De Scheepsgade, die als een moeder bezorgd was om de Tanu en de Firvulag, veronderstelde dat Elizabeth diegene kon zijn die beide rassen (wat Breede zelf blijkbaar niet vermocht) vanuit hun barbaarse strijdcultuur kon leiden naar een werkelijke geestesbeschaving. Elizabeth bekende echter haar wanhoop en gevoelens van hopeloosheid aan de buitenaardse vrouw en verwierp die aangeboden rol van een soort spiritueel moederschap. Ze gebruikte echter wel haar mentale training uit het Bestel om Breedes mentale werkzaamheid te verhogen en die twee genoten gedurende korte tijd van een beperkte ervaring van Eenheid, die verbroken werd toen Breede volhield dat ze Elizabeth helderziend bleef herkennen als degene die zo'n hoedende rol op zich zou nemen. De menselijke vrouw weigerde heftig die verantwoordelijkheid.

Omstreeks het begin van de maand oktober maakte heel het Veelkleurig Land zich gereed voor de jaarlijkse rituele oorlog, de Grote Veldslag, door middel van een maand durende wapenstilstand. In het noorden waren Madame Guderian en haar groep saboteurs van plan van die wapenstilstand gebruik te maken voor hun eigen plannen. Madame en Claude, de oude paleontoloog, zochten een schuilplaats in de buurt van de tijdpoort. Ze waren van plan te wachten totdat de anderen, onder wie Felice, Zuster Amerie, Basil en een Amerikaanse leider van Indiaanse afkomst die Peopeo Moxmox Burke heette, Muriah hadden bereikt en klaar waren om de aanval te openen op de fabriek van halsringen binnen het hoofdkwartier van het Gilde der Bedwingers. De aanvallen tegen de tijdpoort en de fabriek moesten gelijktijdig worden uitgevoerd.

Felice en de anderen, die zuidwaarts trokken, hoopten aanvankelijk de Speer te kunnen gebruiken om de fabriek te verwoesten. Ze riepen Aiken naar hun schuilplaats en gaven hem het wapen, dat hij beloofde te herladen en terug te brengen. Maar Aiken had volstrekt niet de bedoeling zijn vroegere metgezellen te helpen. Aangemoedigd door zowel Mayvar als Gomnol hoopte hij koning van het Veelkleurig Land te worden door Nodonn te verslaan in de komende Grote Veldslag. Hij waarschuwde Gomnol om de fabriek te beschermen tegen de te verwachten sabotage en vloog daarna in de vermomming van een vogel naar het noorden in de hoop dat hij de plannen van Claude en Madame om de tijdpoort te sluiten kon teniet doen. Daarin faalde hij. Door zichzelf op te offeren, bracht het paar oudere mensen een boodschap door de tijdpoort naar de autoriteiten in het Bestel waarna van die kant de tijdpoort werd gesloten.

De saboteurs die de fabriek binnendrongen, werden opgewacht door een strijdmacht van Tanu-ridders, leden van de Clan van Nontusvel. Van de overlevenden werd Felice uitgeleverd aan Culluket de Ondervrager om gemarteld te worden, terwijl Zuster Amerie, Commandant Burke en Basil in een kerker werden geworpen in afwachting van hun dood aan het einde van de Grote Veldslag. De menselijke Heer der Bedwingers, Gomnol, werd gedood door een gezamenlijke mentale aanval van de Clan, die hiervan Felice de schuld gaf.

Toen het moment van de Grote Veldslag steeds dichterbij kwam, naderden meerdere crises een kritieke fase. Aiken, beroofd van zijn machtige bondgenoot Gomnol, merkte dat Stein zijn leven in gevaar bracht. De grote boorder was met Sukey, nu zijn vrouw, gevangen gezet en zijn gezondheid wankelde omdat de grijze halsring die hij droeg voor hem onverdraaglijk was. De kans was aanwezig dat Stein ten slotte ongewild zou onthullen dat Aiken samenzweerde tegen de Tanu.

De verleiding weerstaand om zijn vriend te doden, vroeg Aiken aan Mayvar om Stein en Sukey buiten Muriah te brengen en zo buiten bereik van het mentale afluisteren door de Clan. Mayvar stemde toe en ging vervolgens naar een geheime ontmoeting van Tanu die vrede voorstonden. Die groep hoopte dat Aiken erin zou slagen koning te worden en dat hij daarna een nieuw tijdperk van vrede en beschaving zou inluiden voor het Veelkleurig Land. Onder hen bevond zich Minanonn de Ketter, eens zelf Strijdmeester, die gedwongen was tot een ballingschap diep in de Pyreneeën.

Breede de Scheepsgade liet Elizabeth haar kamer zonder deuren verlaten toen ze zag dat deze menselijke meta vastbesloten was een vrij leven te leiden zonder verantwoordelijkheden. Elizabeth stemde erin toe Stein en Sukey mee te nemen in haar heteluchtballon die plaats bood aan drie personen. Ze wachtte op hun aankomst op een bergtop boven Muriah. Creyn, de genezer, haalde hen uit hun gevangenis, maar had de verleiding niet kunnen weerstaan ook Felice mee te nemen die hij bewusteloos en voor dood in een aangrenzende cel had gevonden in de hoop dat Elizabeth haar eigen plaats in de ballon zou opgeven voor de jonge, gemartelde atlete.

Elizabeth werd zo slachtoffer van haar eigen altruïsme, hoewel ze ervan overtuigd was dat de Scheepsgade dit zo had opgezet om haar vertrek te voorkomen. Elizabeth stuurde Felice, Stein en Sukey weg met de ballon en keerde daarna terug naar de kamer zonder deuren waar ze zich terugtrok binnen een woedende mentale cocon die haar isoleerde van Breede en alle andere geesten.

De tijd van de Grote Veldslag was aangebroken. Vrijwel de gehele bevolking van Tanu en Firvulag, samen met grote aantallen menselijke slaven, verzamelde zich op de Witte Zilvervlakte bij Muriah voor de ceremonies en de rituele strijd. Aiken werd door Mayvar aangewezen om een leider in de Veldslag te zijn; hij had vele volgelingen gemaakt onder de Tanu en de strijders van gemengden bloede. In de voorafgaande wedstrijden won Mercy van Aluteyn, Meester der Vaardigheden, en werd zodoende presidente van het Gilde der Scheppers.

Honderden kilometers ten westen van de Witte Zilvervlakte werkten de drie ontsnapte ballonvaarders aan een drama dat uiteindelijk het lot van de niets vermoedende strijdenden grondig zou veranderen.

Terwijl hij Felice martelde, had Culluket de Ondervrager ongewild een drastische geestveranderende techniek gebruikt die een ruwe kopie was van wat Elizabeth met Breede had gedaan. Nu was ook Felice een werkzame meta geworden en had niet langer een halsring nodig om haar mentale krachten te gebruiken. Die vermogens, althans de destructieve aspecten van psychokinese en scheppingskracht, waren in haar groter dan bij wie ook ter wereld. Ook de zich ontwikkelende psychose van het meisje had zich onder de marteling gewijzigd, waardoor haar dorst naar wraak op de Tanu nu onontwarbaar was verbonden met een duistere, sadomasochistische behoefte in haar zieke geest. Ze dwong Stein haar te helpen en maakte een aanvang met het opblazen van de smalle landengte van Gibraltar door middel van ontladingen psycho-energie. Ze wilde bereiken dat het water van de Atlantische Oceaan in het vrijwel lege bassin van de Pliocene Middellandse Zee liep, waardoor de deelnemers aan de Grote Veldslag zouden verdrinken.

Terwijl de gekkin de Aarde met haar geeststoten beukte, stond de barrière van rots op het punt te breken. Maar Felice werd zwakker voor het karwei was geklaard. Gedreven door haar extreme haat bad ze om hulp van duistere machten als die zouden bestaan en er kwam hulp *ergens vandaan*. Een laatste gigantische uitbarsting van psycho-energie opende de Poort van Gibraltar waardoor een stortvloed van zeewater in het droge Mediterrane Bekken donderde in de richting van de Witte Zilvervlakte beneden de Tanu-hoofdstad Muriah.

Felice werd door die laatste schok uit de ballon geworpen. Nu helemaal gek geworden nam ze de vorm aan van een monsterachtige raaf. Stein en Sukey ontkwamen op de stormwinden en landden na verloop van tijd in een afgelegen deel van Frankrijk.

Breede, de helderziende Scheepsgade, wist van de catastrofe. Zij verscheen bij Amerie, Basil en Commandant Burke in hun cel, genas hen en nam hen mee naar een kamer binnen het gebouwencomplex van het Gilde der Herstellers, hoog boven Muriah op de Berg der Helden. Daar lag Elizabeth in een door haar zelf veroorzaakt coma. Breede instrueerde het drietal om Elizabeth te bewaken, 'de belangrijkste persoon in de wereld', en te wachten tot de volgende ochtend, waarna ze vanzelf zouden weten wat hun te doen stond.

Ondertussen bereikte de Grote Veldslag zijn climax. Voor de eerste maal in veertig jaar hielden de Firvulag gelijke tred met hun tegenstanders. De koppig ouderwetse leden van het Kleine Volk hadden vroeger altijd geweigerd menselijke tactieken toe te passen, in tegenstelling tot de Tanu, maar hun gezamenlijke overwinning met de Minderen bij Finiah had hun generaals de ogen geopend en Sharn en Ayfa geïnspireerd tot vernieuwingen. In de fase van de Mêlée lagen de Firvulag nauwelijks bij de Tanu achter. De finale van de rituele oorlog, waarin individuele kampioenen elkaar van man tot man bevochten, zou moeten uitmaken wie de uiteindelijke winnaar was.

De rivaliteit tussen Aiken en Nodonn bracht verdeling onder de Tanu. Tijdens een oorlogsfeest, voorafgaande aan de Ontmoeting der Helden, probeerde Nodonn Aiken in diskrediet te brengen door Bryan Grenfell naar voren te halen en de uitkomst van diens studie over de menselijke invloed op het Veelkleurig Land. Dit maakte de kloof tussen de traditionele Tanu en hen die Aiken steunden nog groter. In de Ontmoeting der Helden lagen de dapperen van de Firvulag op punten voor. Enkel een overwinning door Aiken op de monsterachtige generaal van de Firvulag, Pallol-Een-oog, zou de Tanu nog kunnen redden. Aiken vertelde Nodonn en diens volgelingen dat hij het monster kon verslaan wanneer hij dat op zijn eigen manier mocht doen. Dit werd ten slotte toegestaan. Aiken overwon Pallol en de Tanu werden uiteindelijk dus toch tot overwinnaars van deze Grote Veldslag uitgeroepen.

Diep ontmoedigd en bitter over een verlies dat maar zo weinig scheelde, verlieten de meeste Firvulag de Witte Zilvervlakte voortijdig. Alleen hun adel bleef achter voor de slotceremonie en een intrigerende anticlimax, een duel tussen Aiken en Nodonn om het strijdmeesterschap (en uiteindelijk het koningschap) over de Tanu. Vrijwel heel de bloem en de adel van de Tanu waren als getuigen aanwezig. Breede zelf was er om erop toe te zien dat Mayvar de Koningmaakster Aiken zijn Tanu-naam zou geven: hij werd Lugonn genoemd naar die glanzende held die duizend jaar eerder bij het Scheepsgraf was gevallen en hem werd de heilige Speer toevertrouwd die nu weer herladen was en gereed voor gebruik. Nodonn nam een soortgelijk wapen dat het Zwaard werd genoemd en dat eens een held van de Firvulag had toebehoord.

De twee rivalen traden elkaar tegemoet en waren juist met hun duel begonnen toen de rampzalige vloed van de naderbij kruipende Atlantische Oceaan over de Witte Zilvervlakte stroomde.

De schreeuwende geesten van duizenden verdrinkenden wekten Elizabeth waarop zij en haar drie menselijke metgezellen uitkeken over een verwoest Muriah en een ondergelopen strijdvlakte. Maar niet alle deelnemers en toeschouwers van die laatste Grote Veldslag lieten het leven. De meesten der Firvulag, in hun boten al op weg naar huis, overleefden de ramp. Sommige Tanu werden door de vloedgolf ergens aan land geworpen of zagen kans hun metapsychische krachten te gebruiken om zichzelf te redden. Mensen en gemengdbloedigen zagen in redelijke aantallen kans naar de veiligheid te zwemmen. Gewonde Tanu, die tijdens de strijd naar het Huis der Herstellers waren gezonden om te genezen, liepen ook geen gevaar. Aluteyn, Meester der Vaardigheden, en een verzameling bevreesde ridders die zich in de strijd onwaardig hadden getoond, dreven naar de veiligheid in de Grote Retort waarin ze ter bestraffing waren opgesloten. Aiken Drum overwon de vloed in een ceremonieel vat, de Kral, en redde naderhand Mercy.

Maar meer dan de helft van de glorieuze Tanu, die als ras extra kwetsbaar waren in water, kwam om. Diep geschokt en daardoor losgemaakt van haar op zichzelf gerichte wanhoop, nam Elizabeth eindelijk de rol op zich die de nu dode Breede haar had willen toevertrouwen en begon aan de coördinatie van de evacuatie van Muriah met hulp van Commandant Burke, Basil, Amerie en de krachtige genezers Dionket en Creyn.

In het tijdperk na de vloed ontstond in het Veelkleurig Land een volkomen nieuw machtsevenwicht. Sharn en Ayfa werden koning en koningin van de Firvulag en voerden ongehoorde vernieuwingen in, waaronder het gebruik van rijdieren, verboden wapens uit het Bestel en experimentele aanvallen door een bundeling van geesteskrachten. De nieuwe heersers op de troon maakten provisorisch een einde aan een schisma met de mutante Huilers, schonken hun burgerrechten en moedigden hun heerser, Heer Sugoll, aan om zich met zijn volk te vestigen in de verlaten stad Nionel.

Nadat Elizabeth een multiraciale stoet van vluchtelingen uit Muriah in veiligheid had gebracht, trok ze zich terug in een versterkt huis in het zuiden van Frankrijk om na te denken over haar nieuwe rol en de gevolgen daarvan. De genezer Creyn bleef bij haar om voor haar te zorgen. Dionket, sommige andere vredelievende Tanu, enkele Firvulag en mensen, trokken naar de Pyreneeën om zich te voegen bij Minanonn de Ketter.

Felice, die nu helemaal gek was geworden, leefde in een schuilhol op de berg Mulhacén in zuidelijk Spanje en nam geregeld de vorm aan van een reusachtige raaf. Haar grot bevatte een grote schat van doden geroofde gouden halsringen en daarenboven de Speer van Lugonn die zij uit de dieper wordende zee had opgevist. Ze was bezeten van het idee Culluket de Ondervrager te vinden, die zij nu haar 'Geliefde' noemde. Ze voelde zich ook achtervolgd door de 'duivels' die haar hadden geholpen bij het opblazen van de rotsen van Gibraltar.

De stemmen van die duivels waren echter bepaald geen verbeelding. Ver weg in Noord-Amerika lag het eiland Ocala, woonplaats van de overlevenden van de Metapsychische Rebellie. Zevenentwintig jaar eerder hadden die vluchtende rebellen zich via Madame Guderians herberg een weg door de tijdpoort gebaand in het Plioceen en hadden een grote voorraad uitrusting met zich meegenomen. Toen hun leider, Marc Remillard, ontdekte dat Europa werd overheerst door buitenaardsen, trok hij zich achter de Atlantische Oceaan terug. De Tanu die probeerden hem tegen te houden, werden in een schermutseling grondig verslagen en dat incident werd opzettelijk uit de geschiedschrijving der Tanu weggelaten.

In de tussenliggende jaren had Marc Remillard zich voornamelijk beziggehouden met zijn zoektocht tussen de sterren, in de hoop een andere planeet te vinden, bewoond door gevorderde meta's. Zijn gezelschap bestond op het laatst nog maar uit drieënveertig van zijn vroegere metgezellen, tweeëndertig volwassen geworden kinderen en een handjevol kinderen van de derde generatie die gezamenlijk min of meer op het eiland vegeteerden en hun dagen in ledigheid doorbrachten.

Lange tijd hadden de volwassen kinderen van de rebellen de ontwikkelingen in het Veelkleurig Land uit verveling gadegeslagen, hunkerend naar de levensomstandigheden uit het Bestel dat hun ouders geprobeerd hadden te domineren. Toen Felice haar telepathische oproep vanuit Gibraltar deed, hadden de kinderen Marc en de overige ouderen overgehaald om samen met hen een metabundeling tot stand te brengen die gekanaliseerd kon worden tot een psychocreatieve vuurstoot die Felice kon gebruiken. Na de vloed hadden de kopstukken van die opstandige jongeren Felice telepathisch lastig gevallen, maar zij werd angstig van die stemmen die zij voor 'duivels' aanzag en weigerde te antwoorden. Marc en de meesten van zijn generatie deden de Europese catastrofe af als iets tijdelijks, maar hun kinderen geloofden dat de chaos die na de vloed ontstond hun een unieke kans bood om aan hun dodelijk bestaan in het Plioceen te ontkomen.

In Europa werd de nieuwe rijzende ster van het verwoeste koninkrijk der Tanu niemand minder dan de onverbeterlijke Aiken Drum, die zich nu Aiken-Lugonn de Strijdmeester noemde en zichzelf als heerser had opgeworpen over de vroegere stad van Nodonn, Goriah in Bretagne. Mercy paste zich aan bij de omstandigheden en geloofde bovendien dat haar geliefde Nodonn dood was. Daarom hielp ze Aiken bij zijn gooi naar de macht om de lege troon van de Tanu over te nemen en ze beloofde zelfs hem te trouwen tijdens de viering van het Grote Liefdesfeest in mei.

Heel wat overlevende Tanu -- daarbij inbegrepen de hybriden van gemengde afkomst -- schaarden zich onder het banier van de jongeling met zulke machtige metapsychische vermogens. De conservatieven verzamelden zich rondom Celadeyr van Afaliah, een van de weinig overlevende echte helden.

Culluket de Ondervrager verbond zichzelf met Aiken als een soort grootvizier, niet alleen omdat hij bij die menselijke parvenu zijn beste kansen zag liggen, maar ook omdat hij hoopte dat Aiken hem kon beschermen tegen de gekke Felice, die onophoudelijk naar haar 'Geliefde' bleef zoeken.

Tijdens het winterse regenseizoen begonnen strijdkrachten van de Firvulag aan een systematische reeks aanvallen op afgelegen steden van de Tanu en nederzettingen van de Minderen, ondanks de wapenstilstand van algemene aard die na de vloed was afgekondigd. Koning Sharn en koningin Ayfa gaven de gedegenereerde Huilers van die overvallen de schuld en bleven mondeling volhouden dat zij Aikens pacificatieplannen ondersteunden. Dat hield onder meer de verwerping in van de jaarlijkse Grote Veldslag (en elke andere vorm van vechten tussen Tanu en Firvulag) ten gunste van een nieuw ontworpen 'Groot Toernooi' waarbij niet tot de dood werd gevochten. Dit zou voor het eerst worden gehouden op het strijdveld van de Firvulag buiten de stad Nionel, het traditionele alternatief voor de Witte Zilvervlakte van de Tanu. Dit strijdperk was veertig jaar lang niet gebruikt, omdat al die jaren de Tanu als overwinnaars hadden geheerst. Ambachtslui van de Firvulag schiepen een nieuwe trofee, de Zingende Steen, om de plaats van het Zwaard van Sharn in te nemen waarvan men dacht dat het in de Vloed verloren was geraakt.

Om de nieuwe vreemdzame co-existentie van Tanu en Firvulag kracht bij te zetten, zou het koningspaar en de hoge adel van van de Firvulag voor het eerst het Grote Liefdesfeest der Tanu in Goriah bijwonen als geëerde gasten van Aiken en Mercy. Toen sommige edelen van de Tanu weigerachtig bleken om bij dat feest aanwezig te zijn in de verwachting dat Aiken die kans zou aangrijpen om zichzelf tot koning te laten kronen, verzamelde de overheerser al zijn strijders en ging op 'rondreis' om de weifelmoedigen te overtuigen. Die rondreis was een groot succes, maar de koppige oude Celadeyr van Afaliah stemde pas toe nadat Aiken hem in een mentaal duel had verslagen.

Rond de tijd dat Aiken aan zijn koninklijke rondreis begon, vroeg in april, slaagden de kinderen van de rebellen er eindelijk in contact te leggen met Felice. Zij deden haar buitensporige beloften en daarom stemde de gekkin erin toe hen te ontmoeten wanneer ze naar Europa kwamen. De kinderen waren van plan de onvoorstelbare metavermogens van Felice ten eigen gunste te gebruiken en dachten daarbij zelfs aan een nieuw te bouwen tijdpoort, die hen vanuit het Plioceen toegang moest geven tot het Bestel. Aanvoerders van die nieuwe generatie waren Hagen en Cloud, zoon en dochter van Marc Remillard. De machtige Marc was aanvankelijk zeer tegen dit plan gekant. Een tijdpoort die naar twee kanten werkte, zou de autoriteiten uit het Bestel op *zijn* spoor brengen. De kinderen zwoeren echter dat zij de tijdpoort zouden verwoesten nadat ze er zelf doorheen waren gegaan, zodat hun ouders geen gevaar zouden lopen. Marc stemde erin toe om Cloud, drie andere jonge mensen en zijn eigen leeftijdsgenoot Owen Blanchard naar Europa te laten zeilen om Felice te ontmoeten. Hij verbood Hagen echter om mee te gaan en vertelde zijn zoon dat hij hem nodig had om te helpen bij zijn zoektocht tussen de sterren. Hagen, die zijn vader lang had gevreesd en jaloers was op diens vermogens, begon Marc nu te haten en zocht naar mogelijkheden om aan diens heerschappij te ontkomen.

In Goriah schonk Mercy het leven aan haar dochter Agraynel, kind van koning Thagdal, en betreurde intussen het verlies van Nodonn. Ze stemde erin toe met Aiken te trouwen hoewel ze niet van hem hield en wist dat zijn gevoelens voor haar gemengd waren met vrees en zelfs met woede.

Mercy wist echter niet dat Nodonn nog leefde. Hij was door de vloed op het verre eiland Kersic (Corsica-Sardinië) geworpen en daar gered door Huldah, een simpele vrouw met Firvulag en mensen als voorouders, die daar met een boosaardige grootvader, Isak, leefde. Nadat hij bijna vijf maanden bewusteloos was geweest, kwam Nodonn weer bij kennis. Hij ontdekte tot zijn afgrijzen dat hij verlamd was en bovendien een hand had verloren terwijl Huldah hem gebruikte als een hulpeloos liefdesobject tijdens zijn genezing. Zijn zwakke telepathische signalen werden door de rotsen tegengehouden en dus moest Nodonn de devotie van Huldah en de treiterijen van Isak verduren.

In vrijheid levende Minderen, in de wouden die grensden aan de hoofdstad Hoog Vrazel van de Firvulag, hadden kort na de val van Finiah nederzettingen gesticht waar ijzer werd gewonnen. Dit ijzer, 'bloedmetaal', was dodelijk voor beide buitenaardse rassen en de mensen hoopten hun eigen onafhankelijkheid te bewerken door het smeden van ijzeren wapens. Een metallurgisch ingenieur, Tony Wayland, die in Finiah een bevoorrechte positie onder de Tanu had genoten, werd door de Minderen tot werk in hun mijnen gedwongen. Hij ontsnapte echter, samen met een excentrieke metgezel, Dougal, in de hoop een schuilplaats en nieuwe voorrechten te vinden bij Aiken Drum. In plaats daarvan werden zij gevangen genomen door de Huilers in de buurt van het herbouwde Nionel, juist voor daar het Grote Liefdesfeest van de Firvulag begon.

In Goriah keerde Aiken uitgeput naar lichaam en geest van zijn rondreis terug. Beschermd door een draagbaar krachtveld tegen aanvallen van anderen, liet hij Mercy een ondergrondse bergplaats zien die een schat herbergde aan wapens en andere uitrusting, afkomstig uit het Bestel, die Nodonn in de loop der jaren had verworven en verstopt. Hij verwachtte dat de bezoekende edelen der Firvulag een aanslag op zijn leven zouden wagen tijdens het komende Grote Liefdesfeest.

Op 27 april arriveerde de boot met Cloud Remillard en haar metgezellen aan de monding van de Río Genil in Spanje. Vaughn Jarrow, een van de rebellenkinderen, maakte Felice woedend door bruinvissen te doden. Ze vernietigde hem en verwondde Jillian Morgenthaler dodelijk. Zij was de stuurvrouwe op het schip. Gekalmeerd door de oudere rebel, Owen Blanchard, trapte Felice bijna in de val die haar onder controle van deze Noord-Amerikanen zou hebben gebracht. Ze werd gered door een telepathische waarschuwing van Elizabeth, die erop aandrong dat Felice naar haar zou toekomen voor behandeling van haar mentale ziekte.

Felice stemde daar ten slotte in toe en vloog weg in haar vermomming van een zwarte raaf. Ze liet de geschokte Cloud, Owen en Elaby Gathen in verwarring achter, niet wetend wat zij nu moesten doen. Marc was onbereikbaar, opgesloten in de energetische hersenapparatuur van waaruit hij de sterren onderzocht. De enige oplossing leek een vriendelijke benadering van Aiken Drum.

De heerser in Goriah was echter met andere zaken bezig. Als voorproefje voor het eigenlijke Tanu-feest nam hij koning Sharn mee op een Vliegende Jacht waarbij de heerser over de Firvulag maar ternauwernood ontsnapte aan een woeste plesiosaurus. Sharn vermoedde (terecht) dat Aiken hem in de val had willen laten lopen en later deden hij en zijn dapperen hun uiterste best om Aiken Drum gezamenlijk door een mentale aanval de lamp uit te blazen. Ze waren echter niet bekwaam genoeg om daarin te slagen.

Het Grote Liefdesfeest der Tanu schokte de rechtzinnige Firvulag-bezoekers. Er waren geruchten over een ophanden zijnde Oorlog der Schemering, die verondersteld werd het oude conflict tussen Tanu en Firvulag voorgoed te beslechten. Ooit was die laatste oorlog thuis in het sterrenstelsel Duat verwacht, maar dat was toen voorkomen door het aanbod van Breede om hen in ballingschap voor te gaan.

Op het meifeest huwde Aiken met Mercy. De meerderheid van de Tanu was door zijn vermogens voldoende onder de indruk en geïntimideerd, dus riep hij zichzelf tot koning uit, werd gezegend door Elizabeth en stelde een nieuwe Hoge Tafel samen die nu vrienden van hem omvatte, maar ook sommige oude vijanden. Daartoe behoorden nu Celadeyr van Afaliah en Kuhal Aardschudder, bloedbroeder van Nodonn die dank zij de redding en de zorgen van Celadeyr weer genezen was.

Gelijktijdig vond in de stad van de Huilers, Nionel, het liefdesfeest van de Firvulag plaats. Een vernedering van de bruiden der

Huilers werd voorkomen doordat zij in de Bruidsdans werden uit-gekozen door de naar liefde snakkende mannelijke Minderen, die niet in staat waren te zien wat voor monsterachtige vormen ver-scholen gingen achter de aantrekkelijke vrouwelijke illusies die de bruiden sponnen. Onder de betoverden bevonden zich ook Tony en Dougal, die de volgende ochtend wakker werden om erachter te komen dat ze nu gehuwd waren met toegewijde kabouter-vrouwtjes.

In de grot op Kersic vierde Huldah het Grote Liefdesfeest door de verlamde Nodonn in zijn glazen wapenrusting te kleden en met hem de liefde te bedrijven terwijl de verdorven oude Isak het paar bespioneerde. Nodonns afkeer en woede werden daarna zo intens dat hij zijn kracht herwon, Huldah van zich afgooide en de oude man doodde. Hij zou de vrouw hebben vermoord als Isak hem daarvoor niet uitdagend had opgedragen eerst 'binnenin te kijken' voor hij dat deed. Met behulp van zijn vérziendheid ontdekte Nodonn dat Huldah zwanger was van een zoon van hem. Hier in de grot, die bescherming bood tegen de levensgevaarlijke straling van de zon die hem zo'n achthonderd jaar vrijwel steriel had gemaakt, had Nodonn eindelijk de erfgenaam gemaakt waarnaar hij zo lang had verlangd. Daarom spaarde hij Huldah en droeg haar op voor het kind te zorgen totdat hij terug zou komen. Daarna verliet hij de grot, zond een telepathische oproep naar Mercy en vertelde haar dat hij nog leefde.

In Ocale had Hagen Remillard ten slotte de moed gevonden om zijn verschrikkelijke vader te weerstaan. Terwijl Marc bezig was met zijn zinloze onderzoek van de sterren, vluchtte Hagen met de overige rebellenkinderen en -kleinkinderen van het eiland op weg naar Europa en maakte achtervolging voorlopig onmogelijk. Marc keerde op de 16e mei van zijn zoektocht terug en had toen een voorgevoel van wat er vier dagen eerder was gebeurd. Sommigen van zijn oude makkers waren ervoor de kinderen te doden om zo voor eens en voor altijd te voorkomen dat er een tijdpoort werd gebouwd die naar beide richtingen toegang gaf. Marc weigerde dat in overweging te nemen en stelde een ander plan voor. Binnen ongeveer een week, wanneer de weersomstandigheden gunstig waren, zouden de kinderen uit hun koers worden gedwongen in de richting van de Afrikaanse kust en dat zou de ouders tijd geven hun beschadigde eigen schepen te herstellen en de achtervolging in te zetten. Ondertussen had Marc een ander plan om iedere poging van Cloud om onafhankelijk met Aiken te onderhandelen, te voor-komen. Met wat geluk moest het hem lukken om dat pas gekroonde koninkje helemaal uit te schakelen . . .

Zijn identiteit verbergend, sprak Marc telepathisch met Aiken en liet merken op de hoogte te zijn van Aikens voorgenomen expeditie naar Spanje. Nu Felice bij Elizabeth ter genezing was opgenomen, hoopte Aiken de schuilplaats van de gekke Felice te plunderen en zo de Speer van Lugonn weer te bemachtigen die niet alleen een uiterst bruikbaar wapen was, maar ook het oude autoriteitssymbool van het Tanu-koningschap. Marc bood aan de precieze lokatie van Felices schuilplaats te onthullen en beloofde de mentale bijstand van zijn eigen mensen. Niemand wist wanneer Felice bij Elizabeth zou weggaan. Wanneer ze Aiken op zijn rooftocht zou betrappen, zou hij alle hulp nodig hebben die hij kon krijgen.

Aiken kwam er slim achter wat de identiteit moest zijn van deze onbekende. Hij vertrouwde Marc niet, maar was desondanks begerig om een hoog ontwikkeld stukje mentale techniek te krijgen dat de rebellenleider hem aanbood op voorwaarde dat een levende zekering werd ingebouwd voor het geval het programma verkeerd uitkwam (die rol mocht de ongelukkige Culluket vervullen) en om te midden van die metabundeling Aiken te beschermen tegen Marcs directe mentale invloed.

Nadat hij met Marc tot een akkoord was gekomen, trok Aiken naar Spanje met een legermacht van zijn sterkste metapsychici om daar Cloud Remillard en haar metgezellen te ontmoeten en zich te verenigen met een aanvullende strijdmacht aangevoerd door de conservatieve Celadeyr.

Mercy vergezelde Aiken. Ze dwong Culluket met haar mee te gaan op een geheime tocht naar het kamp van Celadeyr en bracht daar het nieuws naar buiten dat Nodonn nog leefde. Celadeyr was overweldigd door vreugde, net als de herstellende Kuhal Aardschudder. Mercy had dit nieuws niet eerder langs telepathische weg bekend durven maken omdat ze bang was dat Culluket, een krachtige genezer die zijn broer Nodonn haatte, haar aan Aiken zou verraden. Maar nu gaf Culluket wrang te kennen van partij te willen veranderen omdat Aiken hem de rol van zekering wilde laten spelen, die waarschijnlijk dodelijk voor hem zou zijn.

Mercy drong er bij de anderen op aan Aiken in de steek te laten en met haar naar het verre Var-Mesk te vluchten waar Nodonn zich schuilhield. Aluteyn wees erop dat ze een eed van trouw aan Aiken hadden gezworen; het zou oneervol zijn hun kameraden in de steek te laten nu het spel al zover was gevorderd. Nee . . . ze zouden aan de overval op Felices schuilplaats mee moeten werken. Wanneer ze dat overleefden, dan werd het tijd om zich rondom Nodonn te scharen!

Op 2 juni, terwijl Aikens legertje klaarstond voor de aanval op de berg Mulhacén, deed Elizabeth de beslissende poging om Felices geest te bevrijden van de pathologische factoren die haar psychose hadden veroorzaakt. Tegen het advies in van de wijzere Dionket, die Heer Genezer van de Tanu was geweest, geloofde zij dat Felice, wanneer die eenmaal weer gezond was, haar megalomane fantasieën over macht zou opgeven en een geweldige kracht ten goede zou worden. Ten koste van groot persoonlijk gevaar, voltooide Elizabeth de psychische drainage. Felice werd wakker met een geest vrij van abnormaliteiten, maar kon alleen maar lachen om Elizabeths altruïstische voorstellen en vloog weg om haar eigen genoegens na te jagen.

Haar eerste oponthoud hield ze in Verborgen Bron, een dorp van Minderen. Daar was Zuster Amerie, van wie Felice hield, bezig in eenzaamheid een mis te celebreren als dank voor een veilige thuiskomst. Felice eiste dat de non haar roeping zou opgeven om met haar mee te gaan. Toen Amerie weigerde, gebruikte Felice haar metavermogens. Amerie werd erdoor gedood. Daarna richtte Felice koeltjes haar aandacht op haar andere geliefde, Culluket de Ondervrager. Een snelle inspectie van een reeks Tanu-steden hielp niet om hem te vinden, daarom toog ze in de richting van haar schuilhol om er de nacht door te brengen.

Ze ontdekte dat haar rotshol in de bergen was bedolven onder tonnen vallend gesteente, het werk van Aiken. Laaiend van woede ging ze Aiken en diens vluchtende leger achterna, die zich op dat moment in boten op de Río Genil bevonden. Aiken en zijn technici waren als gekken aan het werk om de Speer, het laserwapen, te herstellen, wetend dat dit precies de veiligheidsmarge kon bieden wanneer Felice hen zou aanvallen.

Marcs kunstmatig vergrote vérziendheid nam de nadering van Felice waar en waarschuwde. Aiken nam de uitvoerende positie in de metabundeling en vuurde een immense stoot psycho-energie af. (Hoe groot die vuurstoot ook was, hij bleef veilig beneden het potentiële maximum dat de gezamenlijke mentale structuur kon hebben. Want Aiken had in een eerder gebruik van de metabundeling, toen hij Felices schuilplaats verwoestte, ontdekt dat het gebruik van hun volledige vermogen vrijwel zeker zijn eigen naakte hersens zou doorbranden. En dat zou wel eens precies kunnen zijn waar de sluwe Marc op uit was.)

Terwijl de echo's van de vuurstoot tegen Felice wegstierven, hoorde Aiken telepathisch de stem van Marc uit de verte: *Ik denk dat je haar te pakken hebt.* Een fractie van een seconde later veranderde de juichstemming van de koning in wanhopige angst. Opnieuw hoorde hij een telepathische kreet van Marc: GOD NEE ZE HEEFT EEN D-SPRONG GEMAAKT! Er verscheen een niet te herkennen beeld, daarna de stem van Marc uit de verte die Aiken aanspoorde Felice nogmaals te raken.

De metabundeling, bestaande uit duizenden verbonden geesten, weifelde even en herstelde zich toen. Er was iets heel erg misgegaan, maar Aiken realiseerde zich dat hij Felice nu moest raken met elk beetje energie dat hem ter beschikking stond, anders zou ze hen allemaal ongetwijfeld doden. Wanhopig zwiepte hij de hele lading psycho-energie in haar richting. De schok ervan zond hem zelf in vergetelheid.

Hij werd wakker om te merken dat Elizabeth, Dionket en Creyn hem verzorgden. Hij was bijna gestorven, maar zij hadden hem gered. Elizabeth had de ramp voorzien en Minanonn gevraagd om haar en de twee andere genezers naar Spanje te vliegen waar ze de ontmoeting met Felice en de afloop hadden gadegeslagen.

Felice was verdwenen. De mentale vuurstoot had een lawine van rotsblokken veroorzaakt in de rivier, die een deel van Aikens vloot had bedolven en de loop van de Genil gewijzigd. Cull was bedolven, de Meester der Vaardigheden, Mercy en zo'n negentig anderen. De anderen waren veilig, wachtend op het herstel van hun koning.

Aiken kon zich nauwelijks voorstellen dat Mercy dood was. Haar lichaam was niet gevonden. Maar er was het getuigenis van Celadeyr die beweerde dat hij haar had zien sterven en dan was er nog haar lege, zilveren helm. Dodelijk zwak keerde Aiken naar Goriah terug om te herstellen. Hij probeerde contact te leggen met Marc Remillard in Noord-Amerika, maar kreeg geen antwoord.

Er ging enige tijd voorbij. Een expeditie van Minderen, aangevoerd door Basil Wimborne, trok nogmaals naar het Scheepsgraf. Ze slaagden erin maar liefst negenentwintig van de daar geparkeerde vliegmachines weer operationeel te maken. De overige werden vernietigd. Volgens plan werden zevenentwintig ervan naar een geheime plaats gebracht op de heiligen van de Monta Rosa, die ten tijde van het Plioceen hoger was dan de Everest. Commandant Burke hoopte dat dit gebied ontoegankelijk zou zijn voor zowel Aiken als de Firvulag. De resterende twee vliegmachines werden door de expeditie naar de Vogezen gebracht en verborgen in de Vallei der Hyena's, niet al te ver van Nionel, met de bedoeling ze voor de defensie te gebruiken.

In de kleine Tanu-stad Var-Mesk, aan de kust van de Nieuwe Zee, had Celadeyr van Afaliah eindelijk een ontmoeting met Nodonn. Hij bracht Mercy met zich mee die natuurlijk helemaal niet dood was. De hereniging tussen Nodonn en zijn vroegere echtgenote was ontroerend. Omdat er niet voldoende tijd was om Nodonns ontbrekende hand te laten aangroeien, schiep Mercy er een voor hem van zilver om de houten prothese te vervangen die de oude Isak op Kersic had gemaakt. Tegen zijn zin moest Nodonn Mercy opdragen voorlopig naar Aiken terug te keren, zodat hijzelf met Celadeyr naar Afaliah kon gaan om een strijdmacht van conservatieven te vormen. Het was nodig dat Mercy hem op de hoogte hield van alles wat Aiken deed, want die was mentaal te krachtig

31

geworden waardoor geen enkele Tanu meer in staat was hem te bespioneren met de gewone metavermogens. Na een kort, maar gelukkig intermezzo, scheidden de geliefden weer.

Terug bij Aiken vertelde Mercy hem dat ze had geleden aan geheugenverlies. De koning leek haar te geloven, maar hij was bij lange na niet meer de op grappen ingestelde jonge bedrieger die het jaar daarvoor in augustus naar het Veelkleurig Land was gekomen. Hij was somber en nog steeds niet volledig hersteld van de afschuwelijke gevolgen van zijn gevecht met Felice. Maar samen hadden Aiken en Mercy de leiding bij de voorbereidingen van het Grote Toernooi dat aan het eind van oktober zou plaatsvinden.

Ondertussen hadden Nodonn en Celadeyr in Afaliah onder alle traditionele Tanu de boodschap verspreid dat de erfgenaam van de overleden koning Thagdal nog leefde en klaar was om de menselijke overheerser uit te dagen. Nodonns broer, Kuhal Aardschudder, had zijn kracht bijna geheel hervonden nadat hij een vindingrijke nieuwe behandeling met Huid had gedeeld met Cloud Remillard. Cloud, die zich tot Kuhal voelde aangetrokken en nu alleen was in het Veelkleurig Land (haar broer en de anderen waren bezig aan een langzame en moeilijke terugweg over land naar het noorden nadat ze in Noord-Afrika waren gestrand), werd tot de inzichten van de conservatieven bekeerd. Nodonn had beloofd mee te zullen werken aan een tijdelijke heropening van de tijdpoort wanneer de kinderen van de rebellen haar daarna volledig zouden verwoesten.

Het lot van Marc was nog steeds een geheim. Hij had niet gereageerd op de oproepen van Cloud en er was al evenmin een reactie van iemand der overige oude rebellen op Ocala. Cloud trok er de conclusie uit dat haar vader door Felice moest zijn aangevallen door middel van een ongewone metapsychische tactiek, de dimensionale sprong. Dit was vergelijkbaar met een vorm van teletransportatie zoals Breede die destijds ook had toegepast met haar schip, toen de buitenaardsen van hun eigen sterrenstelsel naar de Aarde werden gebracht. Zo'n dimensionale sprong was zeldzaam, maar in het Bestel niet onbekend. Door Marcs eigen vérziende signaal te volgen, zou Felice hem aanzienlijk hebben kunnen verwonden. Cloud en Hagen veronderstelden dat Marc die aanval wel had overleefd, omdat hij ten tijde daarvan opgesloten was binnen de pantsering van de machine die de werkzaamheid van zijn geest kunstmatig verhoogde. Maar eenmaal buiten de bescherming van die machine, zouden zijn verwondingen zeker een behandeling nodig maken in de regeneratietank op Ocala. En dat zou dan verklaren waarom Marc nu al drie maanden lang onbereikbaar was.

In het noorden, in de stad Nionel van de Huilers, maakten Tony Wayland, de metallurg, en zijn vriend Dougal andermaal plannen om zich bij Aiken te voegen. Ze lieten hun toegewijde kabouter-bruidjes in de steek en trokken het oerwoud in waar ze per ongeluk terechtkwamen in de Vallei der Hyena's. Daar werden ze gevangen genomen door Minderen die aan de beide vliegtuigen werkten. Het was bekend dat ze uit de IJzeren Dorpen waren gedeserteerd en dus werden Dougal en Tony als mogelijke verraders onder bewaking naar Verborgen Bron gestuurd om door Commandant Burke te worden berecht. Onderweg vielen ze in een hinderlaag van Firvu-lag-troepen; Dougal ontsnapte, de escorterende Minderen werden gedood en de doodsbange Tony redde zijn leven door aan de Firvu-lag het geheim van de vliegmachines te verraden.

Hij werd naar Hoog Vrazel gestuurd om zijn verhaal aan koning Sharn en koningin Ayfa te doen. Daarna werd hij overgeleverd aan de Verschrikkelijke Skathe, een reuzin, terwijl beide monarchen nadachten hoe ze deze nieuwe informatie konden gaan gebruiken. Ze waren zich ervan bewust dat Nodonn in Afaliah een strijdmacht op de been bracht en dat hij het heilige Zwaard van Sharn in zijn bezit had, dat eens door de voorouders van de nieuwe Firvulag-koning was gehanteerd en dat in het bezit van de Firvulag diende te zijn wanneer het opnieuw tot vijandelijkheden kwam. Nodonn was nu nog veel te zwak om Aiken in Goriah te kunnen aanvallen, zelfs wanneer hij het Zwaard zou gebruiken. Want ten slotte bezat Aiken de Speer.

Maar als Nodonn het voordeel had van vliegmachines . . .

Sharn en Ayfa besloten Nodonn te vertellen over de twee vlieg-machines (die de Firvulag zelf niet in staat waren te vliegen) en hun schuilplaats in de Vallei der Hyenas in ruil voor het Zwaard nadat Nodonn de overheerser verslagen had. Nodonn zou het aan zijn erecode verplicht zijn dat deel van de overeenkomst na te komen en er waren ongetwijfeld onder de Eerstkomers van de Tanu nog piloten over.

Het voorstel werd gedaan en geaccepteerd. Op 24 augustus vie-len vier Tanu en Cloud Remillard de Vallei der Hyena's binnen en onderwierpen Basil en zijn bemanning. Eén machine werd gevlo-gen door Thufan Donderhoofd, een ervaren Tanu-piloot, de ander door Celadeyr die nauwelijks enige vliegtraining bezat. Zo ging Nodonn met 400 Tanu-ridders op weg voor een luchtaanval op Goriah.

Mercy wist dat ze kwamen. Om te voorkomen dat Aiken zijn geheime voorraad wapens uit het Bestel tegen Nodonn zou kunnen gebruiken, deed ze een beroep op de menselijke psychokineticus, Sullivan-Tonn, wiens jonge vrouw hopeloos verliefd was op Aiken. Mercy en Sullivan braken in de kerkerachtige voorraadkamer bin-nen en Mercy gebruikte haar scheppende vermogens door de beschermlagen van de kelderwanden te veranderen in een spons-achtige massa met giftige gasbellen die alle uitrusting aan elkaar kitte en onbruikbaar maakte.

Aiken kwam hen echter tegemoet toen ze uit de kerker probeerden weg te komen. Hij maakte een eind aan het leven van Sullivan en nam Mercy vervolgens mee naar hun bed voor een laatste, maar dodelijke omhelzing. Terwijl ze stierf, namen zijn hersens alle vermogens over die eens de hare waren geweest.

In de vroege ochtenduren vielen Nodonn en zijn ridders de vooraf gewaarschuwde Aiken aan. Die haalde beide vliegtuigen naar beneden waardoor één vliegtuigvol aanvallers al direct om het leven kwam. De tijdig ontsnapte overige tweehonderd werden door Kuhal Aardschudder, Celadeyr en Nodonn aangevoerd en raakten in gevechten van man tegen man verwikkeld met Aikens troepen. Aiken had niet meer dan een pover legertje verdedigers op de been kunnen brengen, maar die waren uitgerust met wapens uit het Bestel, laserkarabijnen en verdovers. Zij wonnen de strijd.

Nodonn ontdekte het lichaam van Mercy die nu niet meer was dan een uit as geboetseerde vorm, met nog altijd de gouden halsring. Op hetzelfde moment dat hij voorgoed van Mercy afscheid nam, hoorde hij Aikens stem die hem beval naar buiten te komen voor hun laatste ontmoeting.

In de lucht zwevend, hervatten beiden het duel dat zoveel maanden geleden in de Grote Veldslag door de vloed was onderbroken. Nodonn was het meest in de aanval, op Aiken vurend met zijn laserwapen en de mentale energie van zijn geest. Aiken leek amper in staat zichzelf te verdedigen en hield zich verborgen achter een scherm van mentale energie. De overige strijders staakten hun gevecht om dit fantastische duel gade te slaan.

Toen het ernaar uitzag dat Aikens krachtveld steeds zwakker werd, zette Nodonn alles op één kaart met twee laatste vuurstoten die zijn wapen volledig ontlaadden. De kleine menselijke vorm verdween in een verblindende vuurbol van licht . . . maar toen dat oploste, was hij er nog steeds, onbeschermd, in leven, klaar om de strijd te beslissen. Ieder die getuige was, had gezien dat Nodonn het uiterste had geprobeerd. Nu was het Aikens beurt.

Bijna achteloos gebruikte Aiken zijn kracht om zowel het Zwaard als de Speer in zee te gooien. Daarna sloeg Aiken enkel met zijn geest toe. Wat Mercy was overkomen, gebeurde nu met Nodonn, zijn geest werd door Aiken overgenomen, zijn lichaam verviel tot as. Enkel de zwartgeblakerde zilveren hand tuimelde in de richting van de zee, maar werd door Aiken opgevangen en in triomf aan land gebracht.

Aan de andere kant van de Atlantische Oceaan, op het eiland Ocala, had Marc Remillard toegezien. Nu was hij klaar om aan de uitwerking van zijn eigen plannen te beginnen.

Het was 25 augustus. Precies een jaar eerder waren Aiken en de andere leden van Groep Groen door de tijdpoort in het Plioceen gekomen.

Het vierde en laatste boek van deze sage van Ballingschap in het Plioceen begint met een korte terugblik naar het moment van het grote gevecht tussen Aiken en Felice aan de Río Genil en neemt dan de draad van deze kroniek weer op direct na Aikens overwinning op Nodonn.

Proloog

1

Het was precies zo gebeurd als Elizabeth vooraf had geweten en er was geen metapsychisch vermogen nodig geweest om dat te voorspellen. Logica en onvermijdelijkheid waren voldoende, gezien het karakter van de tegenstanders: Aiken Drum, Felice Landry en Marc Remillard.

De laatste echo's van de grote psycho-energetische vuurstoot waren uitgestorven. De vier toeschouwers hingen nog steeds hoog boven Spanje, buiten bereik en binnen de beschermende cocon die door de geest van Minanonn de Ketter was gesponnen.

'Felice is ongetwijfeld dood,' merkte hij op.

'Haar gedachten en beeld zijn uitgewist.' Creyns stem klonk neutraal.

'Dat bewijst niets,' mompelde Dionket, de Heer Genezer.

Ook Elizabeth met haar zoveel verder reikende metavermogens kon vanaf deze hoogte niets met zekerheid vaststellen. Wanneer Felice nog leefde, was ze begraven onder een enorme aardverschuiving. 'Ik denk dat het veilig is om af te dalen,' zei ze. 'We moeten het risico nemen. Er zijn gewonden die hulp nodig hebben.'

Een snelle waarschuwing ging van Dionket naar Minanonn: Handhaaf je schild op maximale sterkte, Broeder!

De drie buitenaardse mannen en de menselijke vrouw voelden niets van de luchtverplaatsing terwijl ze in de berookte schemering omlaaggleden. Zij waren afgeschermd van de stank van de brandende jungle, de stoom die uit de omgelegde Río Genil opsteeg, het stof dat in wolken omhoogkwam uit de neergestorte rotsen die de rivier uit haar bedding hadden geduwd en een deel van Aikens flottielje hadden verwoest.

'Zoveel doden en gewonden aan de rand van de aardverschuiving,' treurde Minanonn de Ketter. 'Daar ligt Artigonn, zoon van mijn overleden zuster. En Aluteyn, Meester der Vaardigheden. Moge Tana hem vrede schenken! Hij wilde de oude strijdreligie niet afzweren, hoewel zijn hart het verwierp.'

'Ik zie de koning.'

Dionkets vérziendheid toonde een beeld van Aiken die uitgestrekt op een grindbank lag, stroomafwaarts. Zijn lichaam in het gouden pak verstijfd, zijn hart stil, zijn geest verkrampt tot een schreeuwende kern.

'Ga jij met Creyn naar hem toe,' zei Elizabeth.

Gevieren kwamen ze naar beneden op een grote platte rots die bedekt was met verbrande vegetatie, een eiland te midden van vuil schuimend water. 'Jullie zullen hem in leven kunnen houden totdat ik kom. Er zijn meer dan genoeg niet-gewonde overlevenden. De meerderheid is niet gewond geraakt, lijkt me. Organiseer het reddingswerk voor de gewonden. Minanonn en ik komen bij jullie nadat we hebben uitgevonden wat er met Felice is gebeurd. Ik wil de plek onderzoeken waar ze als een zichzelf verbrandende komeet is neergestort. Mijn geest deinst nog terug voor de herinnering aan de laatste schreeuw van haar bewustzijn; vol pijn en spijt, dat is zeker. Maar ook *triomf.* Hoe kan dat?'

'Het monster is dood, net als Minanonn heeft gezegd. De Godin zij gedankt.' Creyns gezicht werd ros verlicht door vlammen. 'Laat ons gaan, Heer Genezer.'

Gedragen door de psychokinese van Dionket, verdwenen de twee genezers in de dichte duisternis.

Elizabeth en Minanonn stonden op de verkoolde resten van het eilandje; de beschermende bol van psycho-energie was nu uitgedoofd. Overal staken half verdronken bomen boven het water uit, slierten gebroken lianen dreven op de met afval beladen stroom. Enkele boomstammen stonden nog in brand. In andere krijsten meelijwekkend doodsbange apen en andere schepselen van het oerwoud.

Elizabeths ogen waren weer gesloten, haar geest zocht andermaal en probeerde het uiterste om ondergronds te kunnen waarnemen. Zwevende vlokken as en vettig roet hechtten zich aan haar haren en overal. Minanonn torende hoog naast haar, een baardige blonde reus die een tuniek droeg met een insigne waarop drie stralen uit een middelpunt kwamen. Onder één arm droeg hij een vierkante kist, ongeveer een halve meter lang. Deze was vervaardigd van een donkere, buitenaardse substantie met fragiele patronen op het oppervlak; draden van rood en zilver die in de donkerder wordende nacht opgloeiden als emanaties interstellair gas. De doos bevatte de machtige krachtveldprojector die Breede de Scheepsgade de kamer zonder deuren had genoemd.

Elizabeth zocht.

Een lichaam, gekleed in een gebroken glazen wapenrusting dreef voorbij op de wrakstukken van een opgeblazen sloep. Ergens te midden van de neergestorte rotsen aan de rechterkant, verloren in spookachtige schaduwen, zond een gedeeltelijk bedolven krijgsvrouw een telepathische kreet om hulp uit.

Spoedig, zuster, verzekerde de vroegere Strijdmeester haar. En de stem van zijn geest verhief zich om ook de anderen te bemoedigen: Spoedig komt er hulp.

Elizabeth zocht.

Was Felice werkelijk dood? Was ze lichtend in de vergetelheid gestort tijdens het hoogtepunt van dat titatengevecht en had ze Culluket met zich meegenomen? Spoel de herinnering nogmaals af, haal de onderdelen uiteen en analyseer. Los de paradoxen op door je brandpunt te richten op het kritieke ogenblik wanneer het meisje zich opnieuw materialiseert na haar een fractie van een

40

seconde durende sprong naar Noord-Amerika. Wanhopig tot het uiterste had Aiken Drum het volle vermogen van zijn metabundeling opgeroepen. In de herhaling zag Elizabeth het langzame voortkruipen van de psycho-energie die door de koning, verbonden met duizenden geesten, werd ontladen en de duivelse versterking daarvan door Marc, precies op het moment waarop die mentale vuurstoot het hulpeloze kanaal van Felices Geliefde passeerde.

Ja! Hoewel ze nauwelijks ervaring bezat in de manieren waarop zo'n metabundeling offensief kon worden gebruikt, zag Elizabeth toch hoe de Engel van de Afgrond dit vanaf het allereerste begin van plan was geweest: de uitschakeling van twee grote geesten die zijn plannen bedreigden en de toevallige dood van de derde die er verder niet toe deed.

Maar Culluket, die onwillige mentale zekering, was de sleutel.

Terugkijkend nam Elizabeth het ogenblik waar waarop Felice bevroren stond binnen de synchroniciteit en op de drempel van de overzetting, nog niet volledig te voorschijn gekomen uit haar tijd verstorende dimensionale sprong, terwijl ze tegelijk het levensgevaar zag waaraan haar Geliefde werd blootgesteld. Instinctief wist ze hoe dat gevaar moest worden afgewend en welke prijs ervoor moest worden betaald.

Het meisje had zichzelf binnen de structuur van de metabundeling gevoegd, daarbij de zekering binnendringend die Culluket heette, voor zijn geest het begaf. Uit vrije wil nam ze dat hele volume zieleverslindende energie in zich op, liet die hele verwoestende hoeveelheid door zich heen stromen en werd daardoor getransformeerd tot een nieuwe lichtende Tweeheid.

De koning, van zijn zinnen beroofd door de schok, werd losgemaakt, zijn lichaam onderhevig aan een tijdelijke dood, zijn geest rampzalig aangetast. Maar beiden konden genezen. Dat was niet het geval met Culluket de Ondervrager, de Geliefde, wiens lichaam zich nu buiten bereik van elke redding bevond, samen met de lichaamsvormen van Felice. Enkel hun verbonden geesten bleven over, samengevoegd tot een klein vlekje van materie, ontstaan en gevormd uit psychische energieën door de kracht van een onverwoestbare wil.

Diep onder duizenden tonnen hete rots in een ondiepte van de Río Genil bevond zich een klein voorwerpje, een robijnkleurige cilinder met een wit brandende kern . . .

'Ik heb Felice gevonden.'

Elizabeth opende haar ogen en zond het beeld naar Minanonn. 'En Cull ook.'

Elizabeth! Ze *leven?*

Zo zou je het kunnen noemen. Of in suspensie. Of iets tussen dood en leven in.

Zo'n toestand valt buiten mijn begrip.

Niet buitendemijne. Ik ben zo geweest. (Beeld van een trotse cocon.)

Tana! Jullie mensen! Maar Cull . . .

. . .is daar uit vrije wil. Zich vastklampend aan het leven. Lijden zondereinde!

Levend desondanks in een soort pseudo-Eenheid.

Travestie van liefde! Afwijking!

Minanonn zij zijn gevloekte tweelingzielen ik probeerde haar te redden oh ja hoe heb ik het geprobeerd en dacht dat het lukte ik was waanzinnigtrots maar zij zal nu haar eigen Centrum zijn middelpuntzoekend en weigert genade vastbesloten samen te branden met Cull & Marc & O God soms denk ik zelfs ik . . .

Elizabeth je gedachten zijn raadsels.

Ik weet het. Sla er geen acht op.

Hoe kun je jezelf met anderen vergelijken? Ik ben maar een eenvoudige krijger door vrede verlicht maar nog steeds kind vergeleken bij jou en Marc-Abaddon. Als jullietweeën zonde delen is dat er een buiten mijn weten. Maar Cull? Hij was Thagdalzoon, broedermijn. Ik kende zijn verleiding. Anders dan arme Aluteyn & zovele anderen hij kende waarheid maar bespotte het wakker alleen buiten in heteind verveeld ten dode bang ten dode de dood *zelf.*

Nu gedoemd het te vrezen. Opgesloten binnen haar vuur.

Ik treur om mijn arme broeder.

Ik treur om Felice.

We kunnen enkel bidden en het Lied voor hen zingen.

Ik moet met jouw hulp nog iets anders doen. (Beeld.)

Godin! Toch zeker geen kans op opwekking?!

Dat mogen we niet riskeren.

. . .Dus daarom heb jij kamerzonderdeuren meegenomen!

Kamer door Breede voor haar dood afgesteld om mijn aura alleen. Eenmaal geactiveerd laat het enkel mij toe niemand anders. Aiken niet zelfs Marc niet. Begrijp je? Niemand moet kunnen knoeien met deze verschrikkelijke Tweeheid in de hoop deze te doen herleven en te gebruiken! Moet er een duister, geheim en heilig tabernakel van maken, onschendbaar waar het voor altijd kan blijven branden.

Hoe lang?

Dat weet God.

Zal het daarbinnen . . . veilig zijn?

Energie noch materie noch geest kunnen er van buiten af in doordringen. Kamer gravomagnetisch van kracht voorzien zolang aarde draait. Of tot ikzelf terugkom om binnen te gaan en uit te schakelen.

Dus Tweeheid veiligopgesloten?

Niet helemaal.

?

Vergeet niet. Zij binnen de kamer kunnen altijd vrijelijk eruit.

Maar . . . hoe? Dat zou toch zeker nooit kunnen? Kijk naar dat ding Elizabeth. Microscopisch klein zwakgloeiend op rand van uitblussing!

Maar dood weigerend.

Dus wij nooit vrij van bedreiging?

Vrede mijnvriend. Ik voel (misschien Scheepsgade zou zeggen weet!) dat dit ding nooit meer bedreiging zal zijn voor Veelkleurig-Land.

Aan jou dit gevaarlijk oordeel Vrouwe.

Ditmaal heb ik geen twijfels.

. . . Als je kamerzonderdeuren hier op de Zwarte Piek achterlaat ontneem je jezelf de bescherming ervan. Je zult kwetsbaar zijn . . .

Genoeg Minanonn. Help me nu. Gebruik je psychokinetisch vermogen om de Tweeheid een ogenblik zichtbaar te maken zodat ik de tombe ervoor kan oprichten. Dan moeten we ons haasten naar Aiken.

Genees hem en je geneest de wraakzucht.

Toch zal ik het doen. Ik ben hem te veel verschuldigd. Hij ondernam het werk waarvoor ik terugschrok.

2

De man van middelbare leeftijd met de vooruitstekende kaak en het onopvallende apparaat dat aan zijn schedel was bevestigd, was doende met zijn eenvoudige tuinmanswerk. Binnen in het observatorium hadden de andere bewoners van Ocala zich verzameld rondom hun geruïneerde leider in een gevecht dat de planetaire ether schokte. Het was bijna als in de goede oude dagen van weleer!

Maar ze wisten wel beter dan *hem* uit te nodigen zich bij hen te voegen.

'Arme dolende,' zong Alexis Manion op klagende wijs. 'Diedahdah-d'hoem-doem DAH-hah.' Hij veegde een dode zangvogel onder de palmen vandaan en deponeerde die in het karretje op wielen dat achter hem aan rolde, gehoorzamend aan zijn onweerstaanbare PK-vermogen. 'Oh ja, ik heb waarachtig gezondigd. Ik ben een schande voor de schurkerij.' Neuriënd en op zijn gezicht de domme eeuwige grijns van de dienstbaar gemaakten, schuifelde hij langs het pad. De tuinen rondom het sterre-observatorium van Marc Remillard broeiden onder de late namiddagzon, maar onder de macrophylla's heerste diepe schaduw. Hun bloesems, zo groot als borden tegen kransen meterslange bladeren, stonden een weeïge geur af die de subtielere van de passiebloemen overheerste. Hij begon een deel schoon te maken van het schelpenpaadje dat bezaaid was met verbrande vlinders. (Doodgewone heliconia's, helaas. Niets bruikbaars voor zijn vezameling.) Hij siste vol meegevoel toen hij een ander slachtoffer van de robotverdediging rondom het observatorium ontdekte: een verschrompelde mannetjeszilverreiger, goudglanzend in zijn verenpak dat bij het broedseizoen hoorde. Hij was vlak bij de muur terechtgekomen.

Langzaam vormde zich een gedachte in Manions elektronisch onderdrukte brein. Hij kneep zijn ogen half dicht tegen de verblindende zon en keek omhoog naar de kleine borstwering rondom de open koepel van het observatorium waar de vuurlopen van de X-lasers glinsterend naar buiten staken. Ja! Daar lag het lijfje van de vrouwtjesreiger ook, vastgeklemd in een overhangende hoek. Arme vogelminnaars! Maar toch, als je sterven moest . . .

'En als je verstokt blijft en verhard,' kweelde hij, 'zal ik sterven als zij en jij zult weten waarom.' Een mentaal knikje deed het vogellijf naar beneden tuimelen. Hij deed het in de afvalbak. 'Maar waarschijnlijk zal ik het niet uitroepen als ik sterf . . .'

Alex, kom direct.

'Oh wilgje,' fluisterde hij, terwijl hij het deksel zorgvuldig sloot. 'Oh wilgetietje . . .'

Vlug verdomme!'

'Wilgetietje.'

De overredende macht van Steinbrenner die naar Manions geest greep, zag geen kans vat te krijgen op de voorgeprogrammeerde brij. Er werd telepathisch gescholden.

Manion liet zijn treurige idiote grijns zien (die zo vreemd afstak bij de rest van zijn kaken) en klapte de veger en het blik weer in de houders aan de zijkanten van het wagentje. Hij pakte een tuinschaar. Boven zijn hoofd doofde de schittering van de lasers uit toen de energie werd uitgeschakeld. Een aalscholver zweefde brutaal boven de langzaam sluitende koepel en vloog weg over het meer. Manion wuifde ernaar en begon uitgebloeide bloesems weg te knippen uit een bos roze lelies die zich in een holte van een gomboom hadden genesteld. Hij begon aan een nieuw lied.

Mijn jongen, je kunt het me afpakken,
want van alle vervloekte afwijkingen
waar de mens mee is opgezadeld
tot hij struikelt en bederft,
is bedeesdheid veruit het ergst!

Er begonnen nu mensen uit het observatorium de tuin in te ren-

nen. Er ontstond een wild rumoer van dooreenwarrelende telepathische gedachten.

Het is die verdomde kalmhouder Steinbrenner *haal* hem
hier . . .

Oké. Pat kommee helphemafkicken.

Bevestig schietop schietopZEWASHIERHELEMAALHIER-
JAMONSTERFELICEWASHIEROHHEBJEGEZIENWAS-
HET-ILLUSIEOHNEECHRISTUSNEEECHTHEBJEHET-
NIETGEZIEN --

Laura jij&Dorsey maken tank klaar Keoghs brengen bran-
card.

Bevestig/Bevestig/bevestigbevestig.

GODBLANCHARDSTIERFHEBJEHETGEVOELD-
NEUKHEMWATDOENMETMONSTERFELICEHEEFT-
ZEMARCDOORGEBRANDGODMAGHETWETENHET-
WASEENSPRONGEENDSPRONGHOEISHETMETDE-
KINDERENZIJNZEVEILIGSODEMIETEROPOHGOD-
ISMARCDOODISFELICEDOODOFHEEFTZEMARC-
LEEGGEZOGENJIJSTOMMEIDIOOTHOUDJEKOP-
OHNEEHOUDJEKOPOHNEEDEGENENMENTAAL-
DEGENENMARCMARCHOUDJEKOPHOUDJEKOP
HOUD JE KOP!

DSPRONGDSPRONGZEKONHEBBENGEZEKERDOPGE-
NOMEN het was een d-sprong dat zeg ik je . . .

Stilte!

. . . .

Jordy je kunt er niet zeker van zijn.

Het was een d-sprong.

Je kunt je niet onttrekken totdat we zeker zijn van haar uitstapje.

Daarom brengen ze Manion nou juist, jij stomkop!

DE GENEN. OH GOD DE GENEN.

Verdomde genen! *De kinderen!*

GathenDalembertWarshawVanWijk BLIJFT. Iedereenanders
GA.

Moet weten dat kinderen me er niet kunnen uitduwen verdomme Marc verdomde genen verdomd jullie allemaal . . .

Steinbrenner als je Manion te pakken hebt neem hem onderdruk-
ker af en gebruik Helayne.

Bevestig.

Zich van niets bewust rommelde Manion tussen de orchideeën.
En daar kwam die grote Jeff Steinbrenner, aartskwakzalver en kin-
dermoordenaar, stinkend naar een overdosis adrenaline! En die
mooie Pat Castellane, haar stalen ogen vol tranen. Verbazingwekkend! Manion zong luidkeels:

Als je in de wereld vooruit wilt komen
laat dan je deugden groeizaam stomen,
por het en roer het
en blaas je eigen trompet,
of vertrouw op mij, van je retteketet.

Ze vielen met zijn tweeën Manion aan en trokken hem de elektronische apparatuur die hem gehoorzaam maakte van zijn kop. Hij wankelde, verkrampte terwijl het landschap van Florida versmolt tot concentrische en uitzettende cirkels vol kleuren. Ze hielden hem vast terwijl zijn spieren samentrokken en weer ontspanden. Pats genezende vermogens kalmeerden hem terwijl Jeff de herinnering aan de pijn verdoofde. Ten slotte kreeg zijn brein het normale hersenritme terug en kon hij alleen overeind staan.

Trillend en terwijl er bloed over zijn kin liep doordat hij op zijn tong had gebeten, dwong hij hun handen met zijn psychokinese opzij. De sociale zelfbeheersing van zijn geest was zo ondergraven dat hij niet in staat was de kwaadaardige voldoening te verbergen die naar boven kwam toen hij ontdekte waarvoor ze gekomen waren.

'Felice kreeg hem te grazen?' Manion begon te lachen. Steinbrenners overheersing haalde zonder resultaat uit. Onderworpen en wel was Manion al nauwelijks onder de duim te houden; vrij was hij een rots van onverzettelijkheid. 'Laat die rotzak maar in zijn eigen duivelse sop gaarkoken!'

'Alex, het gaat niet alleen om Marc!' riep Patricia uit. Ze nam een van Manions handen. Haar huid was ijskoud ondanks de junihitte. 'We zijn allemaal in gevaar. De kinderen ook. De metabundeling . . . we weten niet wat er gebeurd is. Owen Blanchard is dood en de zoon van Ragnar Gathen en wie weet hoeveel anderen in Europa. Wat er met Felice is gebeurd, weten we niet. De gegevens die Marc in de computer voerde, stokten op het moment van de d-sprong . . .'

Ondanks zichzelf merkte Manion dat zijn belangstelling was ontwaakt. 'Bracht haar geest een echt ypsilonveld voort? Zonder technische versterking?'

'Dat denken we. Ze leek hier midden in het observatorium te verschijnen en . . . probeerde Marc op de een of andere manier aan te vallen dwars door het cerebro-energetisch veld heen waarin hij zat.'

Manion giechelde. 'Wel, wel. Wat een lelijke verrassing.'

Patricia trok hem over het witte paadje mee in de richting van de observatoriumingang. Daar stonden zo'n twintigtal veteranen van de rebellen bijeen die een emotioneel mengelmoes uitstraalden waar zijn bloed van verkilde.

Steinbrenners gedachte donderde daar dwars doorheen. Ga naar huis of ga naar binnen! Hier vandaan! Hij leeft en we krijgen hem veilig in de regeneratietank zodra Diarmid & Deirdre hierkomen met transport. EN DONDER NOU OP.

Onder veel mentaal gemompel begonnen ze zich te verspreiden.

Manion raakte verdiept in zijn eigen gedachten, zijn vijandigheid verdween in het gezicht van een intrigerend probleem.

'Een d-sprong? Hoe lang is het geleden dat we er zelf een tot stand probeerden te brengen op de IDFS? In 2067? Ja . . . een adolescent van een van de zwarte werelden. Engong, was het geloof ik. Maar die kwam niet verder dan twee kilometer en we . . .'

Patricia onderbrak hem. 'We zullen de gebeurtenissen via een retrospectieve analyse moeten bevestigen door het dynamisch veld te onderzoeken. Kramer kan dat niet aan en we moeten zekerheid hebben over Felice. Luister naar me, Alex!'

Haar ongerustheid straalde naar hem uit. Haar geest liet hem de verschrikkelijke mogelijkheid zien. 'We denken dat Marc nog steeds leeft binnen de cerebro-energetische machine. Maar de scanner is bijna doorgebrand en we hebben geen bewuste communicatie met hem. We durven de beplating niet open te maken . . .'

Manion knikte. Zijn glimlach was verdwenen. 'Totdat je zeker weet dat de persoon daarbinnen Marc Remillard is. Ja. Een interessant punt.'

Ze gingen het observatorium binnen op hetzelfde moment dat Peter Dalembert en Ragnar Helayne Strangford naar buiten haalden. Steinbrenner overhandigde het apparaatje waarmee eerder Manion tot volgzaamheid was gedwongen.

Helaynes krachtige maar krankzinnige geest wierp zich op Manion. 'Help hen niet, Alex! Laat Marc maar doodgaan in die verrotte hersenversterker van hem! Dan zijn we er tenminste zeker van dat de kinderen niet . . .'

De stem kwam abrupt tot zwijgen. Patricia bracht Manion snel naar binnen.

Het was donker nu de koepel gesloten was en zeker tien graden koeler. Er bleef maar een handvol van de oudere rebellen achter. In het midden van de ruimte stond de grote hydraulische lift waarvan het laadvlak al naar beneden was gebracht. Daar bovenop, beschenen door een klein spotlicht, glanzend maar ondoorzichtig, bevond zich een massaal zwart voorwerp van kerametaal. Alexis Manion maakte zich vrij van Castellane en liep op de dreigende vorm af.

'Dus je hebt je weer eens vergist, is het niet?'

Het beeldscherm en de luidspreker die normaal voor de communicatie zorgden met de man die binnen in de machine zat, bleven nu stom. Manion liep naar de monitor waarop de vitale levensfuncties konden worden afgelezen en bekeek de gegevens; daarna deed hij hetzelfde met wat de vernielde hersenscanner nog te bieden had. Er was geen herkenbaar patroon in de subperceptuele emanaties die uit die bonkige massa beplating te voorschijn traden, enkel de zekerheid dat daarbinnen iets of iemand in leven was.

'Ben jij dat daarbinnen, Marc Remillard?' vroeg Manion opgewekt. 'Of de kleine Felice?'

'Dat moet jij voor ons gaan uitvinden, Alex,' zei Jordan Kramer. Hij stond achter het hoofdbedieningspaneel van de computer terwijl Van Wijk zich beverig achter hem verschool. De Keoghs waren eindelijk gekomen met de eerste-hulp-unit. Warshaw hielp om die naast het laadvlak van de lift te plaatsen.

'Vertrouwen jullie me?' Manion ging spottend de geesten van zijn vroegere kameraden langs. 'Marc niet! Daarom heeft hij een levend lijk van me gemaakt.'

Gerrit van Wijk zei: 'We moeten je wel vertrouwen, Alex. Ik ben niet in staat deze rottige gebeurtenis te analyseren en Jordy evenmin. Alleen jij kunt ons vertellen of Felice naar Europa teruggesprongen is nadat ze Marc te grazen nam. Als ze hier nog steeds is, als ze Marc in zich heeft opgenomen en wij maken dat ding open en laten haar eruit . . . ze zou heel Ocala kunnen verwoesten!'

Manion neuriede 'Dat is dan een Hoe Doen We Het'. Hij fronste terwijl hij een beeldscherm vol twijfelachtige waarschijnlijkheidsgrafieken bekeek onder het kopje: GEBEURTENIS NIET BEVESTIGD.

'Wie er ook binnen die pantsering zit,' zei Patricia, 'is ernstig gewond. Als jij ons dwingt Marc te laten sterven, dan maak ik jou ook dood, Alex.'

'Misschien zou ik daar dankbaar voor zijn, Pat.'

Kramer stak hem de microfoon toe.

'We weten dat je diep bezorgd bent om de kinderen, Alex. Marc wil hen redden, maar we weten niet wat hij van plan is. Zonder hem hebben we maar één mogelijkheid om te voorkomen dat de tijdpoort weer wordt geopend. Een heel lelijke.'

'Veronderstel eens dat ik tegen jullie zou liegen over de analyse,' zei Manion vinnig. 'Als ik Felice eens de maaltijd liet klaarstoven die ze met ons van plan is? Dan zou ik er zeker van zijn dat de kinderen een kans hadden.'

De frustratie en de woede van de overige ex-samenzweerders kaatsten af op het mentale scherm van de dynamische-veldenspecialist.

Van Wijks zelfbeheersing, altijd al zwak, begon het te begeven. Zijn geest schreeuwde het uit: Hij zou kunnen liegen, hij zou het kunnen! Hij deed het eerder we hebben nooit geweten wat hij & de kinderen van plan waren met Felice . . .

Ineens moe, zei Manion: 'Oh, houd je kop, Gerry.' Hij nam de microfoon uit Kramers hand en begon er vlug in te spreken.

De anderen weken achteruit. De psychische spanning nam af en liet een matte atmosfeer achter die zwak verlevendigd werd door een sprankje hoop. Terwijl de veelkleurige waarschijnlijkheidsformules zich schikten en herschikten op het beeldscherm, floot Manion een liedje tussen zijn tanden. Het was 'I am the Captain of the Pinaforce'. Ten slotte liet hij een ingewikkelde constructie op het scherm staan en zond een lading mathematische diepzinnigheden naar de geesten van Kramer en Van Wijk.

'Daar heb je het. Duidelijk genoeg, zelfs voor twee schijtfysici als jullie. Eén enkele dimensionale overzetting wordt erdoor bevestigd, samen met het rubberbandeffect en het hypervacuüm door de terugtrekking. Die overbelaste hellelading moet Felice om zeep hebben geholpen en misschien die kleine koning ook. De sterktewaarde moet tegen de zevenhonderd hebben belopen, godnogantoe.'

'We hadden vage waarnemingen tijdens de bundeling dat er een soort mentale fusie heeft plaatsgevonden,' hield Cordelia Warshaw vol.

'Felice heeft zich nooit met Marc verbonden,' constateerde Manion. 'Geloof me maar, die verdomde meid is zo dood als een biefstuk.' Hij hield zich weer bezig met de microfoon, veegde de analyse van het scherm en stelde een krachtige kunstmatige en persoonlijke draaggolf samen die met een door anderen niet te evenaren precisie een zekere mentale signatuur nabootste.

'Jij daar in dat pantser! Kun je me horen?'

De vrijwel waardeloze scanner liet zien dat iemand achter die zwarte pantsering dat inderdaad deed.

'Vertel deze gekken wie je bent. Ik heb een vergelijkbare identiteit geformeerd. We hebben alleen één bewuste gedachtenreeks nodig.'

Uit de luidspreker kwam een krakend gestotter. Het scherm flikkerde. De analyse op het beeld zei: IDENTITEIT NIET BEVESTIGD.

Patricia Castellane nam de microfoon over. 'Marc. Dit is Pat. Communiceer met ons. Gebruik de machine of je mentale vermogen. We moeten weten of je geest nog intact is. Alsjeblieft, Marc.'

De luidspreker rommelde, een ademhaling die droge bladeren deed opwaaien. Het beeldscherm zei: ZH?JE? (GEEN COHERENTE WOORDBOUW.)

En de analyse: IDENTITEIT NIET BEVESTIGD.

Dokter Warshaw die achter de aangesloten terminal zat, zei: 'We hebben meer nodig dan dat.'

'Marc, je moet ons helpen,' zei Patricia. 'Je hoeft alleen maar tegen ons te praten.'

Een gegons dat wegstierf tot een fluistertoon. ZH? JE? SS? (GEEN COHERENTE WOORDBOUW.)

IDENTITEIT NIET BEVESTIGD.

'Vraag hem naar zijn naam,' zei Warshaw.

Alsof ze het tegen een klein kind had, vroeg Patricia: 'Quel est ton nom, chéri?'

JE SU? SOO? SÜ? JE SUIS = 'I AM'. (FRANS-AMERIKAANS DIALECT.)

'Ton nom! Quel est ton nom, mon ange d'abîme?'

JE SUIS LE TÉNÉBREUX = IK BEN DE DUISTERE (BEELDSPRAAK? VGL. GEDICHT 'EL DESDICHADO' DOOR GÉRARD DE NERVAL [PSEUD. LABRUNIE, GÉRARD, 1808-1855].)

'Hebbes!' riep de psychotacticus uit. De metalige accenten hingen in de lucht. Op het scherm bleven de oplichtende woorden staan, een bevestiging van de mentale signatuur werd in de rechter onderhoek zichtbaar.

IDENTITEIT POSITIEF: REMILLARD, MARC ALAIN KENDALL 3-6ø2-437-121-ø15M.

Gerrit van Wijk griende. Ragnar Gathen draaide zich om en slaakte een diepe zucht. Diarmid Keogh en zijn zwijgende zuster wisselden snel gedachten uit met Steinbrenner en maakten het hoofdelement klaar van de levenondersteunende nooduitrusting.

JE SUIS LE TÉNÉBREUX LE VEUF L'INCONSOLÉ LE PRINCE D'AQUITAINE À LA TOUR ABOLIE ABOLIE ABOLIE CYNDIA MY GOD CYNDIA DON'T . . .

Alexis Manion lachte. Patricia Castellane schreeuwde onsamenhangend en liet de microfoon vallen. Pseudospraak echode door het inwendige van de verduisterde koepelkamer:

MA SEULE ÉTOILE EST MORTE! CYNDIA . . . MON LUTH CONSTELLÉ PORTE LE SOLEIL NOIR . . . J'AI DEUX FOIS VAINQUEUR TRAVERSÉ L'ACHÉRON FOR NOTHING. THE BITCH IS DEAD JACK. SHE'S RUINED ME BUT SHE'S DEAD.

Diarmid Keoghs PK haalde snel de microfoon van de grond. Hij sloot de geluidsapparatuur af en maakte een begin met de ontmanteling van de machine. De helmhouder liet zijn kabels zakken. Klampen hechtten zich rondom de blinde, massieve kap. De klemhaken sprongen open en het geheel draaide een kwartslag. Vloeistof sijpelde uit de naad van het omhulsel en kwam vervolgens in een kleine stroom naar buiten. De afvoer van de beschermende vloeistof werkte blijkbaar niet en Marc kon bezig zijn te verdrinken.

Steinbrenner vloekte. 'Activeer die verdomde kraan! Maar voorzichtig. God weet wat eronder vandaan komt.'

Beelden!

Ze stroomden naar buiten terwijl de voor gedachten niet toegankelijke helm werd opgelicht en het hoofd van de man daarbinnen zichtbaar werd: zuchten en geluiden, gevoelens, geuren en smaken, normaal en verwrongen, exact en fragmentarisch, vluchtig en indringend. Herinneringen. Hallucinaties. Angsten. Vreugden. De hele archetypische rommel uit het diepere onbewuste: een mentale kakofonie, nachtmerries die fortissimo werden uitgezonden, wijdopen emotionele tussenpozen, schreeuwendblazendsissend boven de bassen donder in de buik. Het geheel verpakt in een web van witgloeiende pijn.

Marc stop! schreeuwden ze allemaal, overweldigd door die wervelstorm.

Toen was er stilte.

Het hoofd boven de halskraag van kerametaal verhief zich iets. Diepgezonken grijze ogen, met enorme pupillen, gingen open. Vanuit de zilvergrijze haren droop groene vloeistof over het voorhoofd waar het zich vermengde met bloed dat afkomstig was uit de kleine wondjes veroorzaakt door de nu verwijderde hersenelektroden.

'Ze zijn allemaal dood,' zei hij op normale toon. *(Beelden: Sneeuw kerstfeest lichtjes slede Dobbin Cantique de Noël koperen plaat Mount Washington vaag in de sneeuwstorm gekke oude man die een langharige kat vasthoudt.)*

Patricia kwam dichterbij. 'Wie is dood? Felice en Aiken Drum?'

'Cyndia en Jack en Diamant.'

De bekende glimlach trok één hoek van zijn welwillende mond op. De beurs uitziende oogleden sloten zich. *(Beelden: Blauwwit flikkerend punt van rampspoed. Geestgefluister: Het is volbracht, GroteBroer nu moet jij ook vergroten of je dat leuk vindt of niet adieu lieve Marc geur witte ananas wegstervend edelsteenlicht botsing van Eenheid triomferend.)*

'Geen omvangrijk trauma boven het nekzegel,' zei Steinbrenner. 'De aftakkingen van de halsslagader zijn intact en de apparatuur van de helm lijkt onbeschadigd. Maak de zak voor het lichaam klaar en de speciale voor het hoofd. Kom jij wat aan de weet bij het diepte-onderzoek, Diarmid?'

'Hij lijkt zijn autonome systeem bewust te onderhouden.' Keogh schudde zijn hoofd. 'Ziet er slecht uit, Jeff. Deirdre zegt dat er metabolische aanwijzingen zijn van ernstige verwondingen aan romp en ledematen. Je weet dat hij zichzelf kan vernieuwen, doodgewone verwondingen zijn voor hem geen problemen. Maar deze keer is dat zelfregenererende genetische programma volkomen overbelast.'

'We moeten dat hele pantser weghalen,' zei Steinbrenner. 'We moeten zien wat . . .'

'Wacht,' zei Marc duidelijk verstaanbaar. Zijn ogen gingen weer open. *(De overweldigende geur van ananas.)*

51

Steinbrenner en de beide Keoghs bevroren.

'Ik onderhoud zelf de koeling . . . schoonhouden . . . lager gedeelte omhulsel. Als ik hieruit ga . . . moet ik dat loslaten om mijn vitale lichaamsdelen te voeden. Dus geen communicatie. Maar eerst moet ik jullie vertellen . . .'

'Laat ons helpen,' riepen ze allemaal uit.

'Nee. Luister. Ons experiment was een . . . behoorlijk succes. Felice is weg. Aiken Drum jammer genoeg niet. Hij is zwaar gewond. Zijn genezers zullen hem zonder twijfel te zijner tijd weer op de been krijgen. Net als de mijne.'

'Maar wat is er met jou gebeurd?' riep Patricia.

(Beelden: furieuze vrouwelijke vorm materialiserend in de lucht. Vorm in een pantser, hoog op zijn draagvlak, vanaf het nekdeel omgeven door astraal vuur. Koeling en levensonderhoudende elementen zwoegen binnen het ultradichte kerametaal terwijl een demonische kracht zich door het ondoordringbare werkt en het onmenselijk versterkte lichaam daarbinnen aanvalt. Secundaire aders in dijen weggebrand, neuroceptoren eveneens. Hele belasting van levensonderhoud verschoven naar halsslagader. IJsbloed en chemische verdovingsvloeistoffen beschermen interne organen, hoofddelen van het skelet en spiergroepen. Psychocreatieve toorts van gefrustreerde monstergeest woedt over kwetsbare lichaamsoppervlakken, brandt lederhuid weg tot een diepte van vier millimeter, verwoest volkomen handen en voeten en zichtbare genitaliën. Dan, niet in staat tot volstrekt doden, gedwongen zich terug te trekken.)

De genen!

'Veilig. Maak je geen zorgen. Drie maanden in de tank en ik ben weer zo goed als ooit.'

De hersens!

'Ik liet de hele creatieve stroom afbuigen naar mijn hoofd op het moment dat ze toesloeg. Mijn hersens zijn gered . . . het merendeel tenminste. Slaagde erin haar uit mijn pantser te dwingen. Duurde korter dan een halve seconde. Gelukkig komt schok in zulke gevallen pas later. Was in staat metabundeling te blijven sturen tot aan de laatste vuurstoot. Toen . . . alle energieën gebruikt voor zelfhandhaving.'

De ogen in hun holle kassen verglaasden en de toeschouwers deinsden terug uit vrees voor een nieuwe transmissie van helse pijnen. Maar Marcs geest werd weer stabiel. Zijn oude magnetisme en zelfverzekerdheid stroomde naar hen uit om ieder van hen aan te raken met vertrouwenwekkende warmte.

'Maak je geen zorgen! Zelfs deze ramp . . . deze d-sprong is *waardevol* geweest. Ik heb geleerd . . . maar dat zal ik jullie laten zien als ik weer wakker ben. Ondertussen moeten jullie alles klaarmaken om naar Europa te gaan. Jordy en Peter, ik reken op jullie en op jullie mensen om deze machine te herstellen. Haal hem helemaal uit elkaar, de energievoorziening, de computer, de aansluitingen, de ommanteling die we nog in reserve hebben, alles! Redt de Kyllikki . . . zorg dat dit allemaal aan boord wordt opgesteld. Gebruik de kleine sigmavelden zodat de kinderen en Aiken Drum jullie op afstand niet al te duidelijk kunnen waarnemen. Mijn plan . . . vernietig tot heel diep de geologische structuur op de plaats van de tijdpoort . . . op die manier veranderen we de geomagnetische toevoer naar het tauveld. De oude Guderian zelf heeft geschreven dat die toevoer van fundamenteel belang is voor het bestaan van de tijdplooi. Voordeel van dit plan . . . we hoeven de kinderen en Aiken Drum niet rechtstreeks te confronteren. En de oplossing is permanent. Nu kan ik er niet meer over zeggen. Vertrouw me.'

'Dat doen we,' zei Patricia.

Opnieuw die glimlach *(ananas ananas ananas).* En pijn.

Marcs vérsprekendheid klonk lachend, schreeuwend. Je bent nog niet geboren Mentale Man Ik heb geen hinder van je!

Toen sprak hij weer rationeel, hardop, zich helemaal concentrerend op Patricia Castellane. 'Houd me goed in de gaten terwijl ik drijvende ben, Pat. We weten allemaal dat de regeneratietank zijn kuren heeft. En ik wil niet wakker worden met een paar extra vingers of tenen . . . of nog erger.'

'Ik zal erop letten,' fluisterde ze. 'Laat me je nu hieruit halen. Uit de pijn.'

Pijnananaspijnananas.

(Beelden: Opgroeiende jongen slaat deken van baby terug om roze perfectie te zien. Mama hij is in orde papa had het dus toch verkeerd of niet Ja liefje verkeerd verkeerd verkeerd. Ananas rozen kankerende degeneratie stinkt rook druipende kaars nachtwake consummatum est jonge Jack.)

'Dank je Pat. Nee. Ik moet alleen gaan. Au'voir.' De ogen sloten zich. De mentale projectie verdween.

Marc Remillard had zich in zijn afgrond teruggetrokken.

I. De samenvoeging

1

Zomerse mist.

Hij loogde alle kleuren en alle substantie van de wereld, enkel grijze tinten achterlatend. Loodgrijze grafsteen grijze spinnewebben grijze muis grijze as grijze snot grijs stof grijze karkassen grijs. Het was nooit eerder voorgekomen, mist in deze tijd van het jaar, achter in augustus. Dit moest dus wel nog een voorteken zijn, even onheilspellend als de dood van de Eenhandige Krijger. Velen zeiden dat deze mist veroorzaakt werd door de afgekoelde as van de held: ieder klein relikwie had de tranen van de hemel zelf naar zich toe getrokken om deze overal aanwezige lijkwade over het Veelkleurig Land te leggen.

(De minder sombere poëten besloten dat de mist een meteorologische uitzondering was, misschien een verlaat uitvloeisel van de Vloed die de Lege Zee had gevuld. Ah . . . maar zij waren er niet bij geweest in Goriah, zij hadden niet toegezien en in de vroege ochtend het duel gevolgd vanaf de transen van het Glazen Kasteel!)

De mist rolde over Armorica vanuit de Straat van Redon naar de dichte oerwouden van de Boven-Laar, naar het zuiden tot voorbij de Golf van Aquitanië en de moerassen rondom Bordeaux, hij vulde de moerassen van het Parijse Bekken en de Hercyniaanse Wouden en vloeide naar het oosten in de richting van de Vogezen, de Jura en zelfs tot de eerste hellingen van de Zwitserse Alpen. In de namiddag had het front dat naar het zuiden bewoog zich al door de passen van Cantabrië gewerkt en bereikte daardoor Centraal-Koneyn. Vreemd genoeg nog steeds in omvang toenemend bedekte het de lagere Sierra Morena en sijpelde vervolgens de baaien van de Guadalquivir binnen om pas halt te houden voor de met sneeuw bestofte Betische bergketen, likkend aan de hellingen van Veleta, Alcazaba en de opgeblazen, lege Mulhacén.

Poeslief, alle energie opzuigend, maakte de mist de zon onzichtbaar, deed elk geluid verstommen en liet overal het groen treurig druipend achter. De dieren van het woud verscholen zich. Verkleumde vogels en insekten sliepen. De grote kudden op de Pliocene steppen kropen op de hoogten bijeen. Hun neusvleugels trilden, de ogen stonden wijd open, de oren recht overeind. Ze waren als verlamd nu hun zintuigen bij deze mistige onzekerheid geen enkel betrouwbaar signaal meer ontvingen.

Het was de dag waarop de Troonveroveraar zijn grote overwinning had behaald. De dag dat koningin Mercy-Rosmar en Nodonn de Strijdmeester stierven.

Na afloop keerde de koning naar zijn kasteel terug en droeg de trofee.

De ridders en hun volgelingen kwamen hem opgewonden tegemoet. Hun geesten schreeuwden, begerig om in de overwinning te
delen. Maar ze weken teleurgesteld achteruit toen hij de zilveren
hand op het voorplein liet vallen en daar doodstil en met lege ogen
bleef staan, zijn geest afgesloten en tegelijkertijd op een verschrikkelijke manier zo duidelijk veranderd, zo tot barstens toe vol, eerder dan leeggezogen, zoals ze hadden verwacht.

Zij die het dichtst bij hem stonden, de grote helden Bleyn en
Alberonn, riepen hem aan zich uit het tumult terug te trekken.
Maar hij wilde niet naar zijn eigen slaapvertrek gaan (pas veel later
zouden ze begrijpen waarom) en dus zei Bleyn: 'Laten we je dan
meenemen naar mijn appartementen waar mijn Vrouwe Tirone
met het Zingend Hart proberen kan je te helpen met haar genezende krachten'.

De koning ging met hen mee en protesteerde niet toen ze zijn dof
geworden pantser afnamen en hem neerlegden op een rustbank in
een aparte, goed van de rest gescheiden kamer. Er waren geen verwondingen te zien, maar hoewel hij zijn mentale afweerschild
omhooghield, waren ze zich ervan bewust hoezeer zijn psyche
opgezwollen was, hoe deze bijna overvloeide van een teveel en
dreigde te ontsnappen aan het kleine lichaam dat haar bevatte.

'Wat is er gebeurd?' vroeg Tirone hem, vol angst en beducht-
heid. Maar hij wilde niet antwoorden. Toen zei ze: 'Als ik je wil
kunnen helpen, Hoge Koning, dan moet je je tenminste een weinig
voor me ontsluiten en me vertellen wat voor vreemd onvermogen
hier heeft toegeslagen.'

Maar hij schudde enkel zijn hoofd.

Tirone maakte een hulpeloos gebaar naar haar echtgenoot en
Alberonn. Dan zei ze tegen de koning: 'Wil je liever dat we weggaan? Is er dan niets dat we kunnen doen?'

Toen sprak hij ten slotte: 'Niet voor mij. Maar zorg voor onze
mensen en houd toezicht bij het opruimingswerk. Ik zal hier rusten. Om 2100 uur zal ik met de gevangenen afrekenen. Stel de
andere leden van de Hoge Tafel hiervan in kennis en laat hen tegen
die tijd gereed zijn.'

'Dat kan toch zeker wel wachten,' protesteerde Alberonn.

'Nee,' zei de koning.

De drie maakten zich gereed om te gaan. Tirone zei: 'Ik zal buiten de deur blijven, voor het geval je me nodig hebt. Het beste dat je
nu kunt doen is slapen.'

De Troonveroveraar glimlachte tegen haar. 'Dat zou het beste
zijn . . . maar die twee zullen me dat niet toestaan.'

Ze begrepen hem niet, maar ze raakten hem aan, vervuld van
gevoelens van trouw en gingen daarna heen, denkend dat hij nu
alleen was.

De colonne versterkingen kroop over de Grote Zuidweg boven Sayzorask, twintig wagens vol verboden materieel uit het Bestel, tweehonderd Tanu-ridders en een even groot aantal mensen die tot 's konings eigen Gouden Elite behoorden en nog eens vijfhonderd dragers met grijze halsringen die dienst deden als voetvolk, menners, lakeien en verbindingstroepen. De reizigers die niet over vérziendheid beschikten (en dat gold voor de meeste mensen, zelfs zij die goud droegen maar die hun halsringen van de koning enkel als eerbewijs hadden ontvangen, niet op grond van hun metapsychische vermogens) zagen hun zicht beperkt tot amper twee meter, krap de lengte van een chaliko. Niet dat er veel kans was om de kerels te zien die voor je waren, want de karavaan had de hele ochtend al in een langgerekte linie gereden waardoor het leek alsof elk stel ruiters en elke wagon met escorte alleen voortploeterde in de vochtige beslotenheid. De colonne was zo uitgerekt om de problemen met de beerhonden die de troep bewaakten, tot een minimum terug te brengen. Vanaf dat ze Sayzorask hadden verlaten, waren de eigenzinnige krengen aan het donderjagen geweest, liepen het meegenomen vee voor de poten en kwijlden en schreeuwden en rolden met hun gele ogen terwijl de bedwingers de grootste moeite hadden ze terug te krijgen waar ze hoorden: op de flanken van de colonne.

'Slechte ionen in de lucht,' zei Yoshimitsu Watanabe, die een gouden halsring droeg, diagnosticerend. 'De mist maakt de amphicyons hypergevoelig voor metapsychische trillingen. Ik kan het zelf bijna voelen . . . Ik had eens een hond, in Colorado, een Akita van vijfenveertig kilo die met me mee door de Rockies trok. Die deed af en toe precies zo wanneer er echt slecht weer op komst was. Ging door de rooie, weet je wel? Primitieve honden, Akita's. Ik heb wel geleerd goed naar dat oude beest te luisteren als hij me vertelde dat we de bergen uit moesten.'

'Hee, denk je dat we een storm krijgen, chef?' vroeg Sunny Jim Quigley, die een Conestoga bestuurde met zware wielen waarin een kostbare infrarode zoeker lag opgeslagen samen met de krachtbron die erbij hoorde en de bijbehorende robotonderdelen. Hij was niet meer dan een versluierd silhouet. Alleen zijn stem klonk helder, telepathisch versterkt door de grijze halsring die hij droeg.

'Storm?' Yosh haalde de schouders op. 'Wie zal het zeggen? Mijn ervaring met het klimaat hier in het Plioceen is beperkt. Jij bent de inboorling.'

'De moerassen rondom Parijs leken hier absoluut niet op,' zei Jim. 'Op deze hellingen boven de Rhône ziet het zo'n beetje uit als woestijn en beneden niks dan oerwoud. Maar het is ineens verdomd koud geworden, da's een ding dat zeker is. Misschien komt het regenseizoen vroeg dit keer.'

'Dat is precies wat we verdomme nog nodig hebben,' gromde

Vilkas, die op een chaliko aan de rechterkant van de wagen reed. 'Alsof het al niet zwaar genoeg is geweest om deze verdomde lading helemaal vanaf Goriah over land tot hier te krijgen. Tegen de tijd dat we het zootje in Bardelask krijgen, kruipen er meer van die verdomde spoken over de grond dan kakkerlakken in een berg afval! Ik heb het allemaal eerder meegemaakt en ze hoeven mij niks te vertellen. De Firvulag zijn van plan eerst alle kleine stadjes onder de voet te lopen. Daarom vallen ze Burask aan, daarom die uitvallen naar Bardelask en ze geven die gedegenereerde Huilers mooi de schuld. Als die kleine steden gevallen zijn, zullen ze hun krachten proberen op grotere maar kwetsbare steden als Roniah. En Zijne Verheven Glanzendheid kan daar mooi geen reet aan doen.'

'Ach, Vilkas,' zei Jim weifelend, 'de koning stuurt ons, waar of niet? We zetten dit infrarode zoeklicht op in Bardelask en dan komt er geen spook ongezien meer door, al weet hij zich nog zo mooi te vermommen. En in de andere wagens hebben we meer dan genoeg goeie spullen om de mensen van Vrouwe Armida zo sterk te maken dat die bende uit Famorel het wel uit z'n kop zal laten om uit de Alpen te komen. Waar of niet, chef?'

'Dat is de strategie van koning Aiken-Lugonn.' Yosh stuurde zijn chaliko fronsend dichter bij de wagen. Zijn gouden halsring was warm onder de klamme stukken mastodontehuid die zijn nodowa bedekten, het keelstuk van zijn ingewikkelde samurai-wapenrusting. Hij kon de leden van de Tanu 'horen' verderop in de colonne, onrustig onder elkaar fluisterend op hun eigen golflengte die voor mensen met goud onbegrijpelijk was. Wat was er aan de hand?

Vilkas was nog steeds zwaar aan het kankeren. 'Als de koning zich zo'n zorgen maakt over Bardelask, waarom heeft hij deze troep dan niet zelf naar de stad gevlogen? Of anders had hij het die vette sukkel van een Sullivan-Tonn kunnen laten doen in plaats van ons er voor drie weken door de smurrie te sturen.'

'Wat zouden ze met die zoeker moeten beginnen als Yoshi-sama hem niet installeerde?' vroeg Sunny Jim op redelijke toon. 'En hetzelfde geldt voor de wapens zonder Heer Anket en Heer Raimo en de anderen van de elitegroepen die weten hoe ze ermee om moeten gaan?'

Yoshi, kijk uit! kwam de mentale waarschuwing van Anket. Beerhonden gek geworden. Misschien sabeltandtijgers. Misschien de Aartsvijand . . . misschien Tana-magwetenwat . . .

'Opletten!' schreeuwde de samurai tegen zijn metgezellen en op hetzelfde moment begon Vilkas gemeen te vloeken toen zijn chaliko steigerde. Iets groots en zwarts vloog uit de soep op hen af. Eén enkele beerhond kwam zigzaggend aan om de klauwen van Vilkas' chaliko te ontlopen en verdween onder de bodem van de hoogwieliege wagen. Een ander paar kwam jankend aan de andere kant van de wagen waar Yosh reed, vast van plan dezelfde schuilplaats te gebruiken. Een oorverdovend tumult van gejank en gehuil brak los. De vier giraffe-achtigen die de wagen trokken, kwamen op hun achterpoten en krijsten luidkeels. Onder de scheefzakkende wagen stommelden en vochten de beerhonden, die elk makkelijk twee-honderd kilo wogen, waarbij ze met geweld tegen de enorme wielen aanbotsten.

'Kijk uit!' schreeuwde Jim, hard de teugels aantrekkend. 'We gaan onderuit!'

Vilkas porde vergeefs met de achterkant van zijn lange lans in de wollige lijven. Zijn gevloek ging in het kabaal verloren. Jim hield zich wanhopig overal aan vast terwijl de wagen als een reddings-boot op hoge zee heen en weer zwaaide en de kostbare lading tegen de zijkanten denderde.

Twee bedwingers van de Tanu en een mens met metavermogens en gouden halsring kwamen op hun chaliko's aangegaloppeerd. Hun glazen wapenrustingen gloeiden donzig blauw in de wervelen-de mist. Maar hun mentale pogingen haalden niets uit, de beerhon-den waren door het dolle.

Achteruit! beval Yosh. Hij haalde zijn Husqvarna te voorschijn en zette de loop op de grootste spreidstand. De verdover siste en streek met zijn straal over de grond. Er klonk gesmoord gejank, gepiep en gekreun. Eén massieve gedaante haalde in een laatste kramp nog eens uit en versplinterde het rechter voorwiel van de Conestoga.

Ineens werd het heel rustig.

Een grote gestalte, helder violet, kwam uit de vormloze ondoor-zichtigheid te voorschijn. Het tuig van zijn rijdier glansde met het-zelfde spookachtige licht. Dit was Ochal de Harpist, kleinzoon van de heerser van Bardelask en leider van de colonne versterkingen.

Hij maakte een eind aan Yosh' pogingen om de zaak uit te leggen en negeerde de verontschuldigingen van de ridders. 'Ik heb de oor-zaak van hun waanzin gevonden en dat gevoel van ongemak dat ons allemaal al de hele ochtend dwars zit.' Hij wees naar het oosten. 'Daarginds. Op de andere oever van de Rhône. Zie!'

Zijn krachtige vérziendheid projecteerde een beeld. Voor de mensen met mindere vermogens in de colonne was het alsof de mysterieuze mist ineens transparant werd en ook het hele woud op de oeverlanden werd doorzichtig.

Uit een van de diepe zijwaartse valleien die de Alpen hier door-sneden, stroomde een leger naar buiten, omvangrijk en arrogant. In hoog tempo marcheerde het door het spookachtige oerwoud, zonder een schaduw te werpen. Het zag er uit als een horde roof-mieren, duister en talloos en niet herkenbaar totdat Ochals menta-le blik een vergroting tot stand bracht waardoor bleek dat het Firvulag waren. Ze waren ongeveer vier kilometer van hen verwijderd en deden geen moeite om hun aanwezigheid door het scheppen van illusies te verbergen zoals ze doorgaans gewoon waren. Waarschijnlijk rekenden ze erop dat de ongewone mist hen verborgen hield en misschien kon het hen ook niet schelen of ze nu wel of niet werden ontdekt. Daar kwamen ze, reuzen en dwergen en strijders van gemiddelde lengte, allemaal gekleed in hun pantsers van obsidiaan. Ze droegen hun traditionele wapens en voerden banieren en standaards mee die met linten en vergulde schedels waren versierd. Terwijl ze voortmarcheerden, neurieden ze een krijgslied waarvan de noten zich ver buiten het gehoorvermogen van mensen en Tanu begaven.

Maar de beerhonden hadden het wel gehoord.

De route die het Firvulag-leger volgde, voerde recht door de oeverlanden van de Rhône, kruiste de smalle oostelijke weg die naar Bardelask ging dat op nog geen halve dagmars afstand lag.

Er waren ten minste 8000 krijgers.

'Dat is het leger van Mimee van Famorel,' zei Ochal, terwijl hij het geprojecteerde beeld liet vervagen. 'Nu komt er een einde aan de leugens en de pretentie dat het Huilers waren die verantwoordelijk waren voor de uitzinnige overvallen op de stad van mijn grootmoeder. Het Kleine Volk schendt de Wapenstilstand openlijk! Ongetwijfeld heeft de dood van Nodonn de Strijdmeester hen stoutmoedig gemaakt.'

Een van de Tanu zei: 'Dit is het openingsoffensief in een oorlog waarvan sommigen van ons meenden dat die onvermijdelijk was! Ik durf de naam niet hardop uit te spreken. Maar we kennen allemaal de voorspelling van Celadeyr! Moge Tana ons genadig zijn!'

Ochal zei: 'Ik heb al telepathisch gesproken met Vrouwe Armida. Mijn verwanten, al zijn ze hopeloos in de minderheid, zullen de stad verdedigen tot het einde.'

'Oeiii!' zuchtte Jim. 'Ik heb nooit zoveel spoken bij elkaar gezien.'

'Vergeleken met het leger dat Burask aanviel, is dit niks,' gromde Vilkas. 'Maar het is genoeg. Bardelask is ten ondergang gedoemd en we raken daarmee vedomme de beste brouwerij kwijt die we in het Plioceen hadden. We zullen niks anders meer te zuipen krijgen dan bocht en troep uit het oerwoud.'

Yosh zat terneergeslagen in zijn zadel. 'Wat nou, Ochal . . .? Onze mooie infrarode zoeker en wagens vol wapens uit het Bestel zijn voor Bardelask nu geen scheet meer waard.'

Hun leider knikte grimmig. Daarna sprak hij de hele colonne telepathisch toe.

Metgezellen! Er is geen enkele manier waarop wij eerder in Bardelask kunnen zijn dan de Firvulag. Ze zouden ons zeker aanvallen wanneer we een poging deden de rivier over te steken op weg naar de haven van Bardelask. Ik heb met de koning gesproken en hem gesmeekt ons toe te staan te sterven met onze Verheven Grootmoeder. Maar om strategische redenen heeft hij dat verboden . . .

'God zegene Aiken Drum!' mompelde Vilkas.

. . . we moeten ons dus hergroeperen en terugtrekken naar Sayzorask. Onze koning heeft me opgedragen dat de futuristische uitrusting die we vervoeren onder geen beding in handen van de Aartsvijand mag vallen. We moeten in Sayzorask op zijn orders wachten . . .

'En met ons soort geluk,' kwam de onderdrukte snauw van Vilkas, 'eindigen we met naar Famorel zelf te marcheren.'

Ochal negeerde hem en wendde zich tot Yosh. 'Zorg dat deze wagen zo snel mogelijk gerepareerd wordt terwijl ik de rest van de colonne inspecteer. Er is een kleine kans dat Firvulag de rivier zullen oversteken om ons aan te vallen, maar we moeten het niet al te verleidelijk voor hen maken door hier te blijven treuzelen. Ze weten vast en zeker dat we hier zijn en misschien hebben ze een vermoeden van wat we vervoeren.'

Yosh salueerde. Ochal de Harpist gaf zijn wachtende ridders een mentale knik waarna de gloeiende purperen gestalte, gevolgd door de drie blauwe, in de mist verdwenen. Hun vertrek liet zien hoeveel duisterder het intussen was geworden. Nog een uur voor zonsondergang en de mist leek dikker dan ooit.

Yosh borg zijn Husky weer weg. 'Laten we beginnen. Haal een lamp te voorschijn, Vilkas, dan kunnen we zien hoe groot de schade is.'

Terwijl de Litouwer zich schikte, kwam Jim behoedzaam naar beneden en stelde de vier trekdieren van zijn span weer op hun gemak. Ze stampten met hun poten en wendden hun opgestoken oren naar alle kanten. Toen de door zonne-energie aangedreven lamp aanging, hurkte Jim en inspecteerde het gebroken wiel. 'Jammer dat wij onze wapenrustingen niet kunnen laten opgloeien zoals Heer Ochal en die andere meta's. Zou verrekt handig zijn in het stikdonker.'

'Je gloeit niet, tenzij je vermogen hebt,' zei Vilkas. 'De psychoactieve microben die tussen de lagen van het glas zitten, doen hun best niet voor sukkels als jij en ik.' Hij pauzeerde even en ging toen vinnig verder. 'Of voor dragers van goud als Heer Yoshimitsu die ook geen echte meta is.'

'Maar die desondanks zijn voorrechten heeft verdiend,' antwoordde Yosh.

'Als de koning zijn belofte had gehouden, droegen nu alle mensen goud!' De stem van de Litouwer klonk bitter.

Jim keek op naar Vilkas en knipoogde. 'Hee, ik ben dik tevreden met mijn grijze halsring. Vooral in eenzame nachten!' Tegen Yosh ging hij verder: 'Chef, we zullen iemand met PK-vermogen nodig hebben om deze rottige kar uit de modder te halen. Een mens als het kan, niet een of andere Tanu-meneer die de hele boel weer verziekt. En je kan maar het beste even tegen die ouwe Maggers aanpraten om ons een reservewiel te bezorgen.'

Yosh knikte. 'Span de beesten maar uit. Ik zal Heer Raimo vragen ons een handje te helpen.'

Hij stuurde zijn chaliko een eindje naar achteren tot hij een paar meter achter de wagen was, steeg toen af en zei: 'Matte, Kiku. Beste meid.' Het grote dier stond als een gevlekt standbeeld doodstil in de dampige duisternis. Op zijn tenen staand, opende Yosh een zadeltas en haalde de kawa-nawa te voorschijn, een stevig koord dat met een stel ellendig scherpe haken vebonden was.

Naar de wagen terugkerend, riep hij Vilkas en wees op de verdoofde beerhonden die nog steeds onder de scheefgezakte wagenbodem lagen. 'We zullen deze bruten moeten wegslepen en afmaken. Een van de trekdieren die Jim aan het losmaken is, kan het sleepwerk doen. Maar je zult eronder moeten kruipen om dit vast te maken.'

Vilkas kreunde. Zijn laarzen waren schoon geweest die ochtend en zijn kuras van brons en groen glas en de scheenplaten waren helder gepoetst. Een ogenblik aarzelde hij met al een opstandig protest op het puntje van zijn tong. Toen werd hij zich bewust van de zwakst mogelijke elektrische impuls tegen het metaal rond zijn keel.

'Ja, Yoshi-sama.'

'Dank je, Vilkas.' Yosh wendde zich af om zich met de trekdieren bezig te houden terwijl Vilkas op zijn knieën ging in het bloederige stof en onder de Conestoga kroop gewapend met het touw en de haken. De verdoofde en behoorlijk uiteengereten ondieren lagen op een verwarde hoop. Eén had onder de schok van de verdoving zijn darmen geleegd. Kotsend liet Vilkas de grote weerhaken in de schouder van het beest verdwijnen.

'Klaar?' zong Yosh.

'Klaar.'

Zonder de versterking van de slavenring zou het antwoord van de Litouwer onverstaanbaar zijn geweest. Gelukkig voor hem was zijn samurai-meester niet in staat de fijnere nuances van het telepathische antwoord te ontcijferen.

Vilkas trok zichzelf onder de wagen vandaan terwijl het touw strak trok en het eerste ondier begon te bewegen. Staande vloekte hij van weerzin. Met bloed en uitwerpselen doordrenkte modder bevlekte zijn wapenrusting.

Jim probeerde hartelijk te doen. 'Wat dondert het, jongen. We hoeven tenminste niet hogerop aan de rivier voor ons leven te knokken. Het kon allemaal nog heel wat erger.'

'Dat komt nog wel. Wacht maar.'

Yosh kwam uit de mist te voorschijn met een trekdier. 'Monku, monku, monku,' riep hij verleidelijk, terwijl het het met haken bezette touw weer aan Vilkas gaf. 'Daar ga je weer, mijn jongen. Ik zal vannacht wat extra lekkers op je ring programmeren als compensatie.'

'Dank je, Yoshi-sama.' Vilkas' optreden was volstrekt beleefd. Hij dook andermaal onder de wagen, greep de kawa-nawa stevig beet en dreef de dolkscherpe punten in de strot van de volgende beerhond.

2

Het konvooi uit quadriplex vervaardigde en gestandaardiseerde terreinwagens, waarvan het aantal na de ramp met de vrachtsleper in het Rif Gebergte tot vijftien was gereduceerd, kroop door de koperen Afrikaanse zonsondergang in een wolk van stof, voor ionen ongevoelige muggen en een juichstemming bij voorbaat.

De Middellandse Zee en Grote Waterval waren minder dan 90 kilometer verwijderd.

Langer dan twee maanden, sinds ze de moed hadden gehad om het kamp op de Marokkaanse kust te verlaten waarop ze door hun ouders waren vastgezet, waren de weggelopen volwassen kinderen van Ocala in noordelijke tot noord-oostelijke richting getrokken in de richting van het markeringspunt dat op de een of andere manier symbolisch was geworden voor hun schuld en hun moed. Ze hadden meer dan 1500 kilometer Pliocene wildernis doorgetrokken, moerassen en oerwoud, droge woestijn en, als laatste, de bergen van het Rif. Nu rolden ze door de droge heuvels en verwelkte struiken die samen het bovenste gedeelte van de landengte van Gibraltar vormden. Logica had de leider van de expeditie, Hagen Remillard, snel genoeg voorgehouden meer oostelijk aan te houden op een directer koers naar de nu volgelopen Middellandse Zee, die ze zouden moeten oversteken om contact te kunnen maken met Cloud in Afaliah. Maar alle logica faalde in het vooruitzicht van de onweerstaanbare aantrekkingskracht van de Waterval. Hoe zouden ze die links kunnen laten liggen? Zij hadden aan de schepping ervan meegeholpen toen hun geesten zich verenigden met die van hun ouders om de gekke Felice te helpen het westelijke oceaanwater in de Lege Zee te laten lopen. Psychologisch was het noodzakelijk dat ze er gingen kijken.

De vijf jeugdigen die samen Ocala's magere derde generatie vormden, en die de Welpen werden genoemd, waren er nog meer op gebrand dan hun ouders. Toen een hoog oprijzende kolom waterdamp die de plaats van de waterval aangaf, eindelijk boven de horizon zichtbaar werd, werden de kleintjes steeds drukker en onrustiger. Het werd duidelijk dat niemand die nacht zou kunnen slapen voor ze een eerste blik op het wonder hadden geworpen en dus besloot Hagen ditmaal het kamp niet bij zonsondergang op te slaan maar verder te trekken. Er was tenslotte maanlicht genoeg om het landschap te verlichten.

Hagen betreurde die impuls toen Phil Overton bezweek voor de niet-aflatende overreding van diens vierjarige Calinda, die was blijven zeuren tot ze met haar vader in de voorste terreinwagen mocht zitten. Hartbrekende protesten van de andere Welpen, vocaal en telephatisch en beide afschuwelijk doordringend, waren vanaf dat ogenblik onvermijdelijk. Ondanks Hagens bezwaren, zat er niets anders op dan dat alle kleinen een plaats kregen in de voorste wagen. Diane Manion verwisselde van plaats met Nial Keogh en zwoer dat ze ieder grammetje van haar metavermogen zou gebruiken om de Welpen onder controle te houden en de inschikkelijke Overton werd gedegradeerd van navigator tot kinderoppas. Maar hoe dichter ze bij de Waterval kwamen, hoe onrustiger de kinderen werden.

'Papa, zet de gluurkijker weer aan!' pleitte Calinda. 'Ik weet zeker dat we dit keer de watervallen kunnen zien!'

'De gluurkijker! De gluurkijker!' zongen Joel Strangford en Riki Teichmann, die vier en een half en vijf jaar waren. Ze plukhaarden aan elkaar om dichter bij het holografische beeldscherm te komen in de stuurcabine waardoor de kleine Hope Dalembert op de vloer terechtkwam. Die begon te krijsen.

'Stomkoppen!' Het oordeel van de zes jaar oude Davey Warshaw was vernietigend. 'Een terreinscanner kan geen gat in de grond laten zien als er heuvels in de weg staan.'

'Dat kan wel! Dat kan wel!'

'Alleen als de invalshoek goed is,' zei Davey triomfantelijk. 'En dat is-ie niet. Dacht je soms dat dat ding bij Gibraltar zoiets kleins was als een droge bedding of een gat in het zand die de gluurder even kan catalogiseren? Ha!'

'Laat het ons zelf dan maar even zien, meneer Slimmerik!' eiste Calinda.

Hoewel hij tot zoiets niet in staat was, gebruikte Davey zijn verbeeldingskracht om een gezicht op te roepen dat de anderen tot zwijgen bracht: de korst van een planeet die als een gigantische meloen werd opengespleten en waardoor een fontein van water in de ruimte gutste.

Voorzichtig veranderde Diane Manion het beeld. 'Het zal er eerder zo uitzien, liefje.'

Alle Welpen loeiden van teleurstelling.

'Maar dat is gewoon een *kleine* waterval,' protesteerde Riki.

'Zoiets als in het boek over de Oude Wereld. Niagara. *Onze* waterval is groter dan welke ook in de hele wereld!'

Calinda tuitte haar onderlip. 'Wil geen kleine waterval zien. Hagen, jij hebt gezegd dat het *hartstikke groot* zou zijn.'

'Hartstikke groot,' herhaalde de kleine Hope Dalembert in tranen.

'Phil, Phil, zet de gluurkijker nou aan!' dreinde Joel. En de anderen vielen hem bij en krioelden over en om de ongelukkige Overton en Hagen die achter het stuurpaneel zat tot de laatste hen afweerde met zijn PK en tegelijkertijd een mentaal commando gaf.

Nu allemaal stil zijn!

Wonderlijk genoeg gebeurde dat.

Hardop zei Hagen: 'Nou luister, Welpen. We zijn er bijna. Ik denk dat ik al iets kan voelen. En misschien lukt jullie dat ook als je voor een minuut je kwek kunt houden . . .'

Het janken van de turbine terwijl de terreinwagen naar de top van een hoogte zwoegde. Het kraken en breken van platgereden gras en struiken. Het gonzen van de af en toe haperende luchtverversing. Daarbuiten een valse serenade van dwerghyena's die zich verborgen hielden tussen de dwergeiken.

En toen, het geluid dat geen geluid was. Een beweging eerder in de atmosfeer die zo diep ging dat de gehoorzintuigen haar niet waarnamen.

'Papa, er zit iets in mijn keel,' fluisterde de kleine Calinda. *'Ik kan een geluid proeven.'*

Phil trok haar op zijn schoot voor ze nog ongeruster werd en Diane was er snel bij om de drie kleinere kinderen met haar geest gerust te stellen. Maar Davey Warshaw, al groter in wijsheid, werd uitbundig.

'Dat is het! Dat is de Grote Waterval! Harder, Hagen, harder rijden!'

De zoon van Abaddon lachte kort en gaf meer gas. Een in de weg staand dwergeikje werd niet vermeden maar doormidden gebrand. De Welpen krijsten terwijl ze voorwaarts denderden te midden van vliegende houtsnippers en naar hars ruikende dampen. De door zonne-energie aangedreven turbine van de terreinwagen huilde bij de toenemende helling, maar klom ondertussen hoger en hoger naar de avondhemel.

De eigenaardige subsonische vibratie nam toe tot het een zingen werd in hun botten. Zelfs de volwassenen merkten hoe de grote, zachtere weefsels van het strottehoofd mee gingen klinken op die enorme noot. Hope Dalembert begon te janken en verborg zijn gezicht aan de borst van Diane, maar de vier andere Welpen deden met wijd open ogen hun uiterste best om te ontdekken wat er voor hen uit lag met vérziende vermogens die nog niet effectief genoeg waren. Het voertuig bereikte eindelijk de top, botste over oneffenheden en kwam langzaam tot stilstand op een smal, winderig plateau.

De terreinwagen en de grond van de hoogte waarop hij stond, schokten onder de niet-aflatende donder. Het geluid deed geen pijn, de frequentie was daarvoor te laag, nauwelijks hoorbaar. Volwassenen en kinderen zaten lange tijd bewegingloos. Toen maakte Davey het luik open en begon naar buiten te klauteren. Phil Overton nam Joel en Calinda terwijl Diane de handen greep van Riki en Hope.

Hagen, alleen achtergebleven in de stuurhut, nam even nota van het verbazingwekkende landschap dat op het grafische beeldscherm door de scanner werd weergegeven. Tegen de lege ether om hem heen zei hij: 'We zijn er eindelijk, vader. Dit is jouw werk net zo goed als dat van Felice en ons. Wil je niet even van mijn ogen gebruik maken?'

Niets.

Hagen lachte. 'Heeft ze je dan toch gedood? Heeft een krankzinnige met een natuurtalent de uitdager van het Bestel gedood? Dat zou een knullig einde zijn! Heel wat anders dan ik me in mijn vaderhaat had voorgesteld.'

Niets.

'Je houdt ons toch niet tegen. We openen de tijdpoort weer,' fluisterde hij. 'Je *hebt* ons uit Ocala laten ontsnappen. Je *had* ons kunnen opblazen, maar dat deed je niet. Ik ken jou, vader! Je durft ons niet tegen te houden. En dat heeft niet alleen met schuld te maken, maar ook met de verleidelijke elegantie van het rad dat 360 graden ronddraait en dat jij niet kunt weerstaan . . .'

Niets.

Hagen staakte zijn alleenspraak en liet de donder zijn schedel vullen. Zijn handen deden automatisch hun werk om al de systemen van het voertuig uit te zetten; daarna voegde hij zich bij de anderen.

Ze bevonden zich op een landpunt onder een indigokleurige hemel. De volle late augustusmaan stond ruim boven de oostelijke horizon. Aan hun linkerhand reikte een breed sluiswater naar de Atlantische Oceaan, rechts zagen ze een monsterachtige afgrond, de nieuwe Golf van Alborán met haar verre oppervlak van water waarin zich geen ster weerspiegelde. Deze twee werden verbonden door een gordijn van zilver dat zich in de eindeloze nacht verhief, de randen schuimend boven de put van de wereld. Dit was de grootste waterval die de aarde ooit had gekend.

Hagens instrumenten gaven de maten aan: 9,7 kilometer breed en 822 meter hoog met een doorstromende hoeveelheid water die nog steeds toenam naarmate erosie de snede bij Gibraltar verder verwijdde. De Grote Waterval zou niet langer dan een kleine honderd jaar meegaan, want na verloop van die periode zou het water het hele Middellandse-Zeebekken hebben gevuld.

Een voor een kwamen ook de andere voertuigen uit het konvooi op het plateau tot stilstand. De inzittenden stapten uit en verzamelden zich rond de rand van de hoogte, achtentwintig mannen en vrouwen en vijf kleine kinderen. Normaal spreken was hier onmogelijk, telepathisch contact leek oppervlakkig. Het was voldoende om te kijken en dit te onthouden.

Ze hadden er uren willen staan, maar het maanlicht nam af en de bries kreeg iets vochtigs. Een muur van zware mist kwam uit Europa aandrijven en verborg het uitzicht.

Calinda's kleine geeststem zei: Ik geloof dat het voorbij is.

Hagen antwoordde: Ja. Het mooiste stuk tenminste.

Veel van de volwassenen begonnen te lachen om hun emoties te verbergen. Ouders begonnen te praten dat het bedtijd werd. Nial Keogh, praktisch als altijd, wees op een plek waar ze hun kamp konden opslaan en waar hij al naar had gezocht terwijl de anderen aan niets anders dachten dan aan het wonder van de waterval. Als reactie op wat ze hadden gezien, ontstond er een druk mentaal gekakel terwijl de kinderen en kleinkinderen van de Rebellie teruggingen naar hun wagens. Enkel Hagen bleef op het plateau achter bij het leidende voertuig.

Hij wachtte in de dikker wordende mist tot middernacht, het moment waarop de omstandigheden voor zijn metavermogens het gunstigst waren. Hij zocht zich voorzichtig voelend een weg naar het noordoosten, over de Cordillera tot in Afaliah, de stad van de Tanu. Pas toen hij er zeker van was dat hij de levensaura die hij zocht, juist had geïdentificeerd, versmalde hij zijn gedachtenbundel tot de kleinst mogelijke omvang, schakelde over op de persoonlijke golflengte van zijn zuster en riep.

HAGEN: Hoor je me?
CLOUD: Ja, waar ben je?
HAGEN: (Beeld.)
CLOUD: !! Dus dat is het! Geen wonder dat de Vloed Muriah verwoestte. Het lijkt bijna niet te geloven dat enkel geestkracht zoiets veroorzaakte! Felice . . .
HAGEN: . . .en haar duivels!
CLOUD: Hagen, we *moesten* wel.
HAGEN: Je rationaliseert achteraf, Marcdochter.
CLOUD: Ik dacht dat je Diane aan het werk zou zetten om dat probleem op te lossen. Je wordt verdomd vervelend.
HAGEN: Jij en vader konden me daar samen nog niet vanaf helpen. Waarom zou zij het beter kunnen?
CLOUD: Omdat ze van je houdt, stomkop. Dat is een onvoorstelbare hulp in elk genezingsproces.
HAGEN: Ah, ja. Ik had moeten denken aan wat er met jou en je

Tanu-minnaar is gebeurd.

CLOUD: Vervloekt jij en je hele zootje rationele schijtwormen, broertje.

HAGEN: Zullen we de beleefdheden even ter zijde laten? Wat is er in Goriah gebeurd?

CLOUD: (Filmische herhaling van de gebeurtenissen.)

HAGEN: Totaal fiasco. Daar gaat ons voorgenomen verbond met Nodonn! Mooi nog dat je vriendje Kuhal het overleefde. Ik denk dat we weer over moeten gaan op het oorspronkelijke Aiken Drum-scenario. Maar die zal niet zo makkelijk te manipuleren zijn als Nodonn. Maar goed, misschien lukt het allemaal toch. Wie weet. Misschien heeft-ie zo langzamerhand wel twijfels over zijn eigen toekomst als Koning van de Elfen. En misschien heeft ons plan om terug te keren naar het Bestel daarom wel een subtiel soort bekoring . . .

CLOUD: *Hagen, vader komt eraan.*

HAGEN: Oh shit. Wanneer?

CLOUD: Daar deed hij vaag over. Hij sprak vanochtend met me nadat Aiken zijn duel met Nodonn had gewonnen. Hij had ernaar gekeken.

HAGEN: Allicht.

CLOUD: Hij zei dat hij naar Europa zou komen zodra de wijzigingen in zijn cerebro-energetische versterker waren aangebracht. Hij neemt het apparaat met zich mee, samen met de hoofdcomputer en de hele batterij X-laserwapens uit het observatorium.

HAGEN: Goeie God, hoe dan?

CLOUD: Ze hebben de viermaster schoener van Walter Saastamoinen weer boven water gehaald. Dat onding is groot genoeg om de helft van alle apparatuur op Ocala te vervoeren.

HAGEN: Verdomme. Ik heb Veikko nog zo gezegd dat-ie het in dieper water moest laten zinken of opblazen. Sentimentele lul. Laat me eens denken, het zou zeker een maand duren om het schip te laden.

CLOUD: Vader is woedend dat je al aan de trek over land bent begonnen.

HAGEN: Heeft hij gedreigd met een mentale vuurstoot?

CLOUD: Nee. Hij hield zich erg in. Hij zei alleen maar dat ik je waarschuwen moest geen contact te zoeken met Aiken Drum, anders moest je rekenen op ernstige consequenties.

HAGEN: ?? Vreemd dat hij niet zelf met me heeft gesproken . . .

CLOUD: Die hersenmachine ligt uit elkaar om op het schip gemonteerd te worden.

HAGEN: Kom nou baby, die ouwe heeft genoeg watts in huis om op klaarlichte dag contact met me te maken met enkel zijn blote grijze hersencellen. Of . . .?!! (Beeld.)

CLOUD: We hadden gelijk over die d-sprong van Felice. Ze is over zijn eigen perifere draaggolf naar hem toegereden en heeft hem lelijk te pakken gehad. Vanaf zijn nek naar onderen helemaal verbrand . . .

HAGEN: (Haastig onderdrukt beeld.)

CLOUD: (Pijn.) Hij drijft al sinds juni in de regeneratietank.

HAGEN: Cloudie, veronderstel eens dat Felice meer aanrichtte dan zijn vlees verbranden? Stel eens dat ze ook zijn hersens heeft gekookt? Dan zou hij zichzelf weer zo goed en zo kwaad als het ging hebben opgelapt en de ergste fysieke wonden hebben hersteld, maar hij zou niet toegekomen zijn aan een complete neurale vervanging in de tank? Allemachtig, dat zou makkelijk acht of negen maanden kunnen duren!

CLOUD: Als zijn metavermogens zijn aangetast, dan zou dat verklaren . . .

HAGEN: Reken maar. Hij zou dan liever met jou praten dan met mij, omdat jij over een grote afstand veel beter kunt ontvangen. Het zit erin dat hij op dit moment tot niets in staat is dat maar in de verte lijkt op wat hij gewoonlijk kan. En als hij niet in staat is om een metabundeling op volle kracht te hanteren, dan lopen we ook niet langer het risico dat hij ons vanuit de verte overhoop kan branden! Oh Cloudie, baby, dit kon onze grote kans wel eens zijn! We staan gelijk met hem! Hij zal heel dichtbij moeten komen als hij zijn vermogens wil gebruiken. Laat hem dat maar proberen met Aiken Drum en diens bende buitenaardsen aan onze kant . . .

CLOUD: Toen vader met me sprak zei hij . . . hij zei dat hij zijn best zou doen om alles voor ons uit te werken. Als we hem maar wilden vertrouwen!

HAGEN: (Krachtterm.)

CLOUD: Hij zou toch moeten *weten* dat wij de autoriteiten van het Bestel hem niet in het Plioceen achterna zouden laten gaan.

HAGEN: Zouden we dat echt niet?

CLOUD: Jij . . . jij . . . *hij houdt van ons!*

HAGEN: Op zijn verdomde onmenselijke manier . . . ! Hij hield ook van moeder, en we weten wat hij met haar deed. Heb jij je ooit afgevraagd waarom?

CLOUD: Dat is allemaal . . .

HAGEN: In de bibliotheek op Ocala. Heb je dan nooit gemerkt dat de computergegevens over de Metapsychische Rebellie allemaal even rechtstreeks en openhartig zijn behalve over de aanleiding en het doel van de hele opstand? Waarom moest er in godsnaam om gevochten worden? Dit was het doel van de Rebellie: het kweken van de Mentale Mens en de zekerheid dat die zijn rechtmatige plaats in het Verenigd Bestel zal innemen. Ik vraag je, is dat een reden voor oorlog?

CLOUD: Vader en zijn mensen wilden dat het menselijke

staatsbestuur zo domineren . . .

HAGEN: Zo simpel ligt het niet. Er was nog iets anders. Dat moet je bij elkaar scharrelen uit brokstukjes andere en verspreide informatie. Van die kleine aanduidingen die net zo vluchtig lijken als die dingen die je bijna, maar net niet helemaal uit je ooghoeken kunt zien. De Rebellie van vader had iets met *ons* te maken. Met mensenkinderen. Hij wilde iets zo verschrikkelijks doen dat zelfs zijn eigen vrouw er genoeg aanleiding in zag om te proberen hem te vermoorden en dat het Bestel ertoe bracht hem de oorlog te verklaren na een periode van honderdduizend jaren van ononderbroken vrede.

CLOUD: Dat is nu voorbij. Lang geleden afgelopen.

HAGEN: Lief zusje van me, *het is nog niet eens gebeurd.*

CLOUD: Schei uit, Hagen, schei uit! Het belangrijkste, het enig belangrijke is dat wij wegkomen! Weg van hem, weg uit deze ellendige primitieve wereld waar onze geesten eenzaam en ellendig zijn. We mogen dat doel onder geen voorwaarde uit het oog verliezen.

HAGEN: Nou en?

CLOUD: We moeten het risico nemen en contact zoeken met Aiken Drum. Jij moet zo snel mogelijk naar Afaliah komen. Dat hoeft niet zo lang te duren nu je al bij de Middellandse Zee bent. Zeil naar het schiereiland van de Balearen. Daar ligt een uitstekende weg die de Avenweg wordt genoemd en die gaat rechtstreeks naar Afaliah. Als je hier eenmaal bent, kunnen we een ontmoeting arrangeren. Kuhal zegt . . . hij maakte me attent op een bepaalde onderhandelingsfactor die ervoor zou kunnen zorgen dat Aiken bereid is met ons samen te werken. We hebben telepathisch met elkaar gesproken net nadat Aiken Nodonn verslagen had. Kuhal wilde niet dat ik alle hoop zou verliezen.

HAGEN: Nou, wat is zijn idee?

CLOUD: (Beeld.)

HAGEN: Verdomd. Uitgerekend hier in Afaliah?

CLOUD: Ze zitten in de kerkers. Er is hier niemand meer over om mijn autoriteit over hen te weerspreken, dus ik ben de hele dag bezig geweest hen uit te persen met de hulp van de plaatselijke hersteller. We hebben het er bijna uit.

HAGEN: Aiken zou onze kont willen kussen om dat aan de weet te komen!

CLOUD: Stel je niet aan als een gek. Zelfs met deze informatie als ruilmiddel moeten we uiterst voorzichtig met hem omspringen. Aiken is gevaarlijk, Hagen. Misschien wel gevaarlijker dan vader op dit ogenblik.

HAGEN: Bullshit.

CLOUD: In het duel in Goriah bleef Aiken gewoon overeind, wat Nodonn ook naar hem toe smeet, inclusief dat fotonenkanon, de Speer. Maar er was nog iets anders. Terwijl hij Nodonn en koningin Mercy doodde, nam hij tegelijkertijd hun metapsychische vermogens in zich op.

HAGEN: *Wat* zeg je?

CLOUD: (Beeld.) Een heel onbekend verschijnsel. Ik herinner me dat de computer er iets over vertelde onder het hoofd: Poltroyanen. Daar wordt het in verband gebracht met voorouderverering. Allemaal knap duister. Geen volledig verslag over hoe het bij mensen werkt of voorkomt. Maar het ziet ernaar uit dat Aiken het deed. Heel het Glazen Kasteel gonst van de geruchten. Hoe bruikbaar die krachten voor hem blijven, moet nog maar blijken. Kuhal vertelde dat sommige Tanu ervan overtuigd zijn dat die overname Aiken zal doden.

HAGEN: Dat zouden ze graag willen . . . Luister Cloud, we moeten hoe dan ook zijn medewerking zien te krijgen. We kunnen niet met hem gaan vechten om de grond waar de tijdpoort gesitueerd moet zijn en het ontwerp van Guderian nabouwen houdt in dat we heel Europa moeten afstruinen voor ruwe materialen. Dan praat ik nog maar niet over het aannemen van in het Bestel getrainde technici om de ingewikkelder details van het apparaat te bouwen. Onze enige hoop op succes ligt in het aankweken van goede wil bij die hersens verslindende kleine Dracula.

CLOUD: Er hangt nog wel wat meer van Aiken af.

HAGEN: ?

CLOUD: Kuhal. Hij en de andere overlevende invallers zijn gevangen genomen. Ze zitten nu opgesloten in Goriah, onder een sigmaveld waardoor ze niet met de buitenwereld kunnen communiceren. Beschuldigd van hoogverraad. De straf daarvoor is de doodstraf.

3

'Jullie zullen nu geoordeeld worden,' kondigde commandant Congreve aan.

De 129 overlevenden van Nodonns verslagen kleine leger voegden zich samen tot een zwijgende dubbele rij met Kuhal Aardschudder en Celadeyr van Afaliah voorop. Ze waren vooraf gewaarschuwd door meesmuilende menselijke lakeien die hun eten hadden gebracht en dus droegen de Tanu-ridders hun glazen wapenrustingen die zo glanzend waren gepoetst als onder de omstandigheden mogelijk was. Hun pantsers gloeiden uitdagend, blauwgroen voor de scheppers, blauw voor de bedwingers en roze met goud voor de psychokinetici, terwijl de weinige overlevende vérvoelenden in hun gezelschap eruitzagen als beelden, gesneden uit glanzend amethist.

Een afdeling van Congreves menselijke troepen marcheerde naar binnen, ze droegen afgesloten manden. Op een mentaal uitgesproken bevel gingen ze de rijen gevangenen langs en deelden kristallen kettingen uit. Iedere opstandeling bond zichzelf daarna vrijwillig met dit symbool van onderwerping aan Tana; de boeien werden vastgemaakt rondom de gehandschoende polsen terwijl de centrale sluiting aan hun gouden halsring kwam te zitten.

'We zijn klaar,' zei Kuhal. Stralend in een heilige gloed torende hij hoog uit boven de menselijke commandant van het garnizoen van Goriah. Hij wierp een blik op het wapen uit de 22e eeuw dat Congreve droeg en dat zo vreemd afstak bij zijn buitenaardse parade-uniform. 'En *dat* zul je niet nodig hebben.'

'De heilige ketens binden ons aan onze eer,' grauwde de oude Celadeyr.

Congreves mentale reactie was ijzig. 'Net als jullie eed van trouw aan koning Aiken-Lugonn, die jullie aflegden tijdens het Grote Liefdesfeest. Volg me!' Hij draaide zich om, tilde de Matsushita-laserkarabijn in ceremoniële armpositie en ging hen voor vanaf de gevangenisbarakken naar buiten.

Mist omhulde het zwaar beschadigde bouwwerk. Ofschoon de aanval pas zestien uren geleden was, had men een deel van het puin al verwijderd. Hopen doorzichtige blokken en verspreid gereedschap dat was neergelegd, gaven aan dat met de reparatie al was begonnen. De sprookjesverlichting van de torens bestond dit keer alleen uit een violet met gouden waas, waarvan het algehele effect vreemd werd verstoord doordat Nodonn de grootste torenspits van het kasteel had weggeblazen.

De gevangenen passeerden de geblakerde ruïne van de voornaamste toegangspoort en kwamen zo binnen de centrale muren. De meeste gangen waren schoongemaakt en slechts een enkele dichtgesmolten scheur of een dichtgetimmerd venster vertelde nog van het wanhopige gevecht dat hier had plaatsgevonden.

De ridders marcheerden door en droegen hun kettingen vol trots, hun metapsychische straling deed het weinige licht van de door olie gevoede muurblakers verbleken. Ten slotte kwamen ze in de voornaamste audiëntiezaal van de citadel die door de overheerser vrijwel volstrekt opnieuw was ingericht. Pilaren van gedraaid amberkleurig glas droegen een hoog gewelf, bezaaid met kleine, op sterren lijkende lampen. De vloer was betegeld in goud en middernachtelijk blauw. De troonsverhoging was de enige helder verlichte plek in de zaal. Op de achtergrond daarvan hing de kostbare metalen zonnevlam van Nodonn de Strijdmeester, die door Aiken was bewaard omdat die zonneschijf ook het symbool was geweest van de eerste Lugonn. Maar het zonnegezicht was nu dof, de apollinische glimlach was verdwenen, samen met de herinnering aan verstuivende as en een geblakerde zilveren hand die bij dageraad uit de hemel was gevallen.

Op de ereplaats stond een zwart marmeren troon, omringd door twintig kleinere, nu allemaal lege zetels. Op de troon zat een klein mens, etend van een appel: de Troonveroveraar van het Veelkleurig Land. Hij was blijkbaar net van buiten en uit de mist gekomen, want hij droeg een stormpak van goudkleurig leer in de stijl van de Tanu, dat nog glinsterde van het vocht. De kap met het vizier was achterover geworpen en bij de hals stond het open. Aiken-Lugonns keel was onbedekt en kaal. Hij had geen kunstmatige versterking van zijn vermogens meer nodig.

De gevangenen liepen naar de verhoging en wachtten totdat Congreve zijn korte telepathische aankondiging had gemaakt en zich daarna met de bewakers terugtrok in de schaduwen achter in de zaal.

De koning kauwde op zijn appel en liet zijn blik over de uitgedunde strijdcompagnie gaan. Hij droeg geen metapsychisch aura, integendeel, hij zag er nogal flets uit. Enkel het donkerrode haar, de wenkbrauwen en de ogen die glinsterden als brokjes git, gaven iets levendigs mee aan zijn gezicht.

Kuhal Aardschudder sprak tot Celadeyr over de persoonlijke golflengte.

Dus hij leeft nog, Celo. Daar gaan de geruchten dat hij zich verslikt heeft in wat hij tot zich nam!

Hij blijkbaar niet. Maar hij ziet er uitgeput uit. Psychisch.

Maar Nodonn en Mercy Rosmar! Om ook maar één van hen in zich op te nemen zou volkomen de krachten te boven gaan van zelfs onze machtigste helden. Hoe moeten wij oordelen over een wezen dat twee van zulke geesten tot zich kan nemen? Misschien is dit inderdaad de uiteindelijke bevestiging dat hij werkelijk de Tegenstrever is.

Ik heb daar geen bevestiging voor nodig gehad. Enkel de jongeren hebben getwijfeld.

Niet geheel waar, Celo. De Meester der Vaardigheden geloofde het niet. En evenmin Vrouwe Morna-Ia. Ik weet dat zelfs mijn broeder Nodonn twijfelde toen zijn einde naderde . . .

Hij geloofde.

Hij twijfelde. Wie kende Nodonn zoals ik? Fian Hemelbreker, mijn geestestweeling wellicht. Nodonn was de oudste zoon van mijn vader Thagdal en mijn moeder Nontusvel en ik heb hem driehonderdvijfentachtig jaren lang gediend als Tweede Heer der Psychokinetici. Aiken Drum de Tegenstrever? Onzin! Nodonn haatte en vreesde deze ouderloze engel der wrake en zag hem als een parvenu en een avonturier van de Minderen. Maar hij zag hem nooit als de uiteindelijke Aartsvijand.

Tsach! Zelfs de Firvulag weten wie deze bastaard is. Waarom

75

denk je dat het Kleine Volk met ons samenspande, ons liet zien waar de vliegmachines waren in ruil voor hun Zwaard van Sharn? De komst van de Tegenstrever gaat vooraf aan de Oorlog der Schemering en kondigt die aan. Zij kunnen die laatste oorlog niet vechten zonder hun heilig wapen. Oh, Kuhal, geloof me toch! Nodonn twijfelde nimmer. Jij bent degene die twijfelt! En ik weet waarom. Het is de schuld van die Noordamerikaanse vrouw . . . zij met wie Boduragol jou tot een paar maakte tijdens de genezing . . .

Oude gek. Als Cloud er niet was geweest, zou ik nu nog altijd maar een half stel hersens zijn.

Dat ben je nog steeds. De verkeerde helft. Al je Tanu-instincten en je rasbewustzijn stierven met Fian.

Stomme oude man, STOP! Noch jij noch iemand anders mag mijn moed betwijfelen in deze vooraf gedoemde onderneming! En evenmin mijn trouw aan Nodonn en de strijdcompagnie. Die hele zaak van wel of geen Tegenstrever heeft niets te maken met het feit dat we hier als verraders voor het gerecht worden gebracht.

Ach ja. Verontschuldiging, Broeder Aardschudder. Ik ben een verslagen kindse grijsaard en ik zou er beter aan doen te denken aan Tana's ophanden zijnde vrede dan aan een of andere mystieke Apocalypse . . . Maar ik heb zoveel voortekens gezien die ons Ouderen destijds deden verbazen omdat ze toen afwezig waren, duizend jaar geleden bij het treffen in Leegtes Rand in het stelsel van Duat. Maar nu hebben we de omringende wateren gezien! De monsterlijke aasvogel Morigel! De Eenhandige Strijder die tegen alle code in de strijdcompagnie aanvoert! De zomermist! Er rest ons nog maar één vreeswekkend voorteken . . . die afzichtelijke geestster die het vallen van de Nacht aankondigt . . . Ik verzeker je, Kuhal, spoedig zal de oorlog woeden waarin strijders vriend en vijand niet meer kunnen onderscheiden. En dan zal er een oorverdovend gedonder zijn als de aarde scheurt en de hoge hemel evenzo en de Tegenstrever triomfeert.

Celo . . .

En hij is *hier*.

Aiken Drum was naar voren gekomen, knabbelend op de resten van zijn vrucht. Hij gooide het klokhuis over zijn rechterschouder waar het in het niets verdween. Tegelijkertijd verscheen er een tweehandige draadschaar in zijn rechterhand.

'Weten jullie wat dit is?' Zijn stem klonk rustig. Het dodelijke stuk gereedschap van bloedmetaal ging omhoog. 'IJzer. Jullie Tanu dachten dat er geen manier was om een halsring te verwijderen zonder de drager te doden. Jullie hadden ongelijk. Er zijn twee manieren. Het gebruik van dit ding is er één van. Wanneer je een halsring doorsnijdt met een stuk ijzer als dit, doet het pijn als de hel. Je kunt er gek van worden. Maar de meeste gezonde volwassen Tanu overleven het, ook al raken ze daardoor al hun prachtige metavermogens kwijt omdat die weer latent worden. Mentaal worden jullie even machteloos als de eerste de beste menselijke blootnek.'

De gevangenen gloeiden nog helderder dan eerst.

Aikens gezicht stond uitdrukkingsloos. Hij keerde hen de rug toe. Plotseling daverde zijn telepathische stem over de algemene golflengte.

LAAT DE LEDEN VAN DE HOGE TAFEL BIJEENKOMEN VOOR DE RECHTSPRAAK.

Boven sommige van de twintig zetels die gereserveerd waren voor de Meest Verheven Personages materialiseerden gezichten -- de van buiten de zaal geteleporteerde beelden van de regerende raad van het Veelkleurig Land, Morna-Ia de Koningmaakster, Bleyn de Kampioen, Alberonn Geesteter en zijn vrouw Eadnar, Condateyr, Heer van Roniah, Sibel Langvlecht, Neyal van Sasaran, de menselijke Estella-Sirone van Darask en Lomnovel Hersenbrander van Sayzorask.

Celadeyrs eerste verbaasde gedachte was: Zo weinigen!

Kuhal, sardonisch: Onze eigen zetels zijn leeg, Celo. En natuurlijk ook die van Thufan Donderhoofd van Tarasiah en van Diarmet van Geroniah die stierven toen hun machine neerstortte. En de zetel van die arme Moreyn de Glasmeester die zichzelf met ijzersulfaat vergiftigde toen de overheerser won. En de zetel van koningin Mercy! En de zetels van hen die stierven bij de Río Genil, Artigonn en de Meester der Vaardigheden en mijn broeder de Ondervrager. De positie van Tweede Heer Genezer was vacant, wie is de ontbrekende twintigste? Natuurlijk, Armida, de Geweldige Vrouwe van Bardelask. Die heeft ongetwijfeld belangrijker bezigheden.

Celo zei: Negen zijn er tegenwoordig. Voldoende voor een uitspraak. Ylahayll, het hele stel!

Aiken zei: OVERLEG! WAT IS HET OORDEEL OVER DIT GEZELSCHAP?

De negen hoofden zeiden: Ze zijn schuldig aan hoogverraad.

WAT IS DE STRAF DAARVOOR ONDER DE WETTEN DER TANU?

De hoofden: *Zij komen onder de hoede van de Keten der Stilte tot aan de volgende Grote Veldslag. Daarna schenken zij hun leven aan de meedogende Godin in de Grote Retort.*

De kleine man grinnikte. 'Wat jammer nou,' zei hij met gewone stem. 'Ik heb de Veldslag afgeschaft, dat weten we allemaal. Dit keer wordt Allerheiligen een Groot Toernooi. En gekookte criminelen in een glazen oven zou de atmosfeer van de feestelijkheden knap bederven.'

Hij wendde zich tot de gevangenen, de draadschaar omhoog-houdend.

'We hebben de mening van de Hoge Tafel gehoord. Nu vraag ik om die van jullie! . . . Maar eerst wil ik jullie geheugen nog even met wat feiten opfrissen voor je je uitspreekt . . .

Eén. Vergis je niet . . . Nodonn de Strijdmeester is dood en datzelfde geldt voor koningin Mercy-Rosmar. Ik heb gedeelten van hun vermogens in mij opgenomen. Ik laat het aan jullie verbeelding over om uit te maken wat dat inhoudt . . .

Twee. Sharn en Ayfa hebben niet alleen de Wapenstilstand gebroken, ze vertrappen de resten van wat daar nog van over is. Jullie hebben natuurlijk gemerkt dat Armida de Geweldige niet verschenen is om over jullie recht te spreken. Op dit moment wordt haar stad Bardelask aangevallen door achtduizend geregelde Firvulag-troepen. Armida en haar mensen vechten voor hun leven en ze zullen verliezen. De versterkingen die ik heb gestuurd, zijn niet op tijd aangekomen.

Drie. De spionnen van Condateyr hebben informatie dat Roniah hun volgende aanvalsdoel is. Tenzij we die stad kunnen behouden tot de Wapenstilstand begint over een maand, komen we daardoor in ernstige moeilijkheden! Want de overleden Heer van Roniah, Bormol, was een verzamelaar van gesmokkelde wapens uit het Bestel, net als zijn verraderlijke broer Osgeyr van Burask en we weten allemaal wat er is gebeurd toen die stad viel. Het Kleine Volk kreeg een flinke verzameling smokkelwaar in handen, bestaande uit zeer geavanceerde wapens die ze nu tegen Bardelask gebruiken. Maar als de Firvulag hun smerige poten ook op de voorraad van Bormol kunnen leggen, dan breekt de hel voor ons allemaal los, lieve vijanden! Want Condateyr weet te vertellen dat de illegale voorraad van zijn vroegere meester tien maal zo groot is als die van Osgeyr. Als we Roniah niet kunnen behouden, zullen we dat allemaal moeten vernietigen om te voorkomen dat het in handen van Sharn en Ayfa valt.'

De stralengloed van de geketende ridders had een verkillende verandering ondergaan. De mond van de oude Celadeyr vertrok krampachtig.

'Naar de hel met alles dat de glorie van de strijd ondergraaft!' schreeuwde hij luidkeels. 'Vernietig die rommel van de Minderen hier en nu, anders ben je geen koning van de Tanu! Waar is je eergevoel?'

'Misschien kun je die vraag beter aan koning Sharn en koningin Ayfa stellen,' antwoordde Aiken. 'Of aan hun maarschalk, Mimee van Famorel, die nu Bardelask binnenvalt . . . En wanneer je daar toch mee bezig bent, vraag je dan af of hun idee over een Oorlog der Schemering dezelfde is als die van jou.'

Het gezicht van de oude held binnen zijn open helm stond bleek en hard als steen. Zijn mentale afweerscherm beefde, hij was klaar voor nog een emotionele eruptie.

Kuhal greep in. 'Nodonn heeft mij verteld dat de grootste voorraad futuristische wapens zich hier bevond, in de kelders van dit kasteel. Of is het koningin Mercy-Rosmar gelukt die te vernietigen?'

'Ze heeft ze enkel onbruikbaar gemaakt,' zei Aiken. 'Nodonn was niet zo'n conservatieve stomkop als Celo. Hij was van plan de wapens uit het Bestel later zelf te gebruiken om alle menselijke tegenstand te onderdrukken nadat hij de macht zou hebben overgenomen. Op dit ogenblik is die hele voorraadruimte bedolven onder een kleverige bende met gifgas gevuld schuim. We hebben een boodschap naar Rocilan gestuurd om een in het Bestel opgeleide chemicus hierheen te krijgen. Hij is de beste die we hebben in het Veelkleurig Land, maar jullie Tanu hebben hem een zilveren halsring gegeven en de supervisie over een snoepfabriekje!' Aikens kaboutergrijns was nu wrang geworden. 'Hij zit niet bepaald te popelen voor dat nieuwe baantje, hoewel ik hem de directe promotie naar goud heb beloofd.'

'Als dat wat je zegt over de Firvulag waar is,' waagde Kuhal, 'dan wankelen we op de rand van de afgrond . . .'

'*Ik* wankel op de rand,' verbeterde Aiken. Hij gebaarde naar de negen projecties van de leden van de Hoge Tafel. '*Zij* wankelen. Het hele Hoge Koninkrijk van de Tanu, waar jullie kaaskoppen zogenaamd zoveel van houden, wankelt! Maar jullie hoeven niet op de afloop te wachten. Oh nee. Jullie kunnen de dood kiezen als je dat liever wilt. Niet straks in november in die verdomde oven, maar morgenochtend. Een snelle en zindelijke dood voor de lopen van de laserkarabijnen van Congreve en zijn garde. Volgens alle normen van de Tanu-wetten zijn jullie veroordeeld. Maar er is een nieuw tijdperk aangebroken en ik wil dat jullie allemaal over jezelf oordelen en je eigen straf kiest.'

In de war en verbaasd gingen de geesten van de gevangenen over hun persoonlijke golflengtes onrustig tekeer.

'Er is nog iets dat jullie moeten weten,' zei Aiken. 'Elizabeth heeft me vroeger op de avond een brokje informatie doorgegeven. De menselijke meta die wij kennen als Abaddon staat klaar om Noord-Amerika te verlaten. Hij komt hierheen.'

'De sterregeest van de westelijke dageraad,' zei Celadeyr toonloos.

Aiken zweeg.

'Je hebt ons verteld dat een snelle dood één van onze keuzemogelijkheden is,' zei Kuhal. 'En is *dat* de andere?' Hij knikte naar de stalen schaar in Aikens hand. 'Mentale castratie in ruil voor fysieke vrijheid?'

'Wat zou ik dan nog aan jullie hebben?' vroeg de koning zachtjes. 'Ik heb jullie het ijzer alleen laten zien om . . . een gewijzigde houding aan te moedigen.'

'Kuhal, er is niets veranderd . . .' begon Celadeyr.

De Aardschudder onderbrak hem.

'Ik ben hoger in rang dan jij, Celo, zelfs al ben ik jonger in jaren. Ik eis het recht om namens ons allen te spreken.' Zijn geest reikte omvattend naar de geesten van de andere geketende ridders: Stemmen jullie daarmee in, strijdgezellen?

Wij stemmen in.

En jij, Celadeyr van Afaliah?

Ik . . . ik onderwerp me aan jouw autoriteit.

Kuhal Aardschudder hief zijn armen. De kristallen schakels vormden twee glinsterende bogen van zijn polsen naar zijn keel. Zijn lichaam gloeide van roze-gouden licht.

'Dan is hier mijn oordeel over dit gezelschap. We zijn schuldig aan het breken van onze eed van trouw. Schuldig aan het ondersteunen van een valse troonpretendent. Schuldig aan het opnemen van de wapens tegen onze rechtmatige soeverein. Onze levens zijn verbeurd en koning Aiken-Lugonn kan met ons handelen naar believen. Maar weet vooraf dat we ons nu volledig aan jou onderwerpen, dat we om genade smeken en wanneer je dat wilt toestaan, zullen we met onze geesten en lichamen jou tot het uiterste dienen. Moge Tana hiervan getuige zijn.'

De kleine man zuchtte opgelucht.

De glazen ketens vielen met een muzikale klank op de vloer.

'Jullie zijn vrij.'

De koning draaide zich om, liep naar de zwarte troon en ging zitten op de harde steen. Hij leunde voorover en plotseling greep zijn bedwingend vermogen Kuhal beet zoals een kever een houtsplinter zou grijpen.

'Mooie emoties zijn tot daaraan toe. Maar wij Minderen hebben de neiging om daden hoger te schatten dan fraaie woorden! Ik wil het bewijs van jullie nieuw verworven overtuiging. Geen gedraai achteraf, geen handjeklap om de macht met mij tussen jullie conservatieven en de mijnen. Begrijp je dat, Aardschudder?'

'Ik begrijp het, Hoge Koning.'

Aiken glimlachte. Zijn greep zwakte af.

'Dan gaan we nu over op ernstiger onderwerpen. Waar zijn de overige vliegmachines verborgen?'

4

Naar adem snakkend, terwijl hij iedere vijftig passen moest stoppen om zijn gezwollen enkel en zijn bonzend hart rust te gunnen, zocht Broeder Anatoly Gorchakov uit de Orde der franciscanen zijn weg naar boven op de door mist omgeven berg.

Wat jammer dat die bandieten zijn chaliko hadden meegenomen! Chaliko's raakten nooit de weg kwijt, het gaf niet hoe donker de nacht was of hoe moeilijk de weg. Met een rijdier zou hij het jachthuis nu al vier of vijf uur geleden hebben bereikt. Hij zou droog zijn en warm, gespijzigd en misschien had hij dan zelfs al een basis gelegd voor zijn missiewerk. Maar de chaliko, een goed rijdier dat een geschenk was geweest van Lomnovel van Sayzorask, was een onweerstaanbare verleiding geweest voor de vier struikrovers op de Grote Zuidweg. Hij had in alle redelijkheid gepleit dat hij het rijdier nodig had om het werk van de Heer te verrichten, maar dat was slechts met vrolijk gelach ontvangen terwijl vier lansen van vitredur in zijn nek prikten.

'Gezegend zij de armen,' had de hoofdman van de bandieten met een smadelijke grijns gezegd. 'We helpen je om heilig te blijven, padre. En stap nou maar in het stof.'

Anatoly had gezucht en was afgestegen. Dertig jaren van rondtrekken door het Pliocene Europa had hem gevoelig gemaakt voor de meer duistere wegen van de goddelijke wil. Als het nodig was om de laatste vijftig kilometer van zijn tocht te voet af te leggen, dan fiat voluntas tua. Aan de andere kant . . .

'Je zult het beest nooit kunnen verkopen,' had hij gezegd. 'Witte chaliko's zijn niet voor iedereen. Al zou je alleen maar proberen er een stad mee binnen te rijden, dan zou de eerste de beste grijze patrouille je darmen al in de knoop leggen.'

'Bruinsteen!' riep een jongere bandiet die twee voortanden miste.

'Pas op je woorden, pizdosos,' snauwde Anatoly, die dacht dat hij met een of ander racistisch scheldwoord werd aangeduid.

De leider van de bende was een en al minzaamheid. 'Nee, nee, padre. *Bruinsteen.* Een loogmiddel dat je maken kunt van de schors van struiken. De kwast erover met dat spul en je verandert deze hit van een Verhevene in het fraaie bruin van een wilde chaliko. Tegen de tijd dat we ermee op de veemarkt in Amalizan zijn, heeft-ie zijn klauwen weer aangeruwd en zijn de zadelafdrukken zo goed als verdwenen. En om te zorgen dat de controleurs hem niet al te tam vinden, proppen we een beetje gember in zijn lijf.'

De schurk zonder voortanden giechelde en legde die laatste truc in alle gore details uit terwijl de anderen de bagage van de monnik doorzochten. Ze besloten dat hij zijn wollen habijt en de sandalen die hij droeg, mocht houden, samen met een knapzak waarin harde koeken en een gedroogde salami zaten, zijn reservehuid met water en ten slotte ook -- nadat de monnik daarover duchtig tekeer was gegaan -- de kwarts-halogeen lamp. In dat laatste stemden ze pas met tegenzin toe nadat Anatoly hun had verteld dat zijn weg hem door de Wildernis van de Zwarte Bergen voerde waar de hoge vochtigheidsgraad het onmogelijk maakte om een vuur gaande te houden en dan had een man een lichtbron nodig om wilde dieren op een afstand te houden. In een laatste edelmoedig gebaar sneed de aanvoerder persoonlijk voor Anatoly een ruwe maar stevige wandelstok.

Met niet meer dan die minimale uitrusting vervolgde de monnik zijn reis. Een kleine drie dagen trok hij door een dicht regenwoud en volgde daarbij de oevers van een lawaaiige kleine rivier. Het enige blijk van vijandelijk dierenleven dat hij tegenkwam, was een patriarchale sabeltandantilope die gelukkig op de andere oever stond. Naarmate hij hoger kwam, mengde het oerwoud zich met coniferen en nog weer hoger opende het woud in grote heidevelden die door rotsige klippen werden onderbroken. Anatoly zag kudden steenbokken met hoorns zo scherp als messen en af en toe werd hij gevolgd door een nieuwsgierige gems, terwijl hij op het steiler wordende spoor voortklom.

Toen de Zwarte Piek eindelijk in zicht kwam, scherp afstekend te midden van de met sparren bedekte bergen, haalde hij opgelucht even adem. Daarginds zou hij, als God dat wilde, de belofte vervullen die hij langer dan vier maanden geleden tegenover een andere priester had gedaan, de in de war geraakte die zo getroffen was door zijn eigen taaiheid tijdens hun kortstondige ontmoeting in kasteel Doortocht waar ze samen deze missie hadden bedacht . . .

. . . Maar nu, verloren in de mist terwijl de nacht hem begon in te sluiten, vroeg hij zichzelf af: Was ik dan toch een arrogante ouwe kinkel om te denken dat ik zou slagen waar zij faalde? Veronderstel dat ik die plek niet kan vinden? En wat als ik hem wel vind en ik word met een smoesje weggestuurd door die lijfwachten van de Tanu?

Hij had de allerlaatste restjes voedsel al bij het ontbijt opgegeten. Honger en vermoeidheid maakten hem duizelig en hij struikelde heel wat keren terwijl hij een met steenslag overdekte helling overstak die nergens iets van een schuilplaats bood. De mist veranderde in een verkillende motregen. Zijn linkerenkel, die hij vroeg in de middag had verstuikt toen de mist onverwachts opkwam, was nu zo opgezwollen dat de riem van zijn sandaal in het verkleurde vlees was verdwenen.

Waar was dat verdomde pad gebleven?

Hij deed de lantaarn aan en scheen in het rond. De gele lichtstraal leek bijna solide en materieel in de vloeibare duisternis. Hij bad. 'Aartsengel Rafe, patroonheilige van de reizigers, help me die wegwijzers weer te vinden.'

En daar was hij: drie op elkaar gestapelde brokken rots, oplichtend tegen een achtergrond van donkerder leisteen. Als een soort toegift lag aan de voet ervan een hoop oude chalikomest, het zekere teken dat een andere reiziger hier eerder voorbij was gegaan. Broeder Anatoly dankte de Heer, de wegwijzer en de drollen. Zijn enkel klopte, hij was door de nacht overvallen, onderkoeld en hongerig genoeg om schoenleer te eten, maar hij was tenminste niet langer de weg kwijt.

Hij maakte de lantaarn weer vast aan zijn gordel, greep de wandelstok stevig beet en zwoegde verder. Het spoor bleef omhooggaan, draaiend rondom brokken rots zo zwart als inkt. Hij kwam bij een tweesprong. Rechts of links? Hij haalde de schouders op en ging naar rechts, het grootste pad op. De boterkleurige kegel lantaarnlicht scheen op nat grint, op neergestorte brokken gneis, op een gevaarlijk gladde helling en toen . . . op niets.

'Mat' chestnaya!' schreeuwde de priester. Hij bleef zich vastgrijpen aan zijn stok die in een kleine spleet terechtkwam en daar stevig bleef zitten. Eén stap verder en hij zou over de rand van de afgrond zijn gegaan. Enkel de lantaarn had hem gered en de wandelstok die de bandieten hem hadden gegeven.

Hij bleef op zijn knieën liggen, bevend van angst en opluchting. Lagen gebarsten leisteen drongen als botte messen door zijn kletsnatte habijt, maar zijn nooit verjongde oude botten waren zo koud dat hij de pijn maar amper voelde. Met het hoofd gebogen, prevelde hij een Ave Maria in de oude taal. Ergens beneden hem brulde en daverde een bergstroom en de wind stak op. Hij keek omhoog en zag een bijna volle maan voortstormen te midden van rafelige wolken. De mist was bezig op te lossen of misschien was hij er doodgewoon bovenuit geklommen, maar na een paar minuten had hij een helder uitzicht over een diepe kloof waar een zilveren stroom doorheen liep. De overzijde was in zware schaduwen gehuld en daar bovenuit rees een bergkam omhoog, eindigend in een grote, maanverlichte steilte die ruwweg de vorm had van een ouderwetse pauselijke tiara. De Zwarte Piek.

Anatoly kwam overeind en hield de lantaarn hoger. Ze konden hem misschien zien! Hij stond goed in open ruimte, niet afgeschermd door rotsmassa's en de bewakers hielden hem misschien met hun metavermogens al uren in de gaten terwijl hij zich een weg zocht over de in mist gehulde hellingen. Misschien hadden zij hem zelfs gewaarschuwd.

Met iets van stemverheffing tegen de wind in, zei hij: 'Goedenavond! Ik ben Broeder Anatoly Severinovich Gorchakov van de Orde der franciscanen. Ik word gezonden met een belangrijke boodschap. Kan ik verder komen?'

Was het alleen maar de wind of waren metazintuigen hem aan het beroeren om uit te vissen wie hij was? Bezagen die buitenaardse vorsers hem met welwillendheid of stonden ze klaar hem weg te zenden als een opdringerige lastpak?

Was daarboven misschien helemaal niemand en was hij doodgewoon een gekke ouwe zonderling met een lege maag en snel afnemende krachten?

Hij klemde zich vast aan de staf en de lantaarn en stond daar wankelend. Toen zag hij het, verderop in het ravijn aan zijn eigen kant van het water: een klein rood lichtje. En toen kwam een witte, vlak daarachter en nog een rode en daarna talloze andere, om de beurt rood en wit, rood en wit, een lijn van gekleurde puntjes die naar de kop van de kloofachtige vallei liep en zonder twijfel het vervolg van het pad aangaf. Anatoly was verbluft. Nog meer lichtjes trokken over de verst verwijderde wand zigzaggend naar boven en gaven daarmee een serie stijgende bochten aan die tot de top van de piek kropen. En daar stond, zacht rood gloeiend als een vuurtest vol hete kolen, het chalet in al zijn voorname afzondering. Het jachthuis, precies zoals Zuster Roccaro hem had verteld.

Anatoly deed zijn lantaarn uit. De laatste sluiers van de zomermist waren verdwenen en de berghellingen lagen goed verlicht onder de maan. Even plotseling als ze verschenen waren, verdwenen de sprookjeslichten en het toverachtige gebouw ook weer. Enkel een klein rood baken bleef over, niet meer dan een dozijn meter verderop. Het gaf aan welke afslag hij bij de tweesprong moest nemen. Broeder Anatoly hinkte erheen. Voor hij die had bereikt, ging het rode lichtje uit en een witte, verderop, sprong aan.

'Heel attent, dat weet ik zeker,' zei hij. 'Maar ik heb mijn tijd nodig. Zul je erom denken theewater voor me warm te houden? En misschien kun je een boterham voor me opzij leggen?'

De witte ster scheen onvermoeid. Op de wind na die tussen de rotsen doorfloot, was het een rustige nacht.

'Daar gaan we dan,' zei Broeder Anatoly en hervatte zijn onderbroken reis.

Hun geesten nog steeds verbonden, keerden Elizabeth en Creyn terug van hun laatste metapsychische observatie van Ocala. Zonder zich van elkaar los te maken, wachtten ze nog, de handen losjes ineen over de eiken tafel heen, om te zien of het weer zou gebeuren. Ze hadden zich beiden naar de ramen op het westen gekeerd. De hemel achter de balustrade van het balkon schitterde van de sterren die nauwelijks hinder ondervonden van de hooggerezen maan.

Creyn zei: Het manifesteert zich weer.

Elizabeth zei: Ja. Net als de twee andere keren. Misschien iets meer op zijn gemak. Iets zekerder van zichzelf.

Creyn zei: Het *is* toch een nabootsing of niet?

Elizabeth zei: Laten we bidden van wel, vriend. En laten we proberen dit wat verder te analyseren.

Buiten materialiseerde een silhouet dat de sterren verduisterde. Het was de weergave van een grote, menselijke man, niet verder dan zeven meter van hen verwijderd aan de andere kant van de glas-in-loodramen. Hun samengevoegde vérziendheid verdichtte zich tot een sonde die met extreme delicaatheid aan het onderzoek begon. Waren er echte moleculen aanwezig of was het voorwerp niet meer dan een psychocreatieve schepping, een geprojecteerd beeld dat even weinig substantie bezat als een hologram, of een driedimensionaal tv-beeld of de 'beelden' die door Tanu en Firvulag mentaal werden uitgezonden? De sonde werd afgeweerd door een etherisch fenomeen dat subtieler werkte dan een mentaal afweerscherm, de manifestatie van een dynamisch veld waarmee Elizabeth niet vertrouwd was en dat eerder leek te absorberen dan te weerkaatsen.

Creyn zei: Hij bluft. Dat moet wel.

Elizabeth zei: Psychologische oorlogsvoering. Zich gladjes voordoen voor de echte confrontatie begint, verdomme.

De man op het balkon droeg een donker glinsterend pak met een diagonale sluiting, dat zijn huid vrijwel van nek tot tenen strak omsloot. Donkere uitstulpingen, blijkbaar kunstmatige toevoegingen, zaten ter hoogte van het sleutelbeen en de liezen. Hals en hoofd waren ontbloot en het krullende haar stond vreemd wijduit, bijna als voelsprieten. Zijn gelaatstrekken waren duidelijk zichtbaar en hij leek hen aan te zien.

Om er zeker van te zijn dat hij hen hoorde, sprak Elizabeth over de vérdragende persoonlijke golflengte.

Waarom communiceer je niet met ons, Marc, in plaats van spelletjes te spelen?

Het beeld was niet helemaal onbeweeglijk. Het haar bewoog en één hoek van de mond kwam een millimeter hoger. Deze nacht, anders dan tijdens de twee vorige verschijningen, was het lichaam omgeven door een zwak oplichtend complex van mechanische toevoegingen; rondom het hoofd bevond zich een iets helderder nimbus van half zichtbare componenten en de indruk van grote flexibele lijnen en kabels die tegen de nachthemel verdwenen.

Creyn zei: Blijkbaar is die cerebro-energetische apparatuur weer helemaal operationeel.

Elizabeth zei: Ze moeten het de eerste twee keren aan het uitproberen zijn geweest. Of misschien hebben zijn verwondingen hem gedwongen gebruik te maken van minder vertrouwde neurale circuits . . .

Leek het hoofd te knikken, al was het nog zo minimaal?

Kun je ons over de korte mentale spraakgolf horen, Marc?

De glimlach werd breder.

Elizabeth zei: Wel, dat is een opluchting. We zijn nogal moe geworden van al dat in de gaten houden van jou en je kinderen en Aiken, en de invasiemacht van Nodonn en de Firvulag. De afgelopen zesendertig uur zijn doodvermoeiend geweest . . . We hebben je gemist, gisteravond. Was je te zeer in beslag genomen met het gadeslaan van het Grote Duel om de moeite te nemen ons te bezoeken? Aan wiens kant stond jij? Het moet nogal een afgang zijn geweest voor je verbazingwekkende nakomelingen, maar zonder twijfel zullen ze te gelegener tijd weer met een ander komplot komen. Wat willen zij *echt* in dit Pliocene Europa, Marc? Het is duidelijk genoeg dat er diepere motieven achter liggen dan enkel het verbreken van de ouderlijke band om vervolgens hun geluk te beproeven op barbaarse kusten. Ik denk niet dat jij hen zo witheet achterna zou komen voor zoiets doodgewoons. Je voorbereidingen voor de reis moeten nu wel zo ongeveer voltooid zijn. Zelfs met de sigmavelden over de Kyllikki heen konden we waarnemen dat jullie erin zijn geslaagd een behoorlijke hoeveelheid materieel aan boord te krijgen . . . Wanneer varen jullie uit? . . . Er wordt nogal wat mysterieus afgefluisterd over de persoonlijke golflengtes vanuit Afrika de afgelopen weken. Wat denk jij dat de kinderen van plan zijn?

De ogen van de verschijning, diep in hun kassen gezonken, knipperden langzaam. De spottende glimlach was verdwenen.

Elizabeth zei: Marc, je hebt er geen idee van hoeveel ingewikkelder jij mijn baan maakt als de facto-dirigent van de Pliocene Aarde. Ik denk niet dat Breede in haar plannen met mij als petemoei voor haar volk rekening heeft gehouden met jou en je lastige kroost . . . Ik heb Aiken verteld over je reisvoorbereidingen en hij is daardoor behoorlijk van streek. Hij neemt zijn koninklijke taken nogal serieus op en ik veronderstel dat hij alle mogelijke onbeschoftheden van jouw kant met al zijn nieuw verworven vermogens zal tegenwerken. Begrijp je wat ik bedoel? Je hebt ongetwijfeld gezien dat hij de metafuncties van die twee in zich heeft opgenomen. Vandaag de dag ben ik nog maar zelden onder de indruk te brengen, maar ik moet toegeven dat *dat* kunstje mij verbluft heeft doen staan.

Hadden de ogen zich iets vernauwd, was de mond iets strakker?

Elizabeth zei: Ik wil iedere gewelddadige confrontatie tussen jou en Aiken voorkomen. Laat mij bemiddelen. Ik kan rampzalige misrekeningen van *jullie beiden* voorkomen. Aiken is niet langer de spilzieke dolleman met wie jij te maken had voor je in de tank ging. Hij is grondig veranderd sinds juni. Niet alleen om te zien, maar ook in aanvallende vermogens. Hij heeft jouw techniek van de metabundeling ontcijferd en is bezig zijn dragers van goud daarin te bekwamen. Die metavermogens via halsringen zijn dan wel aan de grove kant, maar bij elkaar gevoegd kan het vermogen aardig oplopen. Wanneer Aiken genoeg mensen om zich heen verzamelt en bovendien het volle gebruik krijgt over de krachten die hij van Nodonn en Mercy heeft overgenomen, is hij meer dan jouws gelijke . . . Denk goed na voor je handelt. Adviseer je heethoofdige kinderen om hetzelfde te doen. Er is vrede mogelijk, Marc. Wil je daar tenminste niet met me over praten?

De verschijning buiten op het balkon loste op tot een sterren doorspikkelde schim, nog terwijl ze doorging met haar zinloos pleidooi. Ze schakelde over van de korte naar de lange afstand en riep zijn naam, maar brak af toen Marc geen gehoor gaf. De verschijning trilde en verdween toen spoorloos.

De mentale verbinding tussen Elizabeth en Creyn brak. 'Verdoemd, die kerel en zijn arrogantie. Verdomme.'

Ze liet haar hoofd op haar armen zakken en barstte in tranen uit.

Creyn de genezer kwam naar haar toe en knielde naast haar stoel. Voor ze het wist, had ze zich aan hem vastgeklemd terwijl alle opgekropte spanning en uitputting uit haar wegvloeide. De oude verleiding om zich geheel terug te trekken doemde duidelijker voor haar op dan ooit tevoren.

De geest van de Tanu was discreet gesloten. Er was niets anders dan zijn enorme fysieke tegenwoordigheid, de sterke, omsluitende armen, de warme, bovenmenselijk brede borstkas, de gestage buitenaardse hartslag.

Toen ze met huilen ophield, zei ze: 'Ik ben een stomme idioot.'

'De ontlading zal je goed doen. Heel menselijk. Heel Tanu ook, wat dat betreft.'

'Ik heb gedaan wat ik kon. Toen ik na de Vloed wakker werd in het Huis der Herstellers en deze taak op me nam, was ik echt van plan mijn best te doen. In het Bestel ging de baan van dirigent, dat wil zeggen planetaire opzichter, traditiegetrouw altijd naar diegene die de baan niet wilde. En God weet dat ik dat ben! Maar . . . ik maak er een knoeiboel van, Creyn. Zie je dat niet? Jullie denken allemaal dat een Grootmeesteres met mijn vermogens een metapsychische tovenares moet zijn, bijna een alwetende godin. Maar in het Bestel was ik enkel een *lerares,* niet getraind in besturen of in analyses van sociaal-economische structuren. Hoe moet ik ombudsvrouw en scheidsrechter zijn over zo'n waanzinnig stel tegengesteldheden? . . . En nu komt die beroerde galaktische Napoleon naar me toe vanaf zijn Amerikaanse Elba! Breede heeft mij de belangrijkste persoon in de wereld genoemd. Wat een vergissing, wat een onzin! Kijk naar de verschrikkelijke fout die ik met Felice heb gemaakt. Ik had er geen idee van hoe ik met een gevaarlijke persoonlijkheid als zij moest omgaan. En straks komt hij hierheen om mij te laten helpen zijn geest weer te integreren. Het succesvolle ingrijpen van Aiken was helemaal zijn eigen idee. Maar het in zich opnemen van vermogens van anderen veroorzaakt een soort mentale indigestie waar hij volkomen van kan instorten als hij niet snel hulp krijgt. Wat moet ik doen? Als ik de vermogens integreer die hij gestolen heeft, zou hij makkelijk in een tweede Felice kunnen veranderen. Als ik hem laat vallen en inklappen, krijgt Marc of krijgen zijn kinderen de vrije hand! Ik weet niet hoe ik met ingewikkelde situaties als deze moet omspringen, Creyn. Ik ben de verkeerde voor deze baan. Een dirigent in het Bestel had een aanzienlijke organisatie achter zich, de krachtige hand van de Magistratuur, al de bronnen van het Concilie voor advies, de Eenheid om kracht te schenken en troost uit te putten. *Maar ik ben helemaal alleen!*

Hij zei: Het zou helpen als je ons kon liefhebben.

Ze deinsde bij hem vandaan. Altijd wanneer hij zich op dat gevaarlijke terrein begaf, gingen haar afweerschermen omhoog.

Hij zei: Je zou kunnen leren een begin te maken met diegene die van jou houdt.

Creynmijnvriend nee dat kan ik niet nee . . .

Hij sprak hardop.

'Onze beide rassen volgen een weg waarbij we de geliefde ander nodig hebben. Niet om alleen te worstelen. Je weet dat ik van je gehouden heb, bijna vanaf het begin toen we elkaar voor de eerste maal ontmoetten op kasteel Doortocht. Geen van ons tweeën was toen uit vrije wil alleen. Het was de dood van jouw Lawrence die je in Ballingschap dreef, evengoed als het verlies van je mentale vermogens. En ikzelf was amper een jaar weduwnaar toen jij verscheen. Ik kon toen alleen maar op de achtergrond blijven, moest toezien hoe je werd gebruikt, een pion voor de Verhevenen. Maar later . . . toen ik in staat was jou te dienen, je te helpen met de uittocht uit Aven, je bij te staan in dit huis. Ik ben nooit gelukkiger geweest. Mijn hart hunkert ernaar dat met jou te delen.'

De muren waren hoog en afwerend, maar haar armen bleven stevig om zijn lichaam.

Hij zei: 'Luister naar wat je lichaam vertelt. Noch Tanu noch mensen bestaan enkel uit lichaamsloze geesten. Je hebt eens de liefde in de dualiteit met je echtgenoot gekend en toen, in het Bestel, heeft dat jou geholpen om de duizenden kinderen lief te hebben die je onderwees. Nu leef je in een andere wereld . . . maar je kunt beginnen de liefde opnieuw te leren.'

Ze sprak zacht. 'Jij bent de liefste vriend die ik heb. Ik weet wat je me aanbiedt, ik weet wat je voor mij hoopt te doen, ook al weet je dat ik niet op de lichamelijke wijze van je houd. Maar het zou niet werken . . .'

'Voor anderen deed het dat wel, in jouw wereld evengoed als in de mijne.' De toon van zijn mentale stem weerspiegelde droefgeestige zelfspot. En wij genezers zijn niet zonder bekwaamheden op dat gebied.

'Oh, lieverd van me.' Ze tilde haar hoofd op en ze weken uiteen. De tranen begonnen weer; impulsief liet ze hem een fragment zien van een brandende herinnering. 'Kon het maar zo simpel zijn!

Maar je hebt het zelf gezegd: ik *heb* eens liefgehad. Had ik maar niet een echt huwelijk gekend binnen de Eenheid . . .'

'Is het verschil zo groot?' riep hij uit. 'Sta ik zover beneden je . . . ben ik zo minderwaardig?'

Ze huilde, nu volkomen afgesloten.

Hij zei: 'Je hebt Breede operant gemaakt, je was zelfs begonnen haar te onderwijzen en in te wijden. Doe hetzelfde met mij. Te zijner tijd kunnen we onze eigen Eenheid smeden!' Hij hield haar niet langer vast, maar stond rechtop, hoog en groot, een in het rood geklede figuur met robijnen en maanstenen glinsterend in zijn gordel en een gouden ring rondom zijn hals.

'Breede was geen Tanu.' Elizabeths stem klonk dof. Ze kwam langzaam uit haar stoel overeind en liep naar de open haard waar blokken hout uiteen waren gevallen en onbestendig lagen te gloeien. Met het uiteinde van de pook bracht ze de smeulende stukken weer bij elkaar en gebruikte daarna de blaasbalg tot een paar kleine vlammetjes weer opsprongen. 'Breede behoorde tot een veerkrachtiger ras. In sommige opzichten menselijker dan het jouwe, in andere minder. Ze was onvoorstelbaar oud en dat gaf haar geest een voorsprong in uithoudingsvermogen. En ze was de Scheepsgade! Haar metgezel schonk haar een bijzonder legaat en daardoor werd de geestverruimende verschrikking mogelijk die we samen deelden. *Deelden,* Creyn!'

Hij knikte. 'Mijn eigen pijn is niet voldoende . . .'

'En ik zou geen manier weten om je zo te sterken dat je de klim van latent naar operant kunt verduren. Op zo'n manier dat ik het ook overleef. Begrijp je wat ik je probeer te vertellen, mijn beste? Kijk heel zorgvuldig bij me naar binnen. Zie wat een volwassene met latente vermogens moet kunnen doorstaan om deze nieuwe mentale kanalen te openen . . .'

'Ik zou alles willen verduren als jij me kon liefhebben!'

'Je zou sterven. Ik ben niet competent genoeg! Het ligt buiten mijn vermogen! Ik kan jou niet mentaal werkzaam maken, net zo min als ik Mary-Dedra's zwartringbaby kan redden. Dacht je soms niet dat ik al jullie geesten zou bevrijden als ik daartoe in staat was? Als ik ertoe in staat was . . .'

Op de een of andere manier hield ze zich weer aan hem vastgeklemd terwijl ze bij de oostelijke vensters stonden. Hij zei: Geef het niet op, Elizabeth. Laat je niet door het vuur verlokken. Verdraag het. Wanneer je niet kunt liefhebben, wees dan getroost door de devotie van hen die je nodig hebben. Bid om een oplossing.

Elizabeth lachte hardop. 'Breede hoefde maar veertienduizend jaar te wachten om te kunnen sterven. Moet ik zes miljoen jaar wachten?'

Zijn lange vingers raakten haar gezwollen oogleden aan, droogden de tranen en lieten koelte achter. 'Richt je gedachten op iets anders. Kijk naar de sterren en wees flink. Beneden wachten ze op ons, al uren.'

'Arme Minanonn. Ik weet ook al niet wat ik *hem* moet vertellen.'

Ondanks haar tegenzin richtten haar ogen zich toch op de hemel. 'Wat vreemd! Die dichte groep heel kleine sterren, daar vlak bij de horizon. Ik vraag me af of dat de Pleiaden kunnen zijn? Dat was een kleine, grappige sterrengroep op vierhonderd lichtjaren afstand van mijn thuisplaneet, Denali. Hun afstand tot de Oude Wereld, Aarde bedoel ik, was precies zo groot. Wij kolonisten deden daar altijd nogal sentimenteel over.'

'Wij en de Firvulag kennen een soortgelijke symboliek met een andere groep sterren die wij de Trompet noemen. Zie je ze? Net boven jouw Pleiaden. Onze oorspronkelijke wereld is zo ver weg dat ze van hier onzichtbaar is, zelfs met de telescopen die sommige tijdreizigers naar het Veelkleurig Land hebben gebracht. Maar we weten dat Duat ongeveer bij het mondstuk van de Trompet ligt, ongetelde lichtjaren hier vandaan.'

Zijn arm lag om haar schouder. Hij trok haar mee naar de kleine uitbouw tegenover het haardvuur waar de krachtveldprojector die de kamer zonder deuren werd genoemd, eerder was geïnstalleerd. Nu was die kleine serre vrijwel leeg op twee andere geschenken van de Scheepsgade na: het schilderij van een spaakvormige spiraalnevel met twee grote uitlopers en daarvoor, hoog oprijzend, de abstracte verbeelding van een vrouwenfiguur.

Hij zei: 'Wij vertrouwen erop -- Minanonn en ik en de overigen van de Vredesfactie -- dat Tana werkelijk om ons geeft. Dat er een grotere evolutie bestaat dan die van het fysieke universum, van lichaam en geest. Dat er een Al bestaat waar al het geschapene naar terugverlangt, dat door elke generatie iets duidelijker kan worden waargenomen en dat daardoor dichterbij komt. Zij die de oude strijdreligie aanhangen zien het allen-in-Al enkel bereikbaar via dood en vernietiging. Vandaar hun mythe over de Oorlog der Schemering waarvan we destijds dachten dat die eerst de kleine restanten van Tanu en Firvulag zou overspoelen en vervolgens ook de rest van de werelden in Duat.'

Ze antwoordde: 'Breede heeft daarover gesproken en over het verband met de halsringen. Ze vertelde me hoe de voorouderlijke Tanu hun halsringtechnologie introduceerden bij de andere rassen van Duat en hoe zij die ontwikkeling na verloop van tijd ging beschouwen als een metapsychische catastrofe, die voor de Geest van jullie stelsel een doodlopende weg zou betekenen. Haar intuïtieve inzicht was juist, Creyn. De halsring -- of welk ander kunstmatig middel tot bewustzijnsverruiming dan ook -- wordt na verloop van tijd een permanent stel krukken, een slagboom op de weg naar Eenheid. Marc Remillard en zijn mensen hebben dat in het Bestel bewezen.'

Hij zei: 'Diegenen onder ons die vertrouwen hebben, geloven dat zelfs deze afschuwelijke paradox, de doodlopende straat van de Geest van Duat, onderdeel is van een groter patroon dat te zijner tijd goed zal komen.'

Elizabeth keerde het beeld en de sterrennevel de rug toe en liep naar de haard. Ze greep de bronzen pook en porde daarmee half-hartig tussen de sintels. Een paar vonken schoten omhoog.

'Ik denk niet dat Breede die mening deelde. Op het laatst ging ze geloven dat de evolutie van de Geest van Duat alleen verder kon gaan wanneer er een vermenging plaatsvond met het menselijk ras. Misschien heeft ze zich een bevolking in het Plioceen voorgesteld die zich mengde met de primitieve homo sapiens om op die manier het zaad van mentale vermogens over te planten in de vrijwel lege wonderlijk grote breinen van de Neanderthaler. Voilà! Kant en klare Cro-Magnon. Het grappige is dat de moderne mens *inderdaad* verscheen met onverwachtse snelheid en van niets naar mentale werkzaamheid stoof in een tijdsbestek van niet meer dan vijftigduizend jaar.'

Ze pookte rond in het stervende vuur. De houtblokken, nu bijna helemaal verkoold, vielen uiteen. Haar stem klonk neutraal en haar geest was volledig afgesloten. 'Als dat het meesterplan moet zijn van een meedogende God, dan is jouw vertrouwen koelbloediger dan het mijne, Creyn. Dan zouden wij mensen naar de Eenheid zijn opgeklommen over de rug van de gedoemde Geest van Duat. Heb jij gezien hoe strijdmieren een stroom in het oerwoud oversteken? Duizenden houden zich aan elkaar vast en verdrinken vrijwillig opdat hun gelukkiger kameraden met droge voeten aan de overkant komen.'

'Elizabeth, de mensen in Duat *weten dat niet.*'

'Maar ik wel.' Ze hing de pook secuur weer op. 'En ik vind dat onverdraaglijk. Elk detail ervan.'

'Je laat je door je wanhoop meeslepen,' hield hij vol.

'Ik weet het. Zuster Amerie had de gewoonte me te vertellen dat je de Heilige Geest alleen op eigen kosten verwijten kunt maken. Maar ze zag geen kans me van die gewoonte af te helpen.' Elizabeth lachte opgewekt. 'Zullen we naar beneden gaan en aan ons overleg beginnen?'

Toen de enorme deur die toegang gaf tot de grote ontvangstzaal van het jachthuis onverwachts opensprong, ontstond er direct kabaal. Elizabeth en de andere afgevaardigden van de Vredesfactie, waren zo diep in een geestbundeling verzonken, dat ze niet in staat waren iets te doen. Daardoor zag de monnik kans te ontsnappen aan Mary-Dedra en Godal de Hofmeester en de twee andere Tanu-bedienden, die hem vanuit de keuken hadden achtervolgd, maar die niet genoeg mentale vermogens bezaten om de oude man tegen te houden. Hij stormde zodoende rechtstreeks de salon binnen, achternagezeten door zijn schreeuwende achtervolgers die naar hem grepen en die mentaal verontschuldigingen lieten horen, gemengd met te late verzoeken om hulp.

'Stilte!' bulderde Minanonn, die als een vertoornde Jupiter uit de diepten van de sofa omhoogkwam.

Het vijftal bevroor midden in hun geschreeuw.

'Wie in hemelsnaam . . .' begon Elizabeth.

Minanonn verminderde zijn greep op het personeel dat zich nu weer herstelde. Maar de oude mannelijke mens in het gescheurde franciscaner habijt bleef volkomen verlamd, balancerend op één voet, beide handen verkrampt omhoog. Zijn ogen waren echter levend en glinsterden.

'We hebben hem welkom geheten,' zei Mary-Dedra verontwaardigd. 'Hem geholpen een slaapplaats te vinden waar hij zich drogen kon. Hij kreeg een uitstekende maaltijd toe!'

'Hij zag er onschuldig genoeg uit,' zei Godal de Hofmeester. 'Totdat Dedra zich liet ontvallen dat Elizabeth eindelijk naar beneden was gekomen om de Verheven Personages te ontmoeten . . .'

'En op dat moment begon dat gekke ouwe uilskuiken iets te roepen over zijn missie,' zei Mary-Dedra, 'en kwam hier naar toe gestormd voor we wisten wat er aan de hand was! Maar nu zullen we hem met uw permissie door de voordeur naar buiten gooien.'

'We kunnen maar eerst beter horen wat hij wil,' zei Dionket de Genezer.

'Laat hem spreken, Minnie,' zei Peredeyr de Eerstkomer.

'Maar houd de rest van zijn lijf goed in bedwang,' zei Meyn de Wakkere.

De monnik, die zich van hals tot voeten nog steeds niet kon bewegen, likte zijn lippen en kuchte. Daarna richtte hij zijn ogen op Leilani-Tegveda met het Mooie Voorhoofd en zei: 'Spreek ik tot de Grootmeesteres Elizabeth Orme?'

'Dat ben ik,' zei een heel wat minder imposante vrouw in een strenge, zwarte japon.

De deels verlamde priester keek enigszins opgelucht. Ondanks zijn lachwekkende houding sprak hij met waardigheid. 'Mijn naam is Anatoly Severinovich Gorchakov en ik ben een monnik van de franciscanen. Uw vriendin Amerie Roccaro heeft me hierheen gestuurd als uw geestelijk leidsman.'

Elizabeth staarde hem sprakeloos aan.

'U kunt me nu loslaten,' zei Broeder Anatoly tegen Minanonn. 'Ik zal vredig terugkeren naar mijn maaltijd en u kunt allemaal doorgaan met uw bespreking.' Tegen Elizabeth zei hij: 'Ik wilde alleen maar dat u wist dat ik er ben als u me nodig hebt.'

Minanonn keek naar Elizabeth. Die knikte.

De mentale greep verdween. Anatoly liet zijn voet zakken, ontspande zijn handen en trok zijn gordel recht. Hij slaagde erin een mager kruis in de lucht te schetsen. 'Als u me nodig hebt,' herhaalde hij en liep toen de kamer uit.

5

Het allereerste bezoek van de afzichtelijke houri aan Tony Wayland was bijna meteen het laatste geweest.

Half gek van angst en nog steeds verdoofd na zijn ondervraging door hunne Afschrikwekkende Majesteiten Sharn en Ayfa, was Tony ervan overtuigd dat hem nu nog enkel martelingen en de dood wachtten. Hij was dan ook verrast maar niet geneigd vragen te stellen toen dat verleidelijke schepsel zijn cel in de kerkers van Hoog Vrazel binnenkwam. Misschien was ze hier om hem nog eens tot verraad jegens de mensheid aan te zetten, misschien was ze niet meer dan het Firvulag-equivalent van de laatste sigaret voor de gedoemden. Hoe dan ook, ze was lenig en geil en zag er redelijk menselijk uit, hoewel haar koolzwarte huid, haar rode haar en écu haar buitenaardse afkomst verrieden, zou hij nooit een vermoeden hebben gehad van de waarheid. Hij had haar al omhelsd en was al ruimschoots op de weg waarvan geen terugkeer mogelijk was, toen de gang van zaken op zeer ongewone wijze werd veranderd.

Karbree de Worm, die hem gevangen had genomen, kwam stampend de kerker binnen en hamerde bulderend met zijn gemaliede vuisten op de houten celdeur.

'Skathe! Ik weet dat jij daarbinnen bent, jij knoestkut! Apeneukster! Haha! Pech gehad, makkertje! We gaan naar Goriah! *Nu meteen!*'

Het demonische kabaal had Tony's opgewondenheid volstrekt ondergraven en de houri sprong met een woedend gekrijs van hem af en vervloekte het grijnslachende monster aan de andere kant van de deur.

'Je moet mij de schuld niet geven, liefje,' koerde Karbree. Een groen spleetoog loerde door het sleutelgat. 'Sharn en Ayfa hebben het zo beslist. Ze willen getuigen ter plekke zodra Nodonn die Overheerser van de Minderen heeft gaargekookt. We moeten druk uitoefenen zodat we het Zwaard inderdaad terugkrijgen voor hij een of andere reden kan bedenken om daar onderuit te komen. De Hoogheden hebben bevolen dat we Hoog Vrazel binnen het uur moeten verlaten. Vergeet dus je heidense experimenten maar even en klauter met je kont in je wapenrusting en kom overeind.'

De houri leunde over Tony heen, ving hem onder een gordijn

van glorierijke haren. Haar handen streelden zijn tepels. 'Later, lieve Tonie,' fluisterde ze, terwijl ze met één bloedrode vingernagel een lijn trok van zijn borstbeen naar zijn navel. De celwanden draaiden voor zijn ogen. Ze kuste hem met lippen die naar aardbeien smaakten en een fractie van een seconde leek het alsof zij de kaboutervrouw was die hij zelf in de steek had gelaten. Hij riep haar.

'Rowane, ga niet weg.'

Toen verdween de illusie en Tony krijste van afschuw.

Over hem heen staand, haar hoofd vrijwel tegen de stenen zoldering, stond de afschuwelijke menseneetster die officieel de Verschrikkelijke Skathe heette. Ze grijnsde en liet een mondvol slagtanden zien als kleine, gebarsten ivoren dolken.

'Dat was best goed, of niet?' Ze kietelde Tony onder zijn kin. Haar vuist was zo groot als een ham en de kietelende vinger had een nagel waar de klauw van een adelaar jaloers op zou zijn geweest. 'Laat me eens nadenken,' overdacht het monster. 'Eigenlijk is er geen reden waarom we jou niet zouden kunnen meenemen. We reizen snel en met weinig bagage op deze kloterige koninklijke missie, maar jij kunt achterop zitten. Ergens onderweg hebben we dan wel tijd voor een magisch ogenblikje.'

Langer dan twee slapeloze dagen reisden de twee Firvulag-helden en hun menselijke extraatje westwaarts en pauzeerden onderweg enkel om uitgeputte chaliko's door verse te vervangen. Het nieuws van Nodonns nederlaag bereikte hen in Burask en toen kwam hun oorspronkelijke opdracht te vervallen. In de hoop haar onderbroken experiment te kunnen hervatten, boekte Skathe een kostbare suite in het beste hotel van de stad, dat eens de lokale Koepel van Genot was geweest toen de Tanu nog in Burask heersten. Maar Tony snurkte alleen maar slaperig toen de houri weer verscheen, en zei: 'Verdomd onwaarschijnlijk,' zakte in elkaar en sliep als een dode.

Skathe vervloekte de menselijke zwakheid in ronde termen en nam haar eigen gigantische gestalte weer aan. Er waren natuurlijk manieren om Tony toch wakker te krijgen en ze kende andere grappige experimenten naast de erotische die misschien geschikt waren om hem tot deelname aan te moedigen bij wijze van voorspel op de uiteindelijke verstrooiing. Maar de reuzin was nog maar net begonnen de mogelijkheden te overwegen, toen haar hersens begonnen te tintelen. Het met bont bedekte bed waarop Tony lag te snurken beefde en werd wazig. In plaats daarvan verscheen het beeld van koning Sharn en koningin Ayfa.

Skathe, mijn grote kapiteinse! klonk telepathisch de stem van de Monarch.

'Ik ben hier, Vreeswekkende Hoogheid.'

En weer tot oude vulgariteiten vervallen, zie ik . . . terwijl prinsen sterven en werelden vergaan en tekens en voortekens zich aftekenen zonder weerga! Wel, je kunt je spelletjes maar beter vergeten. Gebeurtenissen van gewicht zijn op handen -- veldslagen -- en jij zult erbij zijn.

'Je gehoorzame dienares, Soeverein van Hoogten en Diepten.'

Dat is al beter . . . Ik wil dat hij en de Worm als de gesmeerde bliksem naar Bardelask rijden. Nu Nodonn dood is en de Bedrieger even aangeslagen, hebben wij een uitstekende gelegenheid om een beslissende aanval te doen. De stad is al aardig verzwakt door overvallen en rijp om geplukt te worden. We hebben Mimee van Famorel bevolen op te trekken en jij en de Worm gaan erachteraan als mijn officiële afgevaardigden. Sharn en ik willen een eerlijk verslag, niet zo'n handjevol bombastische bullshit waarmee Vogelhersentje meestal loopt te pronken. Je weet hoe die mannelijke generaals zijn! Proppen hun verslagen vol eindeloze praatjes over roemrijke wapenfeiten, knoeien met de verliescijfers en het aantal gedode tegenstanders en de hoeveelheid buit. Dit is de eerste actie in het veld voor de Clan van Famorel sinds meer dan vijftig jaar. Ze hebben het in de laatste Grote Veldslag goed genoeg gedaan, maar toen hield de generale staf een oogje in het zeil. Ik wil er zeker van zijn dat ze zich nu volledig aan onze nieuwe gewoonten houden.

'Wapens verenigd, geesten verenigd!' onderbrak Skathe militair, terwijl zij de nieuwe overwinningsslogan van de Firvulag citeerde.

Bewaar die reclame maar voor de troepen . . . niet dat die veel aanmoediging nodig hebben! Bardelask bezit de grootste brouwerij van heel het Veelkleurig Land . . .

'Dat noem ik nog eens een strategisch doelwit!'

Maar jij blijft nuchter. En dat geldt ook voor de Worm. Wat anders! Denk eraan dat we erop rekenen dat Famorel onze zuidflank dekt wanneer wij volgende maand Roniah aanvallen. Deze actie tegen Bardelask is niet meer dan een schermutseling, maar een prima gelegenheid om te beoordelen hoe ze het eraf brengen. Doe je werk goed. Als de slag is gewonnen en je hebt ons een behoorlijk rapport gestuurd, dan kan het me geen moer meer schelen hoeveel bier je wilt zuipen of hoeveel Minderen je wilt naaien. Nou, schiet op en Slitsal!

De krijgshaftige reuzin salueerde in de richting van de oplossende verschijning. 'Slitsal, Hoge Koningin!'

Daarna wierp ze Tony over haar schouder en ging in de richting van de stallen.

Tien uur later bereikten de twee Grote Kapiteins van de Firvulag met hun bewusteloze gevangene een zeker tot een ruïne vervallen fort van de Tanu langs de rivier de Saône, onderweg alleen maar wat opgehouden door een dikke mist die over de Côte d'Or was komen opzetten. Daar legden ze beslag op een rivierboot die eerder door troepen van de Firvulag was aangehouden. De ringloze bemanning zag er nu op toe dat de bagage van de helden werd ingeladen, terwijl Tony zwaaiend op zijn benen op de kade van het fort stond en zich afvroeg waar hij nu weer was.

De stuurvrouw van de boot, een eenvoudige bonestaak van een vrouw, bleek onverwachts lastig, hoewel ze haar grijze halsring hadden verwijderd en haar enkels waren vastgebonden aan een anker dat ze in haar handen moest houden en dat zevenentwintig kilo woog. Ze spoog naar Karbree's gespoorde voeten toen die haar vertelde dat zij hen naar Bardelask moest varen en zei: 'Weinig kans. Ga maar vliegen.'

De slange-ogen van de Worm glinsterden goedgehumeurd. 'Wees verstandig, Mindere. Jouw alternatief is nogal aan de treurige kant -- een duikles in de rivier terwijl dat grote stuk lood je voorgaat naar de bodem.'

'Ik kan net zo goed nu sterven als later,' zei ze woedend. 'Iedereen weet wat er gebeurt met mensen die door jullie gevangen worden genomen. Verkrachting, afgehakte ledematen en dan toezien hoe kleine stukjes van jezelf voor je brekende ogen worden opgevreten. Dank je wel, kannibaal. Je mag mij meteen verdrinken.'

'Je hebt te veel naar de leugens van de Tanu geluisterd, liefje,' zei Skathe. Ze werkte Tony de loopplank op en zorgde dat hij in een gemakkelijke stoel kwam te zitten. 'Vraag het deze knaap. Niemand heeft *hem* opgegeten!'

'Nog niet,' zei de vrouw.

Tony werd klaarwakker.

'Gewoon propaganda,' kraste Skathe opgewekt. 'Sprookjes. Ai, wat is dit een mooie boot!'

Karbree kwam overeind. Zijn wapenrusting van obsidiaan, bedekt met honderden groene berilstenen en ingelegd met goud, glansde prachtig in de wervelende mist. 'Weet je wie we zijn, Mindere? Helden van de Grote Veldslag! Nu vreedzame afgevaardigden van het Hof der Firvulag.'

'Jullie zijn spoken en spoken eten mensen,' hield de stuurvrouw vol. 'Tenminste de grote doen dat en daar vallen jullie zonder moeite onder, grote jongen.'

Karbree beukte zijn borstplaat met een daverend geluid. 'Op mijn eer als lid van de Hoge Raad van de Firvulag zweer ik, Karbree de Worm, dat je geen kwaad zal geschieden zolang je meewerkt. Breng ons drieën met de nodige spoed naar Bardelask, ongezien voorbij de marinepatrouille van de Tanu in Roniah en over de vier stroomversnellingen en dan zullen we je vrijlaten met je eigen boot zodra we veilig zijn aangekomen.'

De bagage was allemaal aan boord en soldaten van de Firvulag stonden klaar bij de trossen voor en achter. Karbree glimlachte, stak een hand uit naar de stuurvrouw en zei: 'Laat mij je anker maar naar het stuurhuis dragen.'

De vrouw kauwde op haar onderlip. 'Nou ja . . .'

'Zo'n prachtig onderhouden vaartuig,' zei Skathe. 'Dat moet wel heel erg snel zijn. Hoeveel uur zullen we voor de reis nodig hebben, liefje?'

'Ik kan jullie binnen zesentwintig uur in Bardelask krijgen. En nog vlugger als deze mist optrekt zodat ik de stroomversnellingen in volle vaart kan nemen.'

'Geweldig,' zei de menseneetster. 'Laten we gaan dan.'

'Al goed.' De stuurvrouw liep de loopplank op met Karbree achter zich aan die beleefd het anker droeg en een paar minuten later waren ze onderweg.

Op het kalme stuk water onder Roniah, toen de vallende nacht en de mist de met transparant plastic overdekte boot veranderde in een zachtjes schommelende baarmoeder, sukkelde Tony weer half in slaap en het verschrikkelijke schepsel dat hem onder haar betovering hield leek helemaal geen krijgsvrouwe van de Firvulag te zijn, maar eerder zijn eigen Huiler-bruid, Rowane.

'Ik wilde niet bij je weggaan,' mummelde hij. 'Het komt, ik ben gewoon niet sterk genoeg, de laatste tijd. Als ze me maar niet mijn zilveren halsring hadden afgepakt, dan was er niks aan de hand geweest. Vergeef me dat ik ben weggegaan. Vergeef me . . .'

Ze zei: 'Maar je bent helemaal niet weggegaan, lieve Tonie. Je bent toch hier bij me? Je hoeft niet bang te zijn. Houd alleen van me zoals je dat vroeger deed.'

'Dat kan ik niet, zonder de ring. Dat is de ellende.'

Maar Rowane, of was het de roodharige houri? hield op een kwellende manier vol en hij probeerde zich wel een of ander gevaar te herinneren en duwde haar weg en donderjaagde met haar op een of andere bank die veel te smal was totdat zijn slaapdronken ogen opengingen en hij zag met wie . . .

'Aaaach!' schreeuwde hij en sloeg wild om zich heen. Hij viel van de gladde leren bank en kwam plat op zijn gezicht terecht. Gelukkig was het dek van de met lucht gevulde boot nogal elastisch.

'Alles in orde daarachter?' kwam de geamuseerde stem van Karbree van voren.

'Nee,' antwoordde Skathe. 'En bemoei je met je eigen zaken, Worm.'

De houri tilde Tony op en zette hem weer op de bank. Het enige licht kwam van een groenige gloed, afkomstig van instrumenten op het achterschip. Jammer genoeg veranderde daardoor het haar van de nachtmerrie van rood in modderig grijs. Tegen hem aankruipend, begon ze zijn wang te kussen en streelde over zijn rugge-graat.

Hij deinsde achteruit. 'Alsjeblieft, niet doen. Ik wil mijn kleren terug.'

Haar nagels peuterden aan een oorlelletje. De kussen kriebelden over zijn borst als lichtvoetige insekten. 'Ik zou heel wat anders willen.'

Maar hij huiverde en trok zich verder terug. 'Je moet nog veel leren over menselijke mannen. Je kunt me niet dwingen, weet je. Ik moet ervoor in de stemming zijn. En dat ben ik op dit moment heel duidelijk niet.'

'Ben je bang, arme jongen? Dat hoeft echt niet. Ik beloof je dat ik je laat gaan nadat we een beetje geëxperimenteerd hebben. Je moet alleen maar een beetje meewerken. Wij zijn altijd erg vooringeno-men geweest als het ging om contacten met jullie mensen. Maar de laatste tijd hebben we allerlei geruchten gehoord, afkomstig van de Huiler-vrouwen uit Nionel die met mensen zijn getrouwd. Jullie schenen nogal heel speciaal te zijn.'

Ondanks zichzelf werd Tony bevangen door een trotse, chauvi-nistische opwinding. 'Er zit een zekere allure,' zei hij zuinigjes, 'in het proberen van iets nieuws.'

'Precies! Dus wat is er nou verkeerd? Blijkbaar bevalt dit lichaam je niet wat ik aan heb. Je had een bruid van de Huilers, dus ik dacht dat je op wat eigenaardigs viel. Ik kan wat anders probe-ren. Ik kan net zo makkelijk op een menselijk hoertje lijken. Maar wacht . . . jij droeg zilver. Wat zou je zeggen van een dominante blonde met grote borsten . . .'

'Alsjeblieft!' Tony deinsde achteruit.

Er kwam een berekenende uitdrukking op het gezicht van de houri. 'Wat bedoelde je toen je zei dat je niet sterk genoeg was sinds je de halsring kwijtraakte? Je bent toch niet leeggebrand of zoiets?'

'Natuurlijk niet! Het is alleen . . . nou ja, wanneer wij mensen seks hebben met jullie buitenaardsen, ik bedoel, wanneer we een halsring dragen, dan kunnen de meesten van ons langer doorgaan, ik bedoel, efficiënter. Maar zonder dat -- en zelfs met dat als je er gevoelig voor bent, is er een risico, wanneer een zekere verslavende factor de overhand neemt . . .'

'Ah-*ha*,' zei Skathe.

Er volgde een nadenkende stilte. Rondtastend in het donker vond Tony zijn broek en zijn hemd. De houri leek niet van plan hem tegen te houden en hij schoot dankbaar in zijn kleren terwijl hij tegelijk naar het verste einde van de bank scharrelde. Het mon-ster volgde hem niet, maar haar ogen lieten hem niet los.

Ten slotte zei ze: 'Jij bezit geen duidelijke mentale vermogens.

Waarom hebben de Tanu je dan toch een zilveren halsring gegeven. Om je bekwaamheden in bed?'

Tony protesteerde. 'Zeker niet. Ik was een belangrijk man in Finiah. Als metallurgisch ingenieur werden mijn professionele vaardigheden hoog gewaardeerd. Ik was belast met de verantwoordelijkheid voor de hele bariummijn.'

'Interessant. Die mijn was ons belangrijkste doelwit, weet je dat? Madame Guderian maakte ons erop attent dat zonder een voorraad barium de Tanu niet verder konden met hun produktie van nieuwe halsringen.'

Tony kreeg ineens het duidelijke gevoel dat hij wellicht te veel had verteld. Hij praatte snel verder. 'De mijn is volledig onder de lava begraven. Niet de kleinste kans dat die ooit weer opengaat. In geen miljoen jaar.

'Of zes,' zei Skathe.

Tony hield zich doodkalm. Het lichaam van de houri leek vloeibaar te worden, langer. De Verschrikkelijke Skathe keek op hem neer en vroeg rustig: 'Waarom ben je door de tijdpoort gekomen, Tony?'

'Nou, dat was nogal doodgewoon, eigenlijk. Mijn minnares vertelde me dat ze me in de steek liet voor een ander. Die ander was mijn directe chef. We werkten met ons drieën op dezelfde afdeling, begrijp je, en er was geen sprake van dat *zij* zouden weggaan. En die toestand werd nogal onverdraaglijk.'

'Dus nam je de benen.'

'Nou nee, ik liet ze alle twee in een 800 megaton zware gietpers duikelen.'

De ogen van het monster puilden uit. 'Té's tieten!'

'Het ging voor een ongeluk door op dat moment, maar ik wist dat de meta's van het Bestel me vroeger of later in de gaten zouden krijgen. Toen leek het verstandig om m'n kuierlatten maar eens te nemen.'

Skathe klopte Tony op zijn hoofd. 'Weet je wat, ik begin je aardig te vinden.'

'Waarom laat je me dan niet vrij? Voor je experiment heb je niks aan mij. Ik ben als de dood voor je en afgezien daarvan, ik ben zo moe dat ik eerder een week zou kunnen slapen en bovendien verrek ik van de honger.'

'Is dat waar, goddomme?' Ze barstte uit in een daverende lachbui waardoor Karbree naar de deur kwam lopen. 'Gooi hier es wat te eten en te drinken heen, Worm!' Ze knipoogde naar Tony. 'Nadat je hebt gegeten, neem je wat rust. Zak maar lekker onderuit met de veiligheidsriemen om je heen in een van die zachte stoelen. Dan merk je niks van de stroomversnellingen. Ik heb nog het een en ander te doen in Bardelask, maar wanneer dat voorbij is, zullen we eens bekijken of we jou kunnen laten gaan.'

Tony droomde weer. Maar dit keer ging het over Finiah, in brand en verwoest, terwijl lichamen opgehoopt lagen in de straten en de monsterlijke Firvulag zich verzamelden voor hun laatste massale aanval op de paleispoorten. Heer Velteyn en de leden van zijn Vliegende Jacht hielden stand in de rook, hun dappere strijd-kreten klonken in zijn oren terwijl hij, Tony, zich met een zwaard van aquamarijn een weg baande door een horde van invasietroe-pen.

Maar zo was het niet gegaan.

Nog terwijl de droom zich verder ontvouwde, wist Tony dat het een leugen was. Hij had zelfs niet eens gemerkt dat Finiah werd aangevallen totdat die wanordelijke bende uit Verborgen Bron de Koepel van Genot binnendrong, zijn bedgenote, een Tanu, met een met ijzer beslagen knots om zeep hielp en hem meesleepte om berecht te worden. De Droom-Tony trok zich van die tegenstelling niets aan en vocht dapper door tot de slaper zijn ogen opende naar de werkelijkheid -- naar stinkende rookwolken die boven de over-kapping van de boot dreven, naar krijgsgeschreeuw en gegil dat zwak hoorbaar was, naar de onmiskenbare stank van strijd die in zijn neusgaten drong en hem met een klap klaarwakker maakte.

Hij was alleen in de achterste cabine van het schip dat aange-meerd lag te midden van papyrusplanten die zo dicht opeenston-den dat hij geen enkel detail op beide oevers kon onderscheiden. Het uitzicht naar voren was minder beperkt en daar zag hij een havengebied waar verwoeste gebouwen in brand stonden. Toen de lucht even opklaarde, zag hij de Tanu-citadel met geblakerde wal-len en ineengestorte torens en daarboven een enkel weerstrevend blauw baken dat afstak tegen de laaghangende hemel. Pulseringen van veelkleurige lichtjes sputterden vanachter de vensters van het fort. Hij hoorde kleine explosies die akelig veel weg hadden van zwaar kaliber geweervuur.

Dit was ongetwijfeld Bardelask. En het leek alsof de strijd bijna voorbij was. *Hoe lang had hij geslapen?*

Zich afvragend of de monsters hem in de steek hadden gelaten, begon hij naar voren te kruipen. Toen hoorde hij zwakke, onver-staanbare stemmen van boven komen, gevolgd door onderdrukt gelach. Tony stond doodstil.

'Geweldig! Helemaal te gek!' Het was de stem van Karbree de Worm.

'Geen betere smaakmaker dan een lekker stukje oorlog,' stemde Skathe in. 'Net genoeg om de lagere zintuigen wat te prikkelen.'

Karbree giechelde op een afschuwelijke manier. 'Ik blijf erbij dat je jouw brokje toch had moeten nemen. *Hoe* dan ook.'

'Mijn beurt komt nog, pikkie. Ik heb mijn eigen stijl.'

'Jij hebt bij mij gekeken, dus kijk ik bij jou. Eerlijk is eerlijk.'

'Maar dan delen we wat jij overhebt,' eiste Skathe.

De Worm gromde en werd toen joviaal. 'Waarom voor de donder ook niet. Hier, probeer deze tenen eens.' Er volgde een duidelijk geknauw.

Tony voelde hoe zijn darmen tot een stokkerige hoop bevroren. *Fie fei Tanu-leugens!*... fo foem ... *propaganda* ... *op mijn eer als lid van de Firvulag-Raad* ...

Iemand liet een geweldige boer. Iemand anders slaakte een diepe zucht. De stemmen van de Firvulag leken van een grote afstand te komen.

'Een mooie kleine veldslag, dat is het zeker,' zei Karbree. 'De discipline begon aardig zoek te raken nadat de brouwerij was veroverd, maar je kunt geen wonderen verwachten.'

Skathe mompelde instemmend. 'Ik zal die ouwe Mimee de Vogel hoge cijfers moeten geven voor het hoofdonderdeel van de actie. Ik vond dat vooral zijn speciale strijdkrachten het goed deden, als je er rekening mee houdt hoe weinig hoogtechnisch ontwikkelde wapens we naar Famorel konden sturen.'

De Worm barstte in lachen uit. 'En wat keek die Verheven Vrouwe Armida verbaasd toen Anduvor Dubbelvoet haar een stalen kogel dwars door haar strot schoot! Jammer dat het lichaam in dat fermentatievat viel. Nou is de hele inhoud vergiftigd!' Ze gniffelden bij de herinnering. Er weerklonk een luide plons, gevolgd door een paar kleinere. Tijd om op te ruimen, ongetwijfeld. Karbree gaapte luidkeels.

'Waarom gaan we niet even een klein tukkie doen?' zei Skathe. 'Ik heb nogal wat typisch vrouwelijke voorbereidingen nodig waar ik eerst van wil genieten voor ik aan de hoofdschotel begin. Mijn ukkepukkepoppie een beetje plagen voor hij zijn souvenir uit Bardelask krijgt. Hem lekker laten bedelen. Ik zal de tijd nemen om het op te bouwen. Maar jij zult wakker zijn tegen de tijd dat de echte lol begint, wees maar niet bang.'

Opgefokt door pure paniek draaide Tony wild in het rond en wankelde naar de achtersteven. Er was geen manier om overboord weg te komen. Rondom het stuurhuis was het schip nog steeds goed overdekt, de transparante panelen waren stevig vastgezet met weerbarstige kleine klemmen. Zich verbergen dan ... maar de grote dekluiken gaven niet mee en de kasten waren te klein om hem te verbergen en de ruimten onder de stoelen en banken lagen vol met allerlei scheepsbenodigdheden. Opsluiten in de cabine had geen zin, dat vrouwelijke monster trok de deur waarschijnlijk in een tel uit de hengsels. Alleen de rommelhoop van hun bagage in de achtersteven bleef over, een hoop zakken en buidels en dozen en mappen met kaarten, de meeste niet meer dicht. De inhoud lag voor een deel verspreid over het dek. Hij kon zich daaronder begraven en dan ...

'Tony, ben je wakker?'

Hij bevroor, verborg zichzelf deels achter een grote leren wapen-koffer. De houri kwam sluipend door het gangpad. Hij zag haar aankomen, het bontvel van haar huid bekroond met fladderende weelderig rode manen. Ze hield iets in haar handen dat metalig glansde in het grimmige licht van de brandende stad.

'Ik heb een prachtig cadeau voor je meegenomen, lieveling. Pre-cies wat je nodig had! We zullen nu heel wat plezier hebben in mijn kleine experiment!'

Ze bleef fronsend stilstaan.

'Tony, je gaat toch niet vervelend doen?'

Hij kromp in elkaar en probeerde wanhopig weg te kruipen in de ruime leren koffer die vol zat met afzonderlijke vakken en voelde toen, in een soort van open schede, iets slanks en hards, langer dan zijn eigen arm. Hij trok het eruit en kon zijn ogen niet geloven. De monsters hadden meer wapens bij zich gehad, maar dit . . .

'Kom er direct uit,' siste ze, terwijl ze het geschenk kwaad in het rond zwaaide. Tony zag nu pas wat het was.

Een halsring. Niet van zilver. Het was goud.

Hij loerde over de rand van de wapenkist en grijnsde. 'Gewoon een geintje, schat!' Onzichtbaar voor haar knoeiden zijn handen onervaren. Maar er was ooit eens lang geleden een vakantie geweest op dat barbaarse Assiniboia en die klassieke wapens leken allemaal op elkaar.

De Verschrikkelijke Skathe kwam naderbij in een parodie van een verleidelijke oosterse dans, zo verleidelijk als een zwarte spin op het randje van een fatale omhelzing. Tony kwam langzaam overeind, het ding met de loop naar het dek houdend tot op het laatste moment. Ze hield de halsring hoog en veilig uit zijn buurt, toen zwaaide hij het antieke Rigby .470-olifantsgeweer omhoog en schoot haar midden in haar gezicht.

De explosie en de sterke terugslag deed hem achteruit wankelen. Hij zag de menseneetster vallen met de achterkant van haar sche-del er half afgeblazen terwijl de rest van haar lijf ineens de kleur van haar haren kreeg.

De andere Firvulag kwam door het gangpad aanrazen in de ver-momming van een pootloze gevleugelde draak uit wiens schotel-tjesgrote ogen en kolossale klauwen vergif droop. Maar de Rigby was een dubbelloops wapen en Karbree stierf even oneervol als de vrouwelijke held.

Als betoverd pakte Tony de gouden halsring op en bevestigde die rond zijn nek. Hij zei tegen zichzelf: 'Rowane'.

Daarop hoorde hij gesis en gegorgel en realiseerde zich dat hij er toch niet helemaal goed vanaf was gekomen. Er moest nu eenmaal een prijs worden betaald als je rondstommelde met een zwaar kali-ber geweer in een opblaasboot, maar dat was, onder de omstandig-heden, redelijk genoeg.

6

De beschermende psychocreatieve bol die de koning en de chemicus droegen, hing boven de schuimende massa die uit de ondergrondse voorraadruimte omhoog was gekomen en die deels ook de trapruimte vulde. In de brij hadden zich talloze in plastic verpakte dozen en containers vastgezet.

'Dat ziet eruit als een duivelse gelatinepudding,' merkte de chemicus op. Tijdens zijn initiatie met de zilveren halsring hadden de Tanu hem Wex-Velitokal genoemd en dat was maar weinig beter dan zijn oorspronkelijke naam die voluit Ethelbert Anketell Milledge-Wexler luidde. Gelukkig was de buitenaardse behoefte aan spotnamen hem te hulp gekomen en nu kende iedereen hem wijd en zijd als Bert de Snoeperd en zo introduceerde hij zichzelf bij de koning zonder enig blijk van verlegenheid.

'Koningin Mercy-Rosmar heeft deze rotzooi gemaakt uit de muurisolatie,' zei Aiken. 'Haar bedoeling was te voorkomen dat ik iets van deze wapens of andere materialen uit het Bestel zou kunnen gebruiken tegen Nodonn en diens legertje. Maar ze wilde niet dat het voorgoed onbruikbaar bleef. In dat eerste is ze uitstekend geslaagd. De bobbels van dat kleverige schuim zijn gevuld met giftig gas. Een gewoon mens die erin rondscharrelt, is er meteen geweest. Een Tanu die niet door zijn scheppende vermogens wordt beschermd, is er zes weken mooi mee in Huid.'

'Zou je een stukje kunnen gappen en dat hierin doen?' vroeg Bert de Snoeperd en liet een voorwerp zien dat ongeveer het formaat had van een kleine recorder met een kleine open trechter aan de bovenkant.

'Dit kan de bestanddelen binnen een halve seconde voor ons analyseren.'

Aiken knikte. Een kleine bobbel werd boven de dodelijke massa gematerialiseerd en nam er een portie van in zich op. Het sijpelde vervolgens door de buitenzijde van de grotere bol die beide mannen omhulde en verdween in de machine. Bert sloeg de trechter dicht en bestudeerde het afleesschermpje.

'Beestachtig ingenieus, van Hare Overleden Majesteit. Ze heeft doodgewoon een redelijk veel voorkomend poly-urethaan molecuul uit elkaar gehaald. De oorspronkelijke isolerende component heeft ze afgebroken in het bestanddeel tolyeendiisocyanaat en poly(oxypropyleen)triol. Die vieze brij heeft ze verhit en geïnjecteerd met grondwater vanonder de fundamenten van het kasteel. Daarna heeft ze met het cyanaat nog wat meer geknoeid tot dit gas vrijkwam, hydrogeencyanaat.'

'Hoe komen we er vanaf?'

'Een getalenteerde meta met scheppende vermogens zou het

proces eenvoudig kunnen omkeren . . .'

Het gezicht van de koning vertoonde geen enkele uitdrukking.

'En hoe nog meer?'

'Het voor de hand liggende oplosmiddel is aceton. Werkzaam en het beschadigt de thermoplastics niet waarin de meeste voorwerpen zijn verpakt. Maar ik denk niet dat je van dat spul ergens een paar duizend liter hebt staan?'

Aiken lachte bitter. 'Onder die troep zit waarschijnlijk een apparaatje begraven dat in vijf minuten zoveel voor ons maken kan als we nodig hebben, als we erbij konden en wisten welk apparaat. Maar de koningin heeft de voorraadcomputer verwoest, dus wat daar ligt is voor ons niet meer dan een grote grabbelton vol hoogtechnisch vernuft. Ik zou het ook niet herkennen, al viel ik erover.'

'Nou ja, goed. We kunnen natuurlijk ook aceton gaan maken. Niet al te moeilijk. Nauwelijks te vergelijken met waar ik laatst mee bezig was, een project waarbij we proberen een speciaal walnotesmaakje te geven aan likeurbonbons . . .'

Aiken knipperde met zijn ogen. De chemicus onderbrak zijn goedmoedige uitweiding zo plotseling alsof er met een paardezweep voor zijn gezicht was geklapt.

'Door hardhouten spaanders te destilleren krijg je een zuur dat voornamelijk harsen, aceton, methanol en olie bevat. Dat moet dan behandeld worden met ongebluste kalk. Daar moeten je metselaars en bouwers genoeg van hebben. Daarvan kun je weer calciumacetaat maken. Verdere verhitting levert dan uiteindelijk via een destillatieproces pure aceton op. Een tamelijk gewoon industrieel proces.'

'Hoe lang zou het duren om te maken wat we nodig hebben?' vroeg Aiken, terwijl ze naar boven zweefden. Hun voeten raakten stenen en de bol van mentale krachten werd platter terwijl hij het onzichtbare gas voor de stevig gesloten deur wegduwde.

'Als ik de vrije hand krijg met voorraden en personeel, dan kan ik het oplosmiddel in drie weken klaar hebben. De eigenlijke reinigingsoperatie kost meer tijd, tenzij we de beschikking hebben over beschermende kleding en zuurstofapparaten voor de arbeiders. De aceton lost het schuim wel op, maar dan moeten we de cyaankali nog te lijf gaan.'

De kleine man in het goudleren stormpak en de chemicus in de elegante turquoise kledij van het Gilde der Scheppers kwamen weer in de veilige atmosfeer van de grote kasteelzaal. De deur naar de dodelijke voorraadkamer sloeg met een klap dicht.

'Je denkt nog niet als een meta, Snoeperd,' zei de koning berispend, 'maar dat is niet zo gek, want jouw talenten neigen eerder naar het intellectuele.' Ze liepen snel een gang door terwijl Aiken verder sprak. 'Ik zal je een staf van heel speciale mensen ter beschikking stellen – en dan bedoel ik dat die bereid zijn elk smerig karwei te doen dat voor dit vuile werk nodig is – zij zullen hun metavermogens gebruiken om jouw apparatuur te bouwen, om ruwe grondstoffen aan te voeren en klaar te maken, kortom, om alles te doen op de manier waarop jij dat wilt. Ze zullen zichzelf mentaal beschermen terwijl ze dat vergiftigde spul naar boven halen, klont voor klont. Dus je hoeft je over veiligheidskleding geen zorgen te maken. Ze kunnen jou er ook tegen beschermen. Wat meer is, ze kunnen desnoods een week doorwerken zonder te slapen. Dat is voor hen heel doodeenvoudig, als je tot de dapperen der Tanu behoort.'

Aiken opende de deur naar een kleine antichambre. Een paar dozijn Tanu, ridders in burgerkleren, bevonden zich daar. Toen de koning binnentrad, kwamen ze overeind en plaatsten hun rechterhanden in een gebaar van trouw tegen hun gouden halsringen. Hun mentale schermen waren geheel naar beneden. Het waren allemaal scheppers of psychokinetici en hun status was zo hoog dat de menselijke chemicus achteruit stapte en zichzelf op de voor dragers van zilveren halsringen gebruikelijke manier ter aarde zou hebben gebogen, als de koning hem niet had weerhouden.

Een kleine glimlach speelde om de lippen van de koning terwijl hij hen voorstelde.

'Dit zijn Kuhal Aardschudder en Caledeyr van Afaliah en verscheidene van hun volgelingen. Zij zullen je voornaamste helpers zijn bij dit karwei, maar je kunt er nog net zoveel anderen bij krijgen, als dat nodig mocht zijn.'

Bert de Snoeperd kon alleen maar woordeloos knikken toen de voormalige leden van de Hoge Tafel en de andere edele Tanu hem nederig hun gehoorzaamheid aanboden. Toen leek de koning met zijn verslindende zwarte ogen diep in zijn eigen ziel te schouwen; de ring rond zijn hals werd warm en *veranderde* en doordat hij nu het mentale gefluister van de buitenaardsen hoorde, wist Bert dat hij een man met een gouden halsring was geworden.

Aiken zei: 'Je hebt zeven dagen om dat oplosmiddel te produceren en de wapens en andere materialen uit het Bestel schoon te maken. Werk alsof de toekomst van het Veelkleurig Land van jou afhangt.'

'En is dat zo?' vroeg de geschokte chemicus en al de met verbazing geslagen geesten van Tanu en talloze anderen leken die vraag te herhalen.

Maar die gloeiende ogen hielden een waarschuwing in en de Tanu aarzelden. Een kort ogenblik later was de koning verdwenen.

AIKEN: Ochal! Hoe gaat het?
OCHAL DE HARPIST: Goed genoeg, Hoge Koning. Met de

voorhoede zijn we net de rivier Galegaar overgestoken en we zullen snel in Calamosk zijn. Daar zullen we ons van verse rijdieren voorzien voor de laatste sprint. We moeten binnen tien uur in Afaliah kunnen zijn.

AIKEN: Groots. Je voorhoede moet daar kunnen zijn voor de Noord-Amerikanen . . . Maar er is slecht nieuws. Ze hadden een stevige wind mee gisteren op de Nieuwe Zee en Morna-Ia heeft gezien dat Hagens terreinwagens de Landtong van Aven net voor middernacht hebben bereikt.

OCHAL: Tana's tanden! Dat is pech hebben! De voorraadwagens en het merendeel van onze strijdkrachten zullen pas meer dan veertig uur na ons in Afaliah aankomen. Wanneer die futuristische wagens van de Noord-Amerikanen over de Oude Avenweg snel in de stad proberen te komen, zijn ze ons voor.

AIKEN: Dat zou heel goed kunnen. Ik denk niet dat we erop kunnen vertrouwen dat Cloud Remillard haar belofte houdt, niet wanneer ze haar broer en zijn bende meeheeft, allemaal tot de tanden bewapend met wapens uit het Bestel. Ze *zegt* dat deze jonge rebellen geen enkele ambitie hebben om het Veelkleurig Land over te nemen, maar de waarheid daarover zal ik pas weten als ik de kans krijg hen persoonlijk te doorschouwen.

OCHAL: Wat moeten we dan doen, Hoge Koning?

AIKEN: Je voorhoede is te klein en te licht bewapend om hen in Afaliah tegen te kunnen houden. Ga door zoals we van plan waren, speel de hoffelijke diplomaat totdat Cloud je meeneemt om Wimborne en de andere gevangenen te ontmoeten. Laat dan pas los dat je hen zult meenemen naar Calamosk en neem de benen. Zonder haar broer om haar te steunen terwijl ik haar minnaar Kuhal Aardschudder nog steeds in handen heb, zal ze haar metavermogens niet tegen jou durven gebruiken.

OCHAL: De versterkingen komen op tijd naar ons in Calamosk?

AIKEN:Dat moet ongeveer kunnen. Ik denk dat Hagen Remillard in de verleiding komt jou te volgen en ik twijfel er niet aan dat hij over heel wat meer vuurkracht beschikt. Maar ik veronderstel dat deze Noordamerikaanse knapen de patstelling herkennen en terughoudend zijn, liever dan het risico te lopen dat ze de hele Wimborne-groep doden in een overrompelende aanval op Calamosk. En dat is dan mijn sleutelwoord om met zoetgevooisde praat in de aanval te gaan.

OCHAL: Komt de Vliegende Jacht naar Koneyn, Hoge Koning?

AIKEN: Op tijd. Reken erop dat je mij binnen twee of drie dagen in Calamosk zult zien. Denk eraan dat ik op je reken, Harpist.

Laat er niks gebeuren met de mannen van Basil.

106

SHARN!
Aikenkerelmakkervanme! Hoe gaat hetmetJOU! Langetijd-
niksgehoord! Verdomde blatendebastaard wat verdomme
gedaan BARDELASK?
Nounounounou... MimeeFamorelMaarschalk eigen be-
denksel ver van HoogVrazel buitenmijncontrole Wapenstil-
standschender liet oude wrok tegen Armida de Geweldige
overheersen (mogezerustenGodinvrede) tegen mijn Konink-
lijkepolitiek in... wacht tot Ayfa&Ik die Mimee Vogelher-
sens tegrazennemen...
VLEERMUIZESTRONT!
Aiken, jongen! Je denkt toch niet echt dat Wij zulke wetteloze
acties tegen Jou goedkeuren, aanmoedigen? Ons Koninklijk
Woord breken?
Ik verwed je ballen eronder van wel.
... Ik zweer op mijn Eer als Monarch van de Hoogten en de
Diepten Vader van alle Firvulag...
Schei uit! Ik weet verdomd goed wat jouwwoord waard is
tegenover eenmens. (Kleurrijke gore afbeelding.) Ik denk niet
dat het wijs van je was om die Minderen hun machines af te
pakken ten gunste van Nodonn!
Wel kerelvanmijnhart daar heb je me te pakken. Kon verlei-
dingvanZWAARD niet weerstaan viel als rijpe pompoen in de
aartsvijandStrijdmeesterval.
Lijkt er meerop hele idee afkomstigvanjou. Nou je steunde de
verkeerdeKoning-SchorpioenGLINSTERDARM en je hebt
jezelf koninklijk verneukt! *Ik* had een mooie goedgezinde verrassing in gedachten voor GroteToernooi maar nu...
Nee! *Dat hadjeniet!*? Oh Té verdoemme tot in diepste
afgrond. Nu mag ik verdrinken, in vieren gedeeld & mijn lever
gebakken metuitjes voor ik jou het Zwaard in je gorepoten laat
krijgen.
Jongen... KoningAikenLugonn... BroederSoeverein...
het was allemaal alleen maar een verschrikkelijk MISVER-
STAND.
(Meelijwekkend gelach.)
Nee echt. Ik zal het bewijzen! Ik zal Mimee dwingen Bardelask
te verlaten. Verdomme jij Sharn KoninklijkeStrontzak Barde-
lask één rokende puinhoop Armida&haarridders dood wat
heb ik aan jouw kloteterugtocht?
Nou ja... dan kan herstel...
Roniah.
?
Roniah huilendehypocriet. Maak dat ongedaan.
??
Zie af van je plan aanval tegen Roniah met geregelde troepen

van HoogVrazel gepland voor laatste week september.

Zo waar Als Té mijn getuige is . . .

OKé DE JACHT VLIEGT VANNACHT.

Nee wacht Ik zal nagaan misschien Medor of Batularn of Faf-
nor samenzwering tegen mijn autoriteit . . .

Red je goregezicht op iederemanierdiejewilt maar houd je
poten *af* van Roniah!

Voor mekaar. Maak je geen zorgen.

(Pijnlijk lachen.)

??? Aiken we kunnen vrienden zijn. VeelkleurigLand grootge-
noeg voor allemaal. En wat Zwaard betreft . . . Je weet dit is
heilig voor mijnvolk. Het behoorde aan mijneigen grootover-
grootvader SharndeVerschrikkelijke. Geef het ons terug Aiken. We zullen ons aan de vrede houden. *Ik zweer het.*

Geenbesluit tot na het Toernooi. Beschouw Zwaard maar als
veiligheidsgarantie voor goed gedrag.

Akkoord! Ik wist dat je verstandig zou zijn jongen. Ik zal jouw-
belofte Zwaardgeven gebruiken om heethoofden onder duim
te houden. Laat ze maar energie sparen voor Toernooi. Prima
idee! Wacht tot je de wonderbaarlijke Zingende Steen hebt
gezien . . .

(Vermoeidheid.) Welterusten Sharn.

Welterusten Aiken.

Welterusten . . .

Voor de eerste keer in bijna een week ging Aiken naar de koninklijke appartementen.

De gouden deuren waren weer in hun hengsels gehangen en er
was geen spoor meer te zien van de schade die de invallers hadden
toegebracht. Hij had opdracht gegeven dat al de voorwerpen die
aan koningin Mercy-Rosmar hadden toebehoord, moesten worden
verwijderd. Terwijl hij nu door de doodstille zitkamer liep waarvan het balkon uitzag over de maanverlichte zee, merkte hij dat
bepaalde schilderijen en beeldhouwwerken en planten waren verdwenen, net als het weefgetouw waarop ze de zachte sjaals had
gemaakt uit de wol van de schapen die ze zelf naar het Plioceen had
gebracht. De waterbak van haar grote witte hond was weg, het
gebeeldhouwde kabinet met de stopflessen vol speciale kruiden,
een blauw tapijt, de geborduurde kussens op de grote rieten stoelen. In haar kleedkamer stonden de kasten wijd open en leeg. In de
vazen waren geen bloemen meer. Haar juwelenkistjes waren verdwenen, al haar kosmetika, zelfs de geur van haar parfums. Haar
stoel met de leeslamp uit het Bestel was verwijderd, de dozen vol
boeken en banden en al de opnamen van de middeleeuwse spelen
en de opera's en de reisverslagen afkomstig van de Oude Aarde die
ze met hem had gedeeld, een opgeschoten jongen van een koloniale

planeet, gedurende de nachten van de afgelopen winter wanneer de regens tegen het Glazen Kasteel sloegen en ze samen overlegden hoe ze de troon zouden veroveren . . .

Ze was heengegaan. Ze was er nog. En die ander ook.

Staande in de lege kleedkamer voelde hij zich ineens omringd door restanten van gelach. Hij brandde. Zijn hersens en zijn lichaam kwamen hem afzichtelijk gezwollen voor, zich spannend tegen de naden van zijn gouden stormpak dat hij per se had willen blijven dragen, ook toen de zomermist al lang was opgetrokken. Hij hoorde zichzelf zeggen: Als je maar van me had gehouden! Of: Als ik dat maar niet had gedaan! En de herinneringen: Als ik heen ben gegaan, zul je geen ander vinden. Fatale Gek! Hoe wil je het klaarspelen, Amadán-na-Briona?

Hij had het gedaan op de manier die zijn instincten hem wezen, had hen beiden genomen in een razernij van angst en afgunst en verschrikkelijke woede, zwelgend in die zo begeerde macht, die vitaliteit.

Het was de enige manier, schreeuwde zijn geest.

Hij merkte dat hij in de koninklijke badkamer stond, gereflecteerd in de met spiegels behangen wanden, een dwerg in glanzend goudleer, zich eindeloos herhalend. Hij drukte beide handen tegen zijn oren, duwde de kap van het stormpak stevig tegen zijn schedel met al zijn bovenmenselijke kracht. Die wredere pijn verslond zijn smart. Hij schreeuwde: 'Je behoort Mij toe!'

En het was goed.

Een kleine man, starend naar zichzelf in een met juwelen bezette spiegel. De vertrouwde badkamer, onyx met goud, de kleine fontein die speelde in het koelere einde van die grote, verzonken kuip terwijl het warmere deel uitnodigend stoomde. Manden vol zwaar geurende gele orchideeën. Een trage maan die hem bespioneerde door het glazen dak. Stapels purperen baddoeken en zijn gele zijden kamerjas en de met amethisten bezette sandalen. Een kan met ijsgekoelde mede en een kristallen glas, precies zoals hij zijn zilver dragende bedienden telepathisch had opgedragen.

Het was goed.

Hij bestudeerde de weerkaatsing van zijn gezicht, bleek en smartelijk binnen de toegevouwen kap. De lippen vast opeengeklemd in reactie op zijn onvrijwillige schreeuw, de neus wreed aangescherpt. Hij had de stevige, vergulde huid van zijn stormpak gedragen om zijn conditie voor anderen te verbergen: die onsmakelijke zwelling, die gloeihitte. Hij wist dat wanneer hij het pak uitdeed, de gevolgen van zijn vraatzucht en begeerte schaamteloos zichtbaar zouden worden.

Maar het leek goed te zijn.

Hij maakte de kap los en deed hem af. Zijn hoofd was met zweet overdekt, het donkere kastanjekleurige haar bijna zo zwart als zijn ogen. Hij schopte zijn schoenen uit, maakte het pak bij de enkels en de polsen open, gooide de gordel weg, trok ten slotte de ritssluiting vanaf zijn hals tot in het kruis open en stapte eruit. Zijn lichaam was pezig, bedekt met spieren, schaars behaard. Er waren vage afdrukken zichtbaar van de naden van zijn stormpak, maar voor het overige zag hij eruit zoals altijd, rustig.

Dat wat hij zo bevreesd was geweest te vinden was verdwenen. Als het er ooit was geweest.

Hij gaf een luide schreeuw van vreugde en dook in het stomende water.

Het *was* goed.

Later, toen hij alleen op het balkon zat en mede dronk en naar de uilen keek, kwam Olone. Ze was zo lang en slank als een jonge boom, het blonde haar golfde op de zeebries en ze zond verleidelijk overredende energieën uit die zijn geest binnenkropen en met zachte veren vingers probeerden de erotiek in hem wakker te maken.

'Nee,' vertelde hij haar.

'Het spijt me, mijn Koning.'

Ze droeg een doorzichtige japon zonder ceintuur die als zilverwater van haar schouders naar beneden viel.

'Ik dacht je te kunnen helpen in je nood.'

'En wat nog meer?' vroeg hij zachtjes. Zijn eigen mentale sonde ging zo behoedzaam bij haar binnen dat ze er niets van merkte. Ze dacht enkel aan haar eigen weinig bedreven manoeuvres.

'Ik wilde je vertellen hoe blij ik ben dat je won. Dat beide verraders dood zijn. En Tonn met hen! Ik ben voor altijd de jouwe als je dat wilt.'

Aiken lachte heel vriendelijk.

Ze stond vol trots voor hem. Eén hand op haar buik.

'En ik draag een kind van jou.'

'Dat doen zevenenzestig andere Tanu-vrouwen ook. Ik ben de koning.'

'Ik dacht dat je het fijn zou vinden!' riep ze uit.

Hij dronk behoedzaam uit zijn glas, zijn blik verbergend, zijn geest op inspectie door haar trotse jonge ego.

'Ik weet wat je dacht, Oly. Wat je *nu* denkt. Toen ik geloofde dat Mercy dood was, toen ik uitgeput en verzwakt was na het gevecht met Felice, heb je me zeer getroost en geholpen bij mijn herstel. Ik ben daar dankbaar voor en blij dat je een van mijn kinderen draagt. Maar denk nooit weer dat je Mij kunt manipuleren, Scheppende Zuster.'

Verwoed schoten haar mentale afweerschermen op hun plaats. Ze deinsde achteruit naar de balkondeur.

'Mijn Koning, vergeef me.'

'Arme Oly. Je ambitie is zinloos en levensgevaarlijk. Ik heb op dit ogenblik genoeg van koninginnen.'

'Ik . . . ik was dom en aanmatigend. Doe me geen pijn!'

Hij stelde haar gerust. 'Niet wanneer je aanvaardt dat ik veranderd ben.'

Ze aarzelde. Haar angst loste op en haar uiterlijk verzachtte toen ze zich realiseerde dat hij niet boos was, maar geamuseerd en verdrietig. 'Zal ik Goriah dan verlaten?'

'Natuurlijk niet. En ook al delen wij dan nu niet meer hetzelfde bed, dat betekent niet dat ik je niet meer graag mag. Je bent een verrukkelijk hete Tanu-meid en al dat zoete gestoei zal weer terugkomen. Maar niet nu. Maar je kunt me een maagdelijk kusje geven.'

Ze barstte in lachen uit en vloog naar hem toe, hem eerst voorzichtig kussend, later met volle overgave. Hij hield haar lichtjes vast terwijl ze zich aan haar extatische opluchting overgaf, en haar geest biechtte en hij vergaf haar.

Later zat ze op de vloer aan zijn voeten en zei: 'Is het waar? Dat je de geesten van Nodonn en Mercy hebt verslonden op de manier waarop de legendarische helden dat deden op Duat? En als je nu met mij naar bed ging en dat onoverwinnelijke vuur brandde nog steeds, zou ik dan ook in je opgenomen worden?'

Hij probeerde het uit te leggen.

'Elizabeth zegt dat wat ik deed – en je moet geloven dat ik dat deed zonder het bewust te willen – neerkwam op het in mij opnemen van de metavermogens van Mercy en Nodonn. Ik ken jullie legenden over Duat niet. Ik heb beslist niet twee mensen levend verslonden en ik heb evenmin hun zielen leeggeslorpt en gevangen gezet binnen in mijn hoofd . . .'

'. . . ook al ben je bang geweest van wel,' fluisterde Olone.

'Lieve Oly, jij bent niet op je achterhoofd gevallen. Is mijn koninklijke ongesteldheid onderwerp van gesprek in het kasteel?'

'We weten dat je niet slaapt. Dat je je ernstig zorgen maakt.'

'Denk je dat daar geen reden voor is? Je weet hoe de Firvulag het vredesbestand hebben geschonden.'

'Zal er oorlog komen?' Ze hield beide handen nu rond haar buik geklemd.

'Als er een oorlog komt, zal ik die winnen.'

Haar gretigheid had iets wanhopigs.

'Heeft . . . heeft die overname je heel sterk gemaakt? Zo sterk dat Sharn en Ayfa niet hierheen zullen durven komen?'

Was dat zo? Kon hij die gestolen vermogens naar eigen believen aanwenden?

Ai, daar zat de moeilijkheid. Nog niet, in elk geval. De overname was een vreeswekkend trauma geweest; hij had het nog niet aangedurfd de volle omvang van zijn onvermogen te laten zien, behalve

111

aan Elizabeth. Alleen zij wist dat hij alleen nog maar in staat was de simpelste metafuncties met enige redelijkheid uit te voeren, dat hij amper nog kon vliegen, dat er geen sprake van was dat hij de psychokinetische kracht bijeen kon brengen om zijn vierhonderd ridders omhoog te brengen, dat hij niet langer in staat was geweldige vuurstoten mentale energie bijeen te brengen of het vermogen een afweerscherm op te roepen dat zelfs laserstralen deed afbuigen. De nieuwe vermogens die hij van Nodonn en Mercy had overgenomen zaten daar binnen in hem, maar ze verstoorden en overheersten zijn eigen vermogens. Hij was nog niet in staat hun energieën efficiënt in goede banen te leiden. De bestaande neurale paden waren onvoldoende. Hij zou nieuwe moeten scheppen die de toegenomen last konden verdragen, precies zoals hij dat gedaan had na zijn treffen met Felice, toen het ook noodzakelijk werd de werkingen van zijn hersenschors opnieuw te integreren, omdat daar nu het programma voor een metabundeling bij inbegrepen was en de nieuwe aanvallende technieken die Abaddon hem had toevertrouwd. Daar was tijd voor nodig geweest. En dat gold ook nu, als hij tenminste niet vooraf gek werd gedurende dat proces, want daar had Elizabeth hem voor gewaarschuwd. Ondertussen zou hij moeten bluffen, bedriegen en tijd winnen. En zijn hoop vestigen op de wapens uit het Bestel en zien dat hij die antieke vliegende machines in handen kreeg die Basil Wimborne met zijn bemanning in de Alpen had verborgen.

'Ik zal uw geheim nooit verraden, mijn Koning. Vertrouw op mij.'

'*Wat?*'

Verloren in gedagdroom, was hij Olone en haar vraag vergeten, veilig (zo dacht hij) achter de mentale schermen die het merendeel van hun oude kracht nog hadden bewaard. Maar ze was opgestaan en stond nu voor hem en straalde medeleven uit.

'Ik zal het nooit vertellen.'

Ze had maar geraden. Overgevoelig en bezorgd om hun ongeboren kind, intelligent en bereid tot dienstbaarheid, bang maar met een grote liefde voor hem, had ze het geraden.

'Aiken, het komt goed. Je zult er iets op vinden. Je moet. Jij bent onze Koning.'

'Ja,' antwoordde hij wanhopig. Hij leunde achterover in zijn stoel, sloot zijn ogen en zijn geest en wachtte tot ze was heengegaan.

Later liep hij over de borstweringen, ging van het ene deel van het kasteel naar het andere, torens in en hangbruggen over en liep de bolwerken binnen die soms nog maar ten dele waren hersteld en waar het nu donker was omdat de lichten niet meer brandden. Hij groette de nachtwacht terwijl hij rondging en zij verzekerden hem dat alles in orde was. Dit waren de uren voor de komst van de dageraad wanneer de innerlijke demonen tot leven kwamen. Hij ging naar boven, de grote, gebroken toren in waar het baken had geschenen, waar hij en Mercy naar de meteoren hadden gekeken, om te zien hoe ver de reparaties waren gevorderd. De arbeiders hadden de op één na hoogste vloer bereikt en zouden met een dag of twee helemaal bovenaan zijn. Hij stond op de nieuwe vloer van stoffige glasblokken terwijl de wind aan zijn zijden kamerjas trok en gonzend door de schietgaten kwam. Een grote brok van de westelijke muur was nog steeds verdwenen en daardoor had hij een verrassend uitzicht over de Straat van Redon.

Wat was *hij* op dit moment van plan?

Was hij al uitgevaren?

'En kan ik je over zo'n afstand heen voelen?' vroeg Aiken zachtjes. Hij kon met zijn geest nog altijd enige honderden kilometers overspannen en nog deze ochtend had hij de verwoesting van Bardelask helder waargenomen. Vérvoelen verschilde echter van de meer 'gespierde' metavermogens, kwam eerder neer op zuiverheid van richting dan op kracht. Het bezat zelfs een eigen toegevoegd neuraal circuit waardoor dat vermogen aan de gewone zintuigen kon worden gekoppeld en dat was heel wat minder kwetsbaar dan de vermogens die holografisch functioneerden.

Waarom zou hij het niet proberen? Het was nog nacht, de meest gunstige omstandigheid voor een poging over lange afstand en hij wist maar al te goed hoe zijn mentale handtekening eruitzag!

Hij zou enkel maar gadeslaan. Geen poging doen tot communicatie.

Hij leunde tegen de half voltooide muur en bracht zijn hoofd binnen een van de schietgaten zodat hij de juiste hellingshoek beter kon vasthouden. Toen ontspande hij zich en liet zijn mentale gezichtsvermogen de afstanden overbruggen. Hij volgde de ronding van de Pliocene Aarde, gleed over de meegevende wateren van de Atlantische Oceaan met een brede, makkelijke zoekstraal. Lichtjes . . . lichtjes, heel diffuus en zacht . . . op minimaal vermogen, schaatsend boven het begin van pijn . . . reik uit . . . reik uit . . . verder.

Ha. Noord-Amerika.

Breng het nu voorzichtig in close-up. Maak de zoekstraal smaller. Zwaai naar het zuiden over de weelderige lagunes van Georgia, over het Apalachee Kanaal en zoek Ocala. Vind de kleine vlekjes van hun levensaura's. En dan die *ene* . . .

Pijn. Maar concentreer desondanks, doorzoek het zuidelijke eind van het eiland en die grote baai waarvan Cloud Remillard had gezegd dat die beschermd was tegen de ergste orkanen door een krans van verspreide atollen. Daar zouden ze de boot hebben liggen.

Ernstige pijn. Daar lag de grote viermastschoener Kyllikki, sterk en bruikbaar. Diep in het water. Geladen. Elizabeth had gezegd dat ze er aan de kadezijde een paraplu van sigmavelden overheen hadden gelegd, maar die was nu niet merkbaar. Het schip trok aan de ankers in veertig meter diep water en geen enkel draagbaar sigmaveld kon zo'n drainage van krachten weerstaan.

Kruisigende pijn. Zoek nu hem op. Al de vroegere rebellen bevonden zich op dat schip, wachtend op de dageraad. Maar hij zat eenzaam op het achterdek onder de middernachtshemel. Hij droeg een stijve witte broek van grove katoen en een zwart shirt.

Marc Remillard glimlachte naar Aiken Drum. Het beeld was wazig, te klein. Maar zijn stem klonk duidelijk alsof hij zich hier bij hem op de toren in Goriah bevond.

'Zoals je ziet zijn we klaar om uit te zeilen. Het wordt een pijnlijk afscheid na meer dan zevenentwintig jaar. Sommigen van ons wilden helemaal niet weg.'

Waarom dan toch?

'Ah, dat was ik helemaal vergeten!' De glimlach werd groter. 'Jij weet nog niet alles, is het wel? Alleen wat onze dolende kinderen je hebben verteld. Nou ja, we moeten wat door de vingers kunnen zien. Maar het wordt tijd dat je de waarheid kent, Koning Aiken-Lugonn. Mijn zoon Hagen en mijn dochter Cloud en de rest van hun generatie zijn maar met één doel naar Europa gekomen: de tijdpoort weer openen. En ditmaal vanaf de Pliocene kant.'

Onmogelijk!

Marcs glimlach was treurig. 'Van mijn standpunt gezien, wilde ik dat je gelijk had. Maar ik ben bang dat het heel goed mogelijk is, als het lukt de ingewikkelde apparatuur te bouwen. Onze rebelse jongelui hebben de complete ontwerpschema's van Guderian met zich meegenomen, samen met bepaalde uitrusting die voor de fabricage nodig is en wat ze hier verder aan bruikbare en gespecialiseerde onderdelen konden vinden. Ze hopen van jou gedaan te krijgen dat jij hen voorziet van technici uit het Bestel en ruwe grondstoffen, alsmede natuurlijk toegang tot de geografische lokatie van de tijdpoort. Ik zou je willen aanraden aan zo'n plan niet van harte mee te werken tot je de tijd hebt genomen om de consequenties grondig te overwegen.'

Open . . . poort . . . TERUGKEREN . . .

'De kinderen willen, zoals ze dat zo zonderling uitdrukken "naar huis terug", naar het Bestel. Je kunt je mijn gevoelens over dat onderwerp goed voorstellen.'

De zon hing nog net onder de rand van de oostelijke heuvels van Armorica. Het door zonneplasma voortgebrachte gebulder vervulde de ether en maakte de concentratie van Aikens geest afschrikwekkend pijnlijk. De kloof werd wijder, het beeld was nauwelijks meer te zien. Maar hij bleef de stem tot het eind toe duidelijk horen:

'Denk erover na, Aiken. Een heropende tijdpoort die teruggaat naar het Bestel houdt natuurlijk ook het omgekeerde in: heropening van de oorspronkelijke poort van het Bestel naar het Plioceen. Wil jij dat, Koning Aiken-Lugonn? Wil *jij* ook weer naar huis?'

De wind jankte rondom de gebroken toren. Aikens hoofd bonsde alsof het zou gaan barsten. Verblind, gleed hij op zijn knieën en drukte zijn voorhoofd tegen de koele blokken glas.

Toen de zon helemaal was verschenen en hij de arbeiders en hun stemmen hoorde op de trappen beneden hem, dwong hij zichzelf op te staan. Hij bezat nog altijd de kracht om zich onzichtbaar te maken. Binnen die illusie slipte hij terug naar zijn eigen appartementen. Daar liep hij rechtstreeks naar de kast waar zijn oude pak met de vele zakken hing. Hij opende de sluiting onder de rechterknie en haalde een boekplaquette uit de zak die hij daar een jaar en een week geleden had ingedaan. De titel luidde:

DE TAUVELDGENERATOR VAN GUDERIAN
Theorie en praktische toepassing

'Wil ik naar huis?' vroeg hij zich af.

Hij ging op de rand zitten van het grote ronde bed en begon in de ochtendzon te lezen op bladzijde één.

7

Het waren niet zozeer de grote spinnen zelf alswel hun voedingsgewoonten waardoor Mister Betsy het ten slotte opgaf.

Op de negende dag van hun opsluiting in de gemeenschappelijke cel, werd hij wakker door het al te bekende gevoel van iets dat over zijn hand liep. Hij griende van afkeer en ging overeind zitten op de hoop stro. Hij duwde zijn pruik weer op zijn plaats en kreeg toen het afschuwelijke schepsel in de gaten, op nog geen halve meter afstand vlak bij de snurkende middeleeuwer, Dougal. De spin zag Betsy ook, want ze kwam overeind, zwaaiend met haar voelsprieten op een verdacht onbeschofte manier terwijl ze een krakerig gezoem liet horen. Het dier was koolzwart en harig en had een lichaam ter grootte van een perzik.

'Smerige bruut!' siste Betsy. Hij schikte zijn gekreukelde kraag recht. Ochtendlicht dat door spleetramen naar binnen sijpelde, verlichtte zwakjes de erbarmelijke kerker. Overal lagen in elkaar gedoken of uitgestrekt de gestalten van die kleine groep technici, piloten en avonturiers die bekend stonden als de Bastaards van

Basil, overgeleverd in de handen van Nodonn de Strijdmeester door een mysterieuze vrouw met metavermogens, en beroofd van de vliegtuigen die de vrijheid van de Minderen moesten verzekeren.

Basil zelf was al dagen geleden uit de cel gehaald, waarschijnlijk om gemarteld te worden.

Terwijl hij de spin waakzaam in het oog hield, boog Betsy voorover om de sjaal los te maken waarmee hij zijn hoepelrok rond de enkel dicht had gebonden. Hij had al snel geleerd op die manier te gaan slapen omdat de kerker vergeven was van muizen, de voornaamste prooi van de reuzenspinnen. Betsy was zich goed bewust – net als generaties zo uitgedoste vrouwen voor hem – wat een ramp kleine zoogdieren konden veroorzaken wanneer ze langs je benen omhoogklauterden. Misschien had hij de aanwezigheid van de spinnen moeten verwelkomen, want de muizen beten en de spinnen niet, maar in plaats daarvan wekten ze enkel zijn afschuw op. Ze waren hem te berekenend, te behendig in de achtervolging van hun slachtoffers en de muizen schreeuwden en piepten zo hartverscheurend wanneer ze gepakt werden en meegesleept naar de spinnenesten hoog tegen de zoldering. Nadat de rovers zich tegoed hadden gedaan aan de lichaamssappen van de knaagdieren, lieten ze de droevige, kleine, in spinnewebben verpakte karkassen op de gevangenen beneden vallen.

En Betsy, met zijn ingewikkelde en omvangrijke Elizabethaanse kostuum, was veruit het kwetsbaarste doelwit.

En nu had *deze* spin de moed om hem uit te dagen! Hij gooide het dier met een paar handen vol stro, maar het weigerde zich terug te trekken en bleef in de buurt van Dougals verbonden rode kop. Betsy voelde om zich heen op zoek naar een zwaarder projectiel, maar kon in de zware schaduwen niets bruikbaars vinden. De spin bewoog uitdagend met zijn poten. Met enige moeite worstelde Betsy zich overeind en zag toen tot zijn wanhoop dat er een lange scheur over de lengte van zijn rok was gekomen, waardoor het frame daaronder zichtbaar werd. Somber mompelend, schudde hij de rok zodat die zich weer over de hoepel plooide.

Drie verpakte muizelijfjes vielen uit zijn onderrokken in het stro.

'Jij . . . jij lelijk *monster*!' schreeuwde de voormalige ingenieur. Hij rukte een roodgehakte brokaten slof van zijn voet en wierp die overhands met alle kracht. Hij miste de spin die op het gezicht van Dougal sprong. De stoere middeleeuwer opende zijn ogen en schreeuwde op de toppen van zijn longen, naar zijn baard slaand met beide handen terwijl hij het stro in alle richtingen sloeg.

'Weg jij schooier, dolle hond, uitvaagsel! *Aaach* . . . het hoerenjong heeft me gestoken!'

De overige twintig gevangenen ontwaakten tot verschillende

graden van waakzaamheid. Terwijl ze van hun ligplaatsen rolden, verstoorden ze daardoor andere, naar prooi zoekende spinnen zodat de kerker ineens leek te krioelen van de scharrelende beesten. Ze schoten over de vloer als de afgehakte handen van zwarte demonen en de woest starende Dougal in zijn namaak-maliënkolder huilde van ontzetting, zoog op een duim en klapte toen met een smartelijke kreet tegen de vloer.

'Vooruit dan, gif, doe uw werk,' fluisterde hij. Zijn ogen gingen dicht.

'Sodemieters!' vloekte de verraste Betsy. De middeleeuwer kronkelde lichtjes.

'Het beest heeft Dougal te grazen!' hijgde Clifford. Hij wees met een trillende vinger naar de chirurg, Magnus Bell. 'En jij zei dat ze ongevaarlijk waren . . .'

'Maar dat zijn ze ook,' protesteerde Bell. Hij was al neergeknield en voelde de pols van de middeleeuwer. 'Hij is alleen maar hysterisch.'

Overal om hen heen op de wanden en de vloer leek het nu te krioelen. En dit was tenminste een grijpbare vijand, geen mysterieuze vrouw die hen bedroog en hun geesten opblies, die de grijze ringen van de slavernij om hun nekken sloeg en vervolgens opsloot in een kerker van de Tanu.

Phronsie Gillis' heldere alt liet zich horen. 'Waar wachten we op, kerels? Laten we die rotzakken *pakken*!'

De Bastaards van Basil werden ineens gevitaliseerd. Ze omsloten hun tegenstanders en trokken ten aanval. Betsy hanteerde zijn slippers. Phronsie en Ookpik en Taffy Evans en Nirupam sloegen naar de spinnen met losse schoenen, houten bekers en borden. Farhat en Pongo Warburton schopten. Bengt gebruikte zijn blote vuisten tegen de schepsels. De halvegare technicus Cisco Briscoe gebruikte zijn riem als zweep en dat had ziekmakende gevolgen. Ze vloekten, gilden, en joegen, struikelden over elkaar en eisten ondertussen een hoge tol aan ongewerveld leven. Slechts een handvol van de Bastaards streden niet mee. Miss Wang kroop weg tegen een muur en probeerde niet over te geven. Philippe, de superkieskeurige, stond waakzaam en met gekrulde lippen en de Tibetaanse arts Thongsa liet piepend zijn zwak protest horen:

'Ik smeek jullie! Stop! Hebt respect! Die levensvorm is fysiek niet aantrekkelijk, maar heeft een nuttige functie in de lokale ecologie!'

'Schijt an de ecologie!' grauwde Stan Dziekonski, die kapitein was geweest op een pantserboot tijdens de Metapsychische Rebellie. Hij sprong met beide voeten tegelijk boven op een spin.

Dmitri Anastos knielde naast Magnus en hield de emmer met water vast terwijl de arts Dougals beet schoonveegde.

'Weet je zeker dat hij niet doodgaat?'

'Aslan!' kreunde de ridder. 'Zal ik blijven in deze kleurloze wereld die in uw afwezigheid niet meer is dan een varkenskot?'

'Rustig an, grote jongen,' zei Magnus. 'Je blijft heus wel leven.'

'Doodmaken!' Mister Betsy gaf de spinnige tegenstanders van alle kanten lik op stuk met zijn met wondvocht besmeurde slipper. 'Doodmaken!'

De deur van de kerker galmde, kraakte en vloog toen met daverend lawaai open. Zes menselijke infanteristen met gouden halsringen en Husqvarna-verdovers marcheerden naar binnen, gevolgd door een schitterend glanzende ridder van de Tanu wiens glazen kuras het embleem droeg van een harp. In de gang waren andere dapperen die ontblote zwaarden droegen en het blauw der bedwingers en het roze-goud van de psychokinetici samen met mensen die wapens hanteerden uit het Bestel.

De Tanu hief een bevelende hand. Door hun grijze halsringen daartoe gedwongen, waren de mannen van Basil ineens doodstil en onderdanig.

De Tanu glimlachte tegen hen. 'Ik ben Ochal de Harpist en ik breng jullie het saluut en de bevestigingen vam goede gezindheid van koning Aiken-Lugonn. Verheugt jullie, aan deze onrechtvaardige opsluiting is een eind gekomen! We zijn hier om jullie hier weg te halen en met de grootst mogelijke spoed naar Calamosk te brengen waar de koning zelf jullie zal ontmoeten. Volgt ons nu naar buiten, waar jullie leider, Basil Wimborne, al op jullie wacht.'

Hij draaide zich om en verliet de cel.

Nu hun geesten weer vrij waren, keken de Bastaards elkander vol ongeloof aan. Een van de infanteristen met een Husky stak een duim omhoog. 'Kom op, voortmaken! Anders komen we *allemaal* in de soepketel.'

De Bastaards begonnen te lachen. Ze trokken hun schoeisel aan, verzamelden hun armzalige bezittingen en druppelden naar buiten, waarbij de gezonden de kreupelen hielpen. Betsy ging het laatste weg, nadat hij zijn slippers zo goed en zo kwaad als het ging aan het stro had schoongeveegd en zijn scheefgezakte pruik weer recht had gewrongen. Twee infanteristen van de achterhoede stonden aan weerszijden van de kerkerdeur en presenteerden grijnzend hun wapens toen de reïncarnatie van de goede koningin Bessie de Eerste met veel vertoon van voornaamheid naar buiten liep.

De kerkerdeur zwaaide dicht. Toen de metalen dreun was weggestorven, werd het doodstil in de cel. In de verwarde chaos van zwarte lichamen in het stro, spartelden er nog een paar na, en bewogen toen niet meer.

Na een tijdje kwamen de muizen uit hun schuilplaatsen en ontdekten dat voor hen een jubeljaar was aangebroken.

Het was een droom, zei Hagen Remillard tegen zichzelf. Het

moest een droom zijn . . .

De onderling verbonden terreinwagens wiegelden aan hun ankers in de ondiepten van de Middellandse Zee rondom de landengte van Aven, wachtend op het eerste licht om over land de race naar Afaliah te beginnen. Hagen had de nachtwacht genomen, want hij was er zeker van dat hij toch niet zou kunnen slapen nadat zijn zuster hem had verteld over de strijdmacht van gouden-halsringdragers die zeker vóór hem in de citadel zou aankomen. Zou deze voorhoede van die Troonveroveraar een of ander onmogelijk ultimatum inhouden? Was het een bedreiging voor de levens van de piloten en technici die zo van levensbelang waren voor zijn eigen plannen?

Broedend over alle mogelijkheden bracht Hagen het grootste deel van de nacht uiterst waakzaam door. Maar rond het dode uur, 0400 in de morgen, wanneer de menselijke energieën het laagst zijn door een minimaal gehalte aan bloedsuiker, dreigde zelfs een meta even weg te zakken. Het geestesoog verwaasde en keek in een wereld vol schaduwen, van herinneringen en vreeswekkende beelden die zich concretiseerden tot een nachtmerrie . . .

Trudi neemt zijn hand en brengt hem langs een onbekend pad naar een plek waar de aarde vers was omwoeld en waar nieuwe gebouwen hoog oprezen tegen de achtergrond van de ochtendhemel, sprankelend en gonzend van leven. Hij begint te grienen wanneer ze naar binnen gaan en verschrikkelijke onuitsprekelijkheden hem bedreigen (hij is pas drie jaar en zijn metafysische ontvangstkanalen zijn ongetraind en onbeholpen) en de zuster zegt: 'Stil maar. Het is allemaal in orde. We gaan "Welkom thuis" zeggen tegen papa.'

Ze lopen over een eigenaardig gladde vloer naar schemerige koelte. Volwassenen steken overal levensgroot boven hem uit, ze letten niet op zijn zwakke telepathische vragen en fluisteren in hun geesten onderling over onbegrijpelijke zaken:

Sterrezoektocht . . . Lylmik? . . . WAANZIN! . . . Verdomme, hij heeft het geflikt!

1700 lichtjaren met de scanner eerste poging!

En terug zonder dat zijn hersenen zijn doorgebrand . . .

Kan niet geloven dat hij het ding aan het werk kreeg. Verdomde troep.

NooitkrijgtieMIJzoverdatikdatrotdinggebruikMarc-Gek2jaarherstellennuweervanvorenafaanbeginnen . . .

Haal die idioot hier weg.

Maar hoe lang moet dat zoeken tussen sterren duren? WAANZIN! WAANZIN!

We hebben alle tijd van de wereld, liefje.

6 000 000 verdomde jaren.

Het zal lukken . . . sterrezoektocht . . . redt ons! . . . nieuw begin . . . samensmelting . . . overreed hen of doe beroep op hun altruïsme . . .

WAANZIN!

Mentale Mens . . . misschien leren we hem toch nog kennen.

Het kind jij stomkop.

Oh . . .

Laat Hagen naar voren zodat hij het ziet.

Laat het hem zien!

Laat het hem zien!

WAANZIN! LAAT HET KIND DE WAANZIN ZIEN DIE ONS HIER IN BALLINGSCHAP HEEFT GEBRACHT! LET HEM ZIJN EIGEN TOEKOMST ZIEN . . .

Het was maar een droom. Een droom over een enorm gevangen ding, een brein, gescheiden van het lichaam. Blij toe! Kunstmatig van energie voorzien, het straalde waarachtige Eenheid uit, gloriërend in eenzaamheid.

In de droom tilde Trudi hem omhoog zodat hij het ding beter kon zien en zei: 'Het is je papa.' De jongen van drie schreeuwde en probeerde weg te rennen.

Enkel een droom. Daarom probeerde hij nu niet weg te lopen nu hij het ding andermaal zag, buiten het windscherm van de stuurhut op het vaartuig dat uit al die onderling verbonden terreinwagens bestond.

Het leek te rusten op het luik dat toegang tot de aandrijving gaf, precies tussen de tweelinghulzen van de sonische kanonnen. Een reuzenvorm, dof glanzend, ruwweg in de gestalte van een man. Energiekabels en geïsoleerde slangen sproten uit het blinde hoofd en vervaagden verderop tegen de grijze hemel.

In zijn droom kwam Hagen uit zijn stoel vanachter de navigatietafel overeind en liep naar buiten. Hij leek naar die spookmachine op het voordek toe te zweven en terwijl hij dichterbij kwam, werd het ding transparant. De man die het ding bediende strekte binnen de coverall van druk zijn armen uit, boog naar beneden en glimlachte naar het driejarige bange kind.

'Ik ben het maar. Je papa.'

Maar hij stapte achteruit, wist dat hij die omhelzing niet kon riskeren, zelfs in de droom zich ervan bewust dat het echte lichaam van een man die een dergelijke bescherming droeg gekoeld moest zijn tot ergens bij het absolute nulpunt en vrijwel volledig gescheiden van het lichtende brein.

'Ik denk dat ik het eindelijk begrijp,' zei Hagen. 'Jack was jouw voorbeeld. Voor jou was een permanente aanpassing niet weggelegd. Je was te oud voor een geslaagde adaptie. Maar je was vastbesloten meer te worden dan de Broeder van de Mentale Mens.'

'Ik zou zijn vader zijn geweest,' zei Marc. 'En ik zou tevreden verder hebben geleefd om te zien hoe jij en de anderen de sterren regeerden die ik jullie gaf.'

'Niet langer menselijk.'

'Je zou het je niet hebben herinnerd.'

'Ga weg!' schreeuwde de driejarige. 'Raak me niet aan. Kijk niet naar me!'

De verpleegster hield hem tegen en verhinderde dat hij wegliep, maar hij begroef zijn gezicht in haar lange rok en huilde en weigerde nogmaals naar zijn vader te kijken. De geeststemmen van de anderen luisterden en toen kwamen de muren genadig op hem af en werd hij opgetild en weggedragen ...

Hij ontwaakte, staande op het lege voordek in de ochtendwind en liep naar het luik om te kijken naar de plek waar de illusie zich bevonden had. Hij zag twee grote uithollingen in het materiaal alsof daar een enorm gewicht op had gerust.

Yosh werkte zijn gezicht steviger in de overkapte kijker van het infrarode zoeklicht en zei: 'Nu begint het ergens op te lijken.'

Servomotoren jankten en de machine en de man die hem bediende draaiden langzaam in een cirkel van 360 graden. 'Prachtig. En een prima plek hier, boven op de toren met het baken. We hebben ruwweg een bereik van zeventig, tachtig kilometer, want Calamosk ligt op een heuvel. Tot bijna halverwege Afaliah goed uitzicht, dan krijgen we de heuvels aan de andere kant van de Opaar. Ah, deze baby is voor de grote steppen gemaakt.'

'Hoe doet de fijnafstemming het, chef?' vroeg Sunny Jim. Hij en Vilkas zaten in de schaduw en dronken bier nadat ze twee zweterige uren bezig waren geweest met het plaatsen van de zonnepanelen voor de energievoorziening.

'Die werkt nu,' mompelde Yosh. 'Ja, daar gaan we dan, wat kuiert daar over de Grote Zuidweg op positie vier-een-drie-een-twee-punt-zes-een? Jawel, een kudde hipparions, die nemen liever de weg dan de bosjes, luie sodemieters. Maar goed dat we hier in het Plioceen geen vervoer hebben dat met hoge snelheid gaat. Anders had je om de vijftig meter een waarschuwingsbord nodig: OVERSTEKENDE HIPPARIONS.' Vilkas zette zijn grote afgedekte kroes neer, veegde zijn snor met de rug van zijn hand af en zuchtte als een martelaar. 'Moet de rest er meteen aan vast, of kan het wachten tot we wat gegeten hebben?'

'Wat denk je zelf?' Yosh grinnikte kort naar zijn twee ashigaru en verdween toen weer in de kijker.

Vilkas kreunde. Yosh praatte met gesmoorde stem vanuit de kijker verder. 'Wat erger is, we zullen kabels moeten aanleggen in plaats van de gewone transmissie en we zullen iets moeten bedenken om dit hersengestuurde paneel te verbinden met het zoeklicht en de vuurbatterijen. Sorry jongens. Dit stuk oud roest is meer dan veertig jaar oud als het niet méér is en de vuurinrichtingen zijn nog ouder. Je zou toch verwachten dat zo langzamerhand een of andere geit wel wat moderners had meegesmokkeld.'

'Misschien deden ze dat ook wel.' Vilkas loerde somber in zijn lege beker. 'Maar hoe zouden we dat moeten weten? De Tanuheren die een voorraadje smokkelwaar hadden, hielden hun kaken stijfdicht over hun verzameling. Niks te ruilen of te vergelijken. Koning Thagdal zou hun koppen op een staak hebben gestoken als hij geweten had dat ze geheimen voor hem hadden. Alle belangrijke spullen uit het Bestel die door de tijdpoort kwamen, behoorden aan de Kroon toe te vallen. En dingen als geweren werden verondersteld te worden vernietigd.' Hij barstte uit in een ironische schaterlach.

'Wat een mazzel dat ze dat niet deden!' Jim knikte naar de net geïnstalleerde batterij van middelgrote laserwapens. 'We zouwen mooi geen schijn van kans hebben tegen die Noordamerikaanse bende als we het enkel met messen van glas en hersentjes moesten doen. Maar deze schieters, jongejonge! Nooit zoiets eerder gezien in deze moerassen.'

'Het is oudroest,' zei Yosh kalm. 'Zo antiek dat het om te huilen is. Moeten een bereik hebben van tien kilometer, maar bij zeven worden ze al te zwak. God, ik zou er wat voor over hebben om een paar moderne in het veld te gebruiken straalkanonnen te hebben, zelfs een antieke Röntgen zou het nog beter doen.'

Jim staarde hem met open mond aan.

'Sssjj, baas . . . wat een plek mot dat Bestel wel geweest benne!'

Yosh en Vilkas keken elkaar aan. De robotingenieur vroeg: 'Waren je ouders tijdreizigers, Jim?'

'Me grootouders,' zei de jongeman. 'We leefden voor twee generaties vrij hier, in Steltdorp, nadat de Firvulag Nionel in de steek lieten. Zelfs de Huilers mosten niks van de Parijse moerassen hebben.' Hij giechelde. 'Wat ons best uitkwam.'

Vilkas keek naar zijn laarzen.

'Zou je naar het moeras teruggaan als je de kans had, jong? Lekker naar huis?'

'En troep vreten van lisdodden en hertezwijn?' snoof Jim. 'Deze jonge niet. Parijs ken verrekken.' Hij klikte met twee vingers tegen zijn grijze ring. '*Dit* is pas leven!'

'Jezus,' zei Vilkas zachtjes.

Yosh zat alweer in de machine en manipuleerde met beide handen het bedieningspaneel en de controles. 'Laatste test. Sluit een van die schieters maar aan, dan kunnen we zien hoe ze volgt op halfautomatisch.'

Jim sloot een van de dunnere kabels van de wapens aan op de batterij terwijl Vilkas de vuurmond schoonmaakte. Toen het wapen verbonden was met het zoekapparaat, zeiden beide grijzen tegelijk: *Klaar, Yoshi-sama.*

Servomotoren hieven het zoeklicht omhoog waardoor Yosh comfortabel met zijn rug in de stoel kwam te zitten. Het er nu elektronisch mee verbonden wapen draaide gehoorzaam mee terwijl Yosh de hemel afzocht. 'Dicht in het vizier. Dat kregen we te zien en dat zullen we dus gebruiken. Ga een vogeltje verbranden. De natuurbeschermers zullen het me niet in dank afnemen als ze het wisten, maar ik heb een warmte afgevend lichaam nodig om dit ding af te stellen. En ja . . . ja . . . aha! Daar komt een stelletje valken boven Calamosk op een-een-zes-zeven-punt-nul-vier . . . chotto matte. Verdomme, ontsnapt. Weer een valk. Goudgeel. Een mannetje. Weer klaar . . . !'

'Chef . . . niet doen!' schreeuwde Jim. 'Niet schieten!'

Yosh keek op van de kijker, zijn voorhoofd kwaad gefronst. 'Wat nou weer?'

'Die gouden valken . . . het betekent ongeluk als je ze doodmaakt. Schiet er een en je krijgt de stront van de hele wereld op je kop!'

'Ah, God, schei nou uit,' riep Yosh.

'Alsjeblieft chef,' bedelde Jim.

Yosh schonk hem een blik vol walging en keerde terug naar de zoeker. Hij zwaaide snel naar het zuiden en omlaag naar de oevers van de rivier de Ybaar.

'Mag het dan een verdomd parelhoen in een verdomde modderpoel wezen?'

'Schiet maar raak,' zei Jim opgewekt.

De laser liet een stotterend gesis horen. Yosh ontspande in zijn stoel en zuchtte. 'Da's dat. Maak het kanon maar los, dan gaan we naar beneden . . .'

Hij bevroor toen zijn gouden halsring een oproep doorgaf.

Yoshi hoor je me?

(Dat deed hij en hij kende die stem.) Ik hoor, Hoge Koning!

Ik kom eraan. Heb je een zoekerscoop klaar?

Net af, maar alles nog niet verbonden met de kanonnen.

Hindert niet. Zullen het niet nodig hebben. Blijf toren. Wacht mij. ZEG NIEMAND ik kom.

Ja Hoge Koning.

Vilkas en Jim waren bezig geweest met het bijeenzamelen van gereedschap en testapparatuur. Geen van beiden hadden ze Yosh' afwezigheid opgemerkt. De Litouwer zei: 'Als we het vizier aan de hersenbesturing vastmaken, zullen we wat anders moeten slopen om er de MP-interfacers van te maken.'

'Vergeet het maar,' zei Yosh. 'De koning komt eraan. Er is wat in het plan veranderd.' Hij fronste terwijl hij de zoeker de hemel ten noordoosten van Calamosk liet aftasten. 'Hij wil dat we hier blijven en aan niemand vertellen dat hij onderweg is.'

123

'Hé . . . geweldig!' riep Jim uit. 'Brengt-ie de Vliegende Jacht mee om die hoerenneukers van overzee weg te branden?'

Yosh hield zijn mond en bestudeerde de uitslag op het schermpje. 'Dat kan het niet zijn. Dan zou ik hier een reusachtige uitslag krijgen en er is niks in die richting, helemaal niks.'

'Over land dan?' probeerde Vilkas.

'Hoe ken-ie een landmacht nou geheim houwen?' sneerde Jim. 'Tuurlijk vliegt ie!'

'Oh mijn God,' zei Yosh.

Hij hief een uitgeput gezicht uit de kijkeropening en drukte op de uit-knop. Zijn samuraikleding, voor het installatiewerk uitgetrokken, lag op een keurige stapel. Een welbekend telepathisch signaal bracht Vilkas en Jim haastig overeind om hem te helpen bij het weer aantrekken. Ze wisten niet wat ze denken moesten van het zweet dat ineens op het voorhoofd van hun meester verschenen was en evenmin waarom zijn wangspieren plotseling trilden. Maar door hun grijze halsringen vingen ze iets op van de mentale beroering waaraan Yosh ten prooi was en die hij zo goed mogelijk probeerde te verbergen.

De weinig tactvolle Jim was meelevend.

'Jee, baas, voel je je eigen wel goed?'

'Ik ben prima. Maar luister . . . Herinneren jullie je Jock nog toen hij ons vertelde hoe we onze intieme gedachten konden verbergen als we bang waren dat een Tanu met sterke vermogens aan het afloeren was?'

'Ik herinner het me,' zei Vilkas. 'Niet dat ik *hem* nodig had om me dat te vertellen!'

'Aan een of ander liedje denken, steeds maar weer,' repeteerde Jim gehoorzaam. 'Ik mos altijd denken aan wat me grootvader zong:

Wij zijn de maagdelijke klimmers,
dat kun je horen,
met hele bossen haar
in onze oren . . .

Yosh onderbrak hem.

'Wanneer de koning komt, *verberg je gedachten.*'

'Maar waarom, chef?'

Yoshi schikte zijn daisho en de nodachi-zwaarden terwijl Vilkas de kraagachtige nodowa vastmaakte (laag, zodat de kostbare en status verschaffende gouden halsring zichtbaar bleef) en Jim hield de rijkbewerkte helm met de sikkelvormige hoorns omhoog.

'Doet er niet toe waarom. Je zult het wel merken als de Koning hier is.'

Ze stonden alle drie uit te zien, hun gezichten naar het oosten.

Daar werd een klein vlekje zichtbaar tegen de wolkeloze namiddaghemel, dat blijkbaar dichterbij kwam en Jim en Vilkas raakten gespannen. Toen zagen ze dat het maar een vogel was, misschien een soort havik met gele en zwarte veren. Hij gleed laag over de toren en het lange strootje dat hij in de klauwen hield was duidelijk zichtbaar.

Pas op, waarschuwde Yosh zijn volgelingen telepathisch.

De vogel zweefde omlaag. Het was geen havik, maar een goudkleurige valk en toen hij op de borstwering landde, veranderde hij in koning Aiken-Lugonn die de grote glazen Speer met één gehandschoende hand vasthield.

'Hai,' zei de koning, terwijl hij het gezichtsmasker van zijn stormpak omhoogdeed. 'Hebben jullie de zoekerscoop klaar?'

Yosh salueerde en wees naar de machine. Jim mompelde: 'Wij zijn de maagdelijke klimmers!'

Aiken trok zijn wenkbrauwen vragend op. 'Dat zou ik nou nooit gedacht hebben.'

Hij draaide zich om en klom in de stoel van de scanner. 'Je hoeft me geen instructies te geven. Ik heb deze dingen eerder gebruikt.' Hij keek naar het zuiden. 'Ja . . . daar komt Ochal de Harpist en zijn ruiters . . . ik neem aan dat die extra lichamen de zo fel begeerde Bastaards van Basil zijn.' Met een behendige vinger toetste hij een groter zoekbereik in. 'En achter hen aan, vanuit de heuvels, vijftien terreinwagens die zo hard gaan als ze kunnen.'

Vilkas en Jim staarden elkaar aan met een mengeling van geschoktheid en plotseling begrijpen. Yosh stond kalm naast de koning en zei: 'Hoe kunnen we helpen?'

Aiken klom uit de zoekerscoop en gebaarde naar Yosh dat die zijn plaats moest innemen. Jim ving snel de kabuto op die zijn meester van zijn hoofd trok en wegwierp.

'Ik ga jullie drieën een staatsgeheim toevertrouwen,' zei Aiken. Zijn ogen waren vurige kolen in een doodsbleek gezicht. 'Ik zal jullie niet bedreigen, maar als julie iemand later vertellen wat voor chicanes ik hier vanmiddag ga uithalen, dan is er een goede kans dat ik mijn troon verlies. En jullie vallen mee, natuurlijk.'

'We zijn jouw slaven,' zei Yosh. Zelfs in de omhelzing van de grote machine zag hij kans een waardige buiging te maken. Vilkas en Jim schuifelden heen en weer en likten hun lippen.

Aiken zei: 'De Noord-Amerikanen zullen de groep van Ochal inhalen voor ze binnen bereik van de verdedigingswerken van Calamosk komen. Dat realiseerde ik me al op weg hierheen. Ik zal dus *iets* moeten doen.'

'Hel, we dachten allemaal dat de Vliegende Jacht mee zou komen,' zei Jim. Vilkas schopte hem tegen zijn enkel.

'Ik zou de Jacht niet kunnen vervoeren,' vertelde Aiken hun rustig. 'Ik heb nauwelijks genoeg kracht om te vliegen en de illusie van

125

een vogel overeind te houden. Als ik over die colonne vijandelijke wagens zou vliegen en met de Speer aanvallen,zou ik niet genoeg vermogen overhouden om een psychocreatief afweerscherm tegen hun wapens in stand te houden. Ik heb een draagbare sigmaveldgenerator, maar als ik die gebruik wordt het vliegen nog lastiger en de kans bestaat dat deze Noord-Amerikanen wapens hebben die door een klein sigmaveld gaan als een bijl door een rotte meloen. Ik ga dus iets anders proberen en jullie moeten me helpen met de scanner. Ik vlieg met de Speer naar een grote hoogte. *Heel* hoog. Jij, Yosh, stelt nauwkeurig in op vijftig meter voor het leidende voertuig en je geeft mij de coördinaten telepathisch door.'Hij knipperde met zijn ogen, al reagerend op de vraag die nog moest komen. 'Nee, ik kan mijn eigen vermogens niet gebruiken om te richten. Ik ben niet in staat over grote afstand nauwkeurig te focussen. Afgezien daarvan, het beetje vermogen dat ik over heb, zal ik nodig hebben om *hun* scanner in de war te brengen. Ik zal de Speer misschien meer dan één keer moeten gebruiken, je moet dus klaarstaan om opnieuw te richten zodra ik daarom vraag. Is dat duidelijk?'

'Ja, Hoge Koning. Het zou het beste zijn als er gewacht kon worden tot het doelwit binnen een afstand van vijfenveertig kilometer is. De scanner is daarboven misschien niet helemaal betrouwbaar.'

'Goed idee. Ik zal zolang wachten als ik kan.'

'Maar wat is er *gebeurd*?' schreeuwde Jim. 'Ke-ris-tus, Majesteit! Hoe kenne we dit stel op hun falie geven, hoe gaan we die *Firvulag* op hun falie geven, als jij geen kracht meer over hebt?'

Aiken glimlachte en tikte tegen de kap van zijn gouden pak. 'Ik heb hier nog altijd de volle lading aan slimmigheden, Jimmy, m'n jongen. Al die ordinaire grijze hersencellen die me hier naar het Plioceen hebben gejaagd. Heb je je ooit afgevraagd waarom ze mij uit het Bestel verwijderd hebben? Omdat ik een bedreiging vormde, daarom! Je hebt hersens en hersens. En de mijne mogen dan op dit moment een beetje te kort schieten in metafysische vuurkracht, maar maak je geen zorgen. Ik zal gauw genoeg weer herstellen. En ondertussen vind ik wel andere manieren om moeilijkheden te boven te komen.'

Cloud greep de rand van het commandopaneel geconcentreerd beet. 'We gaan ze inhalen! Geschat moment van samenkomst over elf-punt-vier minuten!'

'Zullen we de geluidskanonnen bemannen?' vroeg Phil Overton aan Hagen.

'Natuurlijk niet, idioot. Wanneer we een goed uitzicht hebben, geen bomen of verdomde antilopen of iets anders dat op hol slaat en in de weg staat, dan zetten we de sigma's op. Dan gaan we in verspreide formatie van de weg af en jagen ze op tot ze binnen bereik van de verdovers zijn. We schieten de chaliko's onder hen vandaan, kruipen nog dichterbij en laten de verdovers een slaapliedje voor ze zingen. Daarna hoeven we ze alleen maar op te vegen.'

'We zouden de rijdieren al veel eerder met andere middelen kunnen neerschieten,' zei Phil.

'En de kans lopen dat we een of andere piloot of technicus doodmaken van wie ons leven afhangt als vader ons achternakomt?' snauwde Hagen. 'Geen sonische kanonnen, verdomme, en ook geen fotonenwapens. Die moeten we alleen gebruiken tegen troepen uit Calamosk.'

'We zullen openingen in de sigmavelden moeten laten om te kunnen sturen en de Huskies te richten,' zei Nial Keogh. 'Als ze slim zijn kunnen ze ons op die manier te grazen nemen. Met een meta-vuurstoot door kaatseffect te gebruiken.'

'Dat moeten we riskeren,' zei Hagen. 'Jij en de anderen die goed zijn in psychokinese, moeten uitkijken voor dat soort geintjes. Stel nu de anderen telepathisch op de hoogte en geef hun advies. We waaieren niet uit voor het terrein daarvoor geschikt is. En ik ga over op maximale snelheid om hen in te halen. Houd je vast.'

Het geluid van de grommende turbo's rees tot een hoog janken. De voertuigen raasden over de ruwe, slecht genivelleerde weg, bonsden en schokten en veroorzaakten een kolossale stofwolk.

'Ik heb hen nu op de monitor,' zei Veikko Saastamoinen. 'Van dichtbij ook. Ze weten dat we hier zijn, maar ze lijken zich geen zorgen te maken.'

Hagen vloekte. 'Kun je wat horen?'

'Alles op alle mogelijke manieren afgeschermd. Die lui met hun halskettingen hebben alles toegedekt. Wat zou ik nu graag het recept van zo'n metabundeling hebben van die ouwe. Eén vuurstoot met mij als doorgangskanaal en we zouden dat met flessegas gepantserde zootje een mooi gaatje tussen de oren bezorgen.'

'De koning beschikt over dat recept,' zei Cloud, 'voor het geval je dat vergeten was.'

De vluchtende chalikoruiters staken een droge rivierbedding over en draafden op hoge snelheid tussen een smalle rij populieren door op de tegenover liggende oever. Met uitgeschakelde veiligheidscontroles, gingen de terreinwagens zo hard dat ze bijna niet meer onder controle waren te houden.

'We moeten vaart minderen!' schreeuwde Cloud. 'De anderen zijn . . .'

Uit de hemel kwam een korte heldergroene flits. Stof kwam in fonteinen omhoog, vormde een ondoorzichtige bruine wolk en tegelijk met een explosie die hun hersens deed schudden, hoorden ze een telepathisch gebulder:

STOP JULLIE VOERTUIGEN. PROBEER GEEN SIGMA-
VELD OP TE RICHTEN OF IK BRAND JULLIE LEIDER
DOORMIDDEN.

Veikko schreeuwde en sloeg beide handen om zijn hoofd. Hagen
worstelde met de remmen tot het voertuig slingerend van de weg
gleed en in een veld vol stenen terechtkwam waar het schokkend en
voren ploegend schuin op de linkerkant hangend bijna dreigde om
te slaan.

Er weerklonk een tweede explosie, volgend op een smaragdkleurige vuurstoot en dit keer was de inslag amper vijftien meter van
hen verwijderd. Hagen vloekte terwijl hij het voertuig eindelijk tot
stilstand kreeg.

BEWEEG JE NIET. GEEN SIGMAVELDEN OMHOOG OF
IK PAK JE.

Nial Keogh sprak kalm met de andere voertuigen over de inter-
com. Veikko, wiens overgevoelige geest door het volume van de
mentale schreeuw volkomen was overweldigd, was op de vloer
gevallen, opgerold als een foetus, de handen voor zijn oren. Het
beeldscherm liet alleen veelkleurige sneeuw zien.

Cloud en Hagen keken elkaar vol somber begrip aan. Het eerste
deel van de wedstrijd was voorbij. Maar in elk geval was hun vader
niet de winnaar.

Cloud sprak tegen Aiken over diens persoonlijke golflengte: We
zijn gestopt. Kan ik naar buiten komen en onderhandelen?

Er volgde een derde explosie, nu achter de laatste terreinwagen
en homerisch gelach uit de hemel.

JULLIE GEKKEN. IK HEB JULLIE URENLANG IN DE
GATEN GEHOUDEN. IK HAD JULLIE HERSENS KUNNEN
FRITUREN VANAF HET OGENBLIK DAT JULLIE VOET
ZETTEN OP MIJN VEELKLEURIG LAND. EN JULLIE DEN-
KEN DAT ER IETS TE ONDERHANDELEN VALT?

Cloud zei: We hebben een voorstel dat u zal interesseren. Wij
willen uw koninkrijk echt geen schade toebrengen.

IK KEN JULLIE VOORSTEL. IK WEET DAT JULLIE
HOPEN DE TIJDPOORT TE HEROPENEN.

We willen . . . betalen voor uw hulp.

HOE?

Hagens gezicht stond vragend. Hij en Phil Overton hadden
haastig overlegd en nu vertelde hij zijn zuster: Er is iets geks, dat
was geen psychocreatieve vuurstoot maar van een soort fotonenkanon!

GEEF ANTWOORD! OF MIJN METAVERMOGENS ZUL-
LEN JULLIE VERNIETIGEN!

'De tovenaar van Oz,' zei Phil Overton. 'Maar met een giganten-
maat brander. Niet helemaal bluf . . . maar misschien hebben we
onderhandelingsruimte.'

Hagen zei: Ik ben de zoon van Marc Remillard. We zullen betalen voor uw medewerking door u te helpen onze gezamenlijke vijand te verslaan, die wij heel wat beter kennen dan u. Zonder onze hulp zal hij u vernietigen, net zo goed als ons.

HIJ VERTELT MIJ DAT JULLIE DE VIJAND ZIJN!

Hagen zei: En heeft hij u verteld dat hij heeft geleerd hoe hij een d-sprong moet maken?

Er volgde een lange stilte. Toen sprak de donderstem:

BLIJF WAAR JULLIE ZIJN GEDURENDE DRIE UREN. KOM DAN NAAR CALAMOSK MET JULLIE VOERTUIGEN VANBOVEN OPEN EN ALLE WAPENS GEDEMONTEERD. WE ZULLEN THEE DRINKEN.

8

Basil Wimborne en zijn bemanning van Bastaards kwamen andermaal in de citadel van Calamosk, die ze eerder dat jaar onder zo heel andere omstandigheden hadden bezocht. Toen was Basil tijdens het hoogtepunt van het regenseizoen een van de leiders geweest van het leger vluchtelingen dat zich van het door de Vloed geteisterde schiereiland Aven had teruggetrokken. Het kleine kader dat later bekend werd als de Bastaards, had direct een soort staf gevormd onder leiding van hemzelf, Commandant Burke, Zuster Amerie en Elizabeth. Nadat de menigte vluchtelingen door de koppige Celadeyr bij Afaliah was weggehouden waren ze deze veel kleinere stad genaderd in de verwachting dat ze door diens menselijke meester, de parvenu Sullivan-Tonn, nog smadelijker zouden worden weggestuurd. In plaats daarvan merkten ze dat Sullivan en diens jonge Tanu-verloofde aan de kant waren gezet door Aluteyn, Meester der Vaardigheden, en een bende afvallige ridders die aan de Grote Retort waren ontsnapt. Calamosk was duchtig gehavend en bezat nog maar schaarse voorraden na de belegering, maar Aluteyn had de vluchtelingen gegeven wat hij missen kon, alvorens hun aan te raden verder noordwaarts te trekken naar vruchtbaarder streken.

Nu ze achter Ochal de Harpist opnieuw Calamosk binnenreden, zagen Basil en zijn Bastaards de veranderingen. De gewitte halfhouten huizen die eens het mindere stadsvolk van blootnekken hadden gehuisvest, waren vrijwel allemaal leeg. Onkruid groeide tussen de straatstenen en overal lag stof en door niemand opgeruimde uitwerpselen van dieren. De stenen bloembakken en openbare tuinen werden niet verzorgd en hadden ook van de droge zomer veel te lijden gehad.

Omdat hij eens een gouden halsring had gedragen, was Basil onder het contingent geredden uit de kerker de enige met voldoende ervaring om door de geestversterker telepathisch met de Tanu te kunnen spreken. Hij vroeg Ochal:

Wat is er gebeurd? De stad ziet er zo verwaarloosd uit vergeleken bij de andere steden die ik sinds de Vloed heb gezien.

Ochal zei: De rama's. Voor zover ze niet zijn gedood, zijn ze de wildernis ingevlucht. Dat is een gevolg van het gevecht en de mentale druk en opwinding die ontstond toen Aluteyn de stad overnam. Rama's zijn vredelievende schepsels met gevoelige en kwetsbare geesten. Door het dragen van de halsringen reageren ze op uitbarstingen van extreme emotionaliteit in tegengestelde richting door te vluchten als dat mogelijk is. Anders lijden ze ernstig aan acute psychosomatische verschijnselen. Niet alleen Calamosk, maar mijn eigen geliefde Bardelask en zelfs Goriah hebben mee moeten maken dat de rama's op de vlucht sloegen. De Hoge Koning heeft natuurlijk opdracht gegeven dat er nieuwe apen naar de hoofdstad moeten worden gezonden. Maar Calamosk moet met een heel nieuw fokprogramma beginnen.

Basil zei: Dat is pech voor de plaatselijke grote jongens die bedienden nodig hebben.

Ochal zei: Veel mensen met grijze halsringen zijn nog steeds trouw en zelfs graag bereid om te dienen . . . en zelfs redelijke aantallen blootnekken.

Basil: Zij die te angstig of te voorzichtig waren om de weg van de Minderen te gaan of die te wijs waren om naar Goriah te rennen in de hoop dat de koning hun gouden halsringen zou geven.

Ochal (onder gelach): Dat is in meer steden dan alleen Calamosk een probleem geweest. Koning Aiken-Lugonn heeft nogal aardig moeten afwijken van zijn oorspronkelijke idee iedereen die daarom vroeg direct volledig burgerschap te verlenen.

Basil: Mmmm. Maar zijn ingevingen waren edelmoedig . . .

Ochal: Maar gelukkig voor de goede orde in het Hoge Koninkrijk werden ze vervangen door gezond pragmatisme. Ah! . . . We zijn er eindelijk.

De karavaan reed het voorhof op van de centrale citadel waar het wemelde van mensen met halsringen van elke klasse en van in burger geklede of bewapende Tanu. Hier rondom het kasteel was niets te merken van de verwaarlozing in de buitenwijken van de stad. Menselijke bedienden haastten zich om de nieuwkomers te helpen bij het afstijgen en Basil en zijn Bastaards werden met evenveel voorkomendheid behandeld als hun escorte. De elitegarde van mensen met gouden halsringen stond in de houding, hoewel met de wapens uit het Bestel in de aanslag.

Ochal zei tegen Basil: 'Jullie valt een grote eer te beurt. De Heer van de stad zelf is gekomen om jullie welkom te heten.'

Basil boog zijn hoofd eerbiedig toen een schepper van de Tanu, gekleed in een korte tuniek en een halve wapenrusting van aquamarijn naderbij kwam.

'Parthol Snelvoet,' stelde hij zich voor. Hij bewerkte kortstondig de pleziercircuits van hun grijze halsringen en veroorzaakte daardoor een volslagen verrassing onder hen die hiermee geen ervaring hadden. 'Mijn persoonlijke gelukwensen! De koning is er zeer verlangend naar jullie te ontmoeten.'

'En wij hem,' antwoordde Basil. *Kalm*, hield hij zijn vrienden voor, *blijf kalm!*

'Misschien moeten we jullie eh . . . eerst wat opknappen,' stelde Parthol knipogend voor. 'De kerkers van die ouwe Celo zijn bepaald geen sanatorium.'

Basil lachte droogjes. 'Dat is heel wellevend van u, Heer Parthol.'

'Volg mij. Er wacht een aardige verrassing!'

Toen was de Tanu al op weg met Basil en de anderen achterblijvend in zijn spoor (want een stoutmoedige Tanu neemt makkelijk stappen van twee meter). Ondertussen wees hij hun opvallende verbeteringen in de verdediging, begonnen door zijn voorganger, de nu overleden Aluteyn, terwijl hij hen voorbij de buitenwerken voerde, over een binnenplein en ten slotte een gebeeldhouwde witmarmeren talud op dat hen binnen het paleis bracht.

'U was een van Aluteyns metgezellen in het verzet?' vroeg Basil ademloos.

Parthol grinnikte. 'Broeder bajesklant, zul je bedoelen! Je hoort het goed! De ouwe Thagdal bracht me in de Retort wegens moord. Onthoofde mijn schoonmoeder, Coventone Petrifactrix, tijdens een Koninklijke Jacht in de Donkere Bergen. Niemand wilde geloven dat ik haar voor een Firvulag hield. Kan niet begrijpen waarom niet.'

Via een reeks marmeren trappen daalden ze af naar de ingewanden van het paleis waar toortsen in zilveren houders de gangen verlichtten die met roze en zwarte tegels waren ingelegd. Tijdens die afdaling werd er een zekere onrust voelbaar die van Basil en zijn Bastaards uitging.

'Dit keer geen kerkers,' stelde Parthol hen gerust.

Ze kwamen bij een grote zwarte deur in zilveren hengsels, bewaakt door menselijke vrouwen die als standbeelden in rustingen van zilverluster stonden opgesteld.

Vol verwachting grijnzend, maakte de Heer van de stad Calamosk een handgebaar waardoor de deuren openzwaaiden en wenkte zijn bezoekers hem te volgen.

De Bastaards begonnen onder elkaar te fluisteren en elkaar aan te stoten. Enkelen lieten een ongelovig gefluit horen. Ze waren in een reeks gewelfde door pilaren gedragen en onderling verbonden

131

vertrekken gekomen die leken op een combinatie van een weelderig Turks bad en een Hongaars hoerenhuis uit het fin-de-siècle. Er waren rinkelende kristallen kroonluchters, barokke rustbanken in met gordijnen afgesloten alkoven en een fantastisch verguld stoombad, ingelegd met jaspis, waarvan de muren rondom waren versierd met mozaïeken, uitgevoerd in motieven uit Paphos.

'Amusant, of niet?' zei Parthol tegen Basil. 'Jullie betreurde soortgenoot Sullivan-Tonn liet dit inrichten tijdens zijn kortdurende ambtsbekleding en wij besloten het zo te laten. Vernuftig ras, jullie mensen, als deze afbeeldingen tenminste een redelijk beeld geven van jullie seksuele gedrag in de Oude Wereld.'

Basil kuchte bescheiden.

'Sommige van deze mozaïeken hebben een folkloristische achtergrond. De centaurs en de meerminnen bijvoorbeeld en ook de ... eh ... wat meer heldhaftig toegeruste individuen.'

'Oh? Wat jammer. Maar ik vroeg me inderdaad al af waarom er niet van zulk spul door de tijdpoort was gekomen.'

Hij gaf kort een opdracht door aan een opgewekt ogend paar van blijkbaar Polynesische afkomst in gebloemde korte sarongs, dat binnenkwam met bladen vol anjers. Ze droegen zilveren halsringen en terwijl zij de bloemen uitdeelden aan de verbijsterde Bastaards, leken ze vertrouwen en comfort uit te stralen.

'Salote en Malietoa zullen voor jullie zorgen,' zei Parthol. 'We komen een beetje handen te kort, dus jullie zullen elkaars ruggen moeten masseren, maar ik denk dat deze wasbeurt jullie toch plezier zal doen. Probeer het bubbelbad! Die Sullivan dacht echt aan alles! En wanneer dat achter de rug is, hebben jullie nieuwe kleren nodig. Ik mag met trots zeggen dat Calamosk zich verheugt in het bezit van een eersteklas robotkleermaker, een Halston 2100. Die maakt echt alles wat je maar kunt wensen.'

Mister Betsy, die van zijn anjer had genoten, liet een verrukte zucht horen.

Parthol straalde naar deze Elizabeth in de zo droevig ontluisterde kleding. 'Sinds de tijdpoort dicht is, hebben we niet veel textiel uit het Bestel meer, nauwelijks nebulin of dacoliet of repelvel, maar er is een voorraad heel mooi linnen en fijne katoen en ik ben er zeker van dat er nog minstens twintig el over is aan prachtig zijdebrokaat en er is zilveren kantwerk dat me heel geschikt lijkt voor die kraag van jou.'

Phronsie Gillis onderdrukte een vuil lachje.

'Dan laat ik me wel een zijden broek maken uit wat er over blijft!'

Betsy negeerde haar.

Parthol Snelvoet zei tegen Basil: 'Over een paar uur kom ik jullie halen. Jullie zullen toch niet proberen te ontsnappen of je te verbergen, is het wel? Zo vervelend! Ik wil er niet al te zeer de nadruk op leggen, maar jullie dragen allemaal grijze halsringen en we zouden jullie makkelijk terugvinden. Wacht in elk geval tot je gehoord hebt wat de Hoge Koning te zeggen heeft voor jullie aan het plannen maken slaan.'

'Heel goed,' zei Basil. 'We zullen wachten.'

Terwijl de Bastaards hun thee dronken in het gezelschap van koning Aiken-Lugonn, stierf het gepraat over koetjes en kalfjes langzaam weg en begonnen aller ogen zich te richten op de kleine gestalte van de monarch. Hij zat voor de niet-aangestoken haard in de audiëntiezaal op een troon van verguld eiken; zijn gasten moesten zich voor het merendeel tevreden stellen met grote kussens, terwijl er slechts een paar recalcitrant en achterdochtig waren blijven staan, onder wie Mister Betsy. De koning droeg zijn gouden stormpak zonder de kap, een simpele ronde kroon van zwart glas rustte op zijn donkerrode haar. Hij dronk gekoelde muntthee uit een Waterford-tumbler en kauwde en zoog op de resterende ijsblokjes terwijl de stilte toenam en de Bastaards naar hem staarden.

'Hoeveel van jullie,' vroeg de koning ten slotte, 'zouden door de tijdpoort terug willen gaan naar het Bestel?'

Pandemonium.

Aiken glimlachte en hief een hand. Een overmachtige stoot overredingskracht bracht elke geest tot stilte.

'Sorry dat het even zo moet, maar we hebben weinig tijd. Er komen snel andere gasten bij ons gezelschap en onder hen bevindt zich de dame die jullie allemaal in de bajes van Afaliah liet gooien nadat ze jullie vliegtuigen had gestolen, Cloud Remillard.'

'*Remillard!*' riepen de geesten en stemmen van de Bastaards.

'Ik zie dat er iets gaat dagen,' zei de koning. Zijn glimlach stond grimmig. 'Ja, ze is zijn dochter. Marc Remillard en zijn vroegere rebellen hebben zevenentwintig jaar lang in Noord-Amerika geleefd en zich daar vooral met hun eigen zaken bemoeid. Maar nu niet meer. Blijkbaar kregen de rebellen kinderen en de jeugd besloot dat ze genoeg hadden van de dominantie van de ouderen. Ze pakten alles in, bliezen thuis het een en ander op en kwamen *hierheen*. Cloud was de eerste, met een paar anderen. Later kwam haar broer Hagen daarbij, met heel de rest van hun generatie.'

'Goede God,' zei Basil. 'Dat is niet te geloven! Iedereen nam aan dat Marc Remillard bij de Rebellie om het leven was gekomen, samen met zijn voornaamste samenzweerders.'

Aiken haalde de schouders op.

'Madame Guderian heeft het een en ander te verantwoorden. Ik weet niet of ze hem er vrijwillig heeft doorgelaten of dat ze haar dwongen. Waarschijnlijk het laatste en ze namen een overvloed aan smokkelwaar mee.'

'Oh, Uwe Majesteit, wat doet dat er toe!' riep de kleine Miss Wang opgewonden. 'Vertel ons liever meer over het heropenen van de tijdpoort en over het naar huis gaan.'

'Dat kan niet,' vertelde Dmitri Anastos haar. 'Het is eenrichtingsverkeer, van het Bestel naar het Plioceen.'

'Maar niet,' zei Aiken, 'als je hier een tweede tauveldgenerator van Guderian zou bouwen. En dat is precies wat de kinderen van Marc Remillard en hun vrienden van plan zijn.'

'Naar huis gaan!' huilde Miss Wang. 'Een einde maken aan deze verschrikkelijke vergissing. Weggaan van deze afschuwelijke plek en eindelijk weer terug naar de rust en de vreedzaamheid van het Bestel . . .'

'Nu ja, dat weet ik nog zo net niet,' zei Phronsie Gillis terwijl ze een twijfelachtig gezicht trok. 'Ballingschap hier laat je nekharen af en toe overeind staan, maar door de bank genomen bevalt het me hier wel. Zou *jij* terug willen gaan, Bets?'

Mister Betsy liet een hol gelach horen. 'Je maakt een geintje.'

'Het Bestel is niks meer dan verlicht despotisme! Naar de hel ermee!' zei Duwkop.

'Praat voor jezelf, joker,' zei Chazz. 'Ik zou vooraan in de rij staan voor een retourtje.'

'Wie zouden er nog meer terug willen?' vroeg Aiken.

Elf handen gingen omhoog. En toen een twaalfde, afkomstig van een man met een adelaarsneus die zei: 'Ik ook, Hoge Koning, wanneer jij en die ellendige Engel van de Afgrond een oorlogje van plan zijn.'

Phronsie Gillis schonk hem krachtdadig antwoord.

'Elke oorlog waar die ouwe Marc De Oppermachtige lik me reet Grootmeester in meedoet is per definitie geen kleintje, Nazir! Het zal eerder dodelijk zijn voor deze Pliocene Aarde en het Bestel zal er op die manier mee eindigen dat het er nooit geweest is!'

'Nee, dat is onmogelijk,' wierp Dmitri er met pedante vasthoudendheid tussen. 'In tegenstelling tot wat het populaire volksgeloof wil, behoren zogenaamde alternatieve universums of parallelle ruimte-tijdontwikkelingen tot de onmogelijkheden. Je kunt je eigen grootvader niet vermoorden om vervolgens nooit geboren te worden! Geen enkele handeling hier in het Plioceen kan de primaire werkelijkheid beïnvloeden waar het Bestel – en wat dat betreft ook alle andere toekomstige gebeurtenissen – de manifestatie van zijn. Volgens de universele-veldtheorieën . . .'

'Houd je kwek dicht, Dmitri,' zei Betsy.

Er ontstond een gekrakeel dat door Aiken met nog een overredende mentale rotklap werd beëindigd.

'Van degenen die zouden willen gaan. Hoeveel van jullie zijn in staat een vliegmachine van de Tanu te besturen?'

Miss Wang, Philippe, Bengt Sandvik, Farhat, Pongo Warburton

en Clifford staken hun handen op.

'Hoeveel piloten zouden hier blijven?'

Nu gingen de handen omhoog van Mister Betsy, Taffy Evans, Thongsa, Duwkop en Stan Dziekonski.

De koning fixeerde Mister Betsy met een peinzende blik.

'En wat deed jij dan wel precies in het Bestel?'

Betsy kwam overeind in een houding van verontwaardigde hoogmoed. Basil zei vlug: 'Doctor Hudspeth was onderzoeker en testpiloot bij Boeings Ruimtemaatschappij, afdeling Rho-aangedreven Voertuigen.'

'Krijg nou de kolere,' zei de Troonveroveraar binnensmonds. Zijn blik ging rond over de rest van de verzamelde bemanningsleden en zij en de avonturiers verstijfden, voelden hoe onderzoekende sondes hun herinneringen binnendrongen, terwijl ze tevergeefs probeerden de mentale vensters te sluiten die de grijze halsringen in hun hersens hadden aangebracht.

'Het hoofd van een collega in Oxford die bergen beklimt,' vroeg Aiken zich verwonderd af, 'een ingenieur derde klas op een sterrevrachtvaarder ... een chirurg die één microtomie te veel deed ... een ontwerper van generatoren voor ypsilonvelden bij Cumberland ... een onderhoudsmonteur voor shuttlevluchten ... een Eskimo-elektronicus ... jammer dat er geen metallurg bij is ...'

Toen de koning zijn onderzoek stopte, zei Basil: 'Heer, we hebben gehoord dat u ons niet kwaad gezind bent. Uw afgezant, Ochal de Harpist, beschreef u als een eerlijk en rechtvaardig heerser – afgezien van een handvol menselijke excentriciteiten ...'

Aiken lachte.

Basil ging vasthoudend door. 'U hebt ons verlokt met visioenen van een mogelijke terugkeer naar het Bestel en ons angst aangejaagd door te suggereren dat het Plioceen het toneel zou kunnen worden van een nieuwe Metapsychische Rebellie. U hebt op een oppervlakkige manier in onze hersens rondgestommeld en ik neem aan dat u van plan bent ons te gelegener tijd grondiger aan de tand te voelen om erachter te komen waar de andere vliegmachines zijn verborgen ...'

'Oh, maar dat weet ik al,' zei Aiken. 'Dat heeft Cloud Remillard me verteld.'

'Vertel ons dan wat u met ons van plan bent,' eiste het vroegere collegehoofd. 'Worden we tot slaven gemaakt? Of worden we kleine pionnen in uw spel met de jonge rebellen?'

Aiken leunde achterover op de troon van ingewikkeld besneden en verguld hout. Het was een trofee, eeuwen terug door de Tanu tijdens een Jacht aan de Firvulag ontstolen en de rugleuning was ingezet met de afbeelding van een wakende leeuw met fonkelende karbonkels van ogen. Zonder in te gaan op de vragen van Basil, wees de koning naar een man die apart stond van de rest, wiens dromerige gezicht omringd werd door een rossige baard en die een roze overkleed droeg over een hemd van maliën.

'Jij bent niet een van Basils Bastaards,' zei Aiken. 'Wie ben je dan wel?'

'Ik ben alleen maar een gek,' zei Dougal, 'die de messias zoekt.'

'Dougal doet geen kwaad,' zei Basil.

'Gek?' De koning leek verrast. 'Kan ik daarom je hersens niet binnendringen?'

'Misschien,' antwoordde Dougal. 'Of misschien is er een andere reden.'

Aiken trok één wenkbrauw hoog op.

'En zou jij terug willen gaan naar het Galaktisch Bestel, Sir Dougal de Gek?'

'Sire, ik ben, evenals u, in eigen ziel ten strijde tussen willen en niet willen.'

'Aha,' zei de koning. Hij stond op van de troon en liep naar de lange tafel waarop voedsel en drinken uitgestald stond. Hij schonk zichzelf nog eens gekoelde muntthee in uit een gefacetteerd kristallen kan en begon te rommelen tussen de schalen met cakes, koekjes en kleine broodjes.

Toen zei hij: 'De volwassen kinderen van Marc Remillard en diens rebellen hebben de ouderlijke heerschappij weerstaan door naar Europa te komen. De ouders zijn op weg hierheen met een zeilschip, vastbesloten om hun kinderen tegen te houden en te voorkomen dat ze het ontwerp van Guderian gaan nabouwen.'

'Als het werd gedaan omdat het moet,' zei Dougal, 'dan ware het wel als het vlug geschiedde.'

Aiken staarde naar hem en zei toen: 'Cloud en Hagen waren oorspronkelijk van plan een overeenkomst te sluiten met Nodonn. Nu hebben ze uiteraard hun oog op Mij laten vallen. Zij willen niet alleen de buitenaardse vliegtuigen, maar ook jullie als bemanningen om ze te besturen en te onderhouden. Die vloot willen ze gebruiken om henzelf en hun uitrustingen te vervoeren terwijl ze bezig zijn links en rechts ruwe grondstoffen te verzamelen die ze nodig hebben voor de bouw van de tijdpoort. Voor zover ik heb begrepen, zullen ze een paar van de zeldzamer elementen alleen vanuit de lucht kunnen ontdekken, daarna moeten ze nog gedolven en uiteraard bewerkt worden.'

'En u bent van plan mee te werken,' stelde Basil vast.

Aiken stopte een vierkant zandgebakje in zijn mond en begon te kauwen.

'Ik heb strategische redenen om dat te doen. En ik wil dat jullie mij helpen door deze jonge rebellen te helpen.'

'Dat is dus een keus van lik me vestje,' klaagde Taffy. 'Tenminste met deze verdomde halsringen om.'

Aiken nipte met gebogen hoofd van zijn thee.

136

'Helaas, beste vrienden, in dat opzicht word ik geconfronteerd met een zeker dilemma. Probeer het van mijn kant te zien. Ik wil deze tijdpoort gebouwd zien en ongeveer de helft van jullie wil dat ook . . . dat zeggen jullie tenminste. Maar wat staat ons te wachten wanneer diegenen die *niet* terugwillen naar het Bestel en doodziek worden van het werkplan rondom de tijdpoort, besluiten om de benen te nemen of misschien wel iets uithalen met een paar van de vliegtuigen? Dat zou de hele onderneming in gevaar kunnen brengen. We hebben toch al te weinig piloten en monteurs aan de grond zoals de zaken er nu voorstaan en ik zou het verschrikkelijk vinden een paar van jullie kwijt te raken.'

Hij glimlachte hartveroverend.

'U bent dus van plan de ringen te laten zitten,' zei Basil.

'Tot de tijdpoort is voltooid. Maar ik beloof dat jullie niet onredelijk zullen worden behandeld of gedwongen wanneer jullie je fatsoenlijk gedragen. Wat zeggen jullie daarvan?'

'En dan mogen we zeker als het klaar is dat monster van een Marc Remilliard op ons dak krijgen,' schreeuwde Mister Betsy. 'Wanneer die hierheen komt met zijn bende metapsychische kameraden, dan krijgen degenen die de machines vliegen de volle lading van god mag weten wat voor gewone en mentale wapens!'

'We hebben zelf ook wapens,' antwoordde de koning, 'en we hebben een paar sigma's die op de vliegtuigen kunnen worden geïnstalleerd. En dan is er nog zoiets als een mentaal afweerscherm tegen mentale aanvallen.'

Aiken grijnsde.

'Dat vergeet ik maar steeds. Jullie kennen Mij niet al te goed.' Hij zette zijn theekopje neer en liep terug naar de troon waar hij een heldhaftige houding aannam. 'Laat ik jullie een kleine demonstratie geven van wat het zeggen wil Koning te kunnen zijn over het Veelkleurig Land.'

Hij stond een ogenblik heel rustig, de ogen gesloten. Toen gingen de oogleden weer omhoog en het vuur van zijn geest leek uit die diepe kassen naar buiten te zien. Zijn haar stond overeind, verlicht door dansende vonkjes en de glazen kroon scheen met een inwendig licht. Een netwerk van kruipend violet en amber stroomde bliksemend van zijn schouders naar zijn voeten en omhulde zijn lichaam alsof hij een levende elektrode was geworden. Het verdichtte zich tot een stralenkrans rondom zijn hoofd, waar manen van gouden vlammen ontstonden die het vergulde houtsnijwerk van de wakende leeuw boven de troon weerkaatsten. Hij hief beide handen omhoog die miniatuurzonnen vasthielden en hij leek te groeien tot hij schitterend steeds hoger torende zodat hij aan de balken zoldering bijna de Firvulag-trofeeën die daar hingen met zijn licht in brand stak. De golven van zijn uitstralingen vibreerden door de ruimte. De geesten van de Bastaards leken gevuld met dreunende sonore klanken. Ze stonden als bevroren, betoverd door deze apotheose.

Enkel Dougal kon zich blijven bewegen. Hij wankelde voorwaarts en viel op zijn knieën. Zijn gezicht was vertrokken van pijn en vreugde en de tranen stroomden langs zijn wangen.

'U bent het,' riep hij uit. '*U* bent het!'

De korte uitbarsting van griezelige macht werd ineens afgebroken alsof het slechts ongewild zich had gemanifesteerd. De kleine man in het gouden pak leunde weer gewoon tegen zijn troon en zag er weer heel normaal uit.

'Niet om op te scheppen,' zei Aiken, 'maar Marc Remilliard zou voor een lelijke verrassing komen te staan wanneer hij probeerde dit continent binnen te vallen. Zijn macht gedurende de Metapsychische Rebellie berustte voor een aanzienlijk deel op de samenwerking van talloze geesten waarvan hij de kracht bundelde in een agressieve aanval. Hier in het Plioceen is hij wat dat betreft gehandicapt. Heel wat van zijn oude kameraden zijn versleten. Anderen zijn niet meer betrouwbaar of hun vermogens zijn voor een aanval niet geschikt. Waarschijnlijk zal hij, wanneer hij Mij wil uitdagen, alleen moeten komen. Zijn mensen zullen proberen hem te helpen, maar hun pogingen zullen weinig voorstellen vergeleken bij hun vechten tijdens de Rebellie. We kunnen hen verslaan en we kunnen die tijdpoort bouwen. Maar dat werk zal heel wat makkelijker gaan als jullie meewerken. Willen jullie dat?'

Dougal had beide handen tegen het leeuwedevies op zijn nieuwe overkleed gedrukt. Hij huilde nog steeds, maar sprak nu ook met lage stem.

'Voorheen, met uw glorie verborgen, kende ik u niet. Niemand kende u. Maar nu zie ik u, Aslan, gekomen om Narnia te redden precies zoals ik gebeden heb. Gij zult ons niet in de steek laten om die verschrikkelijke drempel te overschrijden. Gij zult de droom niet laten sterven . . .'

'Houd je stil,' zei de koning scherp; en ofschoon hij zijn overredende macht inhield, kwam de middeleeuwer tot rust en zonk met zijn gezicht op de marmeren vloer. Aiken stapte om hem heen en keek de anderen aan.

'Willen jullie me vrijwillig helpen?' vroeg hij. Zijn stem klonk vreemd dof.

Er was een korte pauze.

'Ja,' zei Basil ten slotte. 'Degenen onder ons die in het Plioceen willen blijven, zullen meewerken ter wille van de kameraden die willen vertrekken.'

Aiken zuchtte. 'Dank jullie.'

Achter de Bastaards gingen de deuren van de grote ontvangstruimte open. Parthol Snelvoet stond er, ditmaal in volledige wapenrusting die blauwgroen glansde in het schemerlicht. Naast

hem stond Ochal de Harpist. Hun beider geesten spraken:
De Hoge Koning heeft ons geroepen.
'Deze vrienden moeten naar vertrekken worden gebracht waar ze kunnen uitrusten,' zei Aiken hardop. Hij wendde zich tot Basil. 'Morgen zullen we bespreken hoe we een expeditie naar de Alpen op touw kunnen zetten om die vliegtuigen te redden. Mijn afgezant, Heer der Psychokinetici, Bleyn de Kampioen, zal jullie aanvoeren. Jullie zullen zo spoedig mogelijk vertrekken.'
'Zoals u wilt, Heer.' Basil boog licht het hoofd en zond een kort telepathisch beeld door naar de anderen. Zij die nog steeds zaten, stonden op. Vervolgens liepen ze naar de deuren.
Ook Dougal kwam overeind. Hij trok een katoenen zakdoek uit een gemaliede mouw en snoot zijn neus. De zweverige blik in zijn ogen was verdwenen toen hij de koning aankeek en zei: 'Als u van plan bent Guderians belvédère vanaf de grond op te bouwen, aanvaard dan mijn raad, Aslan, en zie mijn meester te pakken te krijgen. Tony Wayland. Ik bedoel maar, alleen al het maken van die verdomde niobium-dysprosiumbedrading voor de taugenerator vraagt om meesterschap en dan heb ik het nog niet eens over hoe je dat spul uit de ruwe delfstof haalt. Tony was de baas over de bariummijnen in Goriah . . . en hij weet echt alles van metaal, die ouwe Tony.'
Aikens stem klonk dringend.
'Waar is hij nu?'
Dougal rolde zijn ogen hemelwaarts. 'Helaas! Hij werd door leugenachtige dwergen overmeesterd in de Vogezen en ik ben de enige die het verhaal kan navertellen!'
Aiken zond een telepathische instructie naar Parthol die overeind kwam en een bedaarde overredende hand op Dougals schouder legde.
'Waarom ga je niet met mij mee om me het hele verhaal te vertellen?'
Dougal liet zichzelf naar de deur brengen, maar terwijl die dichtging, sprak hij over zijn schouder: 'En Gij, Aslan, draagt in eigen hand de macht om zijn gevangenschap op te heffen. Een uitwisseling van gevangenen is mogelijk, zo dunkt het me.'
Toen was hij verdwenen.
Aiken schudde zijn hoofd en de uitdrukking op zijn gezicht was bijna hulpeloos. 'Ik neem aan dat Parthol daar iets zinnigs van kan maken. Hij heeft de vermogens van de scheppers. Maar verdomme . . . Occy, er is iets heel griezeligs aan de hand met die grote mesjokkeling.'
'Dat voelde ik ook, Hoge Koning.' Nauwelijks verborgen onrust hing zichtbaar achter zijn sociale afweer. 'Is alles in orde? We kunnen de Noord-Amerikanen wel wat langer laten wachten.'
'Nee. Er is geen tijd meer. Dougal had gelijk, het zou goed zijn als

het vlug gebeurde.'

'Ze hebben onze instructies in de volstrekte zin van het woord opgevolgd en wachten nu. Wist je dat ze waarachtig vijf kleuters bij zich hebben?'

'Tegenwoordig kijk ik nergens meer van op,' zei Aiken. 'Je hebt die grote sigma uit Hagen Remillards handen gepraat zonder problemen?'

'Yoshi is al bezig met de installatie op de galerij, Hoge Koning.'

'Goed.' Aiken liep naar de troon en liet zich erop vallen. 'We moeten er verdomd zeker van kunnen zijn dat niemand buiten ons medeweten luistervink speelt op de volgende conferentie.'

'Heb je nog andere bevelen?'

Aiken wuifde met een hand.

'Laat een paar grijzen komen om de theetafel af te ruimen en breng dan de kinderen van de Rebellie maar naar binnen.'

Ochal salueerde en wilde zich al terugtrekken, toen de koning ineens zei: 'Herinner jij je die nacht nog toen ik voor het eerst naar Muriah kwam. Dat waanzinnige feest van koning Thagdal waar wij nieuwkomers onze kunsten en verhalen moesten tonen zodat jullie een bod konden doen op onze diensten?'

'Ik herinner het me, Hoge Koning.' Ochals mond vertrok. 'Dat was een ruige avond! Ik kan het achteraf zien als jouw openingszet in het grote spel dat komen ging.'

Aiken leek in de verte te staren. 'Er was toen een kleine, menselijke vrouw met genezende vermogens, ze droeg een zilveren halsring en ze zong. Herinner jij je dat nog?'

'Ik hoor haar nog steeds in gedachten, Glanzende.'

Alsjeblieft dan, zei Aiken.

En wat later, toen de Noord-Amerikanen enigszins bevreesd in de door het sigmaveld afgeschermde ontvangstruimte kwamen om die verschrikkelijke Koning van het Veelkleurig Land te ontmoeten, vonden ze daar een kleine man op een leeuwetroon met aan zijn voeten een sprookjesridder in amethistrood, die 'All through the Night' zong en zichzelf begeleidde op een met juwelen bezette harp.

Toen hij er zeker van was dat de slotvoogd met de zilveren halsring en diens volgelingen verdwenen waren, ging Basil Wimborn naar het balkon van zijn slaapkamer en zocht de Pliocene Poolster om zichzelf zo goed mogelijk te kunnen oriënteren. Het massief van de Vlammende Bergen, de Pyreneeën, lag tussen Calamosk en de Zwarte Piek en zijn vervloeiende vermogen, zelfs toen hij nog een gouden ring droeg, was op zijn best maar pover geweest. Maar Elizabeth was een Grootmeesteres en de kans bestond dat zij zijn zwakke oproep via de grijze ring toch zou opvangen.

Hij sloot zijn ogen, plaatste zijn vingers op het warme metaal rond zijn nek en verzamelde al zijn psychische energie voor de oproep:

ELIZABETH . . .

Basil! O mijnbeste mijnbeste we dachten dat je dood was.

CloudRemillard&NodonnnamenBastaards&al in vliegtuig Afaliah.

Maar jij veilig? En de anderen?

Nu veilig ja. Bij Aiken Calamosk. Jij weet Rebellenkinderen gekomen?

Ja. En ik weet hunvader zal niet lang op zich laten wachten.

Aiken&Kinderen van plan ons en machines te gebruiken. Wij hebben toegestemd.

Maar Basil nu je grijs draagt en de anderen ook, neem ik aan dat jullie zijn gedwongen. Maar er is gevaar. Aiken zal van Marc een vijand maken door met de Kinderen samen te werken. Jullie kunnen het slachtoffer worden van zo'n metapsychisch gevecht. Misschien kan ik Aiken beter vragen jullie vrij te laten . . .

Elizabeth weet je het niet?

?

Waarom de Kinderen met Aiken willen samenwerken?

. . . om te ontsnappen aan ouders spieren uitproberen zich mengen onder andere mensen . . .

Om tijdpoort vanaf deze kant te openen.

. . .

Elizabeth? . . . Elizabeth?

Ja Basil? Hoe willen ze dat gaan doen?

Gudierianontwerp nabouwen. Kunnen ze als Aiken helpt.

Marc zal alles doen om dat te voorkomen.

Kinderen 5tonwapens Bestel + vliegtuigen hopen te winnen.

Aiken zegt Marczwakker dan hij.

Mijn God.

Wat doen? WAT? Wij hebben vliegtuigen verloren HoopMinderenopvrijheid vergaan. Elizabeth help ons zeg ons wat we moeten doen?

Ik weet het niet Basil. Ik moet met zoveel factoren rekening houden en nu *dit* weer wees geduldig gehoorzaam Aiken voor het moment ik zal contact met je zoeken over je persoonlijke golflengte nadat ik tijd heb gehad om hierover na te denken Oh God *een open poort!*

Elizabeth je moet één ding doen.

Ja Basil?

Vertel PeopeoMoxMoxBurke VerborgenBron.

. . .Heelgoed. Maar er is weinig kans dat zijn mensen bij de vliegtuigen die in Alpen verborgen zijn kunnen komen voor de

141

groepvanAiken.

Neeneenee Vraag hem NIET dat te proberen! Nee. Vertel hem van openpoort. Help hem besluiteloosheid overwinnen/dilemma/angst.

Peo angst? *Peo*?

Elizabeth jij lang gemediteerd op Zwarte Piek terwijl wij hoopten wachtten op goede raad. Geen. Vliegtuigplan leek enigehoop bescherm Minderen tegen Firvulag&Aiken bedreiging vrijheid. Peo wilde vliegmachines voor invallen Roniah en veroveren Bestelwapens als afschrikking. We waren bijna klaar toen Nodonn kwam. Maar nu . . . wat nu? Wat voor hoop? Kun je geen raad geven?

Basil ik weet niet wat Aikens plannen zijn of die van Marc. Firvulag zullen doorgaan met guerrillatactiek tot aan Wapenstilstand. Ik kan Peo net zo min advies geven als jij.

Zeg hem van de openPoort.

Open poort . . . Denk je Peo vermoeid van vechten zal terug willen naar Bestel?

Zou kunnen. Anderen zullen zeker willen nu vliegtuighoop verloren is.

En jijBasilmijn beste zou jij gaan?

Ik heb mijn berg nog niet beklommen.

Ah Pliocene Everest. Ik herinner me.

Peo moet weten poort kan opengaan. Alle mensen moeten weten. Om te beslissen. Zelfs jij . . .

. . .

Vergeef me Elizabeth. Ik zal wachten op je oproep. Tot ziens.

Tot ziens Basil.

9

Geen zuchtje bewoog in de verloskamer, want zelfs nu de zon was ondergegaan drukte de doodstille zomerhitte als een vette zweterige hand op het jachthuis. Elizabeth was er ongevoelig voor, verzonken in het gebruik van haar vermogens stond ze bij het open raam, haar ontblote armen uitgestrekt die bleek waren en bedekt met een laagje zweet. Als om zichzelf voor de ramp te wapenen, had ze een ceintuurloze japon van de Tanu aangetrokken van zwarte peau de cygne met een kraag en afhangende linten in rood die met juwelen waren bezet: de kleuren van Breede.

Het wachten duurde. Minanonn doorstond het onverstoorbaar, verloren in zijn eigen gedachten, maar de verontwaardiging van

Broeder Anatoly groeide terwijl zijn fysieke ongemak toenam en het lijdende babytje huilde. Ten slotte tilde Mary-Dedra de kleine uit de mand die tot een waterbedje was omgevormd en hield hem wiegend tegen haar schouder, halsring tegen halsring, op die wijze de pijn delend die ze niet kon verminderen.

Anatoly kon het niet langer verdragen. Hij sprong op van zijn kruk in een hoek van de kamer en ging naar Minanonn.

'Dit is monsterachtig,' fluisterde hij. 'Jij bent een bedwinger. Help die arme vrouw en haar kind! Help tenminste de kleine uit zijn pijn . . .'

'Die moet helemaal alert zijn voor we kunnen beginnen. Dedra begrijpt dat.'

'Schiet er dan mee op,' gooide de priester eruit. 'En waar is Elizabeth in hemelsnaam mee bezig? Haal haar terug naar hier!'

'Zij zou niet op een telepathische oproep gereageerd hebben als het niet belangrijk was,' antwoordde Minanonn. 'Bedaar en denk liever aan je eigen plichten.'

Als gestoken wendde Anatoly zich af en haastte zich naar Mary-Dedra. Zij had om zijn aanwezigheid gevraagd bij deze operatie, niet de ontoeschietelijke Grootmeesteres, die zijn aanwezigheid nauwelijks leek te hebben opgemerkt sinds hij acht dagen geleden zijn intrek in het huis had genomen. De vroegere Maribeth Kelly-Dakin, die een protégé met een gouden halsring was geweest van Mayvar de Koningmaakster, was nu verantwoordelijk voor de huishouding op de Zwarte Piek. Terwijl Anatoly een hand legde op het hoofdje van haar baby, die van gemengde afkomst was, slaagde ze erin te glimlachen.

'Ik ben blij met het uitstel, Broeder. Het zal voor die arme Brendan nog erger worden wanneer Elizabeth en Minanonn beginnen. Daarom heb ik je gevraagd hier te komen. Om mijnentwil.'

Anatoly trok zijn hand schielijk van de baby terug alsof hij zich gebrand had. 'Maar als hij een zwartring blijkt te . . .' begon hij, maar hij hield zich in en ging verder: 'Elizabeth en de andere genezers zouden hun best moeten doen de pijn te minderen in plaats van die nog erger te maken met een of ander duivels experiment. Dedra, hoe kun je dit toelaten?'

De vrouw sloot haar ogen en tranen begonnen vanonder haar oogleden naar beneden te druppelen. De baby huilde hardnekkig en monotoon en klemde zich aan de moeder vast. Hij was mooi en blond en hij bezat lange ledematen, maar de onnatuurlijke roodheid van zijn huid op armen en benen en de gloeiende blaren onder zijn gouden miniatuurhalsring verrieden het lot dat hem wachtte.

Dedra zei: 'Je begrijpt het niet, Broeder. Brendan betekent voor Elizabeth een unieke gelegenheid. Misschien is dat voorbeschikt, misschien is het in elk geval precies te juister tijd dat hij zich niet bij de halsring kan aanpassen. Het syndroom tast ook andere kinderen aan, dat weet je. Maar behalve Brendan waren al de andere kinderen volbloed Tanu.' Ze deed haar ogen open en keek rechtstreeks in die van de oude priester. 'Jij bent al een lange tijd in het Plioceen. Je moet het probleem toch kennen.'

'Als ze om te beginnen kinderen geen halsring omdeden, dan zou het probleem niet bestaan.'

'En geen metavermogens ook.' Haar met tranen besmeurde gezicht kreeg een verbazend ironische trek. 'Ik had me, toen ik nog in het Bestel was, nooit gerealiseerd waarover meta's eigenlijk beschikten. Toen ik hier aankwam en de test van de Tanu uitwees dat ik sterke latente vermogens bezat, was ik eerst bang toen ze zeiden dat ze me een halsring zouden geven. Maar nu, ik zou liever sterven dan er afstand van te doen.'

'En dit is de prijs,' zei Anatoly, knikkend naar het kind. 'Was dat het waard, Dedra?'

Ze tilde haar kin omhoog.

'Ergens, miljoenen lichtjaren hiervandaan, bestaat een compleet sterrenstelsel vol wezens met halsringen die denken dat het de moeite loont. Waarom oordeel je ook niet meteen *hen*, Broeder?'

'Het spijt me dat ik zo grof was.'

Hij haalde de schouders op. 'Ik was theologisch nooit zo goed onderlegd, gewoon een domme gek van een apparatsjik uit Jakoetsk die in een opgewonden ogenblik besloot het Plioceen tot zijn diocees te maken. Maar vertel me eens waarom jij denkt dat Brendan zo'n unieke mogelijkheid biedt.'

'Halfbloed kinderen werden verondersteld niet aan dit syndroom te lijden. Net zo min als de rechtstreekse kinderen van de Thagdal. En Brendan is beide . . .' Haar armen sloten zich vaster om het klagende kind. 'En je kunt zelf zien hoe erg hij het heeft. We weten niet waarom. Elizabeth heeft geprobeerd Tanu-kinderen met dit syndroom in Muriah te helpen toen ze daar leefde, maar dat lukte niet. Haar falen had niet alleen te maken met de andere werking van een buitenaards brein, maar ook met de ingewikkeldheid van het probleem zelf. Maar mijn Brendan, met zijn geest van een halfbloed, is voor haar bekender terrein. Elizabeth is in hem aan het rommelen geweest vanaf de dag dat hij de ziekte kreeg, nu een maand geleden. En ze heeft van alles geprobeerd.'

Dedra had haar ogen weer gesloten terwijl nieuwe tranen kwamen. Broeder Anatoly keek naar de sandalen aan zijn voeten en wachtte tot ze zich weer enigszins had hervonden. Ten slotte zei ze: 'Brendan, die arme Brendan, is nog op een andere manier bijzonder. De meeste kinderen met deze ziekte sterven binnen twee of drie weken. Mijn baby is taaier. Dat zijn halfbloeden vaak.'

'Dan is er dus hoop?'

De kleine huilde nog harder en Dedra wiegde hem heen en weer. Ze had zich nu naar Elizabeth gewend die nog steeds bij het venster stond en in de richting van de Pyreneeën keek, die in de verte roze en met sneeuw bedekt gloeiden boven het in een nevel verhulde landschap van de Languedoc.

'Mijn Brendan was zo sterk, zo volmaakt,' klaagde Dedra. 'Nooit een dag ziek, zelfs niet tijdens de uittocht uit Aven toen we allemaal koud waren en nat en half verhongerd en opgevreten door de muggen en steekvliegen en weggestuurd door de harteloze schurken van Heer Celadeyr. Hij was een wonder, mijn Brendan! Met zeven maanden liep hij al en sprak telepathisch met me, het hinderde niet in welke kamer ik was. Als er één baby is die de ziekte kan overleven, dan is hij het. En als hij het kan, kunnen anderen het misschien ook.'

Ze kuste de blonde lokken die tegen haar schouder lagen. Het gehuil van het kind was afgenomen tot een kuchend gesnik. 'Als Brendan sterven moet, dan hebben we tenminste alles geprobeerd. De kennis die we daardoor opdoen is de prijs waard van zijn pijn en de mijne.'

'Maar Dedra, hij is te jong om te kunnen *kiezen*,' protesteerde Anatoly.

'Ik kies voor hem.'

Ze legde het kind terug op zijn waterbedje, pakte een zachte doek en veegde zijn gezicht schoon. 'Dat is mijn recht. Ik weet wat goed is voor mijn eigen kind.'

De priester deinsde achteruit voor een plotselinge koude die naar zijn edele delen leek te grijpen. Hoe vaak had hij als uitvoerend assistent van de Siberische Primaat dergelijke argumenten niet moeten aanhoren uit de mond van collega-priesters die de zijde hadden gekozen van de elitairen, voorstanders van een geforceerde evolutie, die samen met de Remillards en anderen volhielden dat letterlijk elk middel – zelfs levensgevaarlijke experimenten met onvolwassen geesten – gerechtvaardigd was als het de superieure positie van de metapsychische mensheid bevorderde. In die dagen was de menselijke moraal over die vraag nog verdeeld, maar toen al was er geen twijfel over dat de niet-menselijke buitenaardse scheidsrechters van het Bestel die opvatting afkeurden. Drie jaren nadat Anatoly naar zijn missie door de tijdpoort was gegaan, hoorde hij dat de controverse ten slotte was geculmineerd in de Metapsychische Rebellie.

Minanonn kwam uit de schaduwen te voorschijn en stond nu over het bed van de kleine gebogen, ernstig en indrukwekkend in zijn azuurblauwe overkleed. Hij zei tegen Mary-Dedra: 'Wat Broeder Anatoly probeert te zeggen komt overeen met de filosofie van mijn eigen Vredesfactie. Hoe moeilijk het ook mag lijken, wij dienen ons te onderwerpen aan de goddelijke wil. De enige vrede is die van Tana.'

Dedra verzette zich. '*Jij* gelooft toch zeker niet dat ik Brendan

145

maar gewoon in vrede moet laten sterven? Als dat wel zo was, zou je Elizabeth toch niet helpen met dit experiment?'

'Ze heeft me gevraagd haar te helpen,' zei de vroegere Strijd-meester, 'en tot op dit ogenblik doe ik dat graag, in de hoop dat het kind erdoor genezen wordt. Maar ik zou niet meewerken aan door-gaande behandelingen die zijn lijden zouden verlengen als er niet een redelijke kans was op succes. Het is onrechtvaardig een onschuldige in deze mate te laten lijden, niet voor zijn eigen bestwil en zeker niet voor dat van anderen.'

'Je had een jezuïet moeten worden,' zei Dedra tegen Minanonn. En tegen Anatoly: 'En wat jou betreft, Broeder, ik heb je gevraagd hierheen te komen om te bidden, niet om een preek te houden. Als je dat nog van plan bent, ga dan aan je werk!'

De baby begon, aangestoken door haar opwinding, andermaal te huilen.

Anatoly slaagde erin zijn woede te onderdrukken. Hij liet zijn hoofd zakken en mompelde: 'Here God, zegen deze moeder en haar kind en verlicht hun lijden. Leid ons niet in verzoeking, maar verlos ons van den boze.'

'Probeer een beter gebed,' zei Elizabeth koel, terwijl ze van ach-teren naar hem toekwam. 'Je komt met dat gebed te laat. Dat is voor Dedra en mij verleden tijd.'

Terwijl de priester met een wit gezicht achteruit deinsde, voegde haar geest Minanonn toe: *En misschien ook te laat voor het Veel-kleurig Land.*

Minanonn zei: Elizabeth . . . wil je me vertellen wat er aan de hand is?

Elizabeth zei: Ik heb met Basil en de koning gesproken en ik heb moeten uitzoeken of het waar was wat ze zeiden. Aiken en de jonge Noord-Amerikanen hebben besloten samen te werken in een poging de tijdpoort vanaf deze kant te heropenen. Marc Remillard is onderweg naar Europa en is met de zijnen vastbesloten dat te verhinderen.

Minanonn zei: Moge Tana mededogen tonen. Dat zou tot de Oorlog der Schemering kunnen leiden.

De oude franciscaner priester staarde met open mond naar Eli-zabeth. Ze zag er even mooi en onbereikbaar uit als Athena, in haar zwarte zijden japon en de met robijnen bezette kraag. Haar lange, loshangende haar was krullerig geworden door de hoge vochtig-heidsgraad in het vertrek. Glimlachend zei ze hardop: 'Je bent gekomen om voor ons te bidden, Broeder. Doe dat dan nu. Laat ons zien hoe we vertrouwen kunnen krijgen in de goddelijke gena-de in plaats van in onszelf.'

De priester dacht: Jij ijskouwe heks! Geen wonder dat die arme Amerie jou had opgegeven . . .

Hij stond op het punt driftig de kamer te verlaten om hen over te laten aan hun eigen onmenselijke machinaties, toen hij voelde hoe een heel speciale verzachtende aanraking zijn bewustzijn binnendreef. Hij droeg geen halsring,maar hij wist dat dit alleen maar de kracht van Minanonn kon zijn die bij hem binnenkwam, zo onwerstaanbaar als de vloed omhoogkruipend en babbelend over samenwerking. Op de een of andere manier (leek de buitenaardse te zeggen) zijn wij van hetzelfde soort. Beiden voorbestemd om onze invloed op deze verschrikkelijke vrouw op een belangrijk ogenblik te gebruiken . . .

Wel, zo zij het dan. En ne bzdi, Anatoly Severinovich!

Hij zei: 'Er is een oud gebed uit het zondagse Missaal waar ik erg op gesteld ben geraakt. Het lijkt bijna geschreven voor ons die hier in ballingschap in het Plioceen leven:

Eeuwige Vader die het universum van eind tot einde omspant
en alle dingen beweegt met uw machtige arm,
voor U is tijd het ontvouwen van een waarheid die al bestaat,
het zichtbaar worden van schoonheid die nog komen gaat.
Uw zon, onze Omega, heeft ons in het verleden gered
opdat hij ons te zijner tijd van de dood kon bevrijden.
Moge zijn tegenwoordigheid onder ons ons inzicht geven in de
waarheid zonder einde,
en ons de schoonheid onthullen van Uw liefde.

En nu zal ik jullie hier alleen laten om te doen wat jullie denken te moeten doen. Ik denk dat ik naar de bron wandel voor het al te donker wordt. Daar is het mogelijk wat koeler en misschien zijn er paddestoelen. Paddestoelen kan ik nooit weerstaan. Dat is de Siberiër in me.'

Hij legde zijn handen op het hoofd van het kind en zegende het. Mary-Dedra zei: 'Kan ik met je meekomen, Broeder?'

'Doe wat je wilt,' zei Anatoly, 'maar verwacht van mij geen meeleven.'

Hij hield de deur van de kinderkamer open en beiden gingen naar buiten.

Elizabeth en Minanonn, weer met elkaar verbonden, leken opgesloten binnen een groot gloeiend weefsel dat eruitzag als een netwerk van wijnranken en dat hen niet enkel omhulde maar deels ook doordrong. De analoge kopie van de kindergeest was multidimensionaal, sterk gekleurd en bonzend van zieke vitaliteit. Uitbarstingen hectische energie zochten zich een weg langs blijkbaar losjes verbonden paden, renden als geëlektriseerde muizen doelloos heen en weer door een netwerk van kristallen gangen.

Druk nu *hier*, gaf Elizabeth aan. En *nu* hier. Goed. En terwijl ik het hier losmaak om te kunnen afbinden, moet je de stroom terugleiden die daardoor ontstaat, anders kan een epileptische aanval het gevolg zijn en daardoor wordt het niet-functioneren nog erger . . .

Zo werkten de twee genezers naast elkaar, oprekkend en wevend, nieuwe doorgangen bouwend terwijl ze andere afsloten. Ze probeerden het neurale tapijtwerk zo te veranderen dat de tot nu toe verkeerd lopende mentale energieën weer harmonisch samenvloeiden met andere aspecten van het denken van de baby in plaats van elkaar te bestrijden en zo naar de dood toe te werken.

Kracht. Dat was de doorbraak geweest. Elizabeth had eerder geprobeerd dezelfde procedure toe te passen met de hulp van Dionket en Creyn, haar medegenezers, maar ze was doeltreffend tegengehouden door de onbuigzaamheid van die onvolwassen wil. De baby 'weigerde' de gereviseerde gedachtenstromen te leren die hem zouden kunnen redden; zijn jonge geest was niet in staat op subtiele aanwijzingen te reageren. Ondanks dat had Elizabeth het vertrouwen behouden dat haar reddingsprogramma kon werken, als het maar kon worden doorgedrukt. Dus had ze de gok gewaagd en een nieuwe samenstelling bedacht waarbij nu een krachtige bedwinger – Minanonn – was inbegrepen. Zo offerde ze de finesse op ten gunste van een wat grovere maar praktische techniek waarbij kracht werd toegepast.

Zo werkten ze samen, duwend en borend, splitsend en snijdend. En het werkte. Maar het duurde te lang.

Ze gaf een pauze aan, want ze hadden nu eindelijk een deel van de herkanalisatie voltooid langs de naden van de hersenen waar zenuwen de linker- en de rechterhersenhelft met elkaar verbonden. Het was een operatie die Elizabeth als doorslaggevend had beschouwd; wanneer die slaagde, zou het de rechtvaardiging betekenen van de structuur die ze voor dit reddingsprogramma had ontworpen.

Ze leken getweeën te zweven binnen een netwerk dat met voortsnellende lichtjes was doorschoten. Elizabeth liet Minanonn een ogenblik stoppen met zijn afdammende bezigheden zodat ze konden uitproberen of de nieuw gemaakte kanalen de druk konden weerstaan. Haar genezende vermogens exact dirigerend, stimuleerde ze toen een bepaald gedeelte van de rechtercortex.

Het hele mentale hologram reageerde, zwellend tot een latwerk van prachtig, harmonieus licht. Gedurende één kort ogenblik bezat de baby een normale geest . . . *zelfs meer dan dat*. Toen viel hij terug naar de vroegere staat.

Elizabeth trok zich terug en voerde Minanonn met zich mee.

'Heb je het gezien!' hijgde ze hardop.

'Almachtige Tana . . . het was geweldig. Maar wat was het?'

Hij had op een rustbank gelegen met zijn hoofd dicht in de buurt van het bedje waarin het kind lag, terwijl Elizabeth in een stoel ernaast gezeten had. Nu kwam hij overeind, bevend en zo heftig zwetend dat de blauwe zijde van zijn overgewaad bijna aan elk onderdeel van zijn herculische gestalte kleefde.

'Mijn programma,' fluisterde Elizabeth. Ze strekte haar vingers uit naar de baby die korzelig dreinde en met gezwollen kleine vingertjes aan zijn halsring plukte. Toen ze hem aanraakte, zonk hij terug en ademde weer makkelijker.

'Wil je zeggen dat het werkt?' vroeg Minanonn. 'Zullen we hem kunnen genezen?'

Elizabeth zat onbeweeglijk, alleen haar hand streelde de sluiting van de kleine halsring van het kind. 'Ik weet niet of we hem zullen kunnen genezen. We vorderen zo langzaam . . . en het kost een ongelofelijke hoeveelheid van jouw bedwingende energie. Maar het programma op zichzelf . . .' Ze tilde haar hoofd op en keek hem aan. 'Minanonn, voor een kort moment functioneerde het kind als een meta.'

Hij staarde zonder te begrijpen.

'Die prachtige flits van harmonieus functioneren,' zei ze, 'ging helemaal om de oude, door de halsring opgewekte neurale paden heen en gebruikte eigener beweging *meer* dan de nieuwe kanalen die wij hebben geopend. Hij slipte even het waarachtige metavermogen binnen.'

De Ketter zat nu op de rand van de rustbank en terwijl hij luisterde, gingen zijn eigen vingers naar de halsring rond zijn nek.

'Je bedoelt dat de geest van het kind metafysisch functioneerde zonder halsring? Zoals dat bij jou het geval is en bij de koning?'

Ze knikte.

'Toen ik dit reddingsprogramma ontwierp, was dat gebaseerd op menselijke paradigma's, metapsychische patronen die overeenkwamen met wat ik kleine kinderen in het Bestel leerde. Een bepaald percentage van de menselijke nakomelingen is potentieel op die wijze werkzaam, maar de metavermogens ontwikkelen zich zelden optimaal, tenzij de jonge geest wordt getraind. Het proces heeft veel weg van leren praten. Orale communicatie is een zeer ingewikkeld proces dat we meestal gemakshalve maar voor lief nemen, maar een kind kan het onmogelijk leren tenzij zijn hersenen de juiste informatie ontvangen op een vroege leeftijd wanneer het wilsvermogen nog krachtig is. Volledige toegang tot het complete spectrum van metavermogens is goeddeels afhankelijk van educatie, hoewel onder bijzondere omstandigheden het proces instinctieve trekken kan krijgen. Er is veel dat we nog steeds niet weten, speciaal over de onderdrukkende factoren die verhinderen dat iemand werkzame vermogens krijgt hoewel die latent zeer sterk aanwezig zijn.'

'Zoals met Felice is gebeurd?'

'En Aiken,' vulde ze aan. 'Ze hebben ten slotte beiden hun werkzame vermogens gekregen, maar langs zeer verschillende wegen. De pijnlijke doorbraak van Felice had veel weg van het proces dat ik bij Breede de Scheepsgade heb toegepast. Maar Aiken . . . ik zei al, er zijn dingen die we niet weten. Het ziet er naar uit dat van tijd tot tijd mensen met uitzonderlijk grote latente vermogens zichzelf aan hun haren omhoog kunnen trekken naar een hoger niveau. Het is vrijwel zeker dat menselijke meta's uit de tijd van voor de Interventie zichzelf in dit opzicht onderwezen. Maar toen ons ras eenmaal kennis maakte met het Bestel, werden we daarin afhankelijk van technieken die de buitenaardsen ons bijbrachten. Om een voorbeeld te geven, de basis van metapsychische opvoeding bij de jeugd berust op een telepathische wisselwerking tussen de moeder en de foetus.'

Minanonn liet een zwak lachen horen. 'Dat gaat met onze halsringen dan toch wat eenvoudiger!'

'Eenvoud levert niet altijd de best mogelijke resultaten op.' Haar toon was scherp. 'Kinderen zouden niet hoeven leren lopen, wanneer je hun beentjes afsnijdt en ze daarna vastzet in gemotoriseerde voertuigjes!'

Hij liet zijn hoofd hangen.

'Je hebt natuurlijk gelijk. Ik denk niet al te helder meer.' Hij veegde het zweet van zijn voorhoofd met de achterkant van een grote hand. 'Godin, wat ben ik doodmoe! Op het laatst was ik bang dat ik niet meer kon. We hebben dat deel maar net op tijd afgekregen.'

'Je hebt het heel goed gedaan,' verzekerde ze hem. Maar nog terwijl ze sprak, liet ze een rechtstreekse sonde in zijn bewustzijn afdalen en was geschokt toen ze merkte hoezeer hij was uitgeput. Ze was zelf ook moe, maar deze held van de Tanu was er niet aan gewend zijn kracht gedurende langere tijd tijdens een geconcentreerde actie te richten en hij leek zijn vermogens nu bijna tot het breekpunt te hebben uitgeput. De digitale klok op de muur van de kinderkamer liet zien dat ze bijna acht uur aan één stuk hadden gearbeid. Het was al twee uur in de ochtend geweest.

'Je zult nu moeten gaan rusten,' vertelde ze hem. 'We hebben heel zwaar werk verricht.'

'Dat hoef je mij niet te vertellen.'

Hij kwam onvast ter been van de bank overeind en keek neer op het kind dat in slaap was gevallen.

'Ik voel me alsof ik net in mijn eentje een Grote Veldslag heb moeten leveren. En toch was *hij* de enige tegenstander.'

'De geesten van kinderen zijn heel wat minder breekbaar dan van volwassenen. Het is gericht op overleven.'

Hij zuchtte en liet een vermoeid glimlachje zien. 'Hoe dan ook, wat mij betreft kunnen we morgen weer aan hem werken als jij er ook zo over denkt.'

'Minanonn . . .' ze aarzelde en legde toen een hand op zijn geweldige onderarm. 'We kunnen beter wat langer wachten. Een dag of drie.'

Zijn blonde wenkbrauwen schoten omhoog en toen verhelderden zijn ogen, gealarmeerd maar ook begrijpend. 'Is het zo erg?' Ze knikte. 'Het is niet jouw schuld. Je bent een van de besten die ik ken. Maar dit werk is duivels lastig, vooral omdat je je op zo'n kleine schaal moet concentreren.'

Minanonn zei tegen de baby: 'Oh jij taaie, kleine bedelaar. Je bent deze versleten krijger makkelijk de baas.' Hij liep naar de deur en vroeg Elizabeth: 'Zal ik Mary-Dedra zeggen dat ze komen kan?'

'Nog niet. Ik wil de gebieden van de hersens die we behandeld hebben, eerst nog even nalopen terwijl het kind er zo rustig bij ligt. Welterusten, Minanonn en dank je wel.'

Toen hij verdwenen was, nam ze haar plaats naast het kleine bedje weer in en bestudeerde de naden en overgangen met haar diepzienige vermogens. De baby had tijdelijk geen pijn, maar was er werkelijk sprake van vooruitgang? Zijn koorts was nog steeds hoog en ze zag dat zich nieuwe blaren hadden gevormd in de buurt van de nek. Hoe taai deze Brendan ook was, hij was waarschijnlijk nog steeds ten dode opgeschreven. Deze grove techniek van bewustzijnswijziging was effectief geweest, maar het ging veel te langzaam.

Was Minanonn maar krachtiger, dacht Elizabeth droefgeestig. Ze was er zeker van dat de combinatie van een genezer en bedwinger de juiste was in dit geval. Kracht. Dat was de sleutel . . .

De baby sliep. Sterke kleine Brendan, wiens zich ontvouwende geest zich tegen de halsring had verzet in plaats van die te accepteren. Waren de kinderen die eraan onderdoorgingen altijd de vechtersbazen, altijd degenen die wellicht het dichtst bij de natuurlijke werkzaamheid van hun latente vermogens waren? Ook Aiken Drum had zich in de volheid van zijn jonge volwassenheid tegen de halsring verzet en hij had overwonnen. *Hoe?* Maar Aiken zou dat niet weten, want hij was een natuurtalent, onervaren waar het metapsychische analyse betrof. En ook al bezat hij dan de meeste dwingende kracht in heel Europa, ze durfde hem toch niet te vragen haar te helpen bij de genezing van dit kind. Aiken was er zelf te slecht aan toe.

Ze zakte achterover in haar stoel en terwijl ze zat na te denken, voelde ze een welkome bries langs haar blote schouders strijken. Als dit ellendige hete weer maar eens wilde ophouden om plaats te maken voor een eerlijke onweersbui zodat de atmosfeer weer opgeladen werd met negatieve ionen. Misschien dat ze dan weer helderder kon denken. Niet alleen om het probleem van de zwartringbaby's op te lossen, maar ook haar eigen berg vol uitdagingen, opgericht door Breede.

De wind werd sterker en ze stond zichzelf toe ervan te genieten en haalde haar hand door haar haren. 'Oh, dit is heerlijk,' mompelde ze zachtjes.

'Ik ben blij dat je het prettig vindt. Ik wou dat ik ook die onweersbui voor je kon oproepen, maar daarvoor is de afstand te groot.'

Ze draaide zich snel om, geëlektriseerd door haar verbazing en stond ineens doodstil toen ze Marc Remillard zag staan net even buiten het open venster. Dit keer was er van het kruisgewijze lichteffect van de machine die zijn vermogens versterkte weinig te merken, niet meer dan een vage glinstering. Zijn lichaam zelf, halverwege zwevend, zag er volkomen echt uit. Ze kon zijn spieren zien rollen onder de strakke zwarte stof van zijn drukpak, terwijl hij zijn rechterhand met de open palm naar haar toekeerde in het vertrouwde gebaar uit het Bestel dat tot zowel fysieke als mentale aanraking uitnodigde.

Nee! schreeuwde ze in instinctieve afkeer. Ze sprong uit haar stoel en deinsde achteruit.

Een nieuwe golf koele lucht, afkomstig van hem. Hij glimlachte droevig, de ene kant van zijn mond trok daarbij hoger op dan de andere. Zijn hand viel langzaam weer langs zijn zijde.

'Je bent hier werkelijk.' Het was meer een vaststelling dan een vraag.

'Zoals je ziet, Grootmeesteres.'

'Is dit een echte hyperruimtelijke overzetting? Enkel door geestkracht?'

'De hersenenergetische versterker helpt me bij het oprichten van het ypsilonveld, ik verricht de eigenlijke d-sprong – inclusief het retourtje natuurlijk – helemaal op eigen kracht.'

'Ik neem aan dat je het programma van Felice hebt geleerd. Heeft ze je toen erg gewond?'

Hij gaf geen antwoord, maar vroeg in plaats daarvan: 'Waar is ze? Ik heb haar aura nergens kunnen ontdekken, zelfs niet met de machine die mijn vermogens ver boven het gewone maximum uittilt.'

Elizabeth liet hem de tombe van het meisje zien, langs de oevers van de Genil waar de ondoordringbare globe van de kamer zonder deuren diep begraven lag onder een neerstorting van rotsblokken.

'Felice is buiten jouw bereik, Marc. Je zult naar een andere partner moeten omzien.'

De beschaduwde ogen leken te twinkelen. 'Je bent kwetsbaar gebleven, Grootmeesteres.'

Ze stond kaarsrecht.

'Waarom kom je niet binnen om het ergste te verrichten? Wij in het Bestel hebben een paar dingen geleerd sinds jullie verdomde

Rebellie! Alle meta's worden nu onderwezen in mentale zelfverdediging om weerstand te kunnen bieden aan het soort dwingende manipulatie dat jij en je medestanders hebben gebruikt. En voor Grootmeesters is er altijd een laatste uitwijkmogelijkheid die ik op dit ogenblik bijna zou wensen.'

'Misschien kan ik beter blijven waar ik ben. Om der wille van ons beiden. Die machine staat erop me als een trouw hondje door de hyperruimte te volgen. Tenzij jouw landhuis grondig versterkte vloeren heeft, zou ik zodoende wel eens op meer dan één manier een te gevaarlijke gast blijken te zijn.'

Gefascineerd ondanks haar afkeer, vroeg ze: 'Bedoel je dat de machine achter kan blijven wanneer het overzettingsprogramma volledig wordt uitgevoerd?'

'Oh ja, ik zou zelfs mijn drukpak kunnen achterlaten, als ik dat wilde.' Hij maakte een galant gebaar. 'Hoe dan ook, ik blijf erin, zodat je mijn littekens niet hoeft te zien.'

'Wat kom je doen?' vroeg ze, ineens moe van het verbale steekspel.

Hij knikte naar het slapende kind. 'Zijn probleem interesseert me. Het vertoont enige gelijkenis met vraagstukken waar ik me destijds mee bezighield . . . au temps perdu.'

'Ik weet zeker dat Broeder Anatoly het hiermee eens zou zijn.'

Hij lachte. 'Voel je soms een zekere affiniteit?'

'Voor nog zo'n lid van de Frankensteinclub? Vast en zeker. Maar ik ben vergelijkenderwijs maar een amateur in het rommelen met de evolutie van de mensheid. Ik mis jouw zelfverzekerdheid en je uitmuntende kwalificaties. Neem nu die zwartringbaby's. Ik knoei maar wat aan, het kind zal waarschijnlijk sterven en toch voel ik dat wat ik doe het beste is. Maar als ik Brendan red en anderen zoals hij, wat voor toekomst staat hun dan te wachten in dit vervloekte land? Ik heb de helderziendheid van Breede niet nodig om te voorspellen wat er gebeuren gaat wanneer jij naar Europa komt. Er zal een oorlog ontstaan rondom de plek van de tijdpoort.'

'Niet wanneer Aiken met mij samenwerkt in plaats van met mijn zoon. Jij zou Aiken moeten laten zien waar zijn belangen liggen.'

Ze lachte bitter. 'Je bent gek wanneer je denkt dat ik dat soort invloed bezit. Aiken doet wat hij zelf wil. Als hij besloten heeft jouw kinderen te helpen aan jou te ontsnappen, dan kan niets van mijn kant hem tegenhouden.'

De zwevende duistere gestalte dreef dichterbij en duwde een golf kille lucht voor zich uit. Elizabeth dekte het kind snel toe.

'Je betuigingen van hulpeloosheid zijn niet erg overtuigend,' zei Marc. 'Misschien heb je zo je eigen redenen om het bouwen van een tijdpoort in het Plioceen aan te moedigen.'

'En wat te zeggen van jouw motieven om dat te verhinderen?' snauwde ze. 'Ben je echt zo bang dat de Magistratuur van het Bestel je achterna zal komen? Of is het soms zo dat je jouw kinderen liever ziet sterven dan hen kwijt te raken aan een Eenheid die je zelf niet kon aanvaarden?'

'Je beoordeelt me verkeerd,' zei hij. 'Ik houd van hen. Alles wat ik heb gedaan, was voor hen. Voor alle kinderen van de mensheid. Om der wille van de Mentale Mens die schreeuwt om geboren te mogen worden . . .'

'Laat dat rusten, Marc!' riep ze uit. 'Dat is allemaal voorbij. Al langer dan zevenentwintig jaar. De mensheid heeft een andere weg gekozen, niet de jouwe.' Een grote vermoeidheid overviel haar ineens, haar ogen begonnen te prikken. De sterke mentale afweerschermen die ze had opgetrokken om deze uitdager van het Bestel te kunnen weerstaan, werden zwakker. Ze was nu kwetsbaar en hij wist het, maar hij hield zich in.

'Laat je kinderen gaan,' fluisterde ze. 'Het Bestel zal hen welkom heten. Keer je schip om en ga terug naar Noord-Amerika. Ik zal doen wat ik kan om te verzekeren dat de Pliocene zijde van de tijdpoort voorgoed gesloten blijft, zodat jij en de andere rebellen ongehinderd verder kunnen leven.'

'Hoe zou je dat willen doen?' vroeg hij. 'Door zelf naar het Bestel terug te keren?'

Ze wendde haar hoofd af. 'Laat ons met rust Marc. Verwoest onze kleine wereld niet.'

'Arme Grootmeesteres. Het is een moeilijke rol die je hebt gekozen. Bijna zo eenzaam als de mijne.' Het geluid van zijn stem werd krachtiger en ze keek verbaasd op om te zien dat hij nu echt op de brede vensterbank van het raam stond. Er was geen spoor meer te zien van de machinerie om hem heen. Als in een droom keek Elizabeth toe hoe hij eraf stapte en langzaam naar het van rotan gevlochten kinderbedje liep, waarbij hij vochtige voetafdrukken op de parketvloer achterliet. De uitwaseming van koude lucht was er niet langer meer en hij was nu geheel materieel aanwezig en gescheiden van de machine die zijn vermogens versterkte. Eén gehandschoende hand greep de rand van het bedje en ze hoorde de rotan kraken. Zijn grijze ogen onder de vleugels van de zware wenkbrauwen hielden de hare vast.

'Laat me het programma zien dat je voor zijn genezing gebruikt. Maar vlug. Ik kan deze stasis maar een paar minuten volhouden.'

Haar geest was verdoofd en buiten alle angst. Ze riep het programma op en liet het hem zien.

'Heel handig. Is het helemaal je eigen idee?'

'Nee. Grote brokken ervan zijn afkomstig van de cursussen die ik gebruikte toen ik kinderen onderwees op het Metapsychisch Instituut op Denali.'

'De geneeskunde heeft een lange weg afgelegd sinds mijn tijd . . . Mijn oordeel is dat dit programma in staat moet zijn het kind vol-

ledig te genezen.'
'Maar het gaat te langzaam.' Ze klonk nu koel en beroepsmatig. 'Gerekend naar de snelheid die Minanonn en ik kunnen opbrengen, zouden we meer dan twaalfhonderd uren nodig hebben. De baby zal gestorven zijn voor we ermee klaar zijn.'
'Alles wat je nodig hebt is een vergroting van de dwingende lading. Op zo'n klein oppervlak moet de geest van het kind tien maal de druk kunnen verdragen die Minanonn kan produceren.'
Hij was nu in het kleine brein verzonken, testend en onderzoekend. De kleine bewoog en liet een zacht, koerend geluid horen terwijl hij glimlachte in zijn slaap.

Elizabeth zei: 'Ik kan in deze samenstelling maar één extra toegevoegd bewustzijn gebruiken. Faseren en een metabundeling met anderen is uitgesloten.'
'Ik dacht aan heel wat anders.' Marc trok zijn onderzoekende vermogens terug en deed een paar stappen achterwaarts. 'We zouden moeten wachten totdat Manion en Kramer en ik het probleem van mijn overbezetting in stasis hebben opgelost – er is nu een soort elastisch effect dat de neiging heeft me terug te willen voeren naar mijn vertrekpunt. Dat risico kunnen we niet lopen midden in een genezing. Zelfs met een maximale toevoer aan dwingende metavermogens zouden we toch nog meer dan honderd uur nodig hebben om deze kleine knaap helemaal op te knappen.'
'Op te knappen?' Elizabeths stem was niet meer dan een zwak gefluister. Marcs bewustzijn benaderde haar op haar persoonlijke golflengte: samen zouden we hem helemaal kunnen genezen. Met een paar wijzigingen in jouw programma lukt het misschien zelfs om hem een permanente meta te maken.
'Werken met *jou*? Maar ik zou nooit . . .'
'Vertrouwen in mij kunnen hebben?' De asymmetrische glimlach stond vol zelfspot. Hij klopte tegen de zijkant van zijn hoofd en groengekleurde druppels vielen uit zijn kletsnatte haren op de raamstijlen. 'Ik bezit enkel mijn eigen hersenen wanneer ik aan dit einde van een d-sprong ben, Elizabeth. Er zou geen enkel gevaar zijn voor jou als we het programma precies zo gebruiken als jij het hebt geformuleerd, ik als aan jou ondergeschikt; jij de uitvoerster. Je zou veilig zijn tegen elke . . . eh . . . duivelse invloed.'
Hij leek naar buiten te stappen, de nacht in. De semi-transparante uitrustingsstukken van de hersenversterkende machine gleden weer om hem heen en terwijl zijn lichaam werd opgelicht, begon hij zich snel terug te trekken. Maar zijn mentale stem was duidelijk hoorbaar:
Ik wil dit graag doen. Laat mij jou helpen.
'Hoe lang denk je nodig te hebben om dat stasisprobleem op te lossen?' vroeg ze. En ze dacht: Ben ik gek geworden? Neem ik dit voorstel werkelijk serieus? Ben ik bereid hem te vertrouwen?

155

Hij zei: Ik zal minstens een week nodig hebben. Misschien iets langer. Kun je het kind zolang in leven houden?

'Minanonn en ik kunnen met de procedure doorgaan. Als er zich geen complicaties voordoen, moet de kleine tot zolang kunnen overleven. Ik denk . . .'

Een snel vervagend ironisch commentaar: Misschien kan broeder Anatoly een hemelbestorming wagen.

Toen was de besterde hemel weer leeg en het kleine kind begon te huilen, hongerig en koud, want het was aan een schone luier toe.

10

De vroegere jurist, rechter Burke, ontkleed tot op zijn sandalen en een lendendoek, knielde in spreidzit in de kano die tussen het riet verborgen lag en wachtte tot de waterbok nog een meter of wat dichterbij kwam. Dan zou hij hem niet meer kunnen missen.

De zon boven het moerasland van de Boven-Moezelvallei was als een roodkoperen toegangspoort tot de hel. Zweet druppelde onder Burkes haarband naar beneden in zijn ogen waardoor het beeld van de naderende antilope wazig werd. Hij knipperde langzaam met zijn oogleden, ademde amper en hield de strak gespannen pees van de boog tegen zijn wang. Zijn darmen waren pijnlijk verkrampt, zijn schedel bonsde, zijn dijspieren trilden en voegden hun melodie aan de ellende van zijn kater toe. Toen zag hij dat de schacht van de pijl krom stond en dit laatste bewijs van zijn eigen onhandigheid ontwrong hem een geluidloos 'gefaald' diep omhoogkomend uit zijn verwijtende Indiaanse onderbewuste. Hij richtte iets anders in de hoop de afwijking te corrigeren en liet de pijl gaan.

De pijl streek langs de schoften van de waterbok die een sprong maakte, worstelend in het kniehoge water terwijl half opgevreten waterplanten druipend uit zijn bek hingen. Peopeo MoxMox Burke van de Wallawallastam legde een andere pijl op zijn boog, schoot opnieuw en miste ruimschoots. De antilope nam plonzend met grote sprongen de benen. Bang geworden wilde eenden vlogen op en een bonte zwaan kwam snaterend uit een bos zaaggras te voorschijn. Daarna werd het weer stil, op Burkes onderdrukte vloeken na.

Hij liet de boog zakken en legde die op de bodem van de kano. Daarna greep hij de peddel die hij diep in het water stak waardoor de boot met grote snelheid vanuit zijn verborgen plekje weer in open water kwam en stuurde aan op de magere schaduw van een cipres. Nadat hij de boot goed had vastgelegd aan een van de half onder water gezonken kniewortels, nam hij een lange slok uit zijn van huid gemaakte veldfles. Ergens drukte het op zijn oogballen. Hij dronk nog eens, toen werd zijn zicht weer helderder. Grommend werkte hij zichzelf in een comfortabeler positie en inspecteerde de rest van zijn pijlen.

Ze waren bijna allemaal net niet loodrecht.

Hij pakte de boog op. De laagjes taxushout waren van elkaar geweken als scheurtjes in beton. De gedraaide boogpees was gespleten en zwak. Zelfs de pijlkoker van hertehuid was vlekkig van de meeldauw en gescheurd op de naden. Geen wonder dat hij zelfs niet één enkele antilope had kunnen neerleggen! De pijlen en de boog hadden, net als zijn overige typisch Indiaanse bezittingen maandenlang verwaarloosd in zijn wigwam gelegen terwijl hij zuidelijk op avontuur was. En sinds zijn terugkeer naar Verborgen Bron was hij te druk geweest met het bedenken van tegenmaatregelen om de aanvallen van de naderbij kruipende Firvulag te keren. Jagen was er niet bij geweest.

Wat had hem deze morgen toch bezield om zo slecht voorbereid aan deze primitieve onzin te beginnen?

Hij had zich uit het bed van Marialena Terrejon gezwaaid, ineens klaarwakker, met de overluide mededeling dat er die avond een groot feest zou plaatsvinden – de officiële aankondiging van groot nieuws! – en dat hij, vrij gekozen aanvoerder van de Minderen, persoonlijk zou zorgen voor wildbraad als entree.

'Wil je *nog* een feestje?' had Marialena gevraagd, terwijl ze haar plompe benen uit de verstrikking van de lakens probeerde te bevrijden. 'Hombre, que te jodas! Ik heb een hoofd als een uitbarstende vulkaan na deze nacht . . .'

Hij had uilig gegrinnikt. Het dorp was in feesttumult losgebarsten toen hij had aangekondigd dat de aanslag van Nodonn was mislukt en dat Basil en zijn Bastaards veilig waren. 'Maar ik heb je niet al het nieuws van Elizabeth verteld, boebeltje. Ik heb iets achtergehouden! We gaan er een echt groot feest van maken, een monsterbarbecue, hoor je me? Ik zorg dat je zes antilopes krijgt om te roosteren. En daarna vertel ik jou en al de anderen het grootste nieuws sinds de Vloed!'

'Loco indio,' mompelde ze trots. 'No me importa dos cojones.' Ze kwam naar hem toe gekronkeld over het bed. 'Moet je horen, het is nu lekker koel. Je wilt helemaal niet gaan jagen. Lucien en de kinderen kunnen het wild voor je feest best verzorgen. Vamos a pichar, mi corazón, mi porra de azúcar . . .'

Ze probeerde hem te grijpen, maar hij was al buiten de deur van haar hut, half naakt (en nog steeds behoorlijk lazarus om de waarheid te zeggen) maar vervuld van atavistische mannelijke instincten die op dit ogenblik althans dringender waren dan seks. Hij stommelde naar zijn eigen wigwam, kleedde zich aan – dit keer niet in de grove werkbroek en de stevige laarzen die zijn standaarduitrusting waren geweest sinds de exodus uit Muriah, maar in zijn oude lendendoek en mocassins. Terwijl hij tussen zijn jachtuitrusting zocht, legde hij de moderne, dodelijke en betrouwbare boog van staal en glasvezel ter zijde, evenals de met ijzer beslagen vitredur pijlen die zoveel buitenaardse vijanden hadden neergelegd. In plaats daarvan pakte hij de uitrusting op die hij zoveel jaren daarvoor door de tijdpoort had meegenomen toen hij nog de droom koesterde terug te kunnen keren naar de oude stamgewoonten van destijds.

Peopeo Moxmox, de edele wilde, voorheen rechter bij het Hooggerechtshof van de staat Washington, zat nu in zijn kano en lachte. Het vaartuig was niet van boombast gemaakt maar van decamole, het technische wondermiddel uit het Bestel; hij zou het leeg laten lopen en wegstoppen in een zakje rond zijn middel wanneer de dag ten einde was. Hij herinnerde zich ineens de pesterij waarmee de goede ouwe Saul Mermelstein hem placht te plagen toen hij nog een groen advocaatje was in Salt Lake City. 'Lo, de arme Indiaan, wiens trotse ziel nooit geleerd heeft fouten te maken.' Maar dat had hij nu dan toch! En hoe! En nergens beter en meer dan hier in het primitieve Plioceen.

Hij knoeide met de verborgen schacht van een pijl en draaide hem waardoor de zorgvuldig behakte punt van obsidiaan glinsterde in de zon. Ergens in zijn wigwam lag een simpel apparaatje om trekkende pijlen weer recht te krijgen, een simpel voorwerp dat geen enkele primitieve jager ooit vergeten zou. Maar aan de andere kant, pijlen van vitredur waren onverwoestbaar en voorzien van een ruim assortiment verwisselbare koppen. Sommige daarvan hadden zelfs ingebouwde verklikkers waardoor gewonde dieren snel konden worden opgespoord en gevolgd.

Domme Indiaan!

'Nou, waarom ben ik hier vanmorgen heengegaan?' vroeg hij aan de wereld in het algemeen. 'Waarom vraag je dat, Burke? Je bent gewoon een hopeloze schlemiel.'

Een onzichtbare krokodil klapte met zijn kaken en een rietvogel zong. Twee blauwe vlinders wentelden in een vruchtbaarheidsdans om elkaar heen boven het glinsterende water. Hij kreeg even de geur van vanille in zijn neus in de roerloze hete lucht en keek om zich heen naar het bosje zeldzame kleine orchideeën die uit een scheur in de bast van de cipres groeiden. Hij strekte zijn hand uit en raakte ze aan. Hij was heel blij dat hij gekomen was en heel blij dat hij niets had gedood.

Na een tijdje consulteerde hij de chronograaf om zijn pols, een voorwerp dat even handzaam en weinig primitief was als zijn gouden halsring. Het was bijna 1600 uur en hij had een boodschap voor Denny Johnson achtergelaten om te vragen of die hem langs het wildspoor bij de rivier wilde opwachten met voldoende zakken voor het wild en chaliko's om het te vervoeren ...

Grinnikend maakte hij het bootje los en peddelde door de lagune in de richting van de hoofdstroom van de Moezel. De zwaan, majestueus in zijn zwarte en witte veren, kwam weer te voorschijn en gleed tam de kano achterna. Terwijl Burke op hem uitliep en de rimpeling van de kano verstierf, leek de vogel te glijden in het centrum van een pikduistere spiegel, boven op de reflectie van zichzelf. Kluiten groenig gras waar veerachtige pluimen bovenuit waaiden, stonden scherp afgetekend tegen het diepere groen van de jungle op de achtergrond. Over zijn schouder kijkend hield Burke de adem in. Dit zou hij nooit meer vergeten – en zoveel meer niet.

Toen liep de kano vast op een modderbank. De peddel neerleggend, trok hij het vaartuig over de modder in het stille water van de eigenlijke rivier, ging staan en begon tegen de stroom in te bomen. Hij hoopte dat Denny zelf op hem zou wachten. Hij zou natuurlijk wat onvermijdelijke pesterijen moeten verduren, maar terwijl ze terugreden naar Verborgen Bron zou hij hem het nieuws kunnen vertellen over de tijdpoort. En ze zouden kunnen praten over manieren waarop de Minderen kasteel Doortocht zouden kunnen bezetten.

De Minderen die gevangen waren genomen bij de verovering van de IJzeren Maagd en Haut Fourneauville waren zestig of zeventig man sterk, allemaal bewapend en klaar in hun grote, van hout getimmerde kooi. Ze namen een sterke positie in, gedeeltelijk beschermd door uitsteeksels van graniet die deel uitmaakten van de bovenrand van een klein plateau. Ze konden niet bij verrassing worden overvallen en evenmin omsingeld; er was geen enkele kans dat de Firvulag hen konden overweldigen door een traditionele massale aanval of trucjes met illusies. De Minderen, allemaal mijnwerkers, en veteranen in heel wat schermutselingen rondom de belegerde IJzeren Dorpen, zouden enkel door geestkracht kunnen worden verslagen.

Vanuit zijn koninklijke observatiepost op een nabije hoogte, beet koning Sharn op zijn onderlip, terwijl hij toekeek hoe de eerste afdeling van Firvulag-dapperen, aangevoerd door Pingol Kippevel, aan haar opmars begon. Er ontstond gevloek en getier bij de gevangenen, maar ze schoten nog niet. Een ervaren vechtjas had blijkbaar het leiderschap op zich genomen en iets van discipline opgelegd aan de gedemoraliseerde troep. Hun geschreeuw nam af, maar steeg even later opnieuw hoger toen een tweede, kleinere afdeling Firvulag, krijgsvrouwen dit keer onder aanvoering van Fouletot Zwarttiet, vanuit een ravijn links naar boven begon te klimmen. Die route bood de aanvaller iets meer bescherming, maar was beduidend steiler. Voor Sharn en Ayfa, die de manoeuvres vanaf een halve kilometer afstand goed konden gadeslaan, leken de twee aanvalslinies elk op een sliert gitzwarte kevers; hun getande pieken en standaards wuifden als antennes onder de gloeiende zon en ze kropen omhoog tegen wat een gigantische open picknickmand leek.

'Ik vind nog steeds dat het fout was om de gevangenen met ijzer te bewapenen,' zei Sharn. 'Eén schrammetje en ze zijn er geweest.'

'Daar zullen ze aan moeten wennen,' zei Ayfa grof. 'Denk jij soms dat ze Roniah met glazen zwaarden en bronzen bijlen zullen verdedigen? Als we het echt goed wilden doen, hadden we de gevangenen ook nog verdovers en laserkarabijnen moeten geven naast die pijlen met bloedmetaal. Want dat zullen onze troepen in een echt gevecht tegen het lijf lopen. Kijk maar es wat er met het leger van Mimee bij Bardelask gebeurde.'

'Ze hebben toch gewonnen, of niet?'

'Alleen maar omdat de verdedigers van Bardelask op een gegeven ogenblik geen pijlen meer hadden. En als de versterkingen van Aiken mét de nieuwe wapens op tijd waren gekomen, dan was het voor hen allemaal Lieve-Godin-zeg-maar-welterusten-met-je-handje geweest!' De koningin fronste haar wenkbrauwen terwijl ze toekeek hoe de Firvulag-strijdkrachten de helling opkropen. 'Onze jongens en meiden moeten leren dat *geestkracht* de enig zekere manier is om te overwinnen. Gebundelde geestkracht, wel te verstaan, niet dat ongecoördineerde individuele geknoei. Daarom heeft Betularn met de Witte Hand deze oefening zo opgezet dat de Minderen een tactisch voordeel hebben en daarom heeft hij zo'n stel overmoedige jonge donderstenen als Fouletot en Pingol het commando gegeven.'

'Laten we hopen dat de gevangenen er een goed gevecht van maken,' zei Sharn terwijl hij zijn ogen afschermde om naar de nu doodstille kooi te kijken. 'Het zou zonde zijn als ze het nu verknoeiden.'

Ayfa giechelde. 'Betularn heeft hun persoonlijk de verzekering gegeven dat ze vrij zullen worden gelaten als ze zijn troepen tot zonsondergang weten tegen te houden.'

De koning bulderde tevreden om die grap. 'Arme donders! Ze lijken maar nooit te leren dat het erewoord van een Firvulag alleen maar geldt tegenover een andere Firvulag of een Tanu, niet tegenover een Mindere. Ik bedoel maar, hoe kun je nou je erewoord geven aan een niemand?'

'Maar ze blijven erin stinken,' merkte Ayfa op, terwijl ze haar gehelmde hoofd in verbazing heen en weer schudde. 'Zelfs de grootste Mindere van het hele stel!'

De koning leunde ineens kwaad voorover in zijn stoel. 'Die ben-

160

de van Pingol komt veel te dicht bij de kooi. Waarom richten ze geen afweerscherm op? Die gevangenen kunnen nou elk ogenblik . . . *Té's tieten!*'

Tegelijk met de koninklijke uitroep van onbehagen kwam een hagel van met ijzer beslagen projectielen uit de kooi op de voorste aanvalslinie terecht. Er werd verspreid geschreeuwd en gejammerd en er weerklonk een driftig telepathisch commando. Een schitterende barrière van mentale energie sprong nog onvolkomen omhoog, hier en daar flikkerend wanneer een lid van de Firvulag al te laat aansluiting zocht bij de defensieve metabundeling. De Minderen lieten een bulderend hoongelach horen en vuurden het ene salvo pijlen na het andere af. Maar de meesten onder Pingols commando hielden stand en concentreerden zich op een verdichting van het afweerscherm dat langzamerhand stabieler werd en nu een doorzichtige halve bol vormde van drie tot vier meter hoog, die net voor de allereerste linies de grond bereikte. Zelfs vanaf zijn plaats kon Sharn het sinistere getinkel horen van de ijzeren pijlpunten die het scherm raakten en dan neervielen.

Goed gedaan! liet de koning telepathisch weten om zijn volkje aan te moedigen. Hij kwam overeind en zijn persoonlijke illusie van de monsterachtige schorpioen werd zichtbaar. Een handvol van zijn mannen juichte, maar de meesten hadden hun handen vol met het in stand houden van het paraplu-achtige afweerschild. Voor anderen, die nu bewegingloos en in geknakte houdingen op de rotsen lagen, was die mentale bescherming te laat gekomen.

'Het gebeurde niet gelijktijdig genoeg en het scherm is te wijd gespreid,' zei Ayfa, die haar boosheid goed liet zien. 'En die stomkop van een Pingol wachtte veel te lang voor hij het bevel gaf . . .'

'Daar komen de grote meiden,' riep Sharn uit.

De menseneetsters van Fouletot zwierven naar boven aan de linkerkant van de kooi, terwijl ze in die steile klim werden beschermd door een klein maar praktisch scherm. Ongeveer een dozijn van die reusachtige buitenaardse vrouwen, misschien een vijfde van het totaal, bleef achter bij de anderen en stelde zich op in een dichte formatie. Een paar ogenblikken later rees uit hun midden een blauwe vlam omhoog als een vuurstraal uit een zevenschieter, die hoog boven de klip steeg en toen op het dak van de kooi viel waar hij langzaam door het zware vlechtwerk zonk, begeleid door angstwekkend geschreeuw van de Minderen. Vettige rook begon rondom de rotsen te kringelen. Na een korte pauze daalde een verwoede hagel van pijlen op de vrouwen neer. Eén viel er krijsend op de grond, de anderen haastten zich om het scherm ruimer af te stellen.

Op de aflopende helling voor de kooi waren de Firvulag bezig zich te hergroeperen. Een ongeregelde aanval van pijlen volgde hen, maar de meeste kaatsten af op het mentale scherm. Dit was nu heel wat compacter en efficiënter en werd voornamelijk in stand gehouden door een handvol stoutmoedigen die nu langzaam verder omhoogkropen. Slechts af en toe kwam een projectiel door de barrière, maar dat veroorzaakte dan ook bij de geringste wond vrijwel direct de dood. De mensen binnen in de kooi juichten en schreeuwden luidkeels, telkens wanneer een van de buitenaardsen werd getroffen.

De strijders onder Pingols commando stopten het zinloze gezwaai met hun pieken en vaandels en vormden nu drie aanvalskernen achter het scherm. Plotseling verschenen er drie gloeiende ballen van energie uit hun midden, bijna witheet lijkend onder de wrede zon, die in komeetachtige banen in de richting van de kooi gingen. Die stond plotseling in lichterlaaie en de gevangenen daarbinnen schreeuwden en krijsten en sprongen in het rond, terwijl ze met hun kleren probeerden het vuur te doven en op de ergste plekken hun schaarse drinkwaterrantsoenen gebruikten. Maar de hagel van pijlen werd er nauwelijks door afgezwakt en was een paar minuten later weer op volle sterkte.

De kleinere groep menseneetsters had nu een rotsig platform bereikt, een zwaardere rotslaag die de bovenkant van een ravijn afdekte en ongeveer vijftig meters beneden de kooi lag. Het was maar een klein platform, niet meer dan een scherpe, smalle richel die bovendien bezaaid was met gladde, losse keitjes afkomstig van de hellingen daarboven. Ze probeerden niet ineens vandaaruit omhoog te komen, maar vormden een langgerekte linie waarbij het afweerscherm intact bleef. Op een telepathisch commando strekte iedere krijgsvrouw haar glazen zwaard voor zich uit, gelijktijdig een spleet makend in het afweerscherm. Uit de punten van die afzonderlijke zwaarden kwamen vervolgens afzonderlijke stralen te voorschijn die zich tot één massieve flits verenigden net voor ze de kooi raakten. De kooi werd er pal door geraakt en op hetzelfde moment hoorden Sharn en Ayfa een enorme donderklap die hen deed knipperen met de ogen waardoor ze het begin van Pingols charge bijna misten. Maar toen schreeuwden ze van verrukking, want de Firvulag trokken nu snel op, nog steeds in een zeer gedisciplineerde drievoudige formatie, goed beschermd door het afweerschild, terwijl ze een bombardement van kleine psychocreatieve vuurstoten op de kooi lieten neerkomen.

'Prachtig!' schreeuwde Sharn, terwijl zijn schorpioenestaart rondzwiepte. Hij gooide er de tafel met verversingen mee ondersteboven, maar noch hij noch de koningin leken te merken dat ze ronddansten in een rotzooi van gemorst bier, grote paddestoelen, Deense komkommers, grote plakken zwarte meloen, paling à la Flamande en gezoete malmignattes.

Ayfa schreeuwde: *Beuk die bastaards van Minderen omver! Wapens verenigd, geesten verenigd!*

En het voetvolk van de Firvulag antwoordde: *Yllahayl de Aarts-vijand!*

De vuurstoot die van Fouletot Zwarttiet en haar peloton afkomstig was, had een hoek van de kooi volkomen in splinters geslagen en tegelijk aanzienlijke aantallen menselijke verdedigers gedood. De overlevenden begonnen nu uit de kooi over de rotsen uit te zwermen, zwaaiend met pijl en boog, met lange messen en kleine tomahawks en klaar om de naderende Firvulag in een gevecht van man tegen man te weerstaan. Nog meer afzonderlijke kleine vuurstoten kwamen uit het midden van de oprukkende Firvulag. De menseneetsters produceerden een laatste energiebol waardoor de verwoesting van de kooi voltooid werd. Daarna ontstond een verward gevecht tussen Firvulag en Minderen, waarbij de laatsten probeerden onder de mentale afweerschermen door te stoten of hun pijlen in een hoge parabool omhoogzonden, in de hoop dat hun projectielen de onbeschermde achterhoede zouden treffen. De discipline onder de buitenaardsen begon te wankelen en faalde toen helemaal. Zowel de ondergeschikten als hun officieren vergaten de discipline van de metabundeling en gingen over op de traditionele vechttechnieken. Ze krijsten luidkeels hun oude krijgskreten, veranderden in monsterlijke verschijningen en overvielen de sterk in de minderheid zijnde Minderen met scherp getande lansen en hellebaarden van obsidiaan. De menseneetsters joegen de speren met weerhaken in lichamen die daardoor aan de grond werden genageld en vergrepen zich zelfs aan reeds ontwapende tegenstanders van wie ze de ledematen uit elkaar trokken. Het tumult van het gevecht echode door heel het massief van de Zwarte Ballonbergen. Af en toe rees rook en stoom omhoog wanneer een enkele dappere zich herinnerde dat ze opdracht hadden gekregen de vijand allereerst met mentale energie te vernietigen.

Sharn en Ayfa, die weer hun normale gestalte hadden aangenomen, keken zwijgend toe. De verblindende schijf van de zon begon achter de torens van Hoog Vrazel te zakken en een koele wind verdreef de stank van de slachting. Roofvogels cirkelden rond en begonnen neer te dalen. Ten slotte viel er over het rotsige slachtveld een grote stilte en toen weerklonken gelijktijdig in de geesten van Sharn en Ayfa de telepathische stemmen van Pingol en Fouletot:

Hoge Koning en Hoge Koningin – wij roepen de overwinning uit in Té's naam!

Al de dwergen en menseneetsters en andere monsters kwamen samen op de helling beneden de volkomen verwoeste kooi, wapens en strijdvaandels hoog geheven en ze schreeuwden: 'Lof en glorie voor Té, Godin van de Strijd! En voor Sharn en Ayfa, Hoge Koning en Hoge Koningin! En voor de grote Kapiteins Pingol en Fouletot en voor *ons allemaal*! Wapens verenigd! Geesten verenigd! *Slitsal!*

Slitsal! Slitsal!'

Vanuit de volheid van hun harten gaven beide monarchen het rituele antwoord en verklaarden daarmee officieel dat de oefening ten einde was. Daarna keken ze nog enige tijd toe terwijl brancarddragers en genezers en grafdelvers en tellers en verzamelaars en al de andere technici die hun werk na afloop op het slachtveld hadden, aan hun arbeid togen. De namaakveldslag had aan tweeëntwintig Firvulag het leven gekost; slechts drie waren er gewond. De menselijke gevangenen waren tot op de laatste man gedood.

Sharn zei: 'Het is goed gedaan. De andere aanvoerders zullen van deze demonstratie kunnen profiteren. Volgende oefeningen hoeven dan niet per se dodelijk te zijn.'

'Dat is hun maar beter geraden ook,' zei Ayfa. 'De IJzeren Dorpen zijn bijna verlaten en we raken door onze gevangenen heen, tenzij we Monolokee de Afzichtelijke op Fort Roest loslaten.'

'Nog niet. Het opdweilen van die Minderen in de Vogezen kan best wachten tot de Wapenstilstand. De eerste drie weken moeten we ons op belangrijker zaken concentreren. Er moet geoefend worden voor het Grote Toernooi, nog afgezien van de voorbereidingen voor de oorlog. En dan Roniah nog.'

De koningin pakte een gouden drinkbeker van de vloer op, sloeg een nieuw vaatje bier aan en ging weer zitten. 'Daar wil je nog steeds iets groots van maken? Een aanval op volle sterkte met Mimee erbij?'

Sharn keek nog naar het slachtveld, zijn vuisten zo groot als hammen rustten op zijn heupen in hun ceremoniële bepantsering.

'Nu ik gezien heb dat we die metabundeling echt in de praktijk kunnen gebruiken, heb ik de neiging die plannen te veranderen. Sinds Bardelask is de afschrikwekkende balans mooi in ons voordeel doorgeslagen, we hoeven het er bij Roniah niet te dik bovenop te leggen. Wat Mimee betreft, laat die Bardelask maar plunderen en zich daarna terugtrekken, op die manier lijkt het alsof we aan de eisen van Aiken tegemoet komen. Ondertussen kunnen we met een kleine strijdmacht van dapperen voorzichtig langs de oostoever van de Saône infiltreren en daarna een onverhoedse aanval op de citadel doen vanaf de rivier met behulp van boten van decamole. Condateyr zal nooit geloven dat we een aanval over water beginnen! Zoiets heeft het Kleine Volk nog nooit gedaan! zal zijn gedachte wezen. We schieten daar als wezels zo vlug naar binnen, nemen ze goed te pakken met bloedmetaal, metavermogens en lasers, roven zijn hele bergplaats met wapens uit het Bestel leeg en nemen met de buit de benen voor de soldaten uit het garnizoen de tijd hebben gehad hun sokken aan te trekken.'

'En als we dat doen net voor de Wapenstilstand, dan heeft Aiken geen kans om terug te slaan.'

'Maar dat jong zal zo pissig zijn als wat en verdomd goed weten wie hij de schuld moet geven . . .'

'Dat is waar, maar de Hoge Tafel zal hem niet toestaan de Wapenstilstand te schenden door een tegenaanval. Hij wordt weerhouden doordat hij de ethiek van de Tanu tot de zijne heeft gemaakt, maar wij kunnen hem behandelen zoals we dat iedere Mindere doen!'

Ayfa dacht daar even over na.

'Het zou makkelijk zijn om onze mensen als Minderen te vermommen voor de actie tegen Roniah. Zo'n beetje vormverandering zou niet al te veel energie aan de metabundeling onttrekken. Het bedrog zou nog echter lijken doordat we toch al van plan zijn bloedmetaal te gebruiken en technische wapens. Het zou alleen betekenen dat we geen doden mogen achterlaten of iets anders dat ons zou kunnen verraden.'

'Dat staat me wel aan!' riep Sharn uit. Hij pakte zijn eigen drinkbeker op, veegde er slordig met een stuk brokaat dat op tafel lag langs en hield die Ayfa voor om gevuld te worden. Nadat hij een grote slok had genomen, bestudeerde hij de schedel van de vroegere Heer van Finiah, Velteyn, wiens oogkassen met juwelen waren ingelegd, en merkte toen op, 'Weet je, Ayfa, deze kerel hier was onze eerste winst in de Oorlog der Schemering. Het begon allemaal in Finiah, onze eerste overwinning na zoveel jaren van oneer en het zette pas echt goed door tijdens de laatste Grote Veldslag, ook al kregen we toen net niet de overwinning die ons rechtens toekwam. De eerste gebeurtenis verheugde onze harten, de tweede bevestigde onze vastberadenheid.' Hij keek zijn reuzin met de oranje haren liefdevol aan. 'Ik heb Mimee opgedragen de schedel van Vrouwe Armida van Bardelask op te sturen om voor jou een bijpassende drinkbeker te maken.'

Ze sloeg haar ogen neer en voelde hoe een sentimentele traan langs haar wangen drupte.Ze kon niet voorkomen dat ze zich liet ontvallen: 'Voor de regens komen, hebben we misschien wel een hele set.'

Sharn bulderde vol waardering. De twee koninklijke hoogheden brachten een toost op elkaar uit en vulden toen hun bekers opnieuw. Sharn zei: 'Doodzonde dat die Aiken zo'n kleine garnaal is. Zijn schedel is amper groot genoeg voor een eierdopje.'

'Die kunnen we dan om de beurt bij het ontbijt gebruiken,' zei Ayfa. 'Trouwens, wat wilde hij eigenlijk vanochtend?'

De koning wuifde die vraag weg. 'Wat gezeur over compensaties voor Bardelask en dat moest dan in mindering worden gebracht op de te verdelen kosten voor de prijzen bij het Grote Toernooi. Ik heb hem overal zijn zin in gegeven. Waarom ook niet? Na de oorlog pikken we het toch allemaal weer terug! . . . Maar hij begon over één ding waar ik geen wijs uit kon worden. Weten wij iets over een

Mindere die Tony Wayland heet?'

'Dat was die knaap die door de Worm gevangen werd genomen. Diegene die alles verraadde over de vliegtuigen in de Vallei der Hyena's.'

Sharn beukte op de rand van de tafel.

'Je hebt gelijk. Dat was ik vergeten. Nou goed, die Aiken wil dat we die snuiter teruggeven. Hij beweert dat die Tony de boezemvriend is van een van zijn eigen beste vrienden. Hij bood zelfs aan een flinke hap van de reparatiekosten van Bardelask te laten vallen als we hem meteen terugbrachten.'

Ayfa keek woest terwijl ze het bezinksel van haar bier in het glas liet rondgaan. 'Deed-ie dat? Wel, hier zit een luchtje aan, ader van mijn hart. Skathe kreeg het te pakken van Tony en toen ik haar en Karbree wegstuurde om de gang van zaken rond Bardelask in het oog te houden, heeft ze die Mindere meegenomen. En Skathe en de Worm stierven op een zeer mysterieuze manier . . .'

De koning knikte. 'Verraad van de Minderen wat die moorden betreft, dat is duidelijk. Mimee wist er geen verklaring voor. De stad was al bezet toen die half gezonken boot met de lichamen erin werd gevonden. Dus jij denkt dat deze Tony misschien . . .'

'Wie zal het zeggen?' Het gezicht van de koningin achter de helm met oogkappen zag er verschrikkelijk uit. 'Laat Mimee naar hem uitkijken. Geef het ook door aan anderen van de Firvulag in het zuiden. Als deze Mindere werkelijk onze vrienden Skathe en de Worm vermoordde, laten we ons dan niet al te veel haasten om hem aan de Tanu terug te geven.'

'Nou ja,' zei de koning, 'Aiken gaf niet aan in welke conditie het bestelde moest worden afgeleverd.'

Ayfa leunde voorover en kuste zijn bebaarde wang.

'Je begrijpt mij altijd zo precies.'

'Altijd,' herhaalde hij, terwijl hij de glinstering in haar ogen in de gaten kreeg. Hij zette zijn drinkbeker neer op de tafel en maakte voorzichtig zijn vingers los van de hare. Vervolgens gleden die twee monsterachtige gepantserde gestalten naar elkaar toe en al snel echoden de door de zon vergulde rotsen onder het geweld van hun bevrediging.

Veilig verstopt te midden van een aantal zakken vol pinda's keek Tony Wayland vanaf de vliering van een havenpakhuis toe hoe de plundering van Bardelask langzaam ten einde liep.

De laatste zwaar met goederen beladen karren verzamelden zich langs de havenweg. Groepen menselijke gevangenen, halfdood na bijna een week gedwongen harde arbeid, brachten de weinige overgebleven schatten uit de leeggestolen pakhuizen naar de kaden: vaten olie, alcohol, verfstoffen, balen leer en bijzondere huiden, suiker, touwwerk, weefsels, koffiebonen in jutezakken en kisten vol specerijen en kostbare aardbeienjam.

Gelukkig voor Tony gaven de Firvulag niets om pinda's. En aangezien hij de laatste dagen weinig anders had gegeten, begon hij zelf ook behoorlijk genoeg te krijgen van dat overigens waardevolle nootje.

Door zijn eigen gouden halsring kon hij de ontmoedigde telepathische gesprekken volgen die de mensen met grijze halsringen onder elkaar hielden. (Iedereen die zilver of goud had gedragen was al lang om het leven gebracht.) En vanuit Tony's gezichtspunt was het nieuws goed. Bardelask zou niet blijvend worden bezet met het doel het scheepsverkeer over de Rhône lastig te vallen. In plaats daarvan hadden de invallers de opdracht gekregen zich terug te trekken. De leider van de Clan van Famorel, een kwaadaardige dwerg die Mimee heette en wiens geliefde illusie die was van een vleugelloze reusachtige vogel Rok, was in een aanval van uitzinnige woede losgebarsten toen deze kans op nog meer buit hem werd ontnomen en had de hoofden van tweeëntwintig hulpeloze gevangenen afgeslagen voor hij zichzelf weer een beetje in bedwang had. Later kwam Tony erachter dat dezelfde Mimee een tweede woedeaanval had gehad nadat koning Sharn de Clan van Famorel ook had uitgesloten van de voorgenomen aanval op Roniah. Door die informatie kwam Tony tot het besluit noordwaarts te reizen en niet naar het zuiden, zodra het veilig genoeg was om zijn schuilplaats te verlaten.

Ondertussen gebruikte hij zijn tijd om weer met zijn halsring vertrouwd te raken.

De gouden halsring die hij de nu dode Skathe afhandig had gemaakt, bevatte precies dezelfde bewustzijnsverruimende componenten als de zilveren die hij in Finiah had gedragen. Maar in tegenstelling tot de zilveren bevatte deze gouden halsring geen circuit dat hem onder controle van de Tanu hield en al evenmin een opsporingssignaal waardoor anderen met gouden halsringen hem zonder al te veel moeite konden opsporen. Met deze gouden halsring was Tony vrij en tegelijkertijd weer in het bezit van die wonderbaarlijke vermogens die het leven in Finiah zo uitermate bevredigend hadden gemaakt.

De versterking van zijn bescheiden psychocreatieve vermogens verschafte hem de kans talrijke kleine maar bruikbare zaken met energie te manipuleren. Hij kon water uit de lucht onttrekken om die te drinken en hij kon het vocht uit zijn klam geworden kleren verwijderen wanneer 's nachts de riviermist zijn schuilplaats onaangenaam maakte. Hij kon pinda's roosteren in hun doppen. Als dat veilig genoeg was, kon hij licht maken zonder lucifers nodig te hebben. Hij kon vlooien en ander klein ongedierte verdelgen, dat de moed had zijn persoon te benaderen. Wanneer het op de zolder overdag ondraaglijk heet werd, kon hij een verfrissende bries oproepen. En wanneer hij zich verveelde, was de halsring in staat voor erotische afleiding te zorgen. De ring verzwakte de fysieke uitputting, maakte verwondingen makkelijker te dragen, zorgde voor verfrissende slaap in een ommezien, maakte hem wakker wanneer grotere levensvormen binnen vijftien meter van zijn schuilplaats kwamen, verdreef de onrust en de angst en zorgde voor een helder hoofd zodat hij goed plannen kon maken. Met behulp van de halsring kon hij spreken en horen en in mindere mate ook visueel waarnemen, binnen een bereik van ongeveer 300 kilometer. (Dat laatste vermogen kwam onder dragers van zilver niet zoveel voor, maar Tony had elf jaar praktijk achter de rug.) Omdat Finiah destijds toch enigszins een achterafstadje was geweest, had Tony er plezier in gehad de mentale handtekeningen te 'verzamelen' van zekere Tanu-edelen die hij bij sociale gelegenheden in de Koepels van Genot had ontmoet. Later bespioneerde hij hen dan tijdens hun zwerftochten in de openlucht. Jammer genoeg was zijn metavermogen niet in staat stenen muren te doordringen, maar het was toch ook al heel afleidend om te zien wat die buitenaardsen allemaal buitenshuis uithaalden. En jachtpartijtjes waren daarvan nog het minste!

Terwijl Tony toekeek hoe de Firvulag Bardelask begonnen te verlaten, vroeg hij zich af of een van zijn vroegere kennissen met een zilveren halsring de verwoesting van Finiah kon hebben overleefd. Waar waren zij nu, de oude Yevgeny en Stendal, de hanige Liem en de flegmatieke Tiny Tim, de verleidelijke Lisette en Agnes Maagd-Martelaar? Hij had er nu de tijd voor en gedurende een uur of langer probeerde hij het. Maar de uitzending van hun 'handtekeningen' in de ether leverde geen enkel antwoord op. Zijn vrienden van vroeger waren of van hun halsringen ontdaan of dood, verloren in de chaos der veranderende tijden. Hij had er geen behoefte aan zich telepathisch te onderhouden met zijn vroegere Tanumeesters die vaak ook goede bekenden waren geweest, zelfs niet met hen die zich toen zijn Scheppende Verwanten plachten te noemen. Die buitenaardsen zouden zich nu om hem niet druk maken, hij was nu niet meer dan een enkele menselijke uitgeworpene te midden van duizenden anderen. Zij hadden zelf zorgen genoeg, de arme duivels en niet zo'n klein beetje daarvan was door mensen veroorzaakt.

Dan was er Dougal natuurlijk. Gek maar trouw, hij was toch een soort vriend geweest. Maar Dougal had nooit een halsring gedragen en was nu waarschijnlijk voer voor de wormen in de Hercyniaanse Wouden waar Karbree de Worm met zijn patrouille hem in een hinderlaag had gelokt. Nee . . . er kon maar één levende ziel over zijn in heel het Veelkleurig Land die het misschien wat kon schelen of Tony Wayland nog leefde of dood was.

Of zou zij hem inmiddels ook haten? Dat was dan precies wat

168

hem toekwam.

Zelfmedelijden bracht een waas voor zijn ogen en even liet hij zijn hoofd rusten tegen de krakerige zakken pinda's. Van buiten het pakhuis kwamen de geluiden van het kelige geschreeuw der Firvulag, zweepslagen, loeiende en snuivende helladen en chaliko's, het gerinkel van hun tuig, het bonzen van het laden. Het was heet en vochtig en vervelend ... tijd om een beroep te doen op de troost van de halsring.

Toen hoorde hij het van woede vervulde bulderen van een der buitenaardsen. Gevolgd door een menselijke schreeuw die snel verstikte. Tony schakelde snel over naar de golflengte van de grijze halsringen en hoorde:

Verdommeverdommeverdomme kijk die armeWerner!

Arme stakker had beter moeten weten dan zo lading vast te maken moest wel fout gaan ...

Maar om dan zijn tong uit te trekken?

Eigen schuld als je de spoken belazert.

HeiligeMaria hij bloedt dood!

Watzouhet? We zullen allemaal gauw genoeg dood zijn.

Kijkuitkijkuit daar komen drie kakelaars OhChristus met lasers ...

Ziek van ellende sloot Tony de stemmen uit. Er was niets dat hij doen kon om die arme gedoemde stakkers te helpen. Van buiten klonk geweeklaag en gevloek, gevolgd door een zeker woord dat er in de taal van de Firvulag duidelijk uitsprong. Daarop kwam het sissende geluid uit de Matsu-karabijnen, de ene vuurstoot na de andere in een heel precies ritme, totdat de menselijke geluiden waren opgehouden.

Tony zocht de opmonterende troost van de halsring. Hij zag zichzelf de Rhône oversteken in een gestolen boot en daarna voorzichtig naar het noorden reizen over de Grote Weg, overlevend door zijn slimheid en de voordelen van zijn gouden halsring. Tegen de tijd dat de Wapenstilstand begon, zouden de wegen ten noorden van Roniah overvol zijn met sportfanaten van alle drie rassen, die vredig op weg zouden zijn naar het Grote Toernooi. Dan zou hij veilig en openlijk kunnen reizen. Hij zou de weg langs de Saône volgen, voorbij het door de Firvulag bezette Burask (tijdens de Wapenstilstand was dat niet gevaarlijk) om ten slotte langs de Nodol naar de enige schuilplaats te gaan die nog voor hem openstond: de stad met de paddestoelachtige huizen die glinsterde als El Dorado, de stad die door weiden was omringd en verbonden was met het Veld van Goud door een regenboogbrug. De stad van monsters, de stad van vrienden. Hij zou naar huis gaan, naar Nionel en Rowane.

Betoverd door fantasie, omhelsde hij haar en raakte vervuld van vreugde. Toen hij eindelijk wakker werd, merkte hij dat de zon al onder was gegaan en dat het veel koeler was. Afgezien van het verre gehuil van hyena's en het piepen van ratten in het pakhuis, was het in en om Bardelask doodstil.

Tony stond op, klopte de pindadoppen van zijn kleren en ging vol vertrouwen de ladder af. Op de kaden ontdekte hij waar hij bang voor was geweest. Maar hij vond ook een stevige kleine roeiboot, compleet met riemen, vastgemaakt onder de verwoeste winkel van een handelaar in scheepsbenodigdheden. Na een korte zoektocht naar voorwerpen die de Firvulag als buit niet belangrijk genoeg hadden gevonden, maar die voor hem bruikbaar waren, was Tony klaar om op weg te gaan. De boot dreef al op het kalme water van de Ysaar en hij zou niet hoeven roeien. De stroom zou hem naar de plek brengen waar de rivier zich bij de Rhône voegde, amper een kilometer verderop. Daar kon hij zijn kamp opslaan op de andere oever van die grote rivier om de volgende ochtend echt op weg naar huis te gaan.

11

AIKEN: Gegroet, Elizabeth.

ELIZABETH: Gegroet en gefeliciteerd! Ik zie dat je klaar bent om Calamosk met de terreinwagens te verlaten. Je hebt het heel handig gedaan met die Noord-Amerikanen.

AIKEN: Ze hebben mijn bluf geslikt, als je dat bedoelt. En voor het ogenblik zijn ze bereid mijn gezag te aanvaarden. Hagen Remillard vermoedt dat er misschien iets smerigs aan de hand is, maar hij weet niet wat.

ELIZABETH: Heeft hij geprobeerd je te sonderen?

AIKEN: Dat is de specialiteit van zijn zuster . . . maar nee, tot nu toe zijn ze discreet geweest. Proberen eerst beter hoogte van me te krijgen.

ELIZABETH: Ga je nu rechtstreeks naar Goriah terug?

AIKEN: Wij allemaal behalve de expeditie naar de Alpen. Die verlaten onze karavaan bij de kruising van Amalizan. Zeilen over het Lac Provençal en trekken dan de bergen in over de weg achter Darask. Zo komen ze bij de Monte Rosa via de Italiaanse kant. Bleyn is al vanuit Goriah op weg om de expeditie te leiden en Ochal de Harpist gaat hem daarbij helpen. Ik geef hun zeven van de vijftien terreinwagens mee met tien van Hagens minst technische mensen als chauffeurs. Basil en zijn Bastaards gaan ook mee, behalve een knaap die Dmitri Anastos heet, die ooit een of andere hoge piet onder de y-veldingenieurs was. Hagen dacht dat die wel eens van pas kon komen bij het tijdpoortproject. De expeditie wordt verder aangevuld met ongeveer dertig Tanu en eigen elite-troepen met gouden halsringen, allemaal tot de tanden bewapend. Want die vliegmachines zijn zoiets als de familiejuwelen, liefje. Tijdpoort of geen tijdpoort, ik zit lelijk omhoog wanneer ik die niet op tijd in handen krijg om Marc en de Firvulag tegen te houden. Jij zou de expeditie kunnen helpen, als je dat wilt?

ELIZABETH: De route uitzoeken?

AIKEN: Om te beginnen. De mensen van Darask zeggen dat niemand weet hoe het terrein er daar oostelijk uitziet. In het noor-den ligt Famorel. De expeditie moet koste wat kost elk contact met de strijdkrachten van Mimee vermijden. Als jij een oogje in het zeil zou kunnen houden en hen uit de buurt van vijanden kon houden terwijl je hun de beste routes voor de terreinwagens laat zien, dat zou zeker mensenlevens sparen.

ELIZABETH: Natuurlijk. Met plezier.

AIKEN: (Opluchting.) Ik was al bang dat dit tegen een van jouw verdomde principes zou zijn.

ELIZABETH: Ik kan je niet helpen in *aanvallende* acties, Aiken. Maar dit is heel wat anders. Jouw verovering van de vliegtuigen zou een oorlog kunnen voorkomen.

AIKEN: Dat is hun geraden.

ELIZABETH: Beginnen jullie meteen aan het ontwerp van Guderian?

AIKEN: Alberonn en Vrouwe Morna-Ia zijn al bezig bruikbare technici en andere knapen bijeen te scharrelen. Dat personeel wordt in Goriah bijeengebracht. Ik wou dat ik het project kon opzetten op een plek waar Marc het niet in de gaten kan krijgen, maar ik vertrouw die Hagen niet buiten mijn gezichtsveld en onder die jonge deugnieten zitten er een paar die *hem* nog op een goed-moedige Sir Galahad doen lijken. Maar oh jee, wat kunnen we het goed met elkaar vinden.

ELIZABETH: Denk je echt dat het mogelijk is om die tauveldge-nerator te bouwen?

AIKEN: Die Noord-Amerikanen hebben een verdomde hoop spullen bij zich, onderdelen, machines voor fabrieksmatige pro-duktie, een overvloed aan verfijnde instrumenten. En we zullen misschien nog meer bruikbaars vinden in de opslagplaats in Goriah die Kuhal en Celo nu aan het schoonmaken zijn. Op dit ogenblik zijn ze al bezig een hele nieuwe inventaris op te maken. De moeilijkste grondstof om te pakken te krijgen is een of ander zeldzaam element waarvan Hagen zegt dat we het in Fennoscandia moeten halen. Zelfs als we vanuit de lucht kunnen zoeken, zal het een duivels karwei worden om het boven de grond te krijgen. En niemand van de Tanu is erg bekend in dat noordelijke land.

ELIZABETH: Je zou je van de hulp van Sugoll moeten verzeke-ren.

AIKEN: ?

ELIZABETH: Grote aantallen van zijn volk leefden vroeger in dat gebied. Sommigen zijn er misschien nog steeds. Ik weet dat heel wat mutanten uitstekende mijnwerkers waren als het om edelstenen en kostbare metalen ging. Als je hun beschreef om welke zeldzame grondstoffen het gaat, dan zouden ze jou misschien veel tijd kunnen besparen.

AIKEN: Groots idee. Ik zal er met Sugoll over praten. Wat moois voor zijn neus laten bengelen . . .

ELIZABETH: Vertel hem de waarheid. Over alles.

AIKEN: Je denkt toch zeker niet . . . Oh mijn God, *nee*!

ELIZABETH: Alle vredelievende mensen in het Veelkleurig Land moeten het weten over de tijdpoort. Om zo de kans te hebben te kunnen kiezen.

AIKEN: (Gelach.): Oh jij, Vrouw! Ik zie het voor me. Negen- of tienduizend hupsende kaboutergedrochtjes die uit de tijdpoort in het 22e-eeuwse Frankrijk rollen! De hele buurt naar de bliksem! Het Bestel zou een aparte planeet voor hen moeten zien te vinden of zoiets.

ELIZABETH: Jij zou het geheel kunnen leiden.

AIKEN:Wie zei er dat ik terugging?

ELIZABETH: Doe je dat niet dan? Ik nam dat als vanzelfsprekend aan.

AIKEN: Neem alleen jezelf als vanzelfsprekend aan, lieverd! Het tijdpoortproject is een langdurige aangelegenheid met een troebele uitkomst. Ik heb nog genoeg andere zorgen om me gezellig bezig te houden. Bijvoorbeeld het terugkrijgen van mijn gezondheid en mijn kracht voor die verdomde Abaddon in Europa aankomt.

ELIZABETH: Aiken . . . Ik dacht dat je wel wist over Marcs vermogen om nu een d-sprong te maken. (Beeld.) Hij is hier geweest. Op de Zwarte Piek. Hij heeft dat vermogen nog niet onder controle, maar het zal niet lang duren voor hij zichzelf naar elke plek op de wereld kan teleporteren.

AIKEN: Dan vertelde die Hagen de waarheid. Ik hoopte dat hij het bij het verkeerde eind had, dat Marc een slim uitgedachte bilokatiestunt uithaalde met zijn opgevoerde metavermogens.

ELIZABETH: Hij materialiseerde binnen in mijn chalet.

AIKEN: Jezus! Heeft hij je bedreigd?

ELIZABETH: Nee.

AIKEN: Ik kan je een sigmagenerator geven. Hagen denkt dat Marc geen d-sprong kan maken door zo'n krachtveld heen.

ELIZABETH: Dankjewel, laat het maar zo. Ik moet met Marc op mijn eigen manier afrekenen.

AIKEN: Maar heb je zo'n manier? Prachtig. Ik wou dat ik dat kon zeggen. We hebben ons verborgen onder Hagens grote Sr-35-

sigmaveld zodat Marc onze conferenties niet vanuit de verte kon gadeslaan en ik zal dat ding in Goriah ook gebruiken om het Guderian-project te beschermen. Maar de koning kan niet voor altijd in een beschermde vissekom leven! Wanneer Marc zijn nieuwe kunstje goed kent, dan zal hij me de duimschroeven aanzetten. En ik ben doodsbenauwd, liefje. Wanneer hij achter het tijdpoortproject komt, zal hij proberen me kapot te branden en misschien lukt het hem ook nog.

ELIZABETH: Hij is veel zwakker dan vroeger. Felice heeft zijn lichaam en zijn geest beschadigd.

AIKEN: Dat zeggen Hagen en Cloud ook. Maar zij wisten niet in hoeverre zijn vermogen is afgenomen. En zelfs als hij voor negentig procent onschadelijk is geworden, dan nog is de rest misschien afdoende voor Mij zoals ik nu ben! Om maar niet te praten over de hulp die hij wellicht van *hen* krijgt.

ELIZABETH: (Bezorgdheid.) Hen. Je hebt het niet over de kinderen van Remillard en hun vrienden en ook niet over de oudere rebellen . . .

AIKEN: (Kalm gelach.)

ELIZABETH: . . . Er is nog steeds geen verbetering in je toestand?

AIKEN: Ik ben eerder nog terrein aan het verliezen.

ELIZABETH: Symptomen?

AIKEN: Ik heb sinds het gevecht met Nodonn niet geslapen. Tien uitputtende dagen. Ik kan amper vliegen, laat staan iets of iemand dragen. Mijn scheppende vermogen is waardeloos op het maken van een visuele illusie na. Genezende vermogen vrijwel verdwenen. Bedwingende en overredende vermogens nog aanwezig. (Dat zul jij niet weten?) Ik kan vérzien, maar het doet verdomd pijn.

ELIZABETH: Ik zou het niet hebben geweten. Aan de oppervlakte ziet je bewustzijn er bedrieglijk redelijk uit.

AIKEN: (Wanhopige vermoeidheid.) Je bedoelt, mijn beste dame, dat ik goed kan *veinzen*. Dat is misschien mijn laatste overlevingskans. Als ik niet spoedig hulp krijg, ben ik stapelgek voor de Wapenstilstand begint.

ELIZABETH: Oh Aiken.

AIKEN: Nou? Ik ben klaar. Zeg maar wanneer en ik kom.

ELIZABETH: Naar de Zwarte Piek?

AIKEN: Behalve als je op afstand hebt leren genezen. De colonne terreinwagens gaat binnen het uur uit Calamosk weg. We hebben minder dan twee dagen nodig om de kruising bij Amalizan te bereiken waar we Bleyn ontmoeten en de expeditie naar de Alpen haar eigen weg gaat. Jouw huis is maar acht kilometer in rechte lijn daar vandaan. Ik denk dat ik dat wel haal. Laten we zeggen, de avond van vijf september.

ELIZABETH: Aiken . . . ik verwacht dat Marc weer hierheen komt. Het zou voor jou hier niet veilig zijn. Zelfs niet met het sigmaveld. Hij mag niet . . . Ik durf niet . . .

AIKEN: (Woede + angst.) Misschien denk je dat ik grapjes maak over mijn mentale toestand. Nou, dat doe ik niet. Overdag, wanneer ik bezig ben, is het minder erg. Maar zij groeien elke nacht en raken steeds verder buiten mijn controle. Ze doen het op die manier omdat ik het mikpunt moet zijn van hun laatste grap. Ik zal niet zomaar doodgaan, ik zal *belachelijk* doodgaan!

ELIZABETH: Ik begrijp het niet. Bedoel je dat je nu ook last hebt van hallucinaties samen met de pijn en de verzwakking van je metavermogens?

AIKEN: Het zijn geen hallucinaties! Het is echt (beeld) en echt belachelijk ik geneer me zo dat kan Mij toch niet gebeuren (beeld) niet Mij en het Mijne ze zijn dood er is geen enkele manier waarop ze dit kunnen doen (beeld) Mij laten opzwellen en verbranden en weer verschrompelen (beeld) en steeds maar weer opnieuw (beeld) niet echt of wel echt wat doet het ertoe want het maakt me kapot mij Mij mij ELIZABETH HELP ME!! (Wanstaltig gore montage plotseling afgebroken.)

ELIZABETH: Ja. Natuurlijk zal ik helpen. Ik zal naar jou toekomen.

AIKEN: Naar mij toekomen?

ELIZABETH: Rustig aan. Ik zal komen. Minanonn zal me brengen . . . samen met Dionket en Creyn. We zullen je helpen.

AIKEN: Alleen. Kom alleen. (Niemand mag het weten! Niemand mag het weten!)

ELIZABETH: Ik heb er hulp bij nodig, precies zoals ik dat ook nodig had toen ik je hielp bij de rivier Genil, na het gevecht met Felice. Vertrouw me.

AIKEN: Kom je echt?

ELIZABETH: Ja. Luister naar me. We hebben een veilige plek nodig. We kunnen de sigma niet gebruiken. Dat ding is een compleet baken voor iemand als Marc die vanuit de verte kan zien en Marc mag niet vermoeden dat ik met jou bezig ben.

AIKEN: (Niemand mag het weten. Hij zeker niet! Vernedering! Ridicuul! Een grap ten koste van de hofnar!)

ELIZABETH: Er zijn belangrijker redenen voor de geheimhouding. Ik kan je alleen maar helpen een soort basisconstructie op te zetten voor je herintegratie. Een mentaal raamwerk waar je zelf de vermogens die je van hen hebt overgenomen in één lijn moet brengen met je eigen structuur.

AIKEN: Ik zou niet beter zijn . . .?

ELIZABETH: Je zou bevrijd zijn van de verontrustende symptomen als de genezing lukt. Daarna ben je zelf in staat je metavermogens weer op te bouwen. Je zult genezen, precies zo als je dat na

Río Genil hebt gedaan. Maar je wilt niet dat je vijanden je zwakheid kennen.

AIKEN: (Niemand mag die schande weten.)

ELIZABETH: Luister. Ik heb het Minanonn gevraagd en die zegt dat er een geschikte plek is ongeveer twintig kilometer zuidwestelijk van de kruising. (Beeld.) Het is een niet meer gebruikte grot van de Firvulag, eeuwen geleden verlaten toen het Kleine Volk uit Zuid-Frankrijk werd verdreven.

AIKEN: Ja, ik zie het. Je wilt dat ik je daar ontmoet?

ELIZABETH: Probeer in die grot te zijn voor zonsondergang op de vijfde. Marc lijkt zijn d-sprongen vooral bij nacht te doen, omdat dan de energie van de zon zo weinig mogelijk interfereert met het ypsilonveld.

AIKEN: *Zij* groeien 's nachts ook. Zelfs als ik onder de sigma slaap.

ELIZABETH: Je zult gauw beter zijn.

AIKEN: *Weet je dat zeker?*

ELIZABETH: Nee, niet zeker. Wat jij hebt gedaan – vermogens van anderen in je opnemen – is nooit eerder gedaan. Maar ik zal mijn best doen jou te helpen.

AIKEN: Alsjeblieft. Alsjeblieft. Probeer wat je wilt. Oh Elizabeth ze zijn zo beangstigend, zo groot en nu is Het groter dan de hele rest van mijn lichaam Het controleert me straft me en maakt me tot slaaf zorgt dat ik ga haten dat ik Het ga haten omdat ik Het gebruikt heb ik wist het niet dat dit zou gebeuren dacht er niet bij na wist niet hoe ik het deed . . .

ELIZABETH: Vertel je zelf dat het alleen maar een illusie is. Een droom. Niet echt.

AIKEN: Gebeurt niet met mijn lichaam?

ELIZABETH: Nee, mijn beste. Wees rustig. Wacht op mij in de grot. Het komt in orde. (Laat dat alsjeblieft zo zijn.)

AIKEN: Ja. Dat heb ik mezelf gezegd.

ELIZABETH: Tot ziens Aiken. (Tot ziens, arm halfgodje, arme teugelloze Loki, arme priapische Zot, arme Mentoe-Ra met de trotse mentuul, arme Ithyphallikos. Nu weten wij beiden hoe verschrikkelijk het is de mythe van onze eigen keuze te moeten leven.)

De storm die over de Pyreneeën kwam aanrazen, begon zichtbaar te worden kort nadat Minanonn Elizabeth, Dionket en Creyn over de vallei van de Proto-Aude had gedragen naar de Grote Zuidweg. Grote aambeeldvormige donderkoppen vormden een lange rij vanaf de Golf van Lyon in de richting van de woedende zonsondergang. Ze waren vliezig wit bij hun stratosferische toppen en purperzwart aan de onderkant, doorspekt met dreigende koperkleurige vegen op hun westelijke flanken waar de zakkende zon nog steeds pruilde. In de kernen en door de met grijze gordijnen omgeven randen flitste het weerlichten. Het lage gerommel van de donder dreunde bijna onophoudelijk terwijl Minanonn zijn passagiers verder zuidwaarts bracht.

'Maak je geen zorgen,' verzekerde de vroegere strijdmeester Elizabeth. 'We zullen in de grot zijn voor de regen losbarst.'

'Het zal in elk geval het einde van deze afschuwelijke hittegolf betekenen,' zei ze.

'Heb je daar werkelijk last van gehad?' vroeg Dionket verbaasd. 'Ik vond het zelf heel plezierig. Het deed me aan Duat denken. Het had alleen nog wat vochtiger moeten zijn om het nog meer op thuis te doen lijken.'

'Oh, jullie Eerstkomers,' zei Creyn geamuseerd. 'Nog altijd verlangend naar het voorouderlijk hellegat.'

'Onzin, jongen,' zei Minanonn. 'Duat was heel wat comfortabeler dan deze planeet. Altijd een lichte nevel die de hitte van de zon temperde en nooit deze langdurige droogtes voor een deel van het jaar terwijl je tijdens de andere helft verzuipt. Op Duat regende het gelijkmatig verdeeld over het hele jaar. En de temperatuur was nooit zo laag dat je het koud kreeg, zelfs niet als de zon op zijn laagst stond.'

'Hij heeft het over de moederlanden van de Tanu natuurlijk,' legde Dionket uit. 'Wij leefden in de equatoriale gebieden, de Firvulag daarentegen bij de polen waar de echt hoge bergen waren. Een verschrikkelijk land, dat van de Aartsvijand. Altijd winter.'

'En helemaal geen seizoensveranderingen?' vroeg Elizabeth.

'Niet van betekenis tenminste,' zei de Heer Genezer. 'Onze planetaire as stond nauwelijks schuin.'

'Een rechtzinnige wereld,' merkte Creyn op, 'net als de volkeren die erop groeiden. Gelukkig bleek het produkt van Duats dochterplaneten meer flexibel. Zij waren het die de vredelievende galactische federatie tot stand brachten, die de pogingen van Duat – onze pogingen, moet ik zeggen – verwierp om de oude strijdreligie weer in te voeren.'

'Breede heeft me iets over jullie geschiedenis verteld,' zei Elizabeth. Haar blik was gericht op de dreigende linie donderwolken. 'Toen jullie in ballingschap gingen, waren de Duat-kolonies de enige planeten in het stelsel met een interstellaire socio-economie?'

'De enige planeten,' antwoordde Dionket. 'Maar niet de enige mensen. Denk aan de Schepen.'

'De Schepen.' In Elizabeths stem klonk haar verbazing door. 'Ze lijken zo onwaarschijnlijk hoewel ik toch het glazen model van Breede in mijn bezit heb. Hoe konden zulke hoogintelligente levensvormen zich ontwikkelen in de lege ruimte?'

'Er is geen lege ruimte,' zei de Heer Genezer. 'De ruimte tussen de sterren is doortrokken van energie en materie. Al de organische moleculen die nodig zijn voor het opwekken van leven bevinden zich in de stofwolken tussen de sterrenstelsels. Hier net zo goed als in de spiraalnevel van Duat.'

Elizabeth zweeg. De lucht was bovennatuurlijk helder geworden. Zelfs zonder gebruik van haar metavermogens leek ze ieder afzonderlijk blad aan de oerwoudbomen te kunnen onderscheiden, ieder polletje droog gras in de wagensporen op de stoffige weg, iedere kiezelsteen en elke sprinkhaan en elke uitstekende rots in de schrale bermen.

Ten slotte zei ze: 'Er waren zevenhonderdvierentachtig menselijke planeten in ons Bestel, de Oude Aarde inbegrepen. Hoeveel werelden waren dochterkolonies van Duat tegen de tijd van jullie ballingschap?'

'Meer dan elfduizend vierhonderd,' antwoordde Dionket. Zelfs tijdens de Galaktische Burgeroorlog, toen het bevolkingsaantal terugliep, lag het totale aantal toch nog in de buurt van de honderdvijftig miljard.'

'Dat is de helft van het Bestel,' overwoog Elizabeth. 'Maar ondanks dat toch ruim voldoende voor het bereiken van de Eenheid van de Galaktische Geest als jullie niet de doodlopende weg van de gouden halsringen hadden gevolgd.'

'Dat zeg je.'

Minanonn sprak Elizabeth aan met een zeker onbehouwen ongeduld. 'Mijn hersens zijn maar heel gewoon, net goed genoeg voor sjouwerskarweitjes en soortgelijke taken waar meer spieren dan geestkracht voor nodig zijn. Ondanks dat hoop ik dat je me op een keer precies zult willen uitleggen wat deze "Eenheid" dan wel precies is en waarom wij Tanu zo slecht af zijn door haar niet te bezitten! In onze Vredesfactie verheugen wij ons in een samenzijn dat zowel troostend als stimulerend is. Kan jouw Eenheid werkelijk zoveel omvangrijker zijn?'

'Misschien zullen jullie dat zelf kunnen uitvinden,' zei Elizabeth zacht. Er vormde zich een beeld in haar geest dat de drie buitenaardse mannen deed gapen van verbazing.

Een tijdpoort naar het Bestel? Dionkets vraag was doortrokken van ongeloof.

'En het zou ons toegestaan worden daar doorheen te gaan?' riep Minanonn uit.

Elizabeth zei: 'Als hij kan worden gebouwd en in werking gezet zonder gevaar voor het Bestel zelf, dan zullen alle personen van goede wil in het Veelkleurig Land kunnen kiezen of ze erdoor willen of niet. Jullie weten hoe sceptisch ik ben geweest toen Breede mij "de belangrijkste vrouw in de wereld" noemde. De laatste tijd heb ik me afgevraagd of zij mij misschien gezien heeft in de rol van herderin voor de tijdpoort. Dat zou in elk geval heel wat zinniger lijken dan mijn huidige rol als dirigente over een continent vol barbaren en verbannen ontevredenen uit het Bestel.'

'Zou jij teruggaan?' vroeg Creyn. 'En ons leiden?'

'Dat lijkt het juiste om te doen.'

Maar de oude onzekerheid was duidelijk zichtbaar.

Vervolgens zei ze: 'Het is nu nog te vroeg om hier al te diep over na te denken. Er kunnen nog zoveel dingen verkeerd gaan. Misschien gaat de poort nooit weer open, misschien komen we uiteindelijk toch in de Oorlog der Schemering terecht! Als het ons niet lukt om Aiken te helpen bij het hervinden van zijn mentale kracht.'

Minanonn zei: 'We naderen het karavaankamp. Maak ons onzichtbaar voor de gemiddelde waarnemer, Heer Genezer.'

'Al gedaan,' zei Dionket.

Ze vlogen over een stuk grasland tussen twee waterstromen, met hier en daar verspreide bosjes zilverkleurige populieren en essen. De terreinwagens van de Noord-Amerikanen waren in een keurige cirkel geparkeerd, omgeven door een slordiger verzameling paviljoens van de Tanu en vastgebonden chaliko's.

'Ik zie dat Bleyn met zijn troepen is aangekomen,' merkte Minanonn op. Hij vroeg aan Elizabeth: 'Kun je van hieruit de tegenwoordigheid van de koning waarnemen?'

Ze zette haar metavermogens in.

'Hij is al vertrokken. Willen jullie een close-up van de nieuwkomers?'

Toen de drie daarmee instemden, liet ze hun de groep zien die onder hen bijeenzat in een grote tent die als eetzaal dienst deed. Er werd gegeten. Twee lange tafels waren van de overige gescheiden door een duidelijke psychische sluier. Aan het hoofd van de ene tafel zat een stoere jongeman van tegen de dertig die met een gefronst voorhoofd zat te luisteren naar een kleinere metgezel met een vossegezicht. 'Hagen Remillard,' noteerde Elizabeth. 'Afgezien van het donkerblonde haar en een iets kortere lengte, vertoont hij een heel sterke fysieke gelijkenis met zijn vader. De mentale overeenkomst is minder groot.'

Daarna liet ze hun Cloud zien die aan het hoofd zat van de tweede tafel en vervolgens ging ze al de andere zevenentwintig volwassenen af en de vijf kleine kinderen.

'Ze zijn allemaal nog zo jong,' zei Creyn. 'Zijn hun geesten werkelijk zo buitengewoon?'

'Ik weet nog maar weinig over hen, behalve wat Aiken me over de Remillards heeft verteld,' antwoordde Elizabeth. 'Wat hun metavermogens betreft, die zijn allemaal volledig werkzaam, maar niet volmaakt getraind door hun ouders en de overige ex-rebellen. Gezien hun afkomst, vertegenwoordigen ze waarschijnlijk een breed scala aan talenten en kracht. Het zou mij niet verbazen als de meerderheid van hen tamelijk formidabel was. Laten we niet ver-

178

geten dat zij het waren die Felice hielpen bij het opblazen van Gibraltar.'

'Waardoor duizenden verdronken,' voegde Minanonn daar met toonloze stem aan toe.

De buitenaardsen bestudeerden het onschuldig lijkende verloop van de maaltijd. Een jonge zwarte man aan de tafel van Cloud vermaakte zijn gezelschap met een gek verhaal. Ouders veegden de vuile mondjes af van hun kinderen en vermaanden hen zich aan tafel te gedragen. Een plompe brunette werd door de kinderen om haar heen geplaagd omdat ze twee stukken Calamosk-taart tegelijk nam.

Dionket zei: 'En de Eenheid van jouw Bestel is voor hen zo kostbaar, dat zelfs verschrikkelijke middelen erdoor worden gerechtvaardigd?'

'Hun opvoeding kan, vanuit een ethisch standpunt bezien, nauwelijks ideaal zijn geweest,' antwoordde Elizabeth.

'Als wij barbaren zijn,' mompelde Minanonn, 'wat zijn zij dan?'

'Kinderen,' antwoordde Elizabeth. 'Volwassen kinderen.'

'En zou jouw Bestel deze jeugdige massamoordenaars verwelkomen?' vroeg Dionket.

'Het zal iedere geest accepteren die bereid is naar volwassenheid te groeien,' zei Elizabeth. 'Maar dat is altijd een zeer pijnlijk proces, al zijn er ruime mogelijkheden tot verzoening en aanpassing. Het Bestel weet wie oprecht zijn en wie niet. De Eenheid kan niet meer worden bedrogen, nu niet meer.'

De kampplaats trok onder hen voorbij. Ze vlogen nu over lage heuvels die zwaar waren begroeid met weelderig geboomte. In het westen was de hemel nu helemaal donker geworden, onderbroken door bliksemflitsen. De donder was van een laag rommelen aangezwollen tot een regelmatige zware donder, afgewisseld en onderstreept door nog zwaardere klappen. Windstoten joegen door de toppen van de bomen.

Minanonn wees naar voren en maakte het uitzicht helderder voor de anderen.

'Daar ligt de grot, aan de zijkant van die heuvel. De ingang is goed verborgen.'

Ze daalden af naar de woest heen en weer zwaaiende junglebegroeiïng en landden op een helling waar een beekje over bemoste rotsen vloeide en waar verwarde lianen neerhingen uit grote gombomen. De spleet in de rots was nauwelijks zichtbaar. Terwijl ze nu te voet dichterbij kwamen, zagen ze dat het spinneweb van een flink bemeten zwart met gele spin de hele toegang overwoekerde als een gordijn van zijde.

De Ketter tilde het schepsel met zijn PK uit het web, waarna het in de onderste begroeiïng wegscharrelde.

179

'De koninklijke schildwacht,' zei de Ketter met een sombere glimlach. 'En zoals jullie zien, zijn we aangekomen voor de regenbui.'

Ze gingen een ruimte in die niet meer dan een doodlopend gat leek te zijn, half verstopt met afval en droge bladeren. Maar Minanonn leidde hen vol vertrouwen verder, ook toen ze aan het eind plotseling in het duister kwamen. Hun gids hief twee vingers en ontstak een regelmatige gele vlam die hun de weg wees naar een nauwe doorgang zo laag en smal dat de Tanu zich vreemd gebogen moesten voortbewegen. Terwijl ze dieper kwamen, werd de tunnel echter wijder. De muren glinsterden van het doorsijpelende vocht. De lucht leek in een sinister ritme heen en weer te deinen en droeg de geur met zich mee van uien en metaal.

Ten slotte bereikten ze een doodlopend stuk waar de zwarte rots rijk dooraderd was met rode en oranje mineralen. In de muur bevond zich een deur van rottend hout. Bleek geworden Firvulag-emblemen waren nauwelijks zichtbaar op een laag aangebrachte plaquette, waar de ogen van dwergen het makkelijker zouden hebben kunnen lezen.

Minanonn moest zich bukken.

'De Kwikzilver Grot,' vertaalde hij. 'Dit is de plek.' Hij hield zijn massieve hoofd oplettend scheef. 'Luister!'

Ze spanden hun metavermogens in, maar het scheen alsof er een psychische leegte achter de planken lag die half uiteen vielen. De enige hoorbare geluiden waren die van druppelend water en de losse stenen onder hun voeten.

Minanonn legde zijn hand op de grendel en liet zijn metapsychische toorts langzaam uitdoven. Een flikkerend licht scheen door de spleten in de deur.

'Wees op je hoede, Broeder,' waarschuwde Dionket.

De deur zwaaide geluidloos wijd open. Ze keken neer op een reeks ondiepe traptreden die naar een kamer met pilaren voerde die in het vaste gesteente was uitgehouwen. In het midden daarvan bevond zich een lager gelegen gedeelte dat met een spiegel van zeker vijf meter in het vierkant leek te zijn bedekt. Uit een nis aan de rechterzijde stroomde schuin licht dat een schaduw wierp op een overigens eentonige grijze muur.

De schaduw van een monster.

Het zwaaide voor- en achterwaarts zodat de afmetingen voortdurend leken te veranderen en de werkelijke grootte onmogelijk was vast te stellen. Maar de schaduw was enorm. Het lichaam was menselijk, maar op een groteske manier dik, met een opgezwollen buik, sterk uitstekende billen en daar slecht bij passende slanke benen. Het bezat grote borsten met geheven tepels waarmee het stengelachtige armen leek te ondersteunen. Vanuit de brede schouders ontsprongen drie lange nekken die zich als pythons om elkaar heen vlochten. De koppen waren minder makkkelijk te onderscheiden. De ene leek vogelachtig te zijn, de tweede had katachtige trekken en de derde was die van een reptiel met meerdere slagtanden en een gevorkte tong.

'Grote Godin!' fluisterde Creyn. 'Wat kan dit zijn? Geen Firvulag of Huiler die zo'n schaduw werpt. We zouden zijn aura al gemerkt hebben. Wat . . . wat is het aan het doen? Tana . . . het laat een of andere monsterachtige staart groeien!'

'Nee,' zei Dionket, 'het is geen staart.'

Er weerklonk een geluid, een zachte dierlijke kreet uit drie gescheiden kelen, naar buiten gedwongen op een ritme dat zich aanpaste bij het wringen van het lichaam. Het geluid nam in volume toe terwijl de krampen steeds wilder werden. Iets in de vorm van een cilinder kwam uit het onderlichaam te voorschijn, stijf als een boomstam en bijna drie keer zo omvangrijk als de poten. Het schepsel wankelde doordat het evenwicht zoek raakte, terwijl het ding nog tot schouderhoogte groeide en daar zelfs bovenuit kwam, kloppend, terwijl de spinachtige handen vergeefs probeerden het te stutten en de ruggegraat vooroverboog en de drie koppen draaiden en jankten in een demonisch trio. Toen begaven de knieën het en het schaduwlichaam leunde achterover op de hielen, nog steeds vanuit de heupen pompend. De borsten wezen nu naar de zoldering van het vertrek net als het overweldigende lid dat nu groter leek te zijn dan de hele rest van het lichaam. De dierlijke kreten waren nu oorverdovend en de schaduworganen bereikten hun hoogtepunt; daarna werd het beeld uitgewist in een drievoudige golfstoot van brandend wit licht. Een uitstervend drietonig gekreun echode tussen de pilaren. De schaduw was verdwenen. De kamer was donker op een armzalige gouden gloed na die uit de richting kwam waar eerst het witte licht vandaan was gekomen.

'Een chimaera,' zei Elizabeth zachtjes, 'een spookbeeld. Kom.'

Ze haastte zich de trap af.

Wees voorzichtig! riep Minanonns geest en hij wierp een mentaal afweerscherm voor haar uit. Maar zij draaide zich om en schudde haar hoofd. De reusachtige Tanu liet zijn barrière verdwijnen. Hij en zijn gezellen trokken een beschermend cordon rondom Elizabeth terwijl ze snel door het vertrek liep, voorbij de in de bodem verzonken spiegel en naar de rechts gelegen alkoof. Op het geluid van hun voetstappen na heerste er volkomen stilte. De ether was leeg.

Zij gingen de alkoof binnen, in werkelijkheid een aangrenzende ruimte, en vonden daar een door metavermogens gevoede juweellantaarn die op de vloer rustte en niet meer licht gaf dan een stervende sintel. Ervoor, met zijn buik naar de grond, lag Aiken Drum. Zijn lichaam was normaal, net als zijn gezicht dat half naar hen toegewend was. Zijn ogen stonden open en hij ademde door nauwelijks geopende lippen.

Hij had zijn gouden stormpak gedragen. Maar het sterke leer was op elke naad gescheurd en lag in vodden en rafels rondom zijn bleke huid.

Elizabeth knielde naast hem neer, veegde de resten van zijn hoofdkap opzij en raakte zijn wang. De zwakst mogelijke glimlach kwam te voorschijn.

'Je bent gekomen,' zei hij. '*Nu* komt alles weer in orde.'

Aiken droomde.

Hij stond op de spiegel die van horizon tot horizon reikte en boven hem welfde zich een schitterende nachthemel bezaaid met de arm van Sagittarius uit de Melkweg zoals die zichtbaar was vanaf zijn vroegere thuisplaneet Dalradia. Omlaagkijkend, zag hij de sterren weerspiegeld en daartussen zijn eigen naakte lichaam en verwonderde gezicht, en meekijkend over zijn schouders . . .

Met een verraste uitroep keek hij op en achter zich. Niets. Niemand. Maar toen hij weer naar beneden keek, waren die twee ook terug, streng en met afkeurende trekken op hun gezichten.

Een man en een vrouw die hij nooit eerder had gezien. Hij was donkerharig, met felle zwarte ogen, een uitstekende neus en een mond die tot een strakke lijn was samengeknepen. Zij had donkerrood krullerig haar, hoge wenkbrauwen en kleine regelmatige trekken die te ernstig stonden om mooi te zijn.

'Waar ben je geweest?' verweten ze hem. Ze wisselden blikken met elkaar en keken daarna weer naar hem met hun twijfelende, kleine glimlachjes. Daarna verdwenen ze. Bittere afkeer kwam in hem omhoog. Hij hoorde een of ander klein schepsel janken en het plagende zingzang van kinderen. Daarna zijn eigen stem, volwassen en krachtig die woeste obsceniteiten schreeuwde.

Onder zijn voeten golfde de spiegel als kwik en werd vloeibaar. Hij zonk erdoor en merkte dat hij in het midden van een nogal doodgewoon landschap terecht was gekomen: kort gras, hier en daar wat verspreide bloemen. De rand van een bos lag op een steenworp afstand . . .

Hij bukte zich om een steen op te rapen en daarmee te gooien. Er stonden letters op het gladde, witte oppervlak:

IK WAS NIET, IK WERD.
IK WAS, IK BEN NIET: DAT IS ALLES.
EN WIE MEER ZEGT ZAL LIEGEN.
IK ZAL NIET ZIJN.

Er lag een hele rij stenen, half verborgen in het gras. Hij pakte er nog een op, maar daarop stond niets. Hij aarzelde, legde beide stenen op hun plaats terug en bestudeerde enigszins slecht op z'n gemak de manier waarop ze lagen. Het leek een grens aan te geven, een grens die wel eens gevaarlijk zou kunnen zijn om over te steken.

Starend naar de stenen en zijn eigen voeten, ontdekte hij dat hij zijn eigen goede oude gouden schoenen met al de bergplaatsen droeg en zijn pak met de vele zakken waarvan elk een of ander instrumentje bevatte dat een behoedzame reiziger van pas kon komen.

'Waarom ook niet?' vroeg hij zich uitdagend af en stapte over de grenslijn, ineens weer vol vertrouwen.

Hij zwom voor zijn leven.

Zout water kwam in zijn mond en zijn neusgaten en verstikte hem. Hij worstelde zich omhoog in de richting van een groen licht dat gestaag in goudkleur veranderde en brak toen door het oppervlak, hoestend en kuchend en zo zwak dat hij vreesde elk ogenblik weer naar beneden te zinken.

Maar ergens vlak bij dobberde iets dat steeds dichterbij kwam. Hij zag dat het een bekken was, een vaartuig van redding en hij trapte zwakjes en bevocht het water met zijn handen. Op die manier zwom hij enkele slagen en reikte toen naar een van de handvatten die eraan bevestigd waren.

Een draak kwam uit het binnenste omhoog en viel naar hem uit. De slagtanden misten maar net zijn zoekende hand. Een druppel rondvliegend vergif raakte hem in het linkeroog. De brandende pijn deed hem schreeuwen en loslaten. Hij zonk weer terug. Direct werd de pijn verzacht, hij stond zichzelf toe te ontspannen en te drijven in dat warme, duistere water . . . water dat de dood betekende.

Nee! schreeuwde hij. Woede bezielde hem. Pijn kwam terug. Opnieuw kwam hij boven water en merkte dat hij weer naast de gouden Kral dreef. Maar toen Mercy hem ditmaal met open mond tegemoet kwam, greep hij haar beet, wrong de nek van de draak om en smakte de kop met de slagtanden keer op keer tegen de rand van het bekken tot het reptiel bloederig en gebroken neerviel. Daarna hees hij zichzelf veilig in de Kral.

Mayvar de Toverkol leunde over hem heen en kuste zijn blind gebrande oog. Het werd genezen. Daarna nam ze hem in haar schoot en koesterde hem en de baby nestelde zich bij haar, eindelijk tevreden. Hij dronk en hij sliep.

Hij bevond zich op een schitterende zoutvlakte en droeg zijn wapenrusting met goudluster.

De tegenstander was nergens te zien. De lafaard! Waar hield hij zich verborgen? Waarom kwam hij niet te voorschijn om te vechten?

Hij greep zijn fotonenspeer en zocht met toegeknepen ogen het blikkerende landschap af. Een schaduw snelde in zijn richting. Hij

183

keek omhoog, in de zon. De gouden adelaar hing boven hem, klauwen gereed en zocht naar zijn gezicht. Zijn vizier stond helemaal open en hij gilde het uit terwijl de klauwen in zijn rechteroog verzonken en de vogel een schrille krijs van triomf liet horen. Hij viel zwaar op zijn rug. Bloed kwam te voorschijn, niet te stoppen en de hemel was rood, even rood als de genadeloze zon. Hij wist dat hij hier zou blijven liggen, halfblind, verschroeid en verslagen, totdat hij stierf. De adelaar vloog hoog en onbereikbaar ver weg en hij lag te roosteren in het binnenste van zijn wapenrusting onder hard en onbarmhartig licht, machteloos.

Maar er was altijd nog de Speer.

Met zijn laatste kracht tilde hij de glazen lans op, zette die op het hoogste vermogen en schoot een volle lading af in het gezicht van de zonneschijf. Licht verdronk licht. De patriarch-vogel tuimelde naar beneden uit een hemel die ineens indigo was geworden. Toen hij het zout raakte, werd hij een man in een dofglazen wapenrusting die een gebroken Zwaard vasthield.

In stervensnood kroop Aiken centimeter na centimeter naar die bewegingloze gestalte van de Strijdmeester, terwijl hij voelde hoe zijn eigen levenskracht wegvloeide door zijn opengescheurde oogkas. Hij strekte een bevende hand uit naar de gebroken helm van zijn vijand en lichtte het vizier omhoog.

Het gezicht daarbinnen was dat van Stein Oleson.

Zijn hersens tolden in de rondte en Aiken viel voorover op de borst van de reuzenridder. Onder het glazen kuras met het zonne-embleem klopte nog altijd een hart. Verbaasd en met hernieuwde kracht kwam Aiken overeind. Hij zag dat de reus glimlachte. De gehandschoende hand kwam omhoog en bood het gebroken Zwaard aan in een gebaar van trouw. Aiken nam het aan en voelde hoe het leven in hem terugvloeide. Zijn gezichtsvermogen werd weer helder. Hij bukte zich over de stervende man en kuste hem op de mond.

Op de spiegel was het stikdonkere nacht geworden.

Uit de poel gevuld met kwik kwam de driehoofdige hermafrodiet en hees zichzelf omhoog op de glinsterende oever. Hoewel het lichaam nog altijd zowel mannelijk als vrouwelijk was, waren de misvormingen verdwenen, de ledematen niet langer stokmager maar goed geproportioneerd. Het middelste leeuwehoofd stond trots overeind met de draak en de adelaar aan weerszijden, licht gebogen. De glans van de Sagittarius-arm werd erdoor weerspiegeld die zich over heel de spiegel van het kwikzilveren water uitstrekte. Aiken zag dat hijzelf die weerkaatsing was.

'Maar wat *betekent* het nou allemaal?' riep hij nogal uitdagend.

'Dat je geboren bent,' zei Elizabeth.

Hij dacht daar een tijdje over na.

'Op Dalradia noemden ze me een psychopaat.'

'Dat was je ook. Een lijdende ziel. Incompleet. Zonder eros. Een freak en een kreupele, zo goed als zeker verdoemd. Je was intelligent en charmant en volstrekt egocentrisch. Je kon van niemand anders houden dan van jezelf, ook al schiep je de illusie dat je om anderen gaf wanneer dat jou goed uitkwam.'

'Ze wilden me gaan opsluiten of doden!'

'Je vormde een bedreiging, een blok aan het been van een zeer gestructureerde maatschappij. Je redde jezelf door hierheen te komen. Je zilveren halsring heeft de verkeerd geleide psychische stromen weer in goede banen gevoerd. Daardoor kreeg je zelfverzekerdheid en je begon te veranderen toen je merkte dat je echte macht kon uitoefenen.'

'In het Bestel zou dat onmogelijk zijn geweest.'

'Daar was je ambitie niet op zijn plaats. Maar dit Veelkleurig Land is een simpeler wereld. Je was hier zelf in staat lief te hebben. En je hebt de moed gehad om dat tot tweemaal toe onzelfzuchtig te doen. Je reikhalsde naar een vorm van mentale integratie en bereikte die ook. Maar dat was je niet genoeg. Niet voor jou! Je werd naar Mercy toe gedreven en je werd gedreven om Nodonn uit te dagen. Je wilde meer zijn dan een machtig, succesvol mens. Je wilde Koning zijn. Zo werd je instinctief naar die twee buitengewone geesten toegetrokken en je nam hun vermogens in jezelf op in een poging om je ambities te vervullen. Want daarvoor, dat wist je, was je onvolkomen.'

'Maar ik liet hen in de waan dat ik dat niet was?'

'Ja. Maar je kon jezelf niet voor de gek houden. Kijk maar naar de illusoire lichamen die je droeg: vlinder, waterjuffer, nachthavik, gouden valk. Iedere volgende in de reeks machtiger dan de voorgaande maar steeds gevleugeld, ongrijpbaar, wegvliegers. Je was een nagemaakte koning, koninklijk maar zonder adel.'

'Het haantje in het kippenhok.'

'Met de ambities om een wereld te regeren. Daarom steeg je boven je eigen lef uit, ondanks het dodelijke gevaar dat eraan verbonden was. Door hun metavermogens als het ware te verslinden, zocht je steun voor een waarachtig koningschap. Je was als een man die in een fraai en groot huis leeft en desondanks hunkert naar een paleis. Dus op een dag is die droom voltooid, alle noodzakelijke materialen zijn afgeleverd . . .'

'En dat begroef en verwoestte bijna het oorspronkelijke gebouw. Ik begrijp het!'

'Het merendeel van de genezing heb je zelf gedaan. Dionket en Creyn en ik hebben je geholpen, ik om aan te geven en zij om te ondersteunen, maar de psychische inzichten die nu een solide fundament vormen zijn van jezelf. Je paleis is nog bij lange na niet compleet, maar je hebt nu tenminste de blauwdrukken voor de bouw en de middelen om de delen tot een harmonieus geheel samen te voegen.'

'Hoe lang zal het duren om het af te maken?'

'Dat kan jaren duren, het kan ook in een seconde gebeuren.'

'Bid dan maar liever voor het laatste, om der wille van ons allen! . . . Nog één ding is er dat ik niet begrijp. Waarom een *leeuw*?'

'Je zult zelf moeten uitvinden wat dat voor jouw psyche betekent, Aiken. Het is duidelijk een koninklijk dier, en ditmaal zonder vleugels. Soms verdelgt het zijn eigen jongen en soms verdedigt het de troep tot de dood.'

'Je bedoelt dat ik het alsnog allemaal kan bederven.'

'Je blijft een menselijk wezen, beste jongen en je zult steeds weer voor een keus komen te staan. Je kunt ongetwijfeld falen. De Bedrieger, de Nar, is een vreemd archetype, niet op de gewone manier gepersonifieerd. Misschien is dat wel net zo goed! Het is een personage dat we tegelijkertijd bewonderen en vrezen. We weten dat hij ons te pakken kan nemen en weer weg zijn, hij kan ons tot slachtoffer maken. Maar hij bezit ook het genezende geschenk van de lach dat ons in staat stelt overeind te blijven te midden van de pijn van het leven. Hij neemt onze pijn op zich, zoals een groot psycholoog eens heeft gezegd. En dat zal je misschien helpen uit te vinden waar het beeld van de leeuw in dat geheel past. Als je dat kunt accepteren als een integraal deel van jezelf, dan kun je niet langer de vluchtende Mercurius uithangen die op alle winden verdwijnen kan. Je zult iets van het lachen moeten bewaren en koesteren en je zult de last moeten dragen dat te beschermen wat onder jouw hoede valt; misschien moet je daar zelfs je leven voor geven.'

'Ha! Laten de hyena's maar oppassen!'

Elizabeth moest lachen. 'Oh, mijn beste. Neem ze maar te pakken, jij driewerf machtige leider, jij Hermes Trismegistos.'

'Je kunt erop rekenen,' zei de koning.

II. De convergentie

1

Gedurende de eerste vier jaren van de ballingschap der rebellen, toen iedereen nog vastbesloten was en het optimisme zo duidelijk aanwezig dat sommigen van hen die zich op Ocala vestigden,kinderen durfden te nemen, was toepassing van bruikbare technologie het wachtwoord. Er bestond niet echt een reden voor die aanpassing, want de vroegere geleerden, militaire specialisten en planetaire administrateurs hadden een overvloed aan uitrusting uit het Bestel met zich meegenomen. Maar ondanks dat ontbloeide er een primitief technisch kunnen, naarmate de bannelingen zich aan het werk zetten om van het eiland hun tehuis te maken. En toen ze eenmaal hersteld waren van hun mentale en fysieke verwondingen, legden de meesten van de rebellen zich toe op het ontwikkelen van één of meer typische handvaardigheden.

Voor Walter Saastamoinen, die plaatsvervangend commandant was geweest van Stervloot Operaties (afdeling Strategie) onder Ragnar Gathen, was het volgen van zijn roeping niet meer mogelijk. Dus nam hij het vak weer op van zijn voorouders: scheepsbouwer. Met de hulp van een vroegere ondergeschikte, Roy Marchand, en een dozijn anderen (plus de zo verrukkelijk complete gegevens uit de computerbibliotheek) bouwde Walter een zeventig meter lange viermaster die het voornaamste vrachtschip zou worden van de kolonie. Het vervoerde alles van mineralen tot Megahippuspaarden van de Antillen en de vastelanden van Noord- en ZuidAmerika naar de eerste nederzetting op Ocala aan de kop van Manchineel Baai.

Het schip heette Kyllikki, zo genoemd naar een tovenares uit een Fins epos en haar lijnen leken op die van de oude vrachtschepen die hout over de Pacific vervoerden, ruim maar keurig. De boeg was die van een klipper met een boegbeeld van een blonde heks, een lange, lage boegspriet, een beweegbare mastkraan en een keurig opgetrokken achtersteven. De masten, gemaakt uit de stammen van grote pijnbomen uit de maagdelijke wouden van Georgia, staken vijfendertig meter boven het zwarte mahoniehouten dek uit en gaven het geheel een speelse en sportieve lijn.

Toen het tijd werd het schip uit te rusten, wilden Walters helpers, vol van romantisch gedroom over legendarische grote zeilschepen, het optuigen met een volledig stel zeilen, inclusief de ra's. Maar de meester-scheepsbouwer maakte hen erop attent dat er voor vierkant getuigde schepen grote bemanningen nodig waren, waarvan de leden lenig en onbevreesd genoeg waren om over en in het want te klimmen onder alle weersomstandigheden, dus ook tijdens orkanen die in de wateren rondom Florida zo veelvuldig voorkwamen en de liniestormen. Enkele zeilen voor en achter, die het schip niet bijzonder snel maakten en nauwelijks spectaculair waren, zouden daarentegen vanaf het dek kunnen worden bediend, zelfs door een bemanning van nieuwelingen. Daardoor bleef er bovendien ruimte over voor de installatie van machinaal aangedreven laadkranen voor het aan boord halen en binnen de laadruimten brengen van vracht en dan was er nog genoeg over om iets te installeren dat de zeilen automatisch bediende. Die praktische overwegingen en het overredende vermogen van Walter gaven de doorslag en zo werd de Kyllikki een viermast-gaffelschoener die door een bemanning van zes koppen kon worden gevaren.

Toen de charmes van de primitieve technologie begonnen te verbleken en Ocala zich verheugde in een kortstondige opbloei van de fabricatie van geavanceerde materialen en instrumenten, werd de Kyllikki uitgerust met een door zonne-energie aangedreven motor die in plaats van de zeilen kon worden gebruikt en die op zijn beurt een paar intrekbare cycloïde aandrijfrotoren in beweging bracht, gelijk aan die welke in de terreinwagens waren gemonteerd die de rebellen oorspronkelijk uit het Bestel hadden meegenomen. De schoener legde grote afstanden af om aan de behoefte aan ruwe grondstoffen te voldoen en deed zelfs een tijdje dienst als drijvend booreiland en als pompstation. Maar toen begonnen de vluchtelingen hun ambities te verliezen en terwijl de jaren tot decaden werden en Marcs zoektocht tussen de sterren meer en meer als zinloos werd ervaren, begon de Kyllikki in die algemene malaise te delen en veranderde in een feestboot voor rebellen die zich verveelden. Ze joegen ermee op walvissen in de Baai van Mississippi, ze droeg nostalgische zoekers naar vertier naar de kusten van het Pliocene Nieuw Engeland, ging op weg naar duikexpedities en vervoerde ladingen woeste wilde dieren naar Zoo-eiland, een jachtgebied dat ze in de Bermuda's onderhielden. Het nam zelfs deel aan de zo rampzalig verlopen tocht naar Costa Rica die ze 'vulkanen plagen' hadden genoemd. En ten slotte, het meest gedenkenswaard, bracht de grote schoener een groot gezelschap rebellen en hun volwassen kinderen op een epische tocht langs de Antarctische Eilanden. De vrouw van Walter, Solange Forester, was één van de ongeveer twintig mensen die ervoor kozen hun leven te beëindigen in de 'pure witte stilte' van de met ijs bedekte zuidpool.

Toen Walter naar Florida terugkeerde, vermaakte hij de Kyllikki aan zijn zoon Veikko en zocht zelf een toevlucht in de drank. Maar de jongeman maakte maar amper gebruik van dit reusachtige presentje en toen de kinderen van de Rebellie uiteindelijk besloten Ocala te ontvluchten, voelde Veikko zich heimelijk opgelucht toen Hagen besloot dat ze de schoener moesten laten zinken. Veikko bracht het schip naar Sun Key Hole, vastbesloten het in tachtig vadem water te laten ondergaan. Toen dacht hij echter aan de herinneringen die het schip bevatte, de liefde en aandacht die Walter er nog steeds aan schonk in spaarzame uren van nuchterheid en diens sentimentele beweringen dat hij spoedig alles recht zou zetten en hen dan allemaal weer onder zeil zou brengen. Daarom bracht Veikko de Kyllikki terug naar Ocala, opende haar luchtinlaten aan de oostkant van de Manchineel Baai zodat ze op het koraalzand in de ondiepten kwam te liggen waar bij laag water haar masten boven water kwamen.

In dat ontoereikende graf had Marc Remillard haar weer overeind gehaald en opnieuw uitgerust om haar klaar te maken voor de strafexpeditie naar Europa. Want van heel de mottige zeilvloot, nu al lang gezonken of min of meer drijvend, had alleen de Kyllikki een ruim dat groot en diep genoeg was voor de installatie van Marcs cerebro-energetische versterker. Ze nam daardoor een sleutelpositie in zijn plannen in, net als haar meester.

Walter, door Jeff Steinbrenner met wrede efficiency naar de werkelijkheid teruggebracht, had gehuild toen hij de schoener voor de laatste maal uit de Manchineel Baai had gemanoeuvreerd op weg naar de Golfstroom en de verboden Oostelijke Passage. Zijn mederebellen waren ontroerd geweest door wat zij aanzagen voor sentimentele gevoelens. Niemand dacht erover op zo'n moment zijn geest te doorzoeken. Hadden ze dat wel gedaan, dan zouden ze zijn hartekreet hebben gehoord, gericht aan de jongere generatie die nu voortvluchtig was aan de andere kant van de Atlantische Oceaan. Walters telepathische vermogens waren te zwak om hen te bereiken, maar hij kon niet anders dan toch proberen hen te waarschuwen, een waarschuwing die met bitter verwijt was gemengd:

Had je de moed maar gehad om het schip om zeep te helpen! Als je alleen maar gedaan had waar ik nu de moed niet voor heb! Dan had jullie droom tenminste een kans op succes gehad ... Maar we komen jullie nu in de Kyllikki achterna. We zullen jullie weerhouden de tijdpoort te openen. Marc beweert dat wij jullie kinderen met vreedzame middelen kunnen weerhouden, maar de meesten van ons vrezen het ergste. Loop weg, Veikko! Neem Irena met je mee en wie er verder maar wil luisteren. Verberg je! Wees voorzichtig! Want de Kyllikki komt eraan en draagt de dood met zich mee.

De mentale onvrede van de meester over hun schip ontging de overige tweeënveertig mensen aan boord. Voor de meesten van hen was de eerste week van hun reis een periode van ontspanning en rust, de gelegenheid om bij te komen van dolle weken voorbereiding en het uiteindelijke verbreken van hun banden met het eiland. Het was de tijd om angsten en hernieuwde twijfels te onderdrukken. De bemanning van Walter hield zich bezig met een losse scheepsroutine terwijl de passagiers dommelden op de zondoordrenkte dekken of vanaf de achtersteven naar de vliegende vissen keken die in het schuimige boegwater scheerden. Sommigen van hen zochten een plaatsje in een van de twee kraaienesten en sloegen de fregatvogels gade die overvlogen terwijl het zeil van zonnepanelen zong in de stevige bries. Gedurende die korte idyllische dagen probeerden de vermoeide oude rebellen hun bewustzijn van alle denken te ontdoen, dat lieten ze over aan Marc en de tien andere overlevende magnaten die de kern vormden rondom Marc. In plaats daarvan probeerden ze op te gaan in de enige entiteit die over meer leven leek te beschikken dan zijzelf: het grote schip dat over een vonkende oceaan voortsnelde.

Op 7 september, toen ze zich op iets meer dan 400 kilometer zuidwestelijk van Bermuda bevonden, nam de wind nog toe en werd de hemel loodgrijs. Met sterk gereefde zeilen joeg de Kyllikki over toenemend zware zeeën en de passagiers bleven benedendeks zonder dat ze al te veel acht sloegen op de verzekeringen van Walter dat er geen echt zwaar weer op til was en dat het slechts ging om een reeks kleine tropische storingen. Een neerslachtige sfeer overheerste, terwijl de schoener perioden te verduren kreeg van ellendige korte golfslag waarin hij gebeukt en gehamerd en geschud werd door het water. Daarna kwamen donderslagen en kortdurend noodweer. Toen de zon zich verwaardigde weer te voorschijn te komen, verhief de zee zich in grote schuimende rollers, terwijl de wind gierend uitschoot en dan weer even stilviel. De inleiding tot een werkelijke ramp werd gevormd door een bijna stormachtige wind die onder een verscheurd wolkendek uitliep, het was het restant van een afnemende orkaan die de Kyllikki deed stampen en overhellen en waarbij ze niet zelden bijna leek te kapseizen.

De passagiers die zich nog niet hadden overgegeven aan zeeziekte, waren lethargisch of geïrriteerd doordat ze voortdurend op een te kleine ruimte met elkaar waren opgesloten en overgeleverd aan de nooit eindigende beweging en bovenal, het kabaal van de storm. Het houtwerk kraakte en kreunde, de lieren gierden telkens wanneer de zeilen moesten worden bediend, lange brekers sisten langs de romp, de wind huilde, de motor die de rotoren van energie voorzag sloeg af en aan telkens wanneer Ragnar en de ingenieurs aan het werk waren om een of ander klein mankement te herstellen. De masten van het grote schip en de tuigage en al het rondhout vibreerden op wel honderd disharmonieuze klanken. Het leek erop dat de magische bark uit vroeger dagen op zee een verandering had ondergaan tot drijvende martelkamer. Terwijl het slechte weer nog een vierde dag aanhield, zakte de barometer van het moreel tot het nulpunt.

Patricia Castellane bevond zich op een gegeven ogenblik alleen in de grote salon omdat verder iedereen die had verlaten. Eten, als ze dat al gewild had, zou een schrale aangelegenheid zijn geweest, want zowel Alonzo Jarrow als Charisse Buckmaster waren geveld door de zeeziekte en niemand had zich aangeboden om hun keukenplichten over te nemen. Patricia besloot dat ze geen honger had. Ze probeerde een tijdje naar een 3-D-opname van Wagners 'Vliegende Hollander' te kijken, maar de stormachtige cadenzen van die muziek maakten haar nog beroerder. Daarom draaide ze de verlichting laag, dook weg in een gyrostoel en begon een klassieke thriller van Desmond Bagley te lezen terwijl ze daarbij hete rum dronk. Het schip helde sterk naar stuurboord over zodat de patrijspoorten aan die kant van het schip zich helemaal onder water bevonden. Ze kon het fosforiserende schuim zien dat aan de andere kant van het dikke glas voorbijstoof. De aanblik daarvan en de mélange van geluiden waren zo tranceverwekkend dat ze ten slotte in slaap begon te vallen om ineens klaarwakker te worden toen iemand haar bij haar schouders greep en ze een dringende telepathische stem hoorde die zei:

Pat, wakker worden, we hebben je hulp nodig!

Het was Cordelia Warshaw, die eruitzag als een doorweekt en afgemat kind in een stormpak dat haar drie maten te groot was. Steve Vanier was bij haar, een vroegere tactisch analyticus die nu Walter Saastamoinens tweede stuurman was. Zijn geest was zo potdicht als die van een oester en op zijn gezicht lag een grimas die een mengeling was van woede en pijn. Hij hield zijn rechterpols met zijn linkerhand tegen zijn borst. Een stroompje bloed sijpelde van de voorkant van zijn jas in een plas water die op het karpet van de salon was gedropen.

'Het is Helayne Strangford,' zei Cordelia, terwijl ze een waterdicht windjack en een zuidwester naar Patricia gooide. 'Ze had een mes en ze zag kans op de brug te komen en viel Steve aan die aan het roer stond.'

'Ze moet ergens wat dope opgeduikeld hebben, dat gekke wijf,' zei Steve. 'Walter wist haar van zich af te houden. Ze was aan het razen dat ze de kinderen wilde redden. Wilde het schip naar de kelder laten gaan.'

'Oh God,' zei Patricia.

Cordelia zei: 'Nu is ze in het kraaienest van de papegaaistok geklommen en dreigt dat ze naar beneden zal springen. Je weet hoe sterk haar overredend vermogen is. Ik denk niet dat we in staat zijn haar tegen te houden. Ik heb geprobeerd de anderen te roepen, maar alleen Steinbrenner reageerde.'

'En aan hem hebben we geen sodemieter,' mompelde Steve. Hij had achter de bar zitten rommelen en sloeg nu een grote slok wodka zo uit de fles naar binnen.

'Ah, Jezus, dat helpt!'

'Roep Marc!' zei Patricia.

Cordelia liet een opgewonden klein lachje horen. 'Die is er zoals gewoonlijk vandoor. Voor hij wist hoe hij een d-sprong moest maken, was alleen zijn geest maar op de loop. Nu laat hij ons naar lichaam *en* geest in de steek.'

'Walter probeerde Marc te bereiken zodra Strangford bij hem binnendrong. Maar volgens Kramer is hij al langer dan twee uur aan het springen.'

'Ik zal zien wat ik doen kan,' zei Patricia.

'En jij gaat naar de ziekenboeg,' zei Cordelia tegen Steve. 'Haal die verdomde Keoghs uit wat voor zevende hemel dan ook. En vertel hun wat Steinbrenner jou heeft gezegd over mogelijk doorgesneden pezen in je pols.'

De fles nog steeds tegen zich aangeklemd, wankelde Steve naar de gang terwijl beide vrouwen naar boven gingen. Alle cabinedeuren waren afgesloten en dit deel van het schip leek verlaten. Zich schrap zettend tegen de overmatige slagzij, kwamen ze bij het aangepaste deel van het achterdek dat al de benodigdheden bevatte voor de hersenversterker en de daarop aangesloten andere machines. De bewapende deur, de enige die toegang gaf, was van binnenuit afgesloten. Patricia gebruikte haar telepathische vermogens op afstand en probeerde door het metaal heen te dringen.

Jordy! Gerrit! Dit is Pat! Laat me erin! Noodtoestand!

Cordelia haalde een grote zaklantaarn uit haar oliegoed en bonsde ermee op de deur. Een onderzoekend vonkje kierde een paar ogenblikken door de deur en bestreek hen. Toen klonken er klikkende geluiden en de deur ging met tegenzin op een kier open. Jordan Kramer keek naar buiten, met een gezicht als een donderwolk.

'Wat is er voor de duivel? Marc is buiten de planeet en we zitten op een lastig punt van de stasis terwijl we bezig zijn . . .'

Patricia liet hem het mentale beeld zien. 'Helayne is losgebroken. We hebben Marc nodig.'

Kramer gromde. 'Ik wou dat dat wijf naar de hel liep. Als we haar vermogen niet zo dringend nodig hadden voor een aanvallende metabundeling, zou ik zeggen, laat haar maar springen!'

'Kun je Marc terughalen?' hield Patricia aan.

'Geen sprake van. Hij is helemaal op zichzelf. Het rubberbandeffect is helemaal opgeheven. Ik heb er geen idee van wanneer hij terugkomt. Waarom haal je de anderen met overredende vermogens niet bij elkaar?'

'Bijna iedereen is zeeziek, slaapt of is op een andere manier uitgeschakeld,' zei Cordelia. 'Degenen van ons die erbij waren toen Helayne het op haar heupen kreeg, ontvingen vrijwel geen antwoord na een algemene oproep. Steinbrenner kwam en Boem-Boem Laroche. En behalve die twee, Walter en Roy en Nannie Fox die de wacht had met mij en Steve. En nu Pat dus ook.'

Kramer keek opgejaagd. 'Er is weinig dat Van Wijk of ik kunnen doen. We zijn geen van tweeën bedwingers en we moeten de uitrusting in de gaten houden.'

Hij begon de deur alweer te sluiten.

'Geef ons dan Manion,' vroeg Patricia. 'Als we hem losmaken van het mentale dwangjuk, dan is zijn PK waarschijnlijk groot genoeg om haar te blokkeren en veilig beneden te krijgen.'

'Van zijn leven niet!' schreeuwde Kramer. 'We houden die bastaard mooi hier en goed bedwongen totdat Marc weer veilig thuis is. Hem loslaten? Godallemachtig, dan liepen er twee gekken rond in plaats van één.'

Patricia pleitte verder, hoewel ze wist dat het hopeloos was. 'Alex zou Helayne willen helpen. Je weet hoe ze samen eens . . .'

'Oh ja, dat weet ik verdomd goed,' snauwde de psychofysicus. 'En ik weet ook precies wat er zou gebeuren nadat Manion zijn oude vlam eronder had gekregen. Hij zou jullie allemaal onderwerpen, alle machines in elkaar rammen en Marc laten stranden ergens in het eeuwige niets daarboven.'

De deur sloeg dicht.

De vrouwen verspilden geen tijd meer en renden naar de achterste kajuittrap. Aan dek was de regen opgehouden en de sikkel van de maan was af en toe zichtbaar door het brekende wolkendek. De Kyllikki voer onder minimaal zeil op de automatische piloot. Zwarte golven met gloeiende koppen besprongen het schip van alle kanten. Walter, Roy Marchard en Nanomea Fox stonden samen aan de voet van de mast die vanaf het lage achterkasteel omhoogrees. Iets verder weg, zich vasthoudend aan de reling, bevonden zich Jeff Steinbrenner en Guy Laroche. Nanomea hield een schijnwerper op het woest rondslingerende kraaienest gericht. Roy hield een verdover in de hand en Laroche droeg een laserkarabijn over zijn schouder.

Cordelia zei: Hier is Pat. Ze was de enige die wilde komen om te helpen.

Walter zei: Helayne zit er nog steeds, weggedoken buiten gezichtsveld.

Patricia zei: Geen kans om haar te verdoven?

Roy zei: De mast werkt als een geleider bovendien is het afweerscherm van haar scheppendvermogen te groot. Boem-boem heeft een laser als ze dreigt om . . .

Patricia zei: Afgewezen afgewezen! We HEBBEN Helayne NODIG! Ik zal de metabundeling richten, akkoord?

De anderen zeiden: akkoord.

Patricia zei: Klaar . . . KOM MAAR BINNEN.

Hun geesten vermengden zich met elkaar en volgden de leiding van de voormalige leidster van Okanagon. Hun verenigd bedwingend vermogen reikte uit naar dat gek geworden bewustzijn daarboven en wikkelde het in een net van mentale energie. En trok strakker . . .

Ze schreeuwden het allemaal uit. Een overweldigende mentale

vuurstoot, scherp als een witheet mes, spleet hun metabundeling uiteen. Hoog in de lucht verscheen een spookachtig gezicht over de rand van het kraaienest. Helayne Strangfords telepathische gelach daverde door hun geesten.

Patricia zei: We willen je helpen Helayne. Kom alsjeblieft naar beneden.

LaatHEMmijsmekenwaaromkwamHijnietwaarisHijlaatHEM-nooitdekinderenkwaaddoen . . .

Patricia zei: Marc wil de kinderen geen kwaad berokkenen.

Anderenwel!JIJboosoogmetagroupie! JIJlievegrootjeCordelia! JIJ-Jefbabymoordenaar! JijwiltkinderendodenikzalJOUdoden!

Patricia zei: Ga met me mee naar Marc, Helayne. Hij zal ervoor zorgen dat niemand de kinderen kwaad doet. Dat heeft hij beloofd. Je weet dat je Marc kunt vertrouwen.

Vertrouwen . . . oh dat deed ik. Deden we allemaal. In het Bestel gedurende de Opstand en zelfs toen we verslagen waren. Vertrouwden Marc volgden Marc hielden van Marc. MAAR HIJ LOOG!

Patricia zei: Marc liegt niet.

Dat doet hijweldatdoethijwelDATDOET HIJ WEL. Zei dat hij ons nooit zou verlaten. NOOIT. MAAR HIJ GAAT TOCH WEG!

Patricia: Helayne, hij komt altijd naar ons terug.

Hijliegtzegtvernietigdetijdpoortomtevoorkomenkinderenont-snappen!

MoetkinderendodenomZICHZELFtebeschermen. Maarikhoud-hemtegenIkweethoeikhemmoettegenhouden. JullieDO-DEN!HEMdoden!

Een mes glinsterde in het zoeklicht. Helayne hield zich vast aan het bovenste dwarsdeel van de mast en klom op de rand van het kraaienest. Haar fladderende zijden pyjama bolde in de wind als een wimpel.

VliegnaarbenedenmaakjullieALLEMAALdood!

Patricia zei: Je kunt niet vliegen, Helayne. Als je springt, zul je sterven. Chris en Leila zullen zich schuldig voelen. Kleine Joel zal huilen om zijn Nana. Spring niet. Kom naar beneden en laat ons je helpen.

LieveChris . . . Lieve Leila . . . kostbareJoel. Hijwilzedoodma-kenmaarikweethoeikhemmoettegenhouden. Maak de andere gees-ten dood. Zorg dat duivelse engelbeul geen medewerkers heeft voor metabundeling. Maak HEM hulpeloos! Zwak! MENSELIJK! . . . En dat is *precies* wat ik nu heb gedaan, weet je.

Het laatste werd op zo'n zakelijke en voldane toon gezegd dat de zeven mensen aan de voet van de mast een ogenblik met stomheid geslagen waren. En toen kwam Steve Vanier stampend de kajuit-ladder op en kwam aan dek met een hoofd dat barstte van de afschuw.

Hij schreeuwde: 'De Keoghs, allebei doodgestoken in de ziekenboeg! Ze moet ook de cabines ingegaan zijn die niet waren afgesloten ...!' Bloedrode beelden tuimelden door zijn geest. Helaynes manische geschater weerklonk onder de met wolken volgepakte hemel.

Nanomea Fox hield het zoeklicht gericht op de zwaaiende figuur. Helayne begon op vleiende toon te roepen: 'Walter! Kom naar boven liefje. Help me. Ik beloof dat ik niet zal springen als jij naar boven komt.'

De kracht van haar dwingende vermogen was als de onweerstaanbare roep van een sirene. Walter, zijn gezicht uitdrukkingsloos, begon naar de mast te lopen terwijl Fox en Marchand hulpeloos toekeken.

'Nee, Walter!' schreeuwde Patricia. Toen sloeg de mentale tentakel zich om haar eigen wilsvermogen en beval haar ook naar boven te klimmen, en Roy, en ...

Jef Steinbrenner rukte de karabijn uit de willoze handen van Laroche en vuurde in het wilde weg omhoog. Er was een sissende inslag en daarna het opbloeien van een vlam als sint-elmusvuur. Iets leek zich op vleugels te verheffen dat een laatste geluid losliet als de kreet van een vogel. Stukken hout en metaal en afgesneden touw kletterden op het dek.

Ze keken allemaal omhoog naar het lege, vernielde kraaienest en vermanden zich toen om benedendeks te gaan.

Toen de donkere, bepantserde vorm zich in de geïmproviseerde wieg materialiseerde, verbrak de tot onderworpenheid gedwongen man die in de donkerste hoek van de ruimte zat, eindelijk zijn stilzwijgen. 'Sloep van de bevelhebber komt eraan! Bootsman, je fluitje! Meester Kramer, hijs de wimpel van de Rye Harbor Yacht Club!'

'Houd je bek, Alex,' zei Patricia Castellane, 'of ik zet jouw verdover op maximum, dat zweer ik bij God.'

Alexis Manion werd stil, maar een sluw glimlachje speelde rond zijn lippen. Hij kwam uit zijn stoel overeind en liep naar voren terwijl Gerrit van Wijk de helmstandaard in positie manoeuvreerde en Jordan Kramer de andere instrumenten bediende.

Toen Marc bevrijd was van zijn pantser, zei hij: 'De stasis was dit keer perfect voor langer dan drie en een half uur. Ik denk dat ik er nu helemaal achter ben. Hoe zag het er van hieraf uit?'

Kramer zei: 'Perfect. Geen enkel teken van afwijkingen in de tijdplooi of dislokatieverschijnselen. Manion zal een diepte-analyse doen, maar het zag er in eerste instantie allemaal heel goed uit. Hoe ver ben je weggeweest?'

'Achttienduizend zeshonderdzevenentwintig lichtjaren. Naar Poltroy. Om mijn grenzen uit te proberen en mijn nieuwsgierigheid te bevredigen.'

'Was de overzetting nog steeds ogenschijnlijk onmiddellijk?' vroeg Van Wijk.

'Ja,' zei Marc. 'Er lijkt geen enkele overeenkomst te zijn met de subjectieve uren of dagen die mensen in een sterreschip doorbrengen tijdens een supersprong. Ik schat dat ik bij iedere d-sprong zo ongeveer dertig subjectieve seconden in de hyperruimtematrix heb doorgebracht. Maar om er aan de uiteinden door te breken kost natuurlijk meer tijd.'

Hij stapte in de miniatuurdouche en gooide de drukbestendige overal van zich af. Heet water kwam te voorschijn waardoor wolken stoom omhoogkwamen vanaf de met kabels overdekte eikehouten scheepsplanken.

'Dus jij bent naar Poltroy gegaan, stralende jongen?' kweelde Alexis Manion.

'Ik vergat dat er daar gedurende het Plioceen voornamelijk een ijstijd heerste,' zei Marc. 'Gelukkig zagen de plaatselijke inwoners mij voor een afgedaalde godheid aan en dus leenden ze mij een aantal bontvellen, anders had ik dit pantser moeten aanhouden. Dat zou het experiment aardig hebben bedorven.' Patricia kwam met een handdoek en een kamerjas. 'Ik denk dat ik nu het programma van de d-sprong volledig beheers. Ik denk dat er nog wel verfijningen mogelijk zijn, maar met de techniek valt heel goed te werken. Ik kan het pantser met me meenemen als een bescherming tegen mogelijke vijandigheden of het een eindweegs buiten achterlaten of het zelfs terugsturen naar huis om daar te wachten tot ik het oproep. Op die manier zou ik helemaal vrij zijn van de verbindingen aan deze kant van de tijdplooi.'

Hij glimlachte en knoopte het koord van zijn kamerjas dicht. 'Het is een verdomd gek gevoel om door de hyperruimte te reizen zonder een schip. Maar het was nog spookachtiger om in levenden lijve een wereld te bezoeken die ik eerder tijdens een sterrezoektocht had waargenomen.'

'Is er geen enkel ongemak wanneer je de grenzen van de hyperruimte overschrijdt,' vroeg Kramer, 'zoals dat in een schip het geval is?'

Marc knikte. 'Ik kom met het ypsilonveld in aanraking. Of je de afstand nu mechanisch overbrugt of metapsychisch, het doet pijn als je erdoorheen gaat. Een d-sprong beschermt je tegen de langduriger gevolgen van het passeren van een tijdvector, maar de factor pijn blijft uit het gebruikelijke component opgebouwd: geometrische toename met de afstand van de sprong. Ik had mijn grenzen bijna bereikt met die sprong naar Poltroy, maar mezelf teleporteren over Aardse afstanden is niet pijnlijker dan een dwangnagel.'

Alexis Manion hield zijn hoofd schelms scheef en zong:

Als het waar is, is het mooi voor jou
naai jezelf en ga maar gauw
ga maar en toon vijand en vriend
hoe dapper je bent! (Ook al weet ik terdege
dat het jouw zaken zijn) verklaar ik bij deze
ik zou jouw *deel durven vragen, maar waarom vragen*
het kan mij niet veel schelen, mij maakt het niks uit
het kan mij niet veel schelen, deze dagen.

Marc keek hem zonder rancune aan. 'Laten we jou maar uit je dwangbuis halen en aan het werk zetten, Alex. Ik wil een gedetailleerd verslag van deze hele operatie.'

Hij liet zijn krachtige herstellende vermogens in het bewustzijn van de dynamische-veldenspecialist gaan om te voorkomen dat die geestelijk helemaal gedesoriënteerd zou raken als de geestverdovende hoofdset werd verwijderd. Manion huiverde, knipperde met zijn ogen en masseerde daarna zijn oogleden met zijn vingers. De haat was nog steeds in zijn geest aanwezig, maar die werd nu bijna helemaal verdrongen door een eigenaardig soort opwinding.

Hij zei: 'We hebben een kleine verrassing voor je, Marc. Terwijl de kat van huis was, is de gekke muis gaan spelen.'

Patricia haastte zich om hem voor te zijn en liet vliegensvlug haar beelden zien van de ramp. Manion glom van pervers genoegen terwijl Van Wijk en Kramer er zwijgend bij stonden, maar bevestigden dat Helayne inderdaad vijftien mensen had vermoord, onder wie Kramers vrouw, Audrey, en de vroegere magnaten van het Concilie, Deirdre en Diarmid Keogh en Peter Dalembert, voordat ze zelf werd doodgeschoten door Steinbrenner. Een paar anderen waren door de gek geworden vrouw gewond, Arkady O'Malley zelfs ernstig.

'Bon Dieu de merde,' hijgde Marc. Zijn geest schitterde woedend.

'Je zou kunnen solliciteren naar die baan op Poltroy,' suggereerde Manion uitdagend, 'maar de inboorlingen zullen misschien de voorkeur geven aan een minder grafische omschrijving van dat baantje.'

Marc stond bewegingloos. Zijn gezicht gloeide en er lag nu een uitdrukking op van Abaddon. Alex Manions lichaam werd in de lucht getild en aangegrepen door een massale verkramping. Zijn ogen puilden uit en er kwam bloed te voorschijn uit wel een dozijn kleine wondjes. Hij slaakte een dierlijke kreet terwijl tegelijkertijd zijn kermende bewustzijn de ether vulde met zijn lijden. Daarna kwam hij spartelend op de vloer terecht, zijn ledematen vertrokken door krampen, half stikkend in zijn eigen braaksel en bevuild en stinkend door zijn eigen uitwerpselen.

199

Marc keek zonder medelijden op hem neer. 'Tu est un emmerdeur, Alex. Gelukkig voor jou heb ik nog enig gevoel voor humor. Je bent niet al te ernstig gewond. Morgen doe je die veldanalyse.'

Het door pijn verscheurde kakelende ding zakte ineen en raakte bewusteloos. Zonder één blik nam Marc Patricia bij een elleboog, loodste haar voorbij de door angst bevangen Van Wijk en Kramer en ging naar buiten.

'Je zegt maar wanneer,' zei Patricia terwijl ze naar zijn cabine klommen in het dekhuis van de achtersteven. 'Dan haal ik dat zwijn van binnen zelf overhoop. Het zou mij niks verbazen als ik zou ontdekken dat hij degene was die de dope aan Helayne gaf in de hoop dat er zoiets als dit zou gebeuren. Het is trouwens in de eerste plaats zijn vergif dat haar tegen jou heeft opgezet en bovendien de kinderen heeft verpest. En nu we de Keoghs verloren hebben, onze beste genezers! En Peter . . .'

'Die arme Keoghs,' zei Marc hardop. 'Siegmund en Sieglinde. Ze zijn tenminste in stijl heengegaan. Maar wie zou er ooit gedacht hebben dat Peter Dalembert in zijn bed zou sterven?' Hij hield de deur van zijn hut hoffelijk voor haar open.

'Toen we hem vonden, waren zijn ogen nog open. En zijn gezicht' . . . ze projecteerde het beeld . . . 'stond heel kalm. Een schepper met zijn vermogens had zich tegen het mes van Helayne moeten kunnen beschermen. Als hij dat gewild had.'

Marc ging naar het ingebouwde keukentje en activeerde het. Daarna ontsloot hij een klerenkast. 'Ik had gerekend op Peters liefde voor Barry en Fumiko en de kleine Hope als tegenwicht voor zijn nogal duidelijke doodsverlangen.'

Hij glimlachte afwezig terwijl hij ondergoed, een broek en een trui op het bed gooide. 'Nog een van mijn misrekeningen. Blijkbaar dacht Peter dat ik de kinderen niet zou kunnen tegenhouden zonder hen kwaad te doen.'

Patricia zweeg.

'Maar jij hebt je nooit erg druk gemaakt om voorspellingen, is het wel, Patricia?'

'Ik doe mee met elk plan van jou. Ik doe wat jij zegt. Altijd. Dat weet je. Ik geef alleen geen moer meer om de Mentale Mens, Marc. Alleen om jou.' Jij bent mijn engel, te verschrikkelijk om lief te hebben, afdalend om jouw leven met mij te delen, om mij een trotse vreugde te schenken zelfs wanneer je die zelf niet voelt. Waarom heb je er geen? Jouw grote plan is nog steeds uitvoerbaar. We hebben Cloud en Hagen en de andere kinderen niet nodig zolang we zelf de genen en het brein hebben. Zolang we jou hebben, eeuwig levend!

'Trouwe Pat!'

Hij stond nu dicht bij haar en keek op haar neer. Hij had de kamerjas laten vallen. Zijn lichaam was nog steeds mooi, maar eroverheen lag een ingewikkeld netwerk van kleine littekens, het gevolg van een te kort gehouden verblijf in de regeneratietank. Die bedekten zijn hele lichaam onder de nek. Enkel zijn handen en geslachtsdelen waren perfect hersteld.

Ze kwam in zijn armen en hun lippen ontmoetten elkaar, smakend naar zout en honing. Ze liet zich gaan in die wervelende,heldere en brandende maalstroom waarvan hij het begin en het einde was. Door de wonderbaarlijke vermogens van hun meta-eigenschappen hield de zwaartekracht geen beperkingen in, er waren geen barrières door kleding, geen onhandigheden in hun omhelzing. Het onbeschrijfelijke genoegen bracht haar op de grens van het gevoelloze, maar bracht haar ook op een hoge golftop naar de uiteindelijke samensmelting. Daar zou hun tweelingster een kleine eeuwigheid schijnen, zij in de schallende gloed van haar bevrediging, hij, zoals altijd, teruggetrokken in zijn eigen afgrond.

Vanaf het begin had Marc haar gewaarschuwd dat er geen plaats zou zijn voor liefde. Ze had willig toegestemd, hem eenzaam latend tijdens hun climax. Maar deze nacht was zijn afweerscherm niet volmaakt geweven. En ze had een glimp opgevangen van wat er lag onder die stralende corona van orgastische ontspannning.

De herinnering veranderde haar hart in een ijsblok. Ze lag alleen op het bed, terug in haar eigen bewustzijn. Was hij tijdelijk afgeleid geweest door de verschrikkelijke gebeurtenissen die hadden plaatsgevonden? Of had zijn onbewuste hem ertoe aangezet nu dit geheim prijs te geven?

'Marc,' fluisterde ze. 'Is het waar?'

Hij was volledig gekleed en staarde door de voorste patrijspoort van het achterkasteel. De zee was kalmer geworden en de hemel stond vol sterren. De zeilen waren weer gehesen door de automatische lieren en de grote schoener zocht zich een weg.

Hij zei: 'Je mag het niemand vertellen. Dat zou rampzalig zijn voor het moreel. De kinderen weten het natuurlijk niet. Niemand wist het, behalve de Keoghs en Manion. En Alex heeft zijn eigen redenen om erover te zwijgen.'

'Hoe . . . hoe lang al?'

'Nog voor de Rebellie en sinds haar dood je suis le veuf à la tour abolie.'

'Mijn God! Maar wij dachten dat de Keoghs . . .'

'Na Cynthia's dood hebben ze me volledig genezen, precies zoals de tank dat nu heeft gedaan.' Hij was rustig. 'Er is geen organische afwijking. Enkel onvruchtbaarheid. Mijn overleden broer veronderstelde dat zondebesef er de oorzaak van was. Ik denk eerder dat het aan het ontbreken van wilsvermogen ligt of aan het onvermijdelijke trauma van van zo hoog te zijn gevallen.' Hij keek haar ononderbroken aan vanonder zijn gevleugelde wenkbrauwen. 'De genezing, als die er is, zal spontaan zijn. De inductie daarvoor: succes.

We kunnen nog steeds slagen. De Mentale Mens zal er komen als we kunnen verhinderen dat de kinderen door de tijdpoort gaan. In de ideale situatie zouden we hen ook nodig hebben. Maar in elk geval hebben we mijn zoon nodig.'

'Als je het Hagen maar verteld had! Of voorzorgen had genomen . . .'

'Er zijn voorzorgen genomen en teniet gedaan. Ik had te veel vertrouwen tijdens onze eerste jaren op Ocala. Later, toen ik dat verzuim probeerde goed te maken, was ik te streng voor de kinderen. Hagen heeft een zwakke wil. Niet goed. Hij weet het. Mijn pogingen om hem eronder te houden hebben er alleen maar voor gezorgd dat hij mij ging haten. Hem de waarheid onthullen . . . zou hem een wapen geven tegen mij. Het is een verschrikkelijke rotzooi en het wordt nog ingewikkelder doordat de kinderen een bondgenootschap zijn aangegaan met Aiken. Maar we *kunnen* nog steeds slagen. Wanneer de tijdpoort niet opengaat . . . wanneer ik Hagen en Cloud kan bewijzen dat ik van hen houd, dat hun toekomst verbonden is met de mijne . . .'

Patricia kwam langzaam overeind en streek haar lichtbruine haren uit haar gezicht en probeerde de slechte tijding te verwerken. 'Er zijn er nog maar zo weinigen van ons over om jou te helpen. O'Malley zal het misschien niet overleven en Fitzpatrick en Sherwoode zijn niet sterk. Als we die drie eraf trekken, dan blijven er maar tweeëntwintig over voor je metabundeling. Waarvan zes magnaten.'

'Het zal wel lukken. We hebben meer dan genoeg conventionele wapens om Aiken Drum te weerstaan. En de mogelijkheid van de d-sprong.'

'Je kunt geen wapen meenemen in dat pantser.'

Daar gaf hij geen antwoord op. Dus ging ze naar de keukenmachine en haalde zijn maaltijd te voorschijn. Vervolgens schonk ze hun beiden een kop thee in. 'Kom eten nu het nog warm is,' zei ze, terwijl ze aan de tafel voor het venster ging zitten. 'Er is ham in oranje saus en zelfs een beetje van je favoriete bonensoep.'

'Ik heb erom gevraagd omdat ik dacht dat ik bij mijn terugkeer een succesvolle lange sprong kon gaan vieren.' Hij pakte een lepel en bestudeerde de dampende pan. 'Er zijn nog maar drie pakjes van over na zevenentwintig jaar. Inheemse bonensoep in het Plioceen. Een vleugje van New Hampshire aan boord van een razende bâteau ivre.'

Hij schudde langzaam zijn hoofd en begon te eten.

Patricia dronk haar thee zonder een poging te doen tot zijn gedachten door te dringen. Na een tijdje begon ze op lage maar dringende toon te praten. 'Ik kan nu begrijpen waarom je je verzette tegen hen die de kinderen met geweld wilden verhinderen door de tijdpoort te gaan en die te bouwen. Je bent nooit echt bang

202

geweest voor represailles uit het Bestel, of niet?'

Hij maakte een afwimpelend gebaar. 'Dat was een rookgordijn. Een noodzakelijke vorm van bedrog, dacht ik. Allereerst bedoeld voor de kinderen en daarna pas voor de minder getrouwen onder onze eigen generatie.'

'Dat dacht ik wel. Dus moest je luisteren naar alle bloeddorstige gepraat over het doden van de kinderen uit noodzaak en zelfs doen alsof je die mogelijkheid overwoog, maar al die tijd wist je dat we een andere manier zouden moeten zien te vinden.'

'Zo is het,' zei hij. 'En die manier is er. Verwoesting van de diepere rotslagen op de plek van de tijdpoort. Dat is eenvoudig en menselijk . . .'

'En Alex Manion zegt dat het met geen mogelijkheid kan werken.'

'*Wat?*' Marc legde de lepel neer. Ze voelde de kracht van zijn overreding over haar heen spoelen. Gewillig stelde ze haar herinnering voor hem open om hem de ingewikkelde mathematische vergelijkingen te laten zien, precies zoals de dynamische-veldenspecialist het aan haar had laten zien.

'Alex noemt dit de onwrikbaarheid van temporele gebeurtenisknooppunten. De essentie komt hierop neer: je kunt de tijdpoort hier in het Plioceen niet verwoesten omdat we *weten* dat die over zes miljoen jaar in het Bestel nog steeds bestaat, waar we allemaal zelf vandaan komen. Ergo, jouw hoop om de rotsformaties te verwoesten en daardoor de geomagnetische factoren van het tauveld overhoop te halen, is futiel. Paradoxen zijn niet toegestaan. De werkelijkheid is. Verleden, heden, toekomst . . .'

' . . . en allemaal stevig in de handen van God,' maakte hij af, de mondhoeken nu omhoog in die beroemde glimlach. 'Dat heb ik ook eens geloofd.'

'Ik nooit! En ik wil het ook nu niet geloven. Maar Alexis Manion geloof het wel en hij was de beste theoreticus op het gebied van dynamische velden in het Bestel.'

'Laat hem naar de hel lopen . . . Pat, weet jij of hij met anderen over . . . deze theorie heeft gesproken?'

Ze maakte een hulpeloos gebaar met haar handen. 'Ik ben bang dat daar geen twijfel over is. Hij heeft waarschijnlijk van elk moment gebruik gemaakt wanneer hij niet onder verdoving was.' Haar stem klonk nu wanhopig. 'Kan Alex het mis hebben?'

'Nee. Maar hij zou kunnen liegen.' Marcs gezicht stond uitdrukkingsloos. 'Ik zal het morgen uitzoeken. Maar zelfs wanneer hij de waarheid vertelt zoals hij die ziet, dan nog zal ik het weer opengaan van de tijdpoort voorkomen!'

'Maar hoe?' riep ze uit. 'Marc, praat hier met ons over! Neem ons in vertrouwen, zoals je dat gewoon was. We voelen ons allemaal zo verloren! Je bent zo geabsorbeerd geweest, eerst met dat zoeken tussen de sterren, nu met de techniek van de d-sprong! We zijn je trouw en we willen je volgen, maar we weten met deze situatie geen raad. We hebben zo lang moeten wachten en nu zijn er nog maar zo weinigen van ons over . . .' Help ons! We hebben al ons vertrouwen in jou geïnvesteerd. Stel ons gerust. *Verzeker ons dat je geen d-sprong zult maken naar een andere wereld om ons in de steek te laten.*

Hij reikte over de tafel heen en pakte haar hand. Zijn huid was warm, de vingers volmaakt jeugdig en het mentale contact onweerstaanbaar geruststellend.

'Jullie verlaten? Nooit. Ik heb heel iets anders in gedachten. Op dit ogenblik zijn er dringende zaken waar ik voor moet zorgen. Maar hoe dan ook, ik beloof dat ik mijzelf weer bereikbaar zal maken, niet alleen voor de kerngroep maar voor iedereen. En ik heb goed nieuws. Ik ben bezig het vertrouwen te winnen van die meesterklasse vrouw, Elizabeth Orme. En met Aiken Drum ben ik ook begonnen. Nu ik de techniek van de d-sprong vrijwel onder de knie heb, kan ik de druk op hem vergroten. Voor hij het weet, ligt onze Kyllikki voor anker in de ondiepten pal voor zijn kasteel. Met onze sigmavelden in werking, zijn we een onkwetsbare bedreiging.'

'De kinderen hebben het grote krachtveld, de SR-35.'

'En wij hebben mijn hele batterij laserkanonnen die dwars door ieder draagbaar scherm gaan dat ooit is gebouwd! Aiken Drum zal capituleren, dat verzeker ik je. En met hem aan onze kant staan de kinderen schaakmat. We kunnen de werkplaatsen vernietigen, nadat we de kindren hebben gewaarschuwd zodat ze die tijdig kunnen verlaten. Als we de schema's vernietigen en bepaalde instrumenten voor de produktie die onvervangbaar zijn – etsmachines, de machines voor het fotonisch vervaardigen van legeringen, de micromanipulatoren, dan zal niemand ooit meer het ontwerp van Guderian in het Plioceen nabouwen. En te zijner tijd zullen de kinderen tot bezinning komen.'

'Marc, ze zullen niet naar Ocala terug willen keren.'

Hij lachte.

'Laat ze maar een paar jaar doorbrengen in het barbaarse koninkrijkje van Aiken! We kunnen op verjaardagen en feestdagen een d-sprong maken, als we tenminste in de buurt van de Aarde zijn en van tijd tot tijd onze uitnodiging herhalen.'

Hij liet haar zien wat hij in gedachten had en haar mond viel open.

'Is dat mogelijk?' riep ze uit. 'Zou je *ons* kunnen dragen?'

'Als ik een ypsilonveld kan opwekken dat groot genoeg is om mijzelf en drie ton gepantserde beplating door de hyperruimte te brengen, dan kan het alleen nog maar een kwestie van oefenen zijn voor ik in staat ben een groter volume en een grotere massa te vervoeren. Voor korte sprongen op Aarde zelf hebben de passagiers waarschijnlijk niet eens uitrusting nodig. Felice had dat ook niet.'

'Maar je zei dat we buiten de planeet zouden gaan?'

'We hebben de reserve-hersenversterker met de hele uitrusting die ik voor Hagen had bedoeld. We kunnen er meer bouwen of simpelweg een ruimtecapsule vervaardigen, Pat, begrijp je wat dat inhoudt? We hoeven niet langer te wachten tot we door een ras worden gered dat de Eenheid al kent. We kunnen onszelf redden!' Zijn stemming werd ineens ernstig. 'Maar dat is iets voor de verdere toekomst. Ik zal jullie allemaal uitleggen wat ik heb gedaan, morgen op de vergadering. Het betekent het einde van onze ballingschap. We zullen spoedig in staat zijn de basis te leggen voor de komst van de Mentale Mens. Wij allemaal! En dat geldt ook voor de kinderen, zodra ze de waarheid hebben ingezien.'

'Ja,' zei ze. 'Oh ja.'

Ze tilde zijn hand omhoog die ze nog steeds vasthield en beroerde de achterkant met haar lippen. Daarna zaten ze samen, dronken hun thee en keken naar de roze vlek van de dageraad boven de oostelijke horizon. Dat was, verzekerde Marc, een feilloos teken dat er beter weer op komst was.

2

Mooliane Kikkermaagd had de laatste hand gelegd aan de zomen en nu stond Katlinel in het midden van de paskamer om de pas voltooide creatie te laten zien. De kamer was overvol met de kleine wezens die aan de japon hadden gewerkt – naaisters, borduursters, strijksters en andere getrouwen – en die kwetterden allemaal onrustig toen de hoofdkleermaker, Bukin de Achtenswaardige, met toegeknepen lippen rond en rond de meesteresse van Nionel liep. Hij verschikte hier en daar een kanten ruche, zette een vergulde draad iets rechter en kwam nog dichterbij om een kritische zoom of een verdacht opgestikte kraal beter te bekijken. Maar ten slotte stapte hij achterwaarts, schraapte zijn keel en kondigde aan: 'Dit moet het dan maar zijn. Breng het kijkglas!'

Al de kabouterachtige kleermakers en naaistertjes piepten van vreugde en klapten in hun handen, klauwtjes of andere tactiele ledematen. Twee stevige deerns reden een driezijdige staande spiegel in de juiste positie en nu zag Katlinel zichzelf voor het eerst in de japon die ze dragen zou als gastvrouwe van het eerste Grote Toernooi.

Het was vervaardigd uit stevig wit weefsel met een mysterieuze weerschijn dat roze en geel en bleekgroen glinsterde als de binnenkant van een schelp. Het laag uitgesneden lijfje met de lange mouwen sloot zeer strak om het lichaam en dat zelfde gold voor de soepel vallende onderrok. Uit de verlaagd aangebrachte taille kwamen taps toelopende, door draad gesteunde tussenzetsels die eerst buitenwaarts bogen en bij de knieën weer samenkwamen. Ze leken op de gebogen bloemblaadjes van de nachtlelie. Daaronder bevond zich een rok van fijne goudkleurige kant, die onder de bloembladen uitkwam en prachtig geplooid viel. Goudkleurig kant omzoomde ook het paarlemoerachtige weefsel van mouwen en manchetten. Het hoofd en het decolleté van de Vrouwe van de Huilers werd bekroond door een fantastisch hoge kraag, ze droeg daarbij een fijnzinnig gouden gelaatsframe. Bij wijze van finishing touch was het gehele ensemble bestikt met kristallen kralen en briolettes die de telkens veranderende weerschijn van het weefsel nog eens weerspiegelden.

Katlinel draaide langzaam voor de spiegels rond en zag haar eigen beeld meervoudig weerkaatst in morgenroodkleuren, overwaasd door goud. 'Ik heb nooit eerder zoiets moois gezien,' zei ze. 'Dank jullie wel, beste vrienden en vooral jij, Bukin.' Ze boog voorover en kuste de goedaardige kabouter-couturier op zijn gerimpelde hoofd. Hij bloosde vanaf zijn nek tot aan zijn harige oortjes.

'Genadige Vrouwe Katy,' zei hij nors, 'mijn carrière beslaat drie eeuwen en ik heb in die tijd heel wat prachtige gewaden ontworpen. Iedereen weet dat ons zo slecht bedeelde volk hier in het Veelkleurig Land zijn gelijke niet heeft als het gaat om zaken van persoonlijke verfraaiing. Maar deze schepping is mijn meesterwerk, het mijne en van al de ambachtslui hier om ons heen.'

Een feeënstemmetje zong: 'Dat paarllamé is uniek!' En een ander viel in: 'Het goed krijgen van dat goudkleurige kant maakte ons bijna dol!'

Bukin schoof heen en weer op zijn voeten. 'Dit Grote Toernooi is het eerste in achthonderdzesenvijftig jaren waarin onze natie van Huilers mee zal doen, gelijk met onze niet-gemuteerde broeders. Wij willen dit doen met alle trots waarover we beschikken. En sinds we vooral zo trots zijn op u, zijn wij van plan vooral u te vereren voor heel die verzamelde menigte. Vrouwe . . . u bent een bloem, ontsproten aan het erfgoed van mensen en Tanu en u bloeit nu in een tuin die bizar en vreemd moet lijken. Maar wij verheugen ons u in ons midden te hebben. U troost ons met uw schoonheid en uw vriendelijkheid. Door het tonen van uw liefdevolle devotie voor onze Meester, de meest verschrikkelijk mismaakte van ons allen, hebt u ons nieuwe hoop gegeven. U hebt het nodig geoordeeld ons te danken voor deze gift, maar wij zijn degenen die u zouden moeten danken.'

'Dank u,' zuchtten al de monstertjes.

Toen ging de buitendeur van het atelier open en een groenharige spriet schreeuwde: 'Hij komt! Heer Sugoll komt eraan om onze Vrouwe te zien!'

Katlinel strekte haar armen uit toen de heer van de mutanten binnenkwam, groot en verschrikkelijk en op de voeten gevolgd door Gregory Prentice Brown, de menselijke geneticus, die straalde van genoegen toen de geliefden elkaar omhelsden.

'Ik was van plan deze geschenken te bewaren tot aan de vooravond van het Toernooi,' zei Sugoll. 'Maar ik denk dat het beter is ze nu te geven in het gezelschap van zoveel toegewijde vrienden. Greggie! De mand!'

Springend en met zijn armen maaiend als een opgewonden aapje kwam Greg-Donnet, Meester der Genetica, naar voren met een verzilverde doos van aanzienlijke afmetingen. Sugoll maakte hem open en terwijl de horde dwergachtige werkers siste en floot van verbazing, haalde hij een halsketting te voorschijn van uiterst zeldzame aurora-borealisstenen. Gelijktijdig werkend met twee tentakelachtige handen maakte hij deze vast net beneden de gouden halsring van zijn echtgenote. Een derde tentakel haalde een kroontje te voorschijn dat met dezelfde, vreemd weerschijnende stenen was ingezet. Katlinel nam het van hem aan en zette het boven op haar ingewikkelde kapsel.

'Nu ben je werkelijk onze koningin,' zei Sugoll.

De menigte groteske gedaantes juichte en scharrelde rond. Greggie boog de knie, kuste Katlinels hand en zei: 'Te gek. Helemaal te gek!'

'En nu,' zei de prins van de Huilers tegen zijn volk, 'zou ik jullie willen vragen ons een tijdje alleen te laten, want ik wil met mijn Vrouwe en Heer Greggie beraadslagen over staatszaken.'

'Lunchpauze . . . iedereen eruit!' riep Bukin. 'En vlug wat, jullie schelmen en ondeugden en zuiplappen!' De mutanten maakten dat ze wegkwamen en binnen enkele ogenblikken waren Heer Sugoll en zijn vrouw en Greg-Donnet alleen. De geneticus trok twee stoelen bij voor hemzelf en Katlinel terwijl de grote mismaakte op zijn gemak op de vloer ging zitten.

'Er zijn rare dingen aan de hand,' zei Sugoll. 'Koning Aiken-Lugonn heeft om gidsen van de Huilers gevraagd voor een expeditie naar Fennoscandia die op zoek moet gaan naar bepaalde zeldzame ertsen.'

'Waar kan dat voor zijn?' vroeg Katlinel.

De oude geneticus giechelde. 'Dat hebben wij ons ook al afgevraagd, lieve Katy! De mineralen waar het om gaat zijn gadoliniet en xenoliet, beide bronnen voor zeldzame elementen. Zijn Pokdalige Majesteit was aanvankelijk uiterst terughoudend over zijn behoefte aan deze eigenaardige substanties. Maar dat zijn behoefte werkelijk *dringend* was, bleek pas toen Heer Sugoll liet merken niet zo geneigd te zijn om mee te werken.'

'En waarom zou ik meewerken?' vroeg de heerser over de mutanten. 'Wat heeft hij de laatste tijd voor ons gedaan? Nog maar zeven weken voor het Toernooi en hij heeft ons nog niet eens de eerste aanbetaling gedaan van het Tanu-aandeel in de onkosten. Die zuinige kleine ekster! Misschien heeft hij zijn hele schatkist wel moeten plunderen voor dat schaamteloze Liefdesfeest in mei . . .'

'Zeldzame mineralen?' Katlinel die lid was geweest van het Gilde der Scheppers en aan had gezeten aan de Hoge Tafel, schudde vol verbazing haar met juwelen bedekte hoofd. 'Ik weet niet zo heel veel van chemie, maar genoeg om te kunnen zeggen dat er binnen de Tanu-technologie amper behoefte aan is.'

'Maar wel binnen het Bestel!' riep Sugoll uit. 'En toen ik de boot bleef afhouden, moest die gouden slimmerik uiteindelijk wel over de brug komen en me vertellen waar hij de spullen voor nodig had. Hij gaat een tijdpoortmachine bouwen!'

'Almachtige Tana!' fluisterde de Vrouwe. 'Toch niet . . . een poort die *in* een toekomstige wereld voert?'

Greg-Donnet knikte met wrange waardigheid. 'Het schijnt dat hij experts van over de hele wereld bijeen heeft gebracht en van plan is de poort weer te openen die de geduchte Madame Guderian in het slot had geworpen. De kans op het veroorzaken van ellende is formidabel.'

'Natuurlijk heb ik, toen ik de feiten eenmaal wist, onze volledige medewerking toegezegd,' zei Sugoll.

Katlinel staarde hem verstomd aan.

Greggie zei vriendelijk: 'Als het volk van de Huilers door de tijdpoort naar de wereld kan gaan waar ik vandaan kom, dan zouden hun gedeformeerde lichamen zonder twijfel kunnen worden hersteld, hun genen bijgestuurd zodat die weer zouden beantwoorden aan de normale Firvulag-standaard. Ik heb zelf een aantal zwakke pogingen gedaan tijdens mijn verblijf hier, maar mijn armzalige mogelijkheden hier zijn niets vergeleken bij die van het Bestel. Hun geleerden kunnen in enkele maanden doen waar ik tientallen jaren voor nodig zou hebben in mijn eentje in het Plioceen.'

'Ik kan nauwelijks geloven dat Aiken . . .' Katlinel zweeg ineens en schudde haar hoofd. 'Hij is duivels slim, dat weten we allemaal. Maar dit lijkt gewoon onmogelijk. Hij moet bezig zijn een of ander plan uit te broeden . . . misschien gebruikt hij dit tijdpoortgedoe alleen maar om Sharn en Ayfa af te leiden van hun oorlogszuchtige plannen.'

'Als dat zo is,' viel Sugoll in, 'moge Téah hem dan succes schenken. Een reden te meer voor ons om mee te werken. Ik heb Kalipin aangewezen om Aiken op die expeditie bij te staan, want hij heeft ervaring in de omgang met Minderen. Voor de technische hulp heb ik Ilmary en Koblerin uitgezocht, Koblerin de Knokker. Die weten meer over mineralen en waar je ze vinden kunt in het land achter de Barnstenen Meren dan wie ook.'

'Laten we onze mensen geen valse hoop geven,' pleitte Katlinel.

'Maak je geen zorgen,' zei Greggie. 'Ik zal doorgaan met mijn experimenten zoals ik tot nu toe heb gedaan.' Hij knipoogde opgewekt. 'Om de waarheid te zeggen, het ontwerp voor een Huidtank ziet er veelbelovend uit. Ik heb al verschillende vrijwilligers die het graag willen proberen.'

'Wanneer gaat de expeditie van Aiken op weg?' vroeg Katlinel.

'De eerste verkenners zijn binnen een paar dagen hier,' zei Sugoll. 'Vanaf Nionel zeilen ze naar het noorden naar de Grote Bocht van de Seekol en gaan dan over de Noordelijke Vlakten naar de Zee van Antwerpen.'

'Het zal hun maanden kosten om die mineralen te vinden,' zei Katlinel. 'Als het al lukt. En wat het bouwen van een tijdpoortmachine betreft . . . dat is gewoon te ongelofelijk!'

'Ik ben bang dat je gelijk hebt,' zuchtte de geneticus. 'Maar *als* het wel waar was . . .' Hij grijnslachte naar Katlinel en haar buitensporig monsterlijke echtgenoot. 'Ah, wat zou me dat een plezier doen om jullie tweeën mee te nemen op een grand tour door het Bestel. Dat zouden jullie prachtig vinden. Echt waar, dat zweer ik je.'

Kuhal Aardschudder zat op een glazen bank in een afgezonderd deel van de kasteeltuin te wachten tot zij zou komen. De avond was vervuld van geluiden: tsjirpende groene graskrekels, een nachtegaal die uit volle borst zong, vooruitlopend op de broedtijd van het najaar, belletjes van kristal die aan snoeren in de bomen hingen en op de achtergrond van dat alles geluiden van de mensenmenigte op de stadsmarkt, die een paar honderd meter lager op de heuvel lag, buiten de tuinmuren en van het kasteel gescheiden door een groene zone. Gedurende de regering van Kuhals oudere broer, Nodonn de Strijdmeester, waren avondmarkten verboden geweest, maar de overweldiger had dit allemaal schielijk veranderd om tegemoet te komen aan de verlangens van zijn eigen soort die er de voorkeur aan gaf te winkelen en rond te drentelen wanneer de meedogenloze Pliocene zon was ondergegaan. Nu wandelden grijzen en blootnekken op alle uren van de dag vrij rond, verstoorden de rust en bezorgden de schoonmaakploegen van rama's extra werk.

Een stevige maansikkel was rijzende. Vuurvliegjes dansten in de struiken rondom de vijver met lelies. Boven in het Glazen Kasteel laaiden de gekleurde vensters van het sprookjeslicht en lieten de lijnen zien van de pas herstelde toren en borstweringen. De koning, die in de namiddag triomfantelijk uit Calamosk terug was gekomen, gaf een feest om de Noord-Amerikanen voor te stellen aan de leden van de Hoge Tafel en aan de bloem en de adel uit Goriah. Kuhal zelf was daar fatsoenshalve even geweest, maar had kans gezien zich naar dit rendez-vous terug te trekken.

En nu kwam ze eraan.

Hij kwam van de bank overeind en voelde haar koele onderzoekende gedachte. Ze kwam van tussen een groepje wilgen te voorschijn, een vreemd ongewoon figuurtje, gekleed in een futuristisch diamanté pakje van satijn, haar geest zorgvuldig afgesloten.

Cloud, zei hij, terwijl zijn geest zich voor de hare opende.

Toen stonden ze bij elkaar, zonder elkaar fysiek aan te raken. Haar onderzoekende sonde, zacht als een vlindervleugel, werkte snel. Hardop zei ze: 'Wel, je bent nu ten slotte werkelijk helemaal beter. Beide hersenhelften goed op elkaar afgestemd, al je metavermogens weer terug. Je smart opgeborgen in de herinnering waar hij thuishoort. Het vechten van een verloren strijd en dan bij wijze van boetedoening de Augiasstallen van koning Aiken uitmesten, lijkt je goed te doen. Ik zou zo zeggen dat je nu weer een normaal mens bent.'

'Alleen wanneer jij bij me bent,' zei hij, 'en mij lijkt het alsof we eeuwen gescheiden zijn geweest.'

'Minder dan drie weken!' antwoordde ze. Ze lachte en ging iets achteruit. Zijn gezicht bevond zich in de schaduw en zijn blonde haren waren in de war. Voor de eerste maal sinds het Grote Liefdesfeest droeg hij de roze-gouden gewaden van Tweede Heer der Psychokinetici.

'Het lijkt nauwelijks mogelijk,' zei hij, 'zoveel verschrikkelijke dingen zijn er gebeurd.'

'Wel, je ellende is nu voorbij. Je bent andermaal lid van de Hoge Tafel in ruil voor verleende diensten.' Haar stem was egaal geworden en haar mentale schild harder. 'Wat ben je nu van plan?'

'Hem dienen,' antwoordde Kuhal. 'Zoals ik gezworen heb. Hij stuurt me binnenkort weg naar Roniah om wapens bijeen te brengen en kasteel Doortocht en omgeving veilig te maken zodat de bouw daar kan beginnen. Een taak met grote verantwoordelijkheid.'

'Zonder twijfel,' zei ze kortaf. Ze draaide zich om en keek naar de vijver. 'Veel geluk.'

Hij was stomverbaasd. 'Cloud, wat is er? Ik dacht dat je je op deze ontmoeting zou verheugen, net als ik. Heeft mijn onderwerping aan de koning je misnoegen opgewekt? En is er daardoor iets tussen ons veranderd?'

Ze droeg een sjaal van zijdezacht gesponnen wol die ze nu dichter om haar schouders trok, hoewel het een warme avond was.

'Er is niets tussen ons, Kuhal . . . behalve dan misschien een kleine emotionele overdracht die heel gewoon is in een patiënt-genezerrelatie . . . Dus jij gaat naar Roniah? Hoe snel?'

'Overmorgen. Maar het werk hoeft niet lang te duren en we kunnen manieren vinden om toch bij elkaar te zijn.'

'Nee,' zei ze afwezig en leek ineens helemaal in beslag genomen door het zien van een grote witte reiger die tussen de waterlelies doorstapte, speurend naar kikkers.'Ik denk niet dat we elkaar nog weer zullen zien nu jij beter bent. Ik blijf hier in Goriah om te zorgen dat de gerekruteerde geleerden zich goed blijven gedragen. Een aantal van hen is helemaal niet zo enthousiast over het Guderian-project. Maar we moeten het werk afmaken zo snel als we kunnen en ik heb geen tijd voor pleziertjes. Je hebt me echt niet meer nodig, Kuhal, en ik heb jou zeker niet nodig.'

Hij lachte, een laag en rustig geluid. Toen strekte hij met de grootst mogelijke behoedzaamheid zijn psychokinese naar haar uit. Ze voelde hoe ze een paar centimeter van de grond werd opgetild en in de lucht werd omgedraaid zodat ze hem aan moest zien. Hij had zich op een knie laten zakken zodat hun ogen zich op dezelfde hoogte bevonden, maar er was geen spoor van onderworpenheid in hem toen hij zei: 'Je liegt tegen mij, Cloud Remillard! Terwijl je je geest verborgen houdt! Ik weet dat je *wel* om me geeft, anders zou je geen tranen in je ogen hebben gehad toen je deze avond aan de Hoge Tafel werd voorgesteld. En je zou er anders ook niet in hebben toegestemd mij hier te ontmoeten.'

'Zet me neer!' riep ze woedend. 'Jij grote barbaarse lummel!'

Haar geest beukte op de zijne, maar ze was niet in staat zich te bevrijden uit die vernederende opheffing, zijn bedwingende kracht was gelijk aan de hare. Na een paar lange seconden liet hij haar zakken, nog altijd glimlachend in haar van woede vertrokken gezicht.

'Je liegt,' herhaalde hij. 'Geef het toe.'

Haar mentale afweerscherm bibberde. Woede maakte plaats voor een ingewikkelder emotie. 'Misschien geef ik om je . . . een beetje. Maar sinds ik weer terug ben bij mijn eigen mensen heb ik de tijd gehad om na te denken. Om onze situatie te analyseren in het licht van wat er straks gebeuren gaat.'

'Je bedoelt in het licht van je vastbeslotenheid om uit deze wereld naar de toekomstige van het Bestel te gaan?'

Ze schreeuwde het uit. 'We zullen het doen en anders zullen we sterven bij het proberen! Jij kunt op geen enkele manier begrijpen wat wij hebben doorgemaakt, hoe wanhopig vastbesloten we zijn om te ontsnappen!'

'Ik weet dat jullie niet geaarzeld hebben de meesten van mijn eigen ras te doden toen we jullie in de weg leken te staan.'

'Ja,' gaf ze toe en nu werd haar afweerscherm vrijwel doorzichtig en liet de gloed van schuldgevoel zien door de vastbeslotenheid heen. 'En jij zult dat nooit kunnen vergeten. Maar dat is maar een deel van het probleem.'

'Ik houd van jou, ondanks alles. We zullen samen naar het Bestel gaan.'

Ze liet een kleine, verstikte kreet horen. Een beeld kwam uit haar bewustzijn te voorschijn, bijna kinderlijk komisch, dat ze vergeefs probeerde te onderdrukken.

'Wat,' vroeg hij met verwonderde waardigheid, 'is een basket-ballspeler?'

Ze barstte in lachen uit, begon daarna te huilen en wierp zich in zijn armen. 'Het is een grap,' zei ze ellendig, 'een gemene, wrede grap. Die verdomde Hagen . . . hij speculeerde hoe we ons leven in het Bestel zouden doorbrengen, hoe het zou *kunnen* zijn als wij tweeën naar het Bestel gingen.'

'Ik begrijp het niet,' zei hij tegen haar. Maar zijn geest zong. Ze *had* gelogen!

'We verschillen te veel,' zei ze, hem wegduwend. En hij nam een toenemende kern van duisterheid waar te midden van helderheid. 'Ondanks al die onbeschofte pogingen tot humor, had Hagen in principe gelijk. Vroeg of laat zouden we eindigen met elkaar te verachten . . . of nog erger.'

'In Afaliah,' herinnerde hij haar, 'stelden die lichamelijke verschillen niets voor vergeleken bij de overeenkomst tussen onze geesten.'

Ze trok zich terug en begon de weg terug te lopen die ze gekomen was. 'Toen wij in Huid waren, waren we twee gewonde schepsels, allebei in nood. We likten elkanders wonden. Beiden eenzaam. Beiden . . . hadden we iemand verloren. Maar nu is die nood voorbijgegaan. Wij zijn met elkaar klaar, Kuhal. Ik ga nu!'

Hij volgde haar. Zij begon vlugger te lopen, rende toen bijna, maar zijn lange buitenaardse benen hadden geen moeite haar bij te houden. Ze kwamen in de schaduw van de bomen waar het maanlicht zo spaarzaam was als een handvol weggeworpen munten. Hij greep haar met beide handen, boven haar uitstekend als een vreeswekkende geest uit de wouden en ze probeerde wanhopig hem te ontduiken. 'Niets van wat je zegt heeft te maken met de echte reden waarom je mij verwerpt! Waarom, Cloud? *Waarom?*'

Zij zei: 'Fian.'

Er klonk verbazing door in zijn stem toen hij vroeg: 'Je zou mij verwerpen om mijn dode tweelingbroer?'

'Hij was meer dan een broeder voor jou!'

'Hij was de geest van mijn geest . . . en hij is gestorven.'

'Ik ben niet van plan zijn plaats in te nemen,' zei ze. 'Nooit!'

Haar mentale stoot trof hem onverwachts en toen hij weer tot zichzelf kwam, stond hij daar alleen met enkel haar sjaal in zijn handen.

De koning was de feestelijke bijeenkomst moe geworden die, om de waarheid te zeggen, niet zo'n succes was. De jonge Noord-Amerikanen gaven weinig om dansen en drinken en al de voorbereidingen die aan zoete hofmakerij voorafgingen; zij gaven de voorkeur aan ernstige gesprekken met technici en geleerden die bijeen waren gebracht voor het Guderian-project. Tegen middernacht, toen de stemming er eindelijk in had moeten zijn, was de balzaal half leeg en speelde het orkest voornamelijk voor zichzelf. De gasten die toch gebleven waren, waren vooral mensen, diep verzonken in doodvervelende conversaties.

'Naar de hel ermee,' mompelde Aiken en hij liep terneergeslagen eerst naar de grote foyer en vervolgens naar buiten om een frisse neus te halen. Daar vond hij Yosh Watanabe en Raimo Hakkinen die net in een wachtende koets stegen.

'De stad in?' vroeg de koning. 'Kan niet zeggen dat jullie ongelijk hebben. Boven is er geen lol aan.' Hij zuchtte somber.

'We waren een kroegentocht van plan,' zei Yosh. 'Maar eerst gaan we een bezoek brengen aan mijn neputafabriekje. Ik ben zo lang uit de stad geweest, de jongens hebben de boel misschien verpest. Af en toe een onverwachtse inspectie, dat zal ze goed doen. Trouwens, de winkel ligt pal naast ons geliefde drankhol, de Zeemeermin.'

Aiken stak een hand op. 'Nou dan, maak er een leuke avond van, jongens.' Hij begon zich om te draaien.

Raimo zei impulsief: 'Aik. Ga mee! Vergeet die koninklijke rotzooi es voor één nachtje!'

'Ik zou jullie avond bederven.'

'Laat alleen die koninklijke soepjurk vallen,' suggereerde Raimo.

'Bedoel je dit?' vroeg Aiken. Er was een onderdrukte flits. Zijn prachtige gouden kostuum verdween. Hij droeg ineens een gerafelde korte kakibroek, halfhoge surfschoenen met beweegbare teenstukken en een groezelig geel t-shirt waarop gedrukt stond *DALRADIA WINDSURFER RACING TEAM*. Zijn snel herkenbare gelaatstrekken waren verborgen onder een ouwe strohoed en hij droeg een zilveren halsring rond zijn nek.

'Klim erin, jong,' zei Raimo. 'Dan laten we jou de grote stad es zien.' Hij zette de hellad aan en daar gingen ze bolderend over de glazen ophaalbrug de bochtige weg op die door het kasteelpark voerde. Zelfs nog voor ze op de boulevard kwamen die ten slotte eindigde op de centrale Handelsrotonde, hoorden ze al het lachen en schreeuwen van de slenteraars, het geroep van de verkopers en de muziek van muzikanten met fluiten en violen en elektrische accordeons.

De rotonde was zo overvol dat hun rijtuig maar met een slakkegang vooruitkwam. De meeste wandelaars waren mensen, maar er liepen ook genoeg Tanu en Aiken herkende een aantal Zeer Verheven Personages die zich vanwege dringende zaken al excuserend vroegtijdig van zijn eigen feest hadden teruggetrokken. Al de winkels langs de buitenste rand van de rotonde waren open en het midden was overvol met de kleurrijke stalletjes van zelfstandige handwerkslui en leveranciers van noviteiten, bloemen, tweedehands spullen uit het Bestel en soortgelijke.

'Ik mis iets.' Raimo fronste zijn voorhoofd en dacht na. Toen knipte hij met zijn vingers. 'De kooplui van de Firvulag! Herinner je je dat, Yosh? Voor we met de karavaan naar Bardy-stad gingen, was de rotonde 's nachts goed bezet met Firvulag-verkopers. Door de Wapenstilstand kwamen ze uit de omringende bossen te voorschijn om hun kralen en bellen en rare paddestoelen en nog koppiger drankjes te verkopen. Maar ze zijn er dit keer niet . . .'

Yosh wierp een blik op de koning, die alleen maar fronsend knikte.

'IJs! Frambozenijs!' riep een neuzelende stem.

'Dat klinkt goed,' zei Raimo enthousiast. 'Wat denken jullie ervan, jongens?' Hij ging op de bok staan, liet een oorverdovend fluitje horen en stak drie vingers omhoog. De verkoper grijnsde toen een muntstuk over de hoofden van de mensen heen naar hem toezweefde. Even later bracht Raimo's PK drie bekers gevuld met roze slobber veilig naar de calèche. Daarna reden ze verder, genietend van hun ijs.

'Verdomd lekker,' zei de koning, terwijl hij zijn lippen aflikte. 'We zouden die grapjas tijdens het Grote Toernooi moeten sponsoren. Zorgen dat-ie een verversingstandje krijgt met een hoop verschillende smaken ijs. Zo'n nieuwigheid zou de liefhebbers een hoop lol bezorgen.'

'Ik zal ervoor zorgen,' zei Raimo, 'die ouwe Guercio zal van gekkigheid niet weten wat-ie doet.'

Hij stuurde het rijtuig een zijstraat in. Hoewel het hier minder druk was dan op de rotonde, was het er nog altijd overvol met wandelaars op weg naar de beroemde taveerne de Zeemeermin en andere plaatsen van vermaak.

'De werkplaats is hier,' zei Yosh, terwijl hij zich omlaagboog en hard met een brons beklede samurai-waaier op een poortdeur bonsde. Twee rama's wierpen de poortdeuren wijd open en Raimo reed de calèche naar binnen. Toen de deuren zich weer achter hen sloten, zakte het lawaai zeker met zestig decibel! De binnenplaats was vaag verlicht door twee hangende blakers met brandende olie.

'Om deze tijd is er natuurlijk niemand,' zei Yosh terwijl ze uit het rijtuig stapten. 'Maar de apen maken de boel wel open.' Hij richtte zich ervaren telepathisch tot de twee kleine aapachtigen. De één haastte zich om de deur te ontsluiten die toegang gaf tot iets dat

214

eruitzag als een boerenschuur terwijl de ander ergens een 22e-eeuwse lantaarn vandaan haalde.

Ze stapten de werkruimte binnen en Aiken liet een uitroep van verbazing horen bij het zien van de geweldige lappen papier die langs de muren en vanaf de zoldering hingen. Ze waren allemaal beschilderd met ingewikkelde, levendig draaiende figuren die in een strijd op leven en dood gewikkeld leken.

'Dit ziet eruit als weer een fabriek voor vliegers!' zei Aiken.

'Warm, maar niet heet,' antwoordde de samurai-krijger. 'Neputa zijn geen vliegers, maar reusachtige lantaarns die vroeger in de Japanse stad Hirosaki op de Oude Aarde werden meegedragen in de traditionele oogstoptocht. Ik heb het ontwerp iets veranderd en daardoor kunnen deze rijden op onderstellen met wieltjes. Maar het zal fantastisch zijn, geloof me maar.'

Hij liet hun een tekening zien die nog niet af was en plat op de onberispelijk schone vloer lag. Deze had ongeveer de vorm van een waaier en was circa zes meter hoog. Op het speciale papier stonden sierlijke, bloeiende bomen en een Tanu-ridder op zijn strijdros. Die waren weergegeven met krachtige stroken in zwarte sumi-inkt, waardoor de tekening enigszins het effect kreeg van een afbeelding in glas-in-lood. Sommige details van de afbeelding waren ingevuld met hete was; die delen zouden doorzichtig blijven wanneer met textielverven kleur aan de tekening werd toegevoegd.

'Redelijk penseelwerk,' zei Yosh. Hij wandelde rond, gaf commentaar op de al voltooide tekeningen die een uitgebreide verzameling te zien gaven van Japanse en Tanu-motieven en vrije onderwerpen.

'We kunnen deze lantaarns in onderdelen naar het Veld van Goud verschepen,' zei Yosh. 'Wanneer een neputa in elkaar is gezet, heb je twee grote tekeningen voor en achter en twee kleinere decoraties aan de zijkanten. De verlichting is afkomstig van honderden kaarsen die in glazen houders in het dragende buiswerk worden vastgezet. Wanneer in een parade zestig of zeventig van deze dingen in het rond worden gedragen onder de muziek van fluiten en trommels, dan kun je rekenen op een spektakel dat in de herinnering blijft hangen.' Hij knipoogde naar de koning. 'En het is bijzonder goedkoop!'

'Ik vind het prachtig!' riep Aiken uit. 'Laten we een borrel gaan halen om het te vieren.'

'Zullen we het rijtuig hier laten. Dan staat het nergens in de weg,' stelde Raimo voor. Ze volgden de rama's naar buiten.

'Dat klinkt goed,' zei Aiken. Op de binnenplaats zond hij een van de apen vooruit om de hoofdpoort open te maken en toen slipten de drie mannen naar buiten.

'Opzij!' schreeuwde iemand. 'Maak ruimte!' Een afdeling grijzen in halve wapenrustingen en de violette livrei van iemand der vérvoelenden begon de voetgangers niet al te beleefd uit de weg te werken zodat een grande dame van de Tanu op een enorme witte chaliko ongehinderd verder kon rijden.

'Opzij voor een Zeer Verheven Personage!' schalde de kapitein, terwijl hij Aiken tegen de muur kwakte. Raimo en Yosh, met hun gouden halsringen, werden net een graadje minder onbeleefd behandeld.

'Sluier of niet, mentaal scherm of niet, ik ken dat mens,' gromde Aiken Drum. 'Dat is Morna-Ia, die zei dat ze aan een verschrikkelijke migraine leed toen ze omstreeks elf uur in het kasteel afscheid nam.'

'Nou, het ziet er naar uit dat ze de late avondshow in de Byou probeert te halen,' zei Raimo, die zijn nek uitrekte om de dame te kunnen volgen. 'Ik vraag me af wat er vanavond gespeeld wordt.'

'*The Maltese Falcon*,' zei een voorbijganger, een blootnek. 'Klassieke tweedimensionale film. Zwartwit, maar puur dynamiet!' Hij verdween in de menigte.

En toen, op die onvoorspelbare manier waarop dat soms met menigten gaat, was er ineens ruimte. Er vormde zich een open toegang van zeker dertig meter vanaf het begin van de rotonde. Aiken zag de verkoper van frambozenijs met zijn karretje voorbijkomen, en vervolgens halthouden voor een klant, een zeer grote man met krullend grijs haar, gekleed in een bruin hemd en broek en met de gele sjaal om de nek, de standaarduitrusting van de elitegarde. Het shirt zat hem iets te strak om de schouders alsof hij het had geleend van een minder zwaar gebouwde vriend. Toen hij voor zijn ijs had betaald, begon hij daar met zichtbaar genoegen van te eten, knikte op een vriendelijke manier lichtjes toen hij Aikens blik opving en verdween vervolgens in de krioelende mensenmassa.

'Oh, mijn God,' zei de koning.

'Chef,' fluisterde Yosh. 'Ben je in orde. Je ziet zo . . .'

Aiken haalde diep adem, trok toen de strohoed van zijn hoofd en vertrapte die grondig op de straatkeien.

'Aik . . . wat is er voor de donder aan de hand?' gooide Raimo eruit.

'Tijd om naar de Zeemeermin te gaan,' vertelde Aiken zijn vrienden met opeengeklemde tanden, 'en om heel, heel erg dronken te worden.'

Hij liep weg, Raimo en Yosh keken elkaar even aan, haalden de schouders op en volgden hem toen.

'Hoe lang,' vroeg Elizabeth aan Marc, 'ben je van plan te blijven?'

'Vijf uur moet genoeg zijn om een behoorlijk begin te maken.' Hij keek neer op het slapende kind in het bedje. 'We moeten eerst afwachten hoe hij reageert op de toegenomen druk van de genezing. Tijdens mijn volgende bezoek hoop ik wat meer tijd met jou door te brengen. Maar deze avond,' hij glimlachte bij de herinnering, 'heb ik een klein uitstapje gemaakt voor ik hierheen kwam. Dit Veelkleurig Land is een interessante plek. Ik wil er graag met je over praten.'

Ze keek naar de natte coverall met de ingebouwde metalige monitoren en de kabeltoegangen en voelde zich niet op haar gemak. Voor de eerste keer zag ze nu de lijn van zeer kleine wondjes boven zijn wenkbrauwen. 'Er zit bloed op je voorhoofd. Raakte je gewond op je uitstapje?'

Hij wuifde onverschillig met een gehandschoende hand door de lucht. 'Die zijn afkomstig van de naalden van de hersenversterker. Niet meer dan muggesteken. Ze genezen zichzelf in een paar minuten . . . Ben jij niet vertrouwd met de werking van cerebro-energetische versterkers, Grootmeesteres?'

'Die zijn nu binnen het Bestel verboden. Ze worden als riskant beschouwd voor de gebruiker.'

Marc lachte alleen maar.

Elizabeth zei op formele toon: 'Misschien wil je kleren die wat gemakkelijker zitten?'

'Dat is attent van je. Op mijn laatste halte was ik gedwongen iets bruikbaars te stelen.'

Haar stem klonk gewoontjes. 'Dan kun je dus niet alles met je meenemen op zo'n d-sprong?'

'Nog niet. Maar ik ben ermee bezig.'

Zonder haar ogen van hem af te wenden, liep Elizabeth naar de deur van de kinderkamer en deed die open. Buiten op de gang, onverstoorbaar wachtend en zijn rozenkrans tellend, zat de oude, robuuste franciscaner monnik. Hij keek verwachtingsvol omhoog.

'Broeder Anatoly,' zei Elizabeth, 'mag ik je Marc Remillard voorstellen.' Anatoly kwam overeind, borg zijn rozenkrans weg en staarde. Marc boog licht. 'Onze bezoeker heeft andere kleren nodig, Broeder,' ging Elizabeth verder. 'Misschien wil jij zo goed zijn iets voor hem uit te zoeken en hem dan hierheen terugbrengen? En . . . oh ja, we zouden het prettig vinden wanneer jij de komende sessie bijwoont.'

Marc was geamuseerd. 'Aanbevelenswaardige behoedzaamheid, Grootmeesteres.'

Haar mond verstrakte. Ze trok zich in de kinderkamer terug en sloot de deur, beide mannen op de gang achterlatend.

'U maakt haar onrustig,' merkte Anatoly vriendelijk op.

'En jij? Of voel jij je beter bestand tegen het monster achter je pantser van rechtvaardigheid en onder de helm van de uitverkorene?'

'Ik zou bang moeten zijn,' gaf Anatoly toe, terwijl hij Marc een teken gaf om hem te volgen. 'Maar ik ben eerder geïntrigeerd. Ik ben naar het Plioceen gekomen drie jaar voor uw beroemd geworden Rebellie. Toen u nog een grootmeester was van de allereerste orde die het Menselijke Staatsbestel hielp om de nietsvermoedende buitenaardse leden van het Concilie van verbazing uit hun schoenen te laten springen. Die waren er toen nog niet precies achter wie wij waren. Toen was u nog een held, de kampioen van de ideeën over de Mentale Mens.'

'En wat ben ik nu?' vroeg Marc op plezierige toon.

'Ongeveer van mijn postuur, zou ik zeggen. Als ik u nu eens mijn zondige heidense zijden kamerjas leen en en een werkbroek voor de tuin? Wanneer u de volgende keer weer komt, zal ik zorgen dat er iets beters is dat echt het uwe is. Wat zou u zeggen van een witte das met smoking of de kleren van de tovenaar uit de *Faust*?'

'Wat ben ik, Broeder Anatoly?'

Tegengehouden door een onweerstaanbare bedwingende kracht, moest de oude priester zich inspannen om over zijn schouder te kunnen kijken. 'We zijn bijna bij mijn kamer. Waarom niet even gewacht met door mijn kop te zoeken tot we daar zijn? Me hier in de gang binnenstebuiten keren is een beetje onbeleefd.'

'Zoals je wilt.' De greep verdween en ze gingen verder.

'Wat doe jij hier op de Zwarte Piek, Broeder?'

'Ik ben haar biechtvader.' De oude man grijnsde ironisch. 'Ze heeft tot nu toe nog niet bepaald van mijn priesterlijke functies gebruik gemaakt, maar ze heeft me ook niet buiten de deur gezet. Ik heb buiten die kinderkamer elke dag op u gewacht van negen uur 's avonds tot drie uur in de ochtend. Nu twee en een halve week lang. Haar opdracht. Denkt u dat zij van me verwacht dat ik de duivel bij u uitdrijf of zoiets?'

Marc lachte van ganser harte. 'Over een paar minuten kun je je kans waarnemen.'

Ze gingen een smalle achtertrap op. Anatoly zei: 'Dus jullie gaan samen het genezingsproces van Brendan intensiveren. Denkt u dat die kleine knaap het haalt?'

'Het enige dat we doen kunnen is proberen.'

De monnik wierp een slimme blik op de figuur in het zwart die hem volgde. 'En ik vraag me af *waarom* u het probeert.'

Marc gaf geen antwoord.

'Is het kind alleen maar een excuus?' Anatoly opende een deur boven aan de trap. Ze kwamen in een ruim vertrek onder de dakbalken van het chalet met hoge vensters aan één zijde. Toen ze binnen waren en de deur dicht, zei Marc: '*Nu*.'

Anatoly klemde zijn tanden op elkaar en stond stram als een paal met zijn ogen stijf dichtgeknepen. 'Schiet op, verdomme.'

Hij voelde hoe de bedwingende en onderzoekende impulsen bij hem binnendrongen. Zijn schedel begon ervan te tintelen en achter zijn gesloten oogleden werd een daverend neuraal vuurwerk afgestoken. Terwijl het onderzoek voortging, begon hij het contact met de werkelijkheid te verliezen. Even later vond hij zichzelf weer terug, heel ontspannen in het midden van de zitkamer staande. Er klonken geluiden uit zijn badkamer waar iemand 'Le veau d'or' floot. Anatoly zocht tot hij de prachtige rode brokaten kamerjas en de verbleekte tuinbroek had gevonden en hing die toen aan de deurhaak. Daarna liep hij het balkon op en sprak de tekst van het Eerste Mysterie onder het licht van de sterren om zijn zenuwen weer in bedwang te krijgen. Gethsemané. Bloedig zweet. Wat te doen als hij erom vraagt? Al die Remillards waren katholiek. Als het mogelijk is, laat deze beker aan mij voorbijgaan. *Weet deze man zelfs wel dat het een zonde was?*

'Het was geen zonde, enkel een zwakheid, Anatoly Severinovich. "En zelfs als mijn legers vielen en werden vermorzeld, dan nog was het winst een verheven onderneming tenminste te hebben gewaagd".'

De priester keerde zich om om de uitdager van een universum aan te zien. 'Dat is pas echt interessant. Tweeënveertig jaar ben ik lid van mijn heilige Orde, dan hoor je alle zonden uit het woordenboek wel. Maar zichzelf voor een Engel houden! Dat is een zeldzaamheid!' Zijn blik viel op de met littekens bedekte borst van Marc. 'Is dat ook winst van de verheven onderneming?'

'Helemaal niet. Slechts de sporen van een recent ongeluk. Ze zullen over een paar maanden verdwenen zijn. Mijn lichaam geneest en verjongt zichzelf.'

'Dus u kunt de gieren verwaarlozen die aan uw lever vreten? En toch . . . dat moet een verschrikkelijk soort veiligheid zijn. Eenzaam ook, op de lange duur. Wel, als u me ooit nodig hebt, ik ben in de buurt. Ik heb haar dat ook verteld, hetzelfde geldt voor u.'

Marcs gezicht stond uitdrukkingsloos.

'Luister naar mij, Anatoly Severinovich. Ik zie dat je het goed bedoelt en je bent een goedhartig mens. Maar verbeeld je niet dat je je met mijn zaken kunt bemoeien.'

'Ga me niet vertellen dat u zover heen bent dat u een arme oude priester zou doorbranden die alleen maar voor u bidt?'

'Bewaar je gebeden maar voor Elizabeth. Ik heb die niet meer nodig. En laten we nu maar naar beneden gaan.' Hij draaide zich om en liep naar de deur terwijl Anatoly achter hem aankwam.

'Nu, ne mudiy, mijn zoon. Uw broeder Jack zou u zoiets nooit hebben laten zeggen.'

Marc stond stil. Zijn stem klonk dodelijk rustig. 'Voor een man die naar het Plioceen kwam voordat mijn broeder . . . algemeen bekend raakte, lijk je vreemd op de hoogte van zijn geestesgesteldheid.'

'Het komt door het horen van al die biechten,' zuchtte de priester. 'U zou ervan staan te kijken wat voor soort mensen allemaal deze tijdreis ondernomen hebben om de werkelijkheid te ontvluchten. Of misschien ook niet. Maar ik weet heel wat meer over u dan mijn herinneringen u hebben verteld, mijn zoon.' Hij glimlachte bemoedigend. 'De eenzaamheid bijvoorbeeld. Is dat de werkelijke reden waarom u hierheen bent gekomen? Hopend een andere meta te vinden die u als een mens zou willen zien in plaats van als een gevallen engel?'

'Een heel interessante vraag,' zei Marc Remillard. 'Laten we beiden proberen het antwoord te vinden.' Met zijn coverall over de arm ging hij lachend naar buiten.

3

Té zij geprezen, het was een prachtjaar voor reuzenslakken!

Purtsinigelee Sproetenbuik kakelde van tevredenheid toen hij het deksel van schors optilde van de laatste schotel met verschaald bier. Die zat vol met plompe slakken, amberkleurig met grijze vlekken. Iedere slak was ongeveer zo groot als de bananen die de Minderen kweekten op de plantages in de omgeving van Var-Mesk, maar heel wat sappiger en voedzamer. Iedere schotel langs de hele lijn waar hij ze had uitgezet, zat er vol mee. Aangetrokken door de verleidelijke geur van de hop, kropen ze over de bodem van het regenwoud in deze bergvallei de mossige stompen op waar de schotels stonden. Nadat ze zichzelf verrukkelijk hadden bezopen, vielen de slakken in het bier en verdronken. Dat was een gemakkelijke dood en Purtsinigelee, die een vredelievende dwerg was, dacht daar vaak filosofisch over na wanneer hij zijn dagelijkse ronde door het dal van de Gresson maakte. Later, nadat ze in het zuur waren gezet en weggeborgen in kleine vaatjes, vormden de slakken niet alleen een proteïnerijk voedsel voor zijn gezin wanneer de winterstormen van de Zwitserse Alpen naar beneden kwamen, maar ook waardevolle ruilwaar. De wat meer verwende Firvulag in westelijk Famorel betaalden een stevige prijs voor eersteklas slakken die aan het eind van het seizoen waren gevangen. Zulke delicatessen kwamen misschien zelfs wel terecht op de tafels van koning Sharn en koningin Ayfa tijdens het Grote Toernooi van dit jaar. Purtsinigelee hoopte dat dat het geval zou zijn; zelf was hij niet graag van huis weg, maar het was bevredigend om te denken dat sommige van zijn slakken gegeten zouden worden in de hoogste sociale kringen . . .

Een opgewekt wijsje neuriënd deed hij het laatste beestje in de draagzak van huid over zijn schouder. De vloeistof uit de schotel goot hij er ook in, deed er nog wat meer verschaald bier bij en sloot daarna het deksel zorgvuldig. Daarna ging hij naar huis en naar zijn middagmaal, voortstappend over een spoor dat doordrenkt leek van de mist. De rododendrons dropen van het water en de vogels en de rama's maakten een flink kabaal bij de rivier.

Na een tijdje kwam hij uit de dicht beboste kloof in meer open, rotsig terrein. De mist trok op naarmate de zon hoger steeg en het werd een koele, maar prachtige septembermorgen. De weiden waren bezaaid met bloemen, de hemel was zo intens blauw dat het pijn deed aan zijn ogen. Aan de noordelijke horizon verrees de verbazingwekkende bergketen van de Alpen in al haar verbluffende pracht. De Firvulag uit Famorel noemden haar de Godinnebergen, niet alleen vanwege hun schoonheid, maar ook omdat sommigen van de Eerstkomers volhielden dat deze met sneeuw bedekte pieken gelijkenis vertoonden met het voorouderlijk grondgebied van het Kleine Volk op het verloren Duat. Nergens waren de bergen op de Pliocene Aarde hoger dan hier.

Purtsinigilees huis was gelegen op een hoogte met een ver uitzicht, zoals dat meestal het geval was bij afgelegen wonende Firvulag in gebieden waar geen grotten waren. Het lag net onder de rand van een bergkam die het dal van de Gresson scheidde van de rivier de Ysez in het oosten. Een ogenblik stilstaand op het pad, tuurde hij naar het gerieflijke kleine huisje dat ruwweg de vorm had van een stenen bijenkorf en dat te midden van door de wind verwrongen pijnbomen en dwergeiken stond aan de oever van een klein bergmeertje. En daaromheen . . .

Hij jammerde het uit van wanhoop en snelde achter de beschutting van een grote rots. *Machines!* Barmhartige Té . . . allerlei vreemde uitvindingen hadden zijn huisje omsingeld! Behoedzaam stak hij zijn vérziende vermogens uit en merkte toen ook dat er redelijke aantallen mensen bij waren. Ramp na ramp! De Aartsvijand zat hem op de hielen! Hij kreunde luidkeels en liet de zak met slakken vallen die met een drassig geluid op de grond kwamen.

'Mijn arme Hobbino . . . en de kinderen! Moge de Godin hen beschermen!'

Met bonzend hart kroop hij achter het rotsblok vandaan naar de bescherming van een laaggroeiende jeneverbes. Er leken zeven machines te zijn, voertuigen die op karren leken met acht dikke wielen aan elke kant. Overal staken er dingen uit waarvan hij de functie niet kon raden en ze hadden allemaal veel smerige vensters die stoffig glommen in de zonneschijn. Ze waren ongeveer twee keer zo hoog als hijzelf en vier maal zo lang. Hij zag ridders van de Tanu in volle wapenrusting, maar ook blootnekken en Minderen met halsringen, die de deur van zijn huisje in en uit liepen en over zijn grond gingen alsof het hen allemaal toebehoorde, de smerige misbaksels! Té alleen mocht weten wat voor schandaligheden daar inmiddels bedreven waren!

Terwijl hij probeerde zijn geschokte zenuwen in bedwang te krijgen, waagde hij het erop de naam van zijn vrouw te roepen over haar persoonlijke golflengte. Zoals hij al had gevreesd, kwam er geen antwoord. De muren van het huis waren dik en hielden vrijwel elke telepathische oproep tegen. Hij overwoog zijn kinderen aan te roepen, maar zijn twee zoons en drie dochters waren allemaal onder de tien jaar en volkomen onervaren in het oprichten van een mentaal scherm. Ze zouden zijn aanwezigheid binnen de kortste keren aan de Aartsvijand verraden.

Hij lag daar enige tijd, overweldigd door tegenstijdige gevoelens terwijl hij de zak met slakken in paniek tegen zich aanklemde. Toen deed hij andermaal een poging zijn moed weer te verzamelen. Wat deed de Aartsvijand hier? Tanu kwamen nooit in het afgelegen Famorel. Eens in de zoveel tijd verscheen er een armzalige menselijke banneling in de buurt van Var-Mesk, maar die maakte doorgaans weinig kans. Niet zolang dapperen als Tatsol Vlammenspuger en Ryfa de Onverzadigbare de Alpen bewaakten! Omdat dit gebied altijd veilig was geweest, hadden de Firvulag hier geen garnizoenen. De enige getrainde soldaten woonden in de stad van de onderkoning, Famorel-Stad, een reis van zes dagen naar het zuidwesten.

Purtsinigelee had meer om over na te denken dan hij in lange tijd had gedaan. Hier zou wel eens meer op het spel kunnen staan dan de levens van zijn zo geliefde gezin! Uit wat hij van hieruit kon zien, bestond deze expeditie minstens uit vijftig personen. Sommigen van hen droegen voorwerpen die naar alle waarschijnlijkheid die beruchte wapens uit de toekomst van de Minderen waren waar iedereen over sprak. Het was noodzakelijk – nee, zijn plicht! – dat hij deze informatie via lange-afstandstelepathie doorgaf.

Met de grootst mogelijke voorzichtigheid kroop hij de weg terug die hij gekomen was. Hij hoefde maar een paar honderd meter te gaan om uit het gezichtsveld te komen. Toen hij daar eenmaal veilig was, begon hij te rennen. Hij bereikte een tweesprong op het pad en nam het spoor naar het zuiden dat parallel liep met de bergkam en de rivier totdat hij de massa van de Puistknobbel, die alle mentale signalen grondig tegenhield, tussen hem en zijn bezette woongrond had.

Daar zakte hij neer en probeerde weer op adem te komen. Zijn dichtstbij wonende buurman was Tamlin de Stinkerd, een vervaardiger van muskusolie die een dag reizen naar het westen leefde. Door de eenzame aard van zijn beroep was hij de grootste telepathische kletskous van de hele omgeving. De oude Tam zou ervoor zorgen da de grote Mimee zelf alles hoorde over deze ten hemel schreiende misdaad! Al zijn mentale krachten bijeenbrengend, ging hij ertoe over de boodschap te versturen. Toen dat was gebeurd, pakte hij de zak met slakken weer op en begon resoluut naar zijn huisje terug te klauteren zonder een poging te doen zich te verbergen.

Toen hij aankwam merkte hij dat de invasie verdwenen was. Het enige spoor dat van hen overbleef was een stofwolk in het noorden. Zijn vrouw en kinderen waren ongedeerd en zaten als verdoofd rondom de keukentafel.

'Wat is er *gebeurd*?' riep hij uit.

'Ze zeiden dat ze de Grote Godin gingen beklimmen,' vertelde Hobbino hem. 'Ze hebben ons geen kwaad gedaan. Ze wilden proberen voorraden te kopen voor ze hoger de bergen introkken.' Ze begon tamelijk hysterisch te lachen en frommelde in de zak van haar rok tot ze een chamoiskleurige beurs te voorschijn had gehaald. 'Kijk!' Ze maakte de koorden los en liet een glinsterend stroompje edelstenen op het handgeweven tafelkleed vallen. 'Meer dan we in vijf jaar zouden kunnen verdienen!'

'Ze hebben de kelder leeggehaald,' zei de oudste jongen, 'tot en met de laatste tonnetjes en vaten.'

Het jongste meisje voegde daar ernstig aan toe: 'Maar Pappie, u had de lelijke dingen moeten horen die ze zeiden toen ze een vat openmaakten en zagen wat ze gekocht hadden.'

VEIKKO: Hagen.

HAGEN: Hier kerel. Wacht een tel tot ik een vers drankje heb.

VEIKKO: Gelukkige zuiplap. De enige drank die wij over hebben is pure medicinale alcohol.

HAGEN: Houd je bij kruidenthee, dan eindig je als een oude man.

VEIKKO: Beter op mijn manier dan op de *jouwe*, klootzak.

HAGEN: Oké, oké, punt voor jou met je handjes op de rug. Nou rustig aan en geef me je rapport. Het heeft lang geduurd.

VEIKKO: (Geredigeerd verslag.)

HAGEN: (Gelach.) Ik hoop dat Irena een goeie voorraad recepten voor escargots heeft.

VEIKKO: Luister, als ik mocht kiezen tussen het beklimmen van die berg en hier in het basiskamp blijven en naaktslakken eten, dan kies ik toch nog steeds die glibbers à la chef. Je zou dit Monte Rosa-monster eens moeten zien! Het is niet één geïsoleerde piek, maar een hele verdomde reeks. Het lijkt het einde van de wereld wel, niks dan druipende gletsjers. Wie zou hebben gedacht dat er zoveel sneeuw kon zijn in het Plioceen? En dat komt zomaar uit de Povlakten omhoogrijzen, instant-Alpen, van beneden zeeniveau naar hoogten van negenduizend meter over een afstand van nog geen zestig kilometer.

HAGEN: Geef me de precieze lokatie van jullie kamp.

VEIKKO: 40-50-31 noord, 7-48-13 oost, 4322,3 meter hoog. We moeten ongeveer zes kilometer verwijderd zijn van de hoogste top, in rechte lijn. Jammer dat we geen vleugels hebben! André is vanmiddag drie keer flauwgevallen en een paar van des konings mannen zien eruit alsof ze dat ook zouden willen. Ik denk dat de halsringen hen op de been houden. Maar de Tanu lijken zich goed te voelen en de Bastaards van Basil gedragen zich ronduit verwaand. Wimborne noemt deze plek kamp Bettaforca. Er ligt sneeuw, maar we hebben het warm genoeg in die hutten van dekamole, afgezien van het zuurstofgebrek. Maar die Bastaard-kwakzalvers beweren dat we in een paar dagen waarschijnlijk zijn geacclimatiseerd.

HAGEN: Enige nieuwe info over de plannen voor de eigenlijke beklimming?

VEIKKO: De grote bespreking is gepland voor morgen. De lui die het eigenlijke klimwerk gaan doen, hoeven niet helemaal naar de top, snap je. Ze moeten ongeveer een cirkel maken naar de andere kant tot aan de plek waar de machines geparkeerd staan. De bedoeling is om er dan één te ontdooien en hier naar toe te vliegen. Daarna halen we van hieruit de rest en dan wordt het een soort veerdienst naar Goriah. Het zal niet al te moeilijk zijn om die vogels weer gaande te krijgen. Zo lang zijn ze al met al niet op de berg geweest, pas vanaf eind juli. Het moeilijkste is de eerste keer bij de vliegtuigen zien te komen. Wimborne heeft een of andere ondersteunende operatie in zijn hoofd met ondersteuningsgroepen die de voornaamste klimmers omhoog moeten brengen.

HAGEN: Geen van onze mensen is betrokken bij het klimwerk, of wel?

VEIKKO: Nou, Buckmaster en Collins hebben zich als vrijwilligers aangeboden. Je weet hoe die zijn.

HAGEN: Verdomde hufters! Breng ze aan het verstand dat dat niet doorgaat. Niemand van ons riskeert zijn leven tenzij het absoluut niet anders kan.

VEIKKO: Amen.

HAGEN: Wie staan er op de lijst voor de eerste beklimmingsploeg?

VEIKKO: Niet zeker. Maar het zullen allemaal Bastaards zijn en natuurlijk Tanu-opperhoofd Bleyn en één van zijn buitenaardse volgelingen. Gaan mee om er zeker van te zijn dat de anderen er niet met de vogels vandoor vliegen. Je zou de schoenen moeten zien die die knaap Nirupam heeft opgeduikeld voor de jongens die echt hoog moeten: groot genoeg om er kip in te koken! God, ik wou dat we wat kip hadden . . .

HAGEN: Terwijl die lui aan het klimmen zijn, blijft de rest gewoon zitten wachten?

VEIKKO: Dat denk ik wel.

HAGEN: (Twijfel.) Luister, Veik. Ik heb een naar gevoel over die Firvulag die jullie onderweg zijn tegengekomen. Die lui waar jullie die slijmdingen van gekocht hebben.

VEIKKO: Ja. Je denkt dat ze ons verraden kunnen hebben aan het hoofdkwartier van die spoken. Maar Elizabeth wordt verondersteld het Kleine Volk in de gaten te houden en ons te waarschuwen als die wat proberen. Tot nu toe heeft ze niets gerapporteerd . . .

HAGEN: Ik zou op haar maar niet al te veel vertrouwen. Deze dagen heeft ze interessanter dingen te doen dan kindermeisje voor jullie te spelen. De dame heeft vader ontvangen in haar chalet!

VEIKKO: ?!

HAGEN: Ze heeft het tegenover de koning toegegeven, zo koel als een kikker. Ze beweert dat ze niets liever wil dan Marc weer met ons allemaal verzoenen . . .

VEIKKO: Lauw loene! Is die ouwe van jou nog vaker rondom Goriah gezien?

HAGEN: Niet meer sinds die keer dat de koning hem 's avonds zag, een week geleden. Maar we zijn er klaar voor als hij probeert het project aan te vallen. De kelder van het kasteel is in de rots uitgehakt, dus hij kan daar naar binnen geen sprong maken. Alle ingangen zijn door een sigmaveld afgeschermd en bewaakt door bewapende troepen. Cloudie heeft de mentale identiteiten van iedere persoon vastgelegd die het recht heeft dat gebied te betreden en controleert die voortdurend bij het in- en uitgaan op de kasteelcomputer. Een simpele verkleedpartij zal vader niet helpen. En de echt onvervangbare mensen worden net zo zorgvuldig bewaakt als kostbare onderdelen. Vader kan ons op die manier niet pakken.

VEIKKO: Hoe gaat het met het zoeken naar de ruwe materialen?

HAGEN: We hebben aardig wat goeie spullen te pakken kunnen krijgen. Het dysprosium-niobium voor de micro-assemblage is het enige probleem, maar dat hadden we van tevoren al verwacht. En dat kunnen we voor de taugenerator verbindingen niet missen. De kleine koning heeft al een zoekploegje naar het Noordland gestuurd om op delfstoffen te jagen, maar dat zou maanden kunnen duren. We hebben die vliegtuigen nodig, Veik. En niet alleen voor het bij mekaar schrapen van die mineralen . . . Ik probeerde de koning over te halen om over de oceaan te vliegen en de Kyllikki uit het water te blazen met zijn almachtige psychocreatieve vermogens. Maar die suggestie legde hij gewoon naast zich neer. Zonder enige reden. Ik *wist* dat er een truc zat achter de manier waarop hij ons te pakken nam!

VEIKKO: Maakt de Kyllikki nog steeds goed voortgang?

HAGEN: Loopt behoorlijk op de westelijke winden. Zit ongeveer halverwege de Bermuda's en de Azoren. Ze zal er minstens nog negentien dagen voor nodig hebben om hier te komen.

VEIKKO: (Angst.) Met de X-lasers opgeladen en klaar om te vuren. We kunnen er maar beter voor zorgen dat de vogels voor die tijd in Goriah zijn.

HAGEN: Wat je gelijk hebt. Ze lijken met de dag belangrijker. Bijvoorbeeld, als vader hier rondscharrelt, hoe zouden we dan ooit het Guderian-ontwerp naar de plek van de tijdpoort moeten brengen *zonder* vliegtransport?

VEIKKO: Om de waarheid te zeggen heb ik nooit begrepen waarom je het ding niet bij kasteel Doortocht hebt gebouwd?

HAGEN: Dat wilde ik wel, maar de koning sprak er zijn veto over uit. Hij wil ons goed in het zicht houden natuurlijk. En Goriah is natuurlijk een superieure werkplek vanuit veiligheidsoverwegingen bezien en de aanvoer en verwerking loopt makkelijker. Het ligt alleen te dicht bij de zee. Het probleem met kasteel Doortocht is dat het eigenlijk behoorlijk verlaten is geweest sinds de Vloed. In de afgelopen winter heeft een overvalcommando van de Firvulag kans gezien voorbij de spaarzame bewakers te komen en heel wat schade aangericht. De boel wordt nu weer hersteld, ogenschijnlijk als een verblijfplaats voor reizigers die op weg zijn naar het Toernooi dat ze hier in het noorden gaan houden tegen het begin van november. De koning heeft dat Tanu-vriendje van Cloud vorige week overzee gezonden om de reparatie van kasteel Doortocht te leiden.

VEIKKO: Dat is pech voor haar.

HAGEN: *Um.* Zij *zegt* dat het uit is tussen haar en Kuhal. Maar ik heb gemerkt dat ze nog regelmatig mentaal met elkaar kletsen. Ongetwijfeld hebben ze diepgaande gesprekken over de zin van het leven en meer van dat soort rimram.

VEIKKO: Hoe is het met Diane?

HAGEN: Die maakt het me moeilijk, als je dat beslist moet weten. Ineens heeft ze allerlei twijfels over hoe we in het Bestel zullen worden ontvangen. Vanwege Gibralter. Vanwege ... nou ja, wie we zijn. Ze is er nu zelf half en half van overtuigd dat het beter zou zijn hier te blijven.

VEIKKO: God! Na alles wat we doorgemaakt hebben?

HAGEN: En wat we nog door moeten maken ...

VEIKKO: Misschien maakt ze zich zorgen over haar vader.

HAGEN: Alex kan voor zichzelf zorgen. Nu vader begonnen is met d-sprongen, zal hij Manion meer dan ooit nodig hebben. Maar toch ... heb jij onlangs nog geprobeerd om Walter op de Kyllikki te bereiken?

VEIKKO: Dat zou niet veel zin hebben gehad. We kamperen voortdurend in valleien om buiten het vérvoelende bereik van de Firvulag te blijven. Waarom zou ik proberen Walter te bereiken als ik al moeite heb met jou?

HAGEN: Probeer het toch maar. Je bent nu halverwege de

hoogste berg op aarde geparkeerd en misschien lukt het nu wel om contact te maken.

VEIKKO: In orde. Als mijn hersencellen het tenminste niet hebben laten afweten door zuurstofgebrek. Iets speciaals dat je weten wilt?

HAGEN: Het moreel aan boord. Wie is er nog steeds vóór onze kaarsjes uit te blazen. Is vader nog steeds bezig met de ijzeren-vuist-in-zijden-handschoen-benadering. Hoe is hij van plan de X-lasers te gebruiken? Zijn uitstapjes door middel van de d-sprongen en zijn gemanoeuvreer met de koning en Elizabeth. Zou Walter ons over één van deze onderwerpen de waarheid durven vertellen?

VEIKKO: Jezus, Hagen, weet ik veel! Hij wil net zo graag weg als Alex. Maar . . .

HAGEN: Uh . . . uh. Ik zou meer de neiging hebben hem te vertrouwen als hij die schoener niet zo efficiënt stuurde.

VEIKKO: Ik zal vanavond proberen hem te bereiken. Dat wil zeggen, in de vroege ochtenduren. In vroeger dagen liep hij meestal de wacht rond 12 uur. Maar stel je er niet te veel van voor. Ik ben niet zo'n goede vérspreker als Vaugh Jarrow destijds.

HAGEN: En jij bent ook niet de stomme idioot die hij was. Doe je best.

VEIKKO: Er is nog één ding.

HAGEN: ?

VEIKKO: We kamperen nu op een plaats waar we goed gezien kunnen worden. Niet alleen door Firvulag . . . Hagen, wat doen we als Marc hier komt opdagen? Ik weet dat hij geen wapens met zich mee kan nemen. Maar die zou hij ook niet nodig hebben. Als die bergbeklimmers op een lastig traject bezig zijn, is een simpel duwtje al genoeg.

HAGEN: God, ja. Op die vergadering van morgen moet je Basil en de anderen voor die mogelijkheid waarschuwen.

VEIKKO: En?

HAGEN: Neem geen enkel risico. Als vader naar die berg komt, maak hem ter plekke dood.

Irena O'Malley droeg een nieuwe lading dampende borden uit de kookhut en kwakte die op het buffet. Daarna controleerde ze de hoeveelheid koffie en besloot een korte pauze te nemen voor ze haar plichten hervatte en eens te zien hoe Veikko het maakte. Ze klom de helling boven het kamp op naar de plek waar hij zat, in zijn eentje op een platte rots in de zonneschijn, te midden van restjes oude sneeuw. Hij zag er nog steeds miserabel uit, zijn kleine lichaam iets voorovergebogen in een slordige lotushouding terwijl hij de steile aanloophelling leek te beschouwen, die zich als een angstwekkende tsunamigolf, bekroond met hangende gletsjers, boven hen verhief. In het oosten lag de massieve Gresson IJswaterval en daarachter de met wolken bekroonde top van de Monte Rosa.

'Nog steeds erge koppijn, lieverd?' vroeg Irena. Veikko antwoordde met een flets glimlachje. Ze maakte een gebaar naar het nauwelijks aangeraakte ontbijt. 'Had je geen zin in de quiche?'

'Het smaakte geweldig, Irena. Echt waar. Ik heb gewoon niet zo'n honger. De hoogte misschien.'

Ze knielde naast hem neer te midden van de bosjes alpenplanten, een grote, robuuste jonge vrouw met glanzend zwart haar in eenvoudige vlechtjes. Ze legde een uitnodigende hand op zijn schouder en probeerde zijn geest binnen te slippen, maar liep daar vast op dezelfde barrière van onbekend verdriet die eerdere pogingen om hem te troosten ook had doen mislukken.

'Als je me maar bij je toeliet, dan zou ik je kunnen helpen! Wat *is* er met jou vanmorgen? En probeer me niet met een kluitje in het riet te sturen over hoogteziekte en dat soort onzin.'

Hij beet op zijn lippen en zijn ogen weigerden haar aan te zien. Toen ze haar armen om hem heen sloeg, schudde hij de laatste restanten van zelfbeheersing van zich af en worstelde als een gevangen wild dier.

'Vertel het me!' hield ze aan.

Hij had zijn ogen gesloten en nu zochten tranen zich een weg vanonder de gesloten bevende oogleden.

'Het spijt me. Het spijt me zo. Maar je zult het vroeg of laat toch horen. Jullie allemaal!'

'Veikko, *vertel* het me.'

'De afgelopen nacht is het me eindelijk gelukt met Walter op de Kyllikki te praten. Hij vertelde me ... er is iets verschrikkelijks gebeurd. Helayne Strangford is door de rooie gegaan. Werd gewelddadig. Tien dagen geleden heeft ze ... Marc was weg op een d-sprong en niemand van de anderen had er een idee van wat ze van plan was. Je weet hoe slim ze zich weet af te schermen. En ... ze heeft mensen doodgemaakt.'

Irena's vingers begroeven zich in zijn schouders. 'Wie?'

'De vader van Barry Dalembert. En de twee Keoghs ... niet dat het Nial een moer zal kunnen schelen, dat kouwe zwijn!'

'Ssjjt, baby. Wie nog meer?'

Veikko begroef zijn hoofd tegen haar borst terwijl zijn geest de lijst van doden afraffelde: Frieda Singer-Dow, moeder van Chee-Wu Chan; Claire Shaunavon, moeder van Matiwilda; Audrey Truax, moeder van Margaret en Rebecca Kramer; Isobel Jayton en Alonzo Jarrow, ouders van Vaughn Jarrow; John Horvath, vader van Imre; Abdulkadir Al-Mahmoud en Olivia Wylie, ouders van Jasmin Wylie; Eva Smuts, co-moeder van Kané Fox-Laroche; Ronald Inman; Everett Garrison; Gary Evans; en ...

Hij huilde nu openlijk. 'Het spijt me, Rena. Arky ook. Hij was

228

een van de gewonden. Steinbrenner deed zijn best maar hij is niet zo goed in chirurgie als de Keoghs waren en er is geen regeneratie-tank op de Kyllikki. Arky stierf drie dagen geleden.'

Zijn geest ging ten slotte voor haar open en ze versmolt met hem en goot psychische balsem over zijn overgevoelige emotionele structuur en terwijl ze hem heen en weer wiegde, verwarmde de zon van de equinox de zuidelijke flank van de berg.

Ze zei: 'Het is vreemd. Ik heb over vader gedroomd . . . toen. Het was een lange droom, vol met details. Misschien een samen-vatting van verhalen die hij mij vertelde toen ik nog klein was. En over de boeken en de 3-D-cassettes die we samen hadden gelezen en gezien. In de droom reisden we door het hele Bestel. We bezoch-ten de menselijke kolonies op Volhynia en Hibernia het eerst om te zien hoe onze etnische verwanten bezig waren de wildernis te ont-ginnen. Daarna rustten we uit op de wereld van Rivièra, het vakan-tieoord. Vandaar bezochten we allerlei exotische planeten. We ont-moetten grappige kleine Poltroyanen en weerzinwekkende we-zentjes die groen dropen en grote hermafrodieten met enorme gele ogen, allemaal meta's die de Eenheid kenden, ondanks hun vreem-de verschijning. We zagen de Krondaku, die in het echt helemaal niet zo afschrikwekkend zijn als op de holo's; en ik had een soort seance met de Lylmiks en leerde dat hun ras al zo oud is dat het afkomstig zou kunnen zijn uit een eerder universum. Ten slotte kwamen we op de Oude Aarde, naar New Hampshire in Amerika, waar de O'Malleys en de Petroviches op papierfabrieken werkten en kleine boerderijen bezaten aan het begin van de 20e eeuw. We zagen Mount Washington, waar de Interventie begon en daarna het oude huis van Remillard in Hannover. Arky en ik hebben het allemaal samen gezien, het huis van onze grootouders, de scholen en de kerken en de winkels en de restaurants en al die andere typi-sche dingen uit de echte wereld van toen. Hij was een lieve ouwe dondersteen, Veikko. Hij mocht jou ook graag, ook al deed hij erg zijn best om dat niet te laten merken. En hij bleef maar vragen wanneer we nu een kind kregen.'

'Niet hier.'

'Ik probeerde het uit te leggen. Waarom we niet langer in Marc en zijn gezoek tussen de sterren konden geloven. Maar hij weigerde het te begrijpen. Nu is hij dood, en al die anderen ook.'

Veikko veegde zijn gezicht af aan zijn mouw, vond een kam en haalde die door zijn in de war zittende blonde haar. Zijn gezicht stond nadenkend.

'Er zijn er niet veel meer over voor Marc die hij manipuleren kan, is het wel? Laat me es kijken. Zes magnaten, Manion niet meegeteld. Dat zijn de geesten waar we ons werkelijk zorgen over moeten maken. Alleen Kramer en Warshaw hebben nog kinderen over en die oude dame is zo hard als een steen als het gaat om haar

229

trouw aan Marc. Van Kramer ben ik niet zo zeker. Hij zou het wel eens kunnen laten afweten als het er echt op aan kwam zijn eigen kinderen Marge en Becky samen met de anderen dood te maken. Van de tweedeklasse kwaliteit zijn er achttien over. Quinn Fitzpatrick en Allison Sherwoode zijn zwakke broeders, maar de anderen zijn goed genoeg voor een metabundeling. En die grote prijsneuker Boem-Boem Laroche telt voor anderhalf, waar dan ook.'

'Je denkt toch niet dat Walter . . .'

Iedereen alsjeblieft direct verzamelen in de grote tent.

'De vergadering.' Veikko kwam overeind. Terwijl ze terugliepen naar de kleine nederzetting van hutten en geparkeerde voertuigen, zei hij: 'Maak jezelf niets wijs over mijn vader, Rena. Walter is net als de meeste andere ex-rebellen. Buiten Marcs aura kan hij heel goed voor zichzelf denken en begrip hebben voor onze positie en daarmee sympathiseren. Maar breng hem weer terug binnen het dwingende bereik van de Engel van de Afgrond en dan is hij weer gevangen in de oude betovering, precies zoals *wijzelf* totdat Manion ons liet zien hoe we konden ontsnappen.'

'En ervoor betaalden,' zei Irena. Na een minuut vroeg ze: 'Ga je de anderen vertellen over de moorden?'

'Niet voordat Hagen ermee akkoord gaat. En misschien zelfs dan niet. Laat hem het nieuws maar vertellen zodra we in Goriah terug zijn. Als we daar ooit weer komen.'

Ze namen hun plaatsen in op de banken van decamole met het gezicht naar een geïmproviseerd podium waarachter Basil geduldig wachtte tot alle laatkomers waren binnengedruppeld. Onvermijdelijk was het gezelschap weer in drie duidelijk te onderscheiden groepjes opgedeeld: de tien Noord-Amerikanen, de twintig Bastaards en de mannen van de koning, twaalf Tanu en twintig mensen met gouden halsringen. Alleen Basil zelf en dat vrolijke kleine factotum van de Bastaards, Nirupam, hadden vrijelijk gedurende hun reis vanaf de Rhônevallei omgang met iedereen gehad.

De vroegere leraar uit Oxford klopte driemaal op zijn lessenaar en bracht zijn gehoor met een vaste blik van magische zelfverzekerdheid tot stilte. Het gemurmel van gedachten en stemmen vervaagde.

'We hebben het eerste deel van onze expeditie succesrijk voltooid,' begon Basil. 'Dat is te danken aan de vaardigheid van onze chauffeurs en de goede diensten van Grootmeesteres Elizabeth die de route heeft ontworpen. Daardoor konden we vierhonderdzesennegentig kilometer tussen Darask en dit kamp Bettaforca zonder moeilijkheden afleggen. De reis heeft ons veertien dagen gekost en dat is, gezien de omstandigheden, een heel behoorlijke snelheid. De Tweede Heer der Psychokinetici, Bleyn de Kampioen, heeft mij gevraagd jullie allemaal de hartelijke gelukwensen over te brengen van koning Aiken-Lugonn, die ons tijdens de reis allemaal in het hart en in het oog heeft gehouden. Zijne Majesteit is vol vertrouwen dat het tweede deel van onze onderneming even succesvol zal verlopen als het eerste.'

Die gevoelige woorden werden op duidelijk ironische toon meegedeeld. De meesten van de Bastaards rageerden met scheve grimassen terwijl Bleyn en de Tanu een hoffelijke waardigheid in stand hielden.

'De werkelijke aanval op de Monte Rosa omvat, zoals de meesten van jullie weten, allereerst mijn eigen ploeg van . . . eh . . . Bastaards. De expeditieleden die in het basiskamp blijven, zullen andere zaken hebben die om hun aandacht vragen. Elizabeth heeft er Heer Bleyn vanochtend van op de hoogte gesteld dat een legertje van naar schatting tweehonderd Firvulag Famorel-Stad heeft verlaten en nu naar het noorden marcheert door de vallei van de Ysaar. We moeten er vanuit gaan dat ze de rivier oostwaarts zullen volgen, daarna de kleine Sint-Bernardpas oversteken tot in de vallei van de Proto-Augusta en dan zullen proberen ons te overrompelen.'

Uitroepen van verbazing en verslagenheid weerklonken. Lusk Collins, een van de jonge Amerikaanse terreinwagencowboys, zei: 'Ik heb nog zo gewaarschuwd dat we die Firvulag waarvan we de slakken kochten, hadden moeten doden.'

'Hen sparen was een weldoordacht genomen risico,' sprak Basil vormelijk tegen. 'Afgezien van de menselijke overwegingen, wil ik jullie eraan herinneren dat ons is opgedragen bloedvergieten te vermijden. Technisch gezien bestaat er op dit ogenblik een wapenstilstand tussen de koninkrijken van de Tanu en de Firvulag.'

'Ga dat die griezels uit Famorel maar vertellen, niet ons!' riep Phronsie Gillis uit. 'Nou, dan vechten we! Wat maakt het uit. Hoe lang voor die kleine onderkruipsels hier zijn?'

'Elizabeth schat in zes dagen,' antwoordde Basil. 'We zijn allemaal goed bewapend en er is meer dan voldoende tijd om onze . . . eh . . . positie te versterken en ons in te graven. Heer Ochal de Harpist zal de verdedigingsmaatregelen coördineren en op dit moment wil ik daar niet verder op ingaan. Mijn bemoeienis is met die berg en ik geloof dat die – en niet de Firvulag uit Famorel – onze formidabelste tegenstander zal blijken te zijn.'

'Hoor, hoor,' zei Mister Betsy.

Basil rommelde wat in een zak van zijn hemd en nam er toen een klein stuk papier uit dat hij even doorkeek voor hij samenvatte. 'Het eerste doel van deze expeditie is het in veiligheid brengen van zevenentwintig rho-vliegtuigen die zich aan de andere kant van de berg bevinden en die naar Goriah moeten worden gebracht en naar de koning. Het is mij opgedragen buitensporig behoedzaam om te springen met de levens van ons personeel, speciaal de vliegers. Maar enig risico is – bij het bedwingen van een berg als deze –

onvermijdelijk vooral daar er onder ons maar weinig ervaren bergbeklimmers zijn en een deel van onze uitrusting geïmproviseerd is. Onnodig te zeggen dat ik van plan ben de belangrijkste taak in deze operatie op mij te nemen. Voor ik naar het Plioceen kwam, heb ik ervoor gezorgd dat mijn lichaam enige wijzigingen onderging speciaal met het oog op eh . . . avonturen op grote hoogtes. En omdat het een inval van mij was om de vlieguigen op de Monte Rosa achter te laten, is het niet meer dan rechtvaardig dat ik deelneem aan de gevaarlijkste fasen van de herovering. Jammer genoeg ben ik geen piloot en ik beschik ook niet over de technische vaardigheden om . . . eh . . . de motor van een machine op te starten die twee maanden in de vriezer heeft gestaan. Jullie moeten ook begrijpen dat het beklimmen van een berg van het formaat van de Monte Rosa per definitie groepswerk betekent. Ondersteuningsgroepen moeten een reeks kampen opzetten met voorraden, zodat de uiteindelijke aanval neerkomt op één grote sprong naar de top. Ik zal zelf beide ploegen aanvoeren.'

'En lol hebben in elke ellendige minuut ervan,' teemde Mister Betsy. Hij zag er nog anachronistischer uit dan gewoonlijk in een vest van zwanedons met een ijsmuts met kwasten boven zijn Elizabethaanse vrouwenkleding.

'Op mijn verzoek,' ging Basil verder, 'heeft de karavaan van Heer Bleyn uit Goriah spullen meegenomen als lieren, touw en kabels, hamers van vitredur en pikhaken, medische voorraden en warme kleding. We hebben grote aantallen van die uitstekende rugzakken die we destijds in de herberg kregen, compleet met tenten en ladders van decamole, keukengereedschap, verwarmingselementen en voldoende voorraad geconcentreerd voedsel. Nirupam is druk bezig geweest met het vervaardigen van ijskrammen, pitons met ooghaken, ijsschroeven en ander soortgelijk materiaal. We hebben geen zuurstofflessen, maar ik denk dat we het karwei kunnen klaren zonder dat omdat enkel de sterksten aan het klimmen zullen deelnemen.'

Hij draaide zich om naar de glinsterende hellingen van de berg achter zich te wijzen. 'De Monte Rosa rijst 9082 meter boven zeeniveau uit. Gelukkig zal het niet nodig zijn helemaal tot aan de top te gaan, hoewel ik er persoonlijk mijn ziel voor zou willen verkopen om die poging te mogen wagen.'

De Bastaards keken elkander grijnzend en veelbetekenend aan, terwijl de rest Basil met gefascineerde afschuw bekeek.

'Wat we zullen doen is het volgende. We steken de Westelijke Col over, dat is dat zadelvormige stuk links van de top. Dat ligt op ongeveer 7800 meter. Elizabeth heeft de mogelijke routes met haar vérziendheid bestudeerd en heeft me daarvan mentale beelden gezonden aan de hand waarvan ik een route heb gepland. Wanneer we kamp Bettaforca verlaten, steken we dat bevroren terrein over dat jullie direct boven ons zien. Ik heb dat de Gresson Gletsjer gedoopt. Het ijs is er oud, smerig en verrot, we zullen er heel voorzichtig moeten zijn. Wanneer we de steilte hebben bereikt met de overhangende ijsmassa's, zullen we ter plekke moeten beslissen langs welk deel van het ijs we hoger klimmen. Onze keus daarbij is niet erg fortuinlijk. De drie massa's aan onze linkerkant en de ene meer oostelijk zijn allemaal vrijwel verticaal, datzelfde geldt voor de rotsen. Er blijft in feite alleen de Gresson IJswaterval over, die onder een relatief aangename hoek van vijftig graden omhoogloopt. Ik zeg relatief. Want de weg langs deze geweldige neergestorte massa is waarschijnlijk de meest gevaarlijke van onze klim. Eenmaal daarboven, beginnen we westwaarts te gaan. Let op de drie massieve kammen die als de tanden van een monsterachtige vork tegen de zuidwestelijke flank van de berg liggen. We moeten zowel de Middelste Tand als de Westelijke Tand passeren net als de oudste, met sneeuw bedekte gletsjers die ertussen liggen, om bij de Westelijke Col te kunnen komen. Langs deze route moeten minimaal drie kampen worden opgezet. Ik heb een groep van negen personen geselecteerd die dienst zullen doen als . . . eh . . . sjerpa's. Tot die groep behoort Nirupam, die trouwens een authentieke afstammeling van die etnische groep is, en verder Stan, Philippe, Derek, Cisco, Chazz, Phronsie, Taffy en Clifford. Nadat zij die kampen hebben opgezet, is hun werk gedaan en kunnen ze naar het basiskamp terugkeren voor een welverdiende rust.'

'Net op tijd voor het gevecht met de Firvulag,' verzuchtte Stan Dziekonski.

Basil ging onverstoorbaar verder. 'De groep die de uiteindelijke klim moet maken, zal uit acht personen bestaan en verdeeld worden in twee onafhankelijke groepen die een uur van elkaar gescheiden klimmen. Omdat zij onder meer fysiek belast zijn met hittebranders en vliegtuiggereedschap, zullen ze gebruik maken van machinaal aangedreven lieren en vooraf bevestigde ankers om hun uitrusting en zichzelf over te brengen op elke plek waar het terrein geschikt is voor dergelijke . . . eh . . . onsportieve handelingen. Wanneer de Westelijke Col is bereikt, zullen beide teams afdalen naar de plek waar de vliegtuigen zich bevinden en die ligt op 5924 meter aan de Noordkant.'

'Waarom twee teams?' vroeg Irena O'Malley.

'Uitputting,' zei de leraar uit Oxford.

Er viel een doodse stilte onder de toehoorders.

'We mogen hopen,' ging hij verder, 'dat tenminste één compleet team het doel zal bereiken. Dat zou betekenen één ervaren klimmer, een piloot, een technicus en een . . .'

'Tanu,' vulde Bleyn de kampioen aan. 'Opdracht van de koning.' Zijn stem klonk volstrekt goedgehumoerd. 'Omdat Heer Aronn en ik allebei psychokinetici zijn, konden we bovendien wel eens van enig nut blijken.'

Basil zei: 'De eerste groep zal bestaan uit mijzelf, dr. Hudspeth, Ookpik en Heer Bleyn. De tweede bestaat uit dr. Thongsa die piloot, bergbeklimmer en arts is . . .'

'Allemaal verpakt in één onverdraaglijke, kleine afvalzak,' mompelde Phronsie en keek kwaad naar de Tibetaan die deed alsof hij niets merkte.

Basil praatte door. 'Nazir gaat mee als technicus en Bengt als piloot . . .'

'En bedwinger,' voegde Phronsie daaraan toe. 'Iedere kleine spleetoog die denkt dat hij er met een vliegtuig vandoor kan gaan, zal door de ouwe Bengt op zes verschillende manieren met kop en kont uit Shangri La worden gedonderd.'

'Heer Aronn zal het tweede team volmaken,' zei Basil. 'Onder de ideale omstandigheden zullen beide ploegen de plek bereiken en dan hebben we drie piloten in plaats van één beschikbaar om de schepen naar kamp Bettaforca te vliegen. Onze terreinwagenspecialist, meneer Collins, heeft me verzekerd dat deze voertuigen uit elkaar gehaald en weer in elkaar gezet kunnen worden tot kleinere versies zodat ze in de vliegtuigen kunnen worden geladen. We hopen op die manier het hele kamp te ontruimen en in zijn geheel naar de Noordkant over te brengen. Zelfs wanneer het Lot anders beslist en we maar één vliegtuig hebben voor de veerdienst, dan zal dat nog steeds in staat zijn iedereen in één keer te vervoeren en in veiligheid te brengen. Wanneer de toestellen eenmaal draaien, is de luchtverversing in staat extra zuurstof te produceren. Gevoelige mensen blijven aan boord terwijl anderen voldoende schepen in gereedheid brengen voor de eerste vlucht naar Goriah. Daaruit volgt dat na het vertrek van die eerste vlucht enkel de technici en hun Tanu-opzichters achter zullen moeten blijven om op de berg de achterblijvende machines gereed te maken . . . De taak die we moeten verrichten is moeilijk. Sommigen van ons kunnen hun leven verliezen in een poging deze vliegtuigen in ons bezit te krijgen. Maar we weten ook dat die van beslissend belang zijn bij de verdediging van het Veelkleurig Land tegen machtige vijanden. Met de kans dat ik het punt al te zeer benadruk, wil ik eindigen met een paar eigenaardige toepasselijke regels van Kipling:

Something hidden. Go and find it
Go and look behind the Ranges –
Something lost behind the Ranges.
Lost and waiting for you. Go!

Als er vragen zijn, dan zal ik die nu beantwoorden.'

'Wanneer wil je dat wij sjerpa's erop losgaan?' vroeg Stan.

Basil zei: 'Morgen gaan Nirupam, Ookpik en ik een route uitzet-

234

ten over de Gresson Gletsjer naar de ijswaterval. De ondersteuningsploegen beginnen met het brengen van voorraden aan de voet daarvan op woensdag de vierentwintigste.'

'En hoe lang zal het duren,' vroeg een bezorgd kijkende man met een gouden halsring, 'voor de eerste vogeltjes thuis zijn op hun nest in Goriah?'

'We hebben maar negentien dagen,' zei Veikko duidelijk, 'of jullie je dat nu realiseren of niet.' En daarna vertelde hij wat hij wist over de geschatte aankomsttijd van de Kyllikki met de X-lasers en toen de opwinding daarover enigszins was bedaard, begon hij hun het werkelijk slechte nieuws over Marc te vertellen.

4

Mary-Dedra droogde de ontstoken huid van haar kleine zoon en poederde hem daarna met fluweelzachte sporen door een droge stuifzwam boven zijn lichaam uit te knijpen. Voor een ogenblik kwam hij bij uit de verschrikkelijke verdoving en zijn geest glimlachte. *Lekker*, zei hij.

De moeder troostte hem via haar gouden halsring. Je zult je snel beter voelen, heel veel beter, Brendan. Tegen Elizabeth zei ze: 'Broeder Anatoly stelde voor de babypoeder door dit te vervangen. Hij zei dat het een oude Siberische remedie was. En de zwam lijkt de blaren beter te verzachten dan de zalven.'

De ogen van de baby met hun vergrote pupillen richtten zich op Elizabeth. Het zwakke gloeien van welbehagen verdween toen hij begreep. *Mij pijn doen? Weer pijn doen?*

Elizabeth zei: Ja Brendan. Pijn doen om alle pijn weg te halen. (En je moet bang voor me zijn, arme kleine, niet houden van wie je pijn doet, anders raken de circuits van de geest in de war en ga jij pijn voor genot aanzien.)

Dedra hield haar eigen stroom van telepathische troost gaande terwijl ze het kind in een lichte deken pakte. Maar toen ze hem overgaf aan Elizabeth, brak hij uit in wanhopig jammeren en ook Dedra schreeuwde het uit, overvallen door schuld en zelfverwijt.

'We zijn er nu heel dichtbij,' zei Elizabeth tegen de moeder. 'Het zou zelfs vanavond kunnen gebeuren.'

'Maar hij ziet er helemaal niet beter uit . . . Je zegt dat het goed gaat met de behandeling, maar ik heb geen enkele verbetering gezien. Behalve dan in zijn communicatie met mij. Hij vertelt me nu dat het pijn doet.'

'Ik weet het. Het spijt me. Het is onvermijdelijk. Als we zijn geest tijdens het genezingsproces onder de pijngrens houden, is hij niet in staat zelf mee te werken. Maar hij *is* beter, Dedra. Geloof me. Jammer genoeg hebben de wijzigingen in zijn geest zich nog niet gemanifesteerd in de rest van zijn lichaam. Wanneer dat gebeurt, zal de verandering dramatisch zijn en snel. We zijn nu al bij de multimodale nucleï van de thalamus, een van de voornaamste gebieden van integratie. Het werk is bijna gedaan.'

'Zul je weer de hele nacht werken?'

'Ja.'

Elizabeth hield het snikkende kind tegen haar schouder en ontlaadde daarna een grote hoeveelheid endorfine prikkels zodat Dedra hem tenminste zou zien lachen voor zij wegging en voor het geval dit het laatste zou zijn dat ze zich van haar kind zou herinneren. 'Dedra, er is nog steeds gevaar. Zoals altijd.'

De moeder kuste het hoofd van haar kind dat koortsig aanvoelde onder de zijdezachte krulletjes.

Liefde Brendan liefde.

Brendan houdt van moeder.

'Ik weet hoe hard je hebt gewerkt,' zei Dedra tegen Elizabeth. 'Jij en . . . die man. Ik ben dankbaar, wat er ook gebeurt. Geloof me.'

Elizabeth legde het rustig geworden kind in zijn bedje. 'Je kunt Marc nu binnen laten komen. En zeg Broeder Anatoly dat hij vannacht buiten met jou moet waken. Dan kunnen we hem roepen als we hem nodig hebben. Voor de Laatste Sacramenten.'

'Heel goed.'

Dedra ging de kinderkamer uit en Elizabeth keerde zich van het bedje en liep naar het venster om wat frisse lucht te happen. Een volle maan reed boven de zilveren golvingen van de Zwarte Bergen. De ether was blijkbaar rustig boven heel Europa.

Het lijkt erop, dacht ze, dat het enig rampzalige en ongemakkelijke in de wereld zich hier op mijn treurige rots voordoet en ik ben heel erg bang. Niet om persoonlijk te falen. Zelfs niet om Dedra's verdriet tegemoet te moeten gaan. Ik ben bang voor hem, bang voor de energieën die hij via mij naar de geest van dit stervende kind zal overbrengen. Hij is hier trouw de laatste tien dagen gekomen. Hij is een buitensporig goede helper geweest, hij heeft nooit ook maar de geringste poging gedaan om de controle over te nemen of mijn aanwijzingen te betwijfelen. Zelfs in de sociale omgang is hij formeel. En toch voel ik mij bedreigd . . .

'Goedenavond, Elizabeth.'

Ze keerde zich af van het venster en daar stond hij, naast het bedje van het kind, zoals gewoonlijk in de roze zijden kamerjas die Broeder Anatoly zo graag had afgestaan.

'We zullen vanavond proberen het werk af te maken,' zei ze. 'Omdat het voor ons alle drie hard werken zal zijn, zullen we steeds korte perioden bezig zijn en daarna het kind voldoende tijd gunnen om te herstellen terwijl wij het nieuwe circuit inprenten.

Ben je klaar?'

'Een ogenblik.' Hij stak zijn gesloten vuist naar haar uit, draaide hem om en liet de vingers opengaan. In de palm van zijn hand lag een kleine, witte ster. 'Ik ben vandaag op onderzoek uit geweest en heb een souvenir voor je meegebracht.'

Ondanks zichzelf stak ze haar hand uit. Het was een bloem met een centrale kroon van gouden knopjes, omgeven door vlezige schutbladen die overdekt leken met fijne witte wol. Ze keek er met enige verbazing naar.

'Edelweiss,' zei hij. 'Zullen we beginnen?'

Vasthouden. Vlug, houd die stroom tegen!
Gedaan.
JaOhgoed zie het holonetwerk reageren het verbranden HARD ja genoeg. Nu invoer hersenschors. *(SlaapBrendanslaapmijnkindjegamaarslapennou.)* Loslaten. Rustig . . .
Komeruit Marc en rust.

Ze zaten in hun stoelen ieder aan een kant van het bed, de hoofden gebogen terwijl ze weer op adem kwamen. Zoals altijd was hij het eerst hersteld en ging naar de dichtbij staande taboeret om de karaf vruchtesap en de glazen te halen. Nadat hij hen had ingeschonken, boog hij voorover en raapte iets van de vloer.

'Je hebt je bloem verloren,' zei hij glimlachend.

Ze pakte de bloem aan en stak hem zorgvuldig in de borstzak van haar overal zodat de wollige knop een soort decoratie leek. 'Mijn beloning voor dapperheid,' merkte ze op. 'Als we vanavond slagen, zal ik hem altijd blijven koesteren.'

Hij hief zijn glas naar haar en dronk.

'In het Bestel,' zei ze na een tijdje, 'groeide de Edelweiss alleen maar in het wild, in hoge bergen. De Alpen bijvoorbeeld.'

'In het Plioceen is het niet anders,' antwoordde hij. Hij dronk zijn glas leeg en schonk het nog eens vol. 'En voor mij is het een nogal angstwekkend memento. Gelukkig voor mij kan die jonge Jasmin Wylie slecht met een Matsu-karabijn omgaan.'

'Je hebt de Monte Rosa-expeditie gevonden?'

'Dat was niet moeilijk. Ik probeerde zo voorzichtig mogelijk te observeren, maar ik werd blijkbaar verwacht en ik was niet welkom. Ik moet toegeven dat ik weggegaan ben zonder een poging te doen erachter te komen wat de motivatie was van die schietende jongedame. Kwam die opdracht om te schieten en te doden van Aiken Drum?'

'Ik . . . ik vrees dat dat Hagens beslissing was. Maar de koning zal het ermee eens zijn geweest. Hij is vastbesloten de vliegtuigen in zijn bezit te krijgen.'

'Van mij mogen ze.'

Ze was verbaasd. 'Ben je niet van plan die reddingsoperatie

tegen te werken?'

'Waarom zou ik? Stel Hagen en de koning maar gerust. Zeg hun maar dat ik niet van plan ben de Monte Rosa in de nabije toekomst nogmaals te bezoeken.' Zijn overschaduwde ogen vertoonden een raadselachtige glans. 'Ik ben in elk geval blij dat ik die bloem voor je kon meenemen.'

Met een verkillende schok realiseerde zij zich wat dat inhield.

'Je hebt hem meegenomen tijdens een d-sprong.'

'Mijn eerste poging. Helemaal verborgen in mijn handschoen natuurlijk, dus dat lijkt nog bijna op bedriegerij. Maar ik moest ergens beginnen. Misschien wil je die informatie aan mijn zoon doorgeven.'

Harderharderharder MEER kracht MEER energie. Ohverdomme! VERDOMME . . .
Elizabethverbindscheppende/metbedwingendeaanvoer-VLUG!
IkziejaNU . . . okédankGodverlorenhembijna . . . Sluit de aanvoer voor hersenstam weer aan. Op het ogenblik is hij in orde met omleiding. *(Slaapkindjeslaap.)* JezusGodlatenweer evenuitgaan . . .

Ze keken neer op het kleine lichaam, bleek tegen de witte deken, waarvan de borstkas bijna onzichtbaar op en neer ging. 'Hij heeft nu geen pijn meer,' fluisterde Elizabeth, 'maar hij ontsnapte ons bijna, Marc. We gingen te ver, we duwden te hard.'

'Maar het *werkte*.'

'Ja,' zei ze als verdoofd. Ze rustten een lange tijd zonder te spreken.

Toen zei hij: 'We moeten nog altijd het circuit van de halsring verwijderen . . . dat is het ogenblik van de waarheid. En dan moet hij zelfwerkzaam worden gemaakt.'

Ze bedekte haar gezicht met haar handen, diep in zelfgenezing verzonken. Toen ze haar hoofd weer optilde, waren de diepe lijnen vol spanning rond haar mond en op haar voorhoofd verdwenen, maar uit haar ogen sprak wanhoop. Haar stem klonk kalm. 'Marc, ik kan de afsnijding verzorgen. Maar mijn energie is niet groot genoeg om hem aan te jagen naar zelfstandige metafunctie. Jouw energieën zijn in deze constellatie groter. Ik ben te fijn ingesteld op het genezende aspect en Brendan heeft nu de toevoer van brute kracht nodig om uit dat latente los te kunnen breken.'

'Laat mij het uitvoerende werk doen, dan spelen we het klaar.'

Naakte angst, vermengd met woede, kwam als een fontein uit haar bewustzijn omhoog. Ik *wist* het! Dit is waar je al die tijd op hebt gewacht, of niet? De kans om mij te controleren! JezultnietjekuntnietverdommejijnooitmeercontroleoverGrootmeestersprogrammazalzichzelfbeëindigenbijgeweldvoorzorg . . .

'Nee, Elizabeth. Ik zou hier geen gebruik van willen maken. Vertrouw me.'

Haar zelfbeheersing kwam terug. 'Ik kan dat risico niet nemen. Brendan zal een normaal mens zijn zonder een halsring. Ook al zal hij verder latent blijven. Laten we het daarop houden.'

Marc leunde over het bedje heen. De lange, volmaakte vingers van zijn rechterhand streelden de bovenkant van het kinderschedeltje, drukkend op de plek van de fontanel waar de hersenmassa enkel door een dun laagje huid werd beschermd omdat de beenderen nog niet volledig waren aangesloten. 'Hij zou zoveel meer kunnen hebben als jij het aandurfde om mij te vertrouwen.'

'Aiken vertrouwde jou,' zei ze. 'Je gaf hem het programma van een metabundeling om tegen Felice te gebruiken, maar met de bedoeling dat ze er beiden aan zouden sterven.'

'Onzin.'

'Wil je weten wat jouw plan in de war heeft gestuurd? Ik zal het je laten zien.'

Ze projecteerde de reeks gebeurtenissen die hun climax vonden in het gevecht bij de Río Genil. 'Het was Felice zelf die Aiken redde, ondanks de prijs die ze daarvoor zelf moest betalen. Op die manier kon ze voorkomen dat haar geliefde Culluket samen met Aiken de dood vond. Toen het allemaal voorbij was en Aiken was hersteld, analyseerde hij jouw programma en liet daar de mentale boobytrap uit. Hij kan het nu tegen jou gebruiken zonder gevaar voor zichzelf en dat zal hij ook doen wanneer jij probeert hem tegen te houden de tijdpoort te heropenen.'

'Mijn kinderen moeten niet naar het Bestel gaan. Ze realiseren zich niet wat ze doen.'

'Wanneer je bezorgd bent over je persoonlijke veiligheid en die van de overige ex-rebellen, kunnen we je de verzekering geven dat wanneer jullie je vredelievend gedragen . . .'

'Er is geen enkele zekerheid wanneer mijn zoon hier vandaan gaat . . . maar eigenlijk is dat niet waar het om gaat.'

'Dit lijkt *helemaal nergens* over te gaan,' riep Elizabeth uit. 'Het enige dat er nu toe doet is dit kind. Wil je met me meewerken in de vroegere opstelling om de genezing te voltooien of wil je dat niet?'

Hij boog lichtjes het hoofd. De ene kant van zijn mond trok omhoog en liet die glimlach zien vol opvallende vriendelijkheid. Vertrouwen afdwingend en aanbiedend om bij te lichten.

'Volg me,' zei ze. En daarna begonnen ze weer.

KombabykomBrendan. Laat gaan. Kom deze kant, niet die. BANG.
Laat maar gaan baby. Probeer de nieuwe weg is steil maar beter leidt tot goed dingen gauw is het heel gemakkelijk.

239

NEE. BANG.
(Nu duwen Marc.)
NEE (ZIELSANGST.) NEE!
(HarderMarcharder brandt achterhemzodathij NieuweWeg moet gebruiken.) Ziebabyzie ja Ohja kom nu maar Brendan. (Bijna klaar . . .) Probeer het baby probeer het één keer één keer dan maar AFSNIJDEN! *ja.*
(VERBAZING.)
Ik zei je toch dat het goed zou zijn.
(VERBAZING.)
Ja baby ja.
(Vreugde. Ontspanning. Groei.)
Ja. (Bind premotorische cortex deels af Marc terwijl ik het zo houd. Ah. Het is gedaan God het is gedaan. Hij is latent maar veilig. Nu halsring verwijderen . . . watbenjijaanHETDOEN! Marc watbenje *NEE!*
STOP STOP STOP ABADDON STOP DUIVELSMEERLAP STOPSTOPSTOP . . .)
Laat mij voorgaan. Je hoeft niet te sterven. En dus.
(EXTASE.)
. . . Het is gedaan. En zo gemakkelijk.
Jij . . . je hebt ons ongemoeid gelaten?
Arme Elizabeth. Natuurlijk.

Later zei hij: 'Het spijt me werkelijk heel erg dat ik geweld moest gebruiken. Maar het had voor hem nooit meer zo makkelijk gekund als op dit ene ogenblik. Hij was rijp, er klaar voor en ik voelde dat het doel de middelen rechtvaardigde. Ik wist dat jij geen zelfmoord zou plegen. Je onbewuste realiseerde zich heus wel dat ik geen bedreiging vormde hoewel het in paniek rakende bewuste deel van jezelf je wat anders probeerde te vertellen.'
'Jij duivel,' zei ze, bijna verlamd van afschuw.
'Ik ben gewoon maar een man, zoals jij maar gewoon een vrouw bent.' Zijn toon was neutraal, bijna alsof hij haar een standje gaf. 'En jij bent, au fond, bovendien iemand die zich in een ondergeschikte positie heel wat beter voelt, iets dat jouw overleden echtgenoot Lawrence ongetwijfeld ook wel wist. Je zou dat eens in gedachten moeten houden wanneer je nadenkt over je persoonlijke bestemming.'
'Geen wonder dat de kinderen jou haten! En het Bestel . . .'
Vermoeid keerde hij zich af en ging naar het venster. 'Noch jij noch de baby hebben schade opgelopen. En hij is niet langer latent meer . . .'
Een onderzoekende sonde van haar kant bevestigde zijn diagnose. Het kind lag te slapen, zijn bewustzijn rond en rond gaand in heldere droomloosheid. Zijn huid had een normale roze-witte tint;

240

de enige sporen van de vurige blaren waren kleine beetjes droge korst geworden rondom de hals waar eens de halsring had gezeten.

Elizabeth liet zich achterover in haar stoel vallen en sloot haar ogen, vermoeid tot in het diepst van haar ziel. Ze hoorde Marc zeggen:

'Kinderen . . . Jij en Lawrence hebben gedacht dat jullie werk belangrijker was en te laat kwamen jullie erachter dat dat een vergissing was. Ik ben ook nooit van plan geweest natuurlijke kinderen te krijgen. Niet nadat gebleken was dat ombouw langs biochemische weg van het gewone menselijke brein niet mogelijk was. Niet met mijn erfelijke achtergrond! De wederwaardigheden die de vrome Jack zijn overkomen, moeten inmiddels een plaats hebben gekregen in de geschiedenis van het Bestel na de Rebellie. Maar ik vraag me af of jullie de waarheid kennen over mij en de anderen – Luc en Marie en die arme gedoemde Madeleine, en de doodgeborenen, en de geaborteerden en Matthieu, die me voor mijn geboorte zou hebben gedood als ik daar niet ook voorbereid was geweest en als eerste had toegeslagen. Oh wij Remillards, we waren heel wat minder dan engelen, om je de waarheid te zeggen. Welgeteld één heilige en een hele meute zondaren. En allemaal, behalve die ene gelukkige, geketend aan het zwakke vlees, afgeleid door de behoeften van het lichaam en aangestoken door die chemische reacties die wij emoties noemen. Gedoemd om net als de rest van de mensheid een langzame ontwikkeling door te maken van de ene generatie naar de andere, elke moeizame ontwikkeling altijd van pijn vervuld, totdat ik dacht een manier te hebben gevonden om de evolutie te slim af te zijn. Ik zag een miljard menselijke geesten, verlost, vrij en onsterfelijk. Allemaal mijn kinderen. Het tot stand brengen van de Mentale Mens zou voor mij vaderschap genoeg zijn geweest . . .'

Het werd stil. Ze zag hem andermaal voor zich staan, maar nu in het gebruikelijke zwart en met een kleine gouden band rondom zijn pols. De zijden kamerjas van Broeder Anatoly lag als een rozerode plas op de vloer rond zijn voeten.

Ze zei: 'Maar je hebt Hagen en Cloud verwekt.'

'Cyndia wilde kinderen en ik hield van haar.'

'En toch kon je niet van *hen* houden?'

'Natuurlijk wel. Nog steeds. Ik heb hen naar deze plek gebracht, wetend dat ze op zouden groeien met een tekort, dat ze minder zouden zijn dan ik. Omdat het niet mogelijk zou zijn alles in de steek te laten wat er van mijn droom was overgebleven. Maar mijn kinderen dragen het potentieel nog steeds in zich. Niet alleen Hagen en Cloud, de anderen evengoed. Als ze mij maar wilden volgen.'

'Je begrijpt blijkbaar helemaal niet waarom ze aan jou willen

ontsnappen!' Haar stem klonk intens van samengebalde weerzin.
'Hun visie is beperkt, net als hun geesten.'
'Marc . . . ze willen doodgewoon vrij zijn!'
Hij zei rustig: 'Toen ze nog jonger waren, accepteerden ze hun lot gewillig. Maar er waren problemen op Ocala. Wrijving en slijtage onder de zwakkeren van mijn oude bondgenoten en ik was al te vaak weg om tussen de sterren te zoeken. De kinderen werden verleid het oorspronkelijke ideaal af te zweren, allereerst door toedoen van maar één man, Alexis Manion, die eens mijn beste vriend was geweest.'

'Hij komt ook in de geschiedenisboekjes voor. De man die probeerde te bewijzen dat het concept van Eenheid niet kon deugen.'

Marc lachte kort. 'Het zal je interesseren te weten dat hij van gedachten is veranderd.'

'Hij ontdekte de waarheid, bedoel je! Eenheid is de enige manier waarop de evolutie van de mensheid zich op natuurlijke wijze verder kan ontwikkelen. Jij en je volgelingen dachten ten onrechte dat daardoor de individualiteit werd bedreigd. Maar de evolutie in de richting van de Galaktische Geest is de onvermijdelijke consequentie van alle intelligente leven. Eenheid legt onze geesten niet aan banden, het maakt juist vrij! Het behoort tot onze natuur om anderen nodig te hebben, om voort te gaan in de richting van universele liefde. Alle rassen van denkende wezens hebben zich dat gerealiseerd, zelfs zij die nog niet metapsychische vermogens hebben ontwikkeld. Dat is de reden dat jouw kinderen instinctief de waarheid hebben begrepen van wat Manion hun vertelde. Waarom zouden ze anders jouw plan verwerpen dat toch zo'n logische snelle weg naar perfectie lijkt te zijn?'

'Het zou *werken*.'

'Het is te draconisch, te veel ontdaan van alles dat op liefde lijkt. Het resultaat zou de isolatie van de mensheid zijn geweest van de rest van de Galaktische Geest. Jouw plan had een zekere objectieve grandeur, maar de kunstmatigheid ervan is net zo'n doodlopende straat als de gouden halsringen van de Tanu.'

'We zouden de menselijke conditie kunnen transcenderen,' hield hij vol, 'door iedere menselijke geest te geven wat Jack bezat.'

Wat Jack bezat. Eindelijk begreep Elizabeth hem.

Voor de eerste maal stak ze haar hand uit en nam de zijne.

'Zie je het dan niet? Met Jack was het precies andersom. Jouw broer wilde nooit uitgaan van zijn eigen niet-menselijk zijn. Zijn verschrikkelijke mutatie zette hem onweerspreekbaar apart, maar toch stond hij erop bij de rest van ons te horen. Jij zag de Mentale Mens als de ideale mens – maar *hij* was te wijs om die vergissing te maken. Daarom moest hij zich wel tegen jou keren, hoewel hij van je hield. Daarom offerden hij en zijn vrouw hun levens op om jouw opstand te keren.'

'En ze lieten mij als weduwnaar, onsterfelijk en vervloekt achter.' Hij sprak luchtig, enkel een gebaar van zijn vingers leek de woorden te onderstrepen. Toen lieten hun handen elkaar los. De baby was wakker geworden en lag te kraaien. 'Het is tijd voor mij om te gaan en tijd voor jou om Brendan naar zijn moeder te brengen.'

Hij ging naar de deur om die voor haar open te doen. Op dat lichte geluid kwamen Dedra en de priester, die tegen elkaar geleund op de bank hadden geslapen, overeind. De moeder barstte in tranen uit en Broeder Anatoly liet een donderende zegening horen die het hele huishouden op de been bracht. Terwijl de gang zich vulde met veel opgewekt rumoer, glipte Marc in de kinderkamer terug.

Daar wachtte een rijzige gestalte gehuld in gewaden hem op.

'Mijn naam is Creyn. Ik ben Elizabeths vriend en beschermer. Dus het werken met het kind is volbracht?'

'Dat heb je gezien,' zei Marc kortaf. 'En Elizabeth is geen schade berokkend. Ga weg van dat raam, zodat ik vertrekken kan.'

'Je hebt Brendan mentaal werkzaam gemaakt. Doe nu hetzelfde ook voor mij.'

'God nog toe – dat kun je niet ernstig menen!' De man in het zwart leviteerde en zweefde nu, afgetekend tegen de hemel die het begin van de dageraad liet zien. Zijn haren kwamen overeind, toen uit het niets een spectrale machine zich rond zijn lichaam leek te sluiten en hij uitte even een pijnlijke kreet toen een rij van kleine wondjes zich andermaal op zijn voorhoofd etste.

'Wanneer de kleine de behandeling kan overleven, dan kan ik dat ook,' zei Creyn. 'Ik smeek het.'

Het onbeweeglijke hoofd keek hem met blinde ogen aan. *Jij dwaas. Weet je dan niet wie ik ben?'*

'Jij bent de Tegenstrever, vanaf het begin der tijden voorbestemd om mijn volk te provoceren. Ik weet wat jij in je toekomstige wereld hebt gedaan en ik weet wat je hier voor het kind hebt gedaan. Ik weet ook wat je doen moet in de aeonen daar tussenin. Help mij, dan zal ik jou helpen.'

Ik heb geen hulp nodig.

'Dat heb je wel. Ik weet waarheen je voorbestemming je voeren moet en wat je daar moet doen. Jij weet dat niet. En mijn Gilde is de behoeder van datgene dat leniging kan brengen, iets waar zelfs de wetenschap van jouw Bestel niet toe in staat is. Verander mijn geest. Breng mij omhoog tot haar niveau en dan zal ik het jou geven, samen met de waarheid.'

De net opgekomen zon glinsterde op de kleine gouden halsring die rond de pols van Marc was geslagen. De moleculen van zijn lichaam losten op in het ypsilonveld en hij was zo doorzichtig

243

geworden als water. Hij leek nog iets te willen zeggen, maar bracht het niet verder dan een verbijsterde zucht, gevolgd door ongeloof.

'Ik lieg niet,' zei Creyn. 'Misschien praten we een volgende keer verder.'

De schaduw haalde de schouders op en loste zichzelf op.

Toen zijn ervaring hem waarschuwde dat Elizabeth zich op de rand van een emotionele uitbarsting bevond, nam Broeder Anatoly haar mee naar de keuken, waar het schemerig was en warm van het nog pas gebakken brood en totaal verlaten.

'De genezing van het kind is een prachtige aanleiding voor een feest,' zei de monnik, 'maar jij hebt nu vooral rust en vrede nodig.'

Hij zorgde ervoor dat ze zitten ging aan de grote keukentafel die op schragen stond terwijl hij vlug een ontbijt begon klaar te maken – roereieren met eendelevertjes en vers brood met aardbeienjam. Terwijl ze at, moedigde hij haar aan te praten over de mentale taak die zij en Marc hadden volbracht hoewel de details van haar uitleg voor hem volstrekt onbegrijpelijk waren. Ondanks dat begreep Anatoly genoeg om zeker te weten dat de genezing van Brendan niet alleen bevredigend was verlopen, maar ook op een manier die nooit eerder was voorgekomen. Hij had bovendien sterke vermoedens dat Elizabeths eigen leven gedurende die procedure ergens in gevaar was geweest, ook al weigerde ze dat te bevestigen.

'Dat aspect doet er niet toe, Broeder,' zei Elizabeth. 'Het belangrijkste is dat het is gedaan en het is goed gedaan. God! Ik kan je niet vertellen hoe goed het voelt om weer het werk te doen waarvoor ik ben opgeleid in plaats van rond te rommelen op de incompetente manier waarop ik hier bezig ben geweest sinds ik naar het Plioceen kwam.'

De monnik stond bij het fornuis koffie te maken. 'Ik zou de integratie van Aiken Drums persoonlijkheid geen amateurisme willen noemen.'

'Hij volbracht het belangrijkste van de genezing zelf. Ik ben enkel zijn gids geweest. Maar met dit kind was het heel wat anders. Hoe moet ik het uitleggen? Het was eerder onderwijzen dan opereren! Dat is het soort werk dat ik beroepshalve in het Bestel heb gedaan. Dat is waar ik goed in ben. Zelfs Marc zag . . .' Haar stem brak af, ze zat te fronsen boven haar bord.

'Wat zag hij?' vroeg Anatoly.

Ze prikte in haar eieren, legde vervolgens haar vork neer en smeerde jam op een snee brood. 'Marc was didactisch trouwens ook goed,' zei ze op verbaasde toon. 'Wie had dat ooit gedacht? Een man als hij. Iemand die de hele wereld in gevaar heeft gebracht.'

'Zie je hem zo?' Anatoly vond twee grote glazen bekers en vulde

244

die met het stomende brouwsel. Daarna haalde hij een met zilver beslagen flacon onder zijn monnikskleed vandaan en goot een scheut eruit in Elizabeths koffie.

'Martell Réserve du Fondateur. Vertel alsjeblieft niet aan Mary-Dedra dat ik er zo als een cavalier mee omspring.' Hij schoof de beker naar haar toe. 'Drink!'

Elizabeth lachte hulpeloos.

'Je bent bijna net zo onmogelijk als Marc.'

De prikkelende geur van de cognac bracht haar de tranen in de ogen terwijl ze dronk.

'Hoe zou ik hem anders moeten zien, behalve als een fanaticus die de Eenheid zou hebben verwoest als hij dat had gekund? En dan, al die mensen die stierven vanwege zijn obsessie . . .'

'Je moet bedenken dat ik naar het Plioceen ben gekomen voor hij met zijn opstand begon,' zei Anatoly. 'Ik heb hem dus nooit persoonlijk gekend van toen, hoewel hij in mijn tijd al een publieke figuur was, jaren lang, met een magnetisch leiderschap. Iemand wiens idealen helemaal niet overduidelijk boosaardig waren. Hij was een groot mens, die door velen werd bewonderd. Het debâcle begon toen hij zich gedwongen voelde geweld te gebruiken. Maar heel wat goede mensen stonden tijdens de Rebellie aan zijn kant . . . en dat waren niet alleen maar menselijke chauvinisten.'

Elizabeth dronk haar beker leeg en zat ineengezakt, haar ogen gesloten.

'Ik moet toegeven dat hij anders was dan ik had gedacht. Nadat we samen hadden gewerkt, vond ik het moeilijk om mijn indrukken die ik van hem kreeg in overeenstemming te brengen met mijn vooropgezette mening.'

De priester lachte. 'Hoe oud was je ten tijde van de Rebellie?'

'Zeventien.'

'Geen wonder dat je hem zag als de geïncarneerde Satan.'

Elizabeth deed haar ogen open. Haar toon klonk bitter toen ze zei: 'Hij is nog altijd zo trots als een duivel en vastbesloten zijn wil door te drijven.'

Ze vertelde hoe Marc de laatste stadia van de genezing had overgenomen en haar tijdens dat proces in de ondergeschikte positie had gedwongen.

'Hij had me helemaal in zijn macht. Hij had me kunnen doden, hij had me voorgoed kunnen onderwerpen. Maar hij deed het niet. Dat is bijna nog vreemder dan zijn oorspronkelijke verlangen om mij bij de genezing van het kind te willen assisteren! Broeder . . . wat denk jij dat hij *wil*?'

'God mag het weten,' zei Anatoly. Hij deed het laatste beetje cognac in Elizabeths glas. 'Drink.'

Dat deed ze, genietend van het aroma dat uit het nog warme glas opsteeg.

'Marc heeft zevenentwintig jaren tussen de sterren gezocht in de hoop een planeet te vinden waar bewustzijn voorkwam op het niveau van Eenheid. Maar toen ik hem vroeg wat hij van plan was geweest te doen als hij zo'n planeet zou hebben gevonden, lachte hij alleen maar.'

De monnik schudde zijn hoofd. 'Ik ben maar een oude Siberische priester zonder iets van metavermogens in mijn schedel. Hoe zou ik moeten weten wat iemand als Marc Remillard motiveert . . . of jij, wat dat betreft?'

Elizabeth keek hem een ogenblik stil aan. Hij glimlachte bescheiden boven zijn half geleegde koffiebeker. 'Het is jammer,' zei ze ten slotte, 'dat je nooit mijn oude vriend Claude Majewski hebt ontmoet. Jullie zouden het goed met elkaar hebben kunnen vinden. Hij was precies zo'n slimme vos met al de streken die erbij horen.'

'Gek, Zuster Roccaro zei ook al zoiets.' Hij schudde nog eens vergeefs aan de cognacfles, deed daarna de dop op de flacon en stak hem weg in de zak van zijn habijt. 'Ik hoop toch echt dat er ergens in de kelders hier nog wat meer van die Martell ligt weggestopt. Ontzettend veel beter dan water uit Lourdes. Wil je biechten?'

Ze begon verbaasd. 'Nee!'

Hij stak zijn handen omhoog, de palmen naar voren, de kleine glimlach nog op zijn plaats. 'Rustig maar aan. Ik dacht gewoon dat ik het es moest vragen.' Hij liep naar de keukendeur. 'Maar toch, wanneer je maar wilt.'

'Waarom vraag je het *hem* niet?'

'Oh, maar dat heb ik gedaan! Drie of vier dagen nadat ik zijn coverall had gestolen omdat ik dacht dat hij daardoor het landhuis niet zou kunnen verlaten in die verschrikkelijke machine van hem.'

'Je deed *wat* . . .?'

Anatoly bleef even staan met zijn hand al op de klink. 'Een futiel gebaar, dat bleek later. Hij heeft die coverall helemaal niet nodig om een d-sprong te kunnen maken. Het is alleen maar een sturend gemak onderweg. Dus ik heb het geval aan hem teruggegeven.'

'En je aanbod om hem geestelijk bij te staan?'

De monnik grinnikte, ging naar buiten en deed de deur achter zich dicht.

5

'Ik smeek je om het nog eens te overwegen,' zei de Oude Man Kawai.

Hij stond op de veranda van Madame Guderians huisje en hield een kleine, geelbruine kat in zijn armen. Drie jongen tuimelden dronken rond zijn voeten. Af en toe probeerde één ervan een uitdagend gegrom uit op de twee ruiters op chaliko's die in de grijze mist voor de deuropening oprezen.

'Jij bent degene die alles nog eens moet overdenken, Tadanori-san,' zei commandant Burke. 'De Firvulag kunnen nu elke dag Verborgen Bron aanvallen, onverschillig wat Fitharn ervan zegt. Hij is ons goed gezind, maar hij is maar alleen. En Fort Roest was de druppel die de emmer deed overlopen. We kunnen het Kleine Volk gewoon niet langer vertrouwen. Sharn en Ayfa hebben te vaak gelogen.'

'De koning en de koningin van de Firvulag wilden de IJzeren Dorpen verwoesten,' zei de Japanner op leeftijd. 'Omdat die een bedreiging voor hen betekenden. Maar die is nu verwijderd.'

'Bij Fort Roest zijn er drieëntachtig gedood,' zei Denny Johnson. 'En een paar honderd meer met kleine beetjes tegelijk in de maanden die volgden terwijl we langzamerhand werden verdreven uit de andere ijzeren nederzettingen aan de Moezel. Minstens tweemaal dat aantal is gewond of vermist. En deze uithoek in de bossen ligt net iets te dicht bij de vijand, Oude Man. Die ouwe Sharn schreeuwt nu al een hele tijd tegen ons: "Hup, kikkers, springen!" En dat kun jij maar beter ook doen, tenzij je klaar bent om te sterven. Niemand vraagt je om mee te gaan naar Roniah. Je kunt met de karavaan meegaan die naar Nionel gaat. Daar zijn Minderen welkom, God zegene de lelijke harten van die Huilers.'

'Ik kan niet gaan, ' zei Kawai, terwijl hij de kat streelde. 'Ik begrijp waarom jullie deze plek willen verlaten, maar ik moet blijven.'

Burke leunde voorover uit zijn zadel en hield een Husqvarna-verdover voor zich uit. 'Neem dit dan tenminste. Voor zelfverdediging.'

Kawai schudde zijn hoofd. 'Jullie zullen elk wapen nodig hebben om in Goriah te infiltreren. En trouwens, wanneer de Firvulag zien dat ik niets heb om mezelf te verdedigen, waarom zouden ze me dan molesteren? Een half blinde van over de tachtig met een huis vol katten? Nee, ik zal hier blijven en op dit huis passen dat ons zoveel jaren lang goed onderdak heeft geboden. Ik zal voor de tuinen zorgen, de paden vrij houden van gras, op de watermolen letten en ervoor zorgen dat er geen ongedierte in de huizen binnendringt. Een deel van het losgelaten vee is hier ook blijven rondhangen, geiten en een paar kippen en die grote gans die Peppino met geen mogelijkheid in een mand kreeg. Ik zal ze voeren. En dan, wie weet? Misschien zijn op een dag alle moeilijkheden voorbij en dan zijn er wellicht mensen die naar Verborgen Bron terug willen komen.'

'Ik zou blijven, God is mijn getuige,' zei Denny Johnson, 'als ik dacht dat we met rust zouden worden gelaten. Maar je weet wat Fitharn gezegd heeft.'

Kawai fronste. 'En jij gelooft dat verhaal over een komende Laatste Oorlog, die Oorlog der Schemering?'

'Oude Man, ik weet niet meer wat ik geloven moet en wat niet. Maar één ding is verdomd zeker: ik had absoluut niet in de gaten hoe goed ik het had in het Bestel toen ik voor mijn maaltijden moest zingen in Covent Garden. En als ze mij ooit door die tijd-poort terug laten gaan, dan kan het me niks schelen wat ze me willen laten zingen en hoe.'

Kawai smoorde zijn gegiechel in de vacht van de kat. 'Ah wel, umaku iku yo ni, mijn beste vriend. Veel geluk!'

Johnson wenste hem ook het beste en zei toen tegen Burke: 'We moeten gaan rijden, Roodhuid, voor die karavaan ons te ver voor-uitkomt.'

'Rijd jij maar vast door, Geeloog, terwijl ik deze koppige ouwe karper nog een laatste beetje rechtskundig advies geef.'

Terwijl de ene ruiter in de mist verdween, klom Commandant Burke uit het grote zadel en stond toen met zijn vuisten op zijn heupen voor de minuscule Japanner. Zijn donkerbruine gezicht vol littekens stond onbewogen, maar zijn stem klonk gebroken toen hij zei: 'Doe het alsjeblieft niet. Alsjeblieft.'

De oude man zuchtte. 'Haar geest is hier, ik zal veilig zijn.'

'Zij zou de eerste zijn om je te vertellen wat een idioot je bent!'

De kat sprong uit Kawai's armen en haastte zich om een van haar jongen terug te halen die bezig was een rondscharrelende pad uit te dagen.

'Luister naar mij, Peopeo Moxmox. Ik ben trots op het leven dat ik hier in het Plioceen heb geleid. Een leven dicht bij de natuur, vol van gevaar maar rijk aan eenvoudige bevrediging. Ik heb er nooit naar verlangd een bushi te zijn zoals jij, ik wilde enkel een vakbe-kwaam ambachtsman worden, net als mijn voorouders. Hier in dit dorp heb ik weefgetouwen gemaakt en slijpmachines en papier en aardewerk en schoenen. Ik heb mijn ambachten aan anderen geleerd. In tijden van nood heb ik zelfs jou geholpen om onze men-sen te leiden. Het was allemaal heel goed. Zelfs het verlies van Madame en Amerie-chan en de anderen was te verdragen, gezien in de context van het wiel van eindeloze verandering en eeuwige onveranderlijkheid. Maar ik ben nu heel erg moe, Peo. En ook al zijn we dan in jaren heel dicht bij elkaar, ik ben veel ouder geworden terwijl jij nog steeds over je vitale veerkracht beschikt. Dus blijf ik hier en dat is mijn goed recht. Ik zal bidden dat het jou en de anderen moge lukken om wapens te stelen in Roniah, want jij hebt besloten dat dat noodzakelijk is wanneer jullie willen kunnen onderhandelen met de koning. Ikzelf ben van mening dat je weer een beroep zou moeten doen op de aanwending van diplomatie om jullie een veilige tocht door de tijdpoort te garanderen, maar ik kan me tegelijk voorstellen dat jij daarover vanuit een positie van kracht wilt onderhandelen. Ik kan dat niet meer. Mijn eigen wiel is bijna de hele omwenteling rond geweest en je moet me maar vergeven als ik nu dom genoeg ben om hier te willen blijven op de plek waar ik zo trots op ben.'

'Je bent niet dom, Oude Man.' Burke boog vanaf zijn middel. 'Vaarwel.'

'Ik zal geen sayonara tegen jou zeggen, Peo, maar eerder, itte irasshai, en dat betekent slechts "vaarwel, voor dit ogenblik". Zeg alsjeblieft tegen de mensen die naar Nionel gaan, dat ze aan mij moeten denken en me hier moeten bezoeken wanneer ze daar de kans voor hebben. En als jij ooit van mening verandert over de tijdpoort, dan staat je wigwam hier altijd op je te wachten. Ik zal er een nieuw dak opzetten voor de regens komen en de spanframes voor de huiden herstellen.'

'Dankjewel,' zei Burke.

De oude man boog diep en toen hij weer overeind kwam, zat Burke al in het zadel. De Commandant lichtte één hand, gaf daarna de chaliko de sporen en galoppeerde weg over het pad langs de stroom.

Kawai tuitte zijn lippen en maakte het vibrerende fluitsignaal dat Dejah en haar jongen bij elkaar riep voor de ochtenduitdeling van vis en geitemelk. Zelf nam hij een ontbijt van fruit en was toen enige tijd bezig met rond te rommelen in het huisje.

Toen de mist was opgetrokken en het zonlicht door de pijnbomen in speerpunten naar beneden kwam, ging hij naar buiten om de rozentuin op te ruimen. Het onkruid had duchtig gewoekerd en de rozestruiken die met mastodontemest was verrijkt, waren nodig aan een snoeibeurt toe. Veel van de struiken stonden nu in volle bloei en de hele tuin rook ernaar. Nadat hij bijna drie uur aan een stuk had gewerkt, ging hij zitten op een ouderwetse bank en keek naar de kat die bezig was haar jongen te leren hoe je sprinkhanen moest vangen. Wat kon hij nu gaan doen? 'Ik zal haar bloemen gaan brengen,' besloot hij impulsief. Hij koos een vaas uit die op een plank in de tuinschuur stond en vulde die bij de bron. Daarna sneed hij Precious Platinum-rozen af waarvan de knoppen net begonnen open te gaan. Ze waren rood en geurden zwaar. 'Rood voor martelaren,' vertelde hij tegen de kat. 'En Madame hield van deze rozen.'

Hij wilde haar het juiste respect betonen en dus ging hij naar binnen om schone kleren aan te trekken. De dieren nam hij mee naar binnen en sloot ze daar op zodat ze hem niet konden afleiden. Daarna wandelde hij langzaam door de verlaten nederzetting, stak het centraal liggende beekje over dat zijn water ontving uit een veelvoud aan hete en koude bronnen in de directe omgeving waaraan het dorp zijn naam ontleende en liep toen een halve kilometer stroomafwaarts langs het hoofdpad tot hij bij de begraafplaats kwam. Sissend liet hij van zijn afkeer blijken toen hij merkte dat ook hier, na amper drie weken van verwaarlozing, de jungle aan haar invasie was begonnen. Iedereen was te druk bezig geweest met de voorbereidingen van hun vertrek om veel aandacht te besteden aan de doden.

'Hier alles weer in orde maken is het eerste wat ik doe,' beloofde hij.

Toen stond hij ineens heel stil en luisterde.

Boven het zingen van de vogels uit en boven het kabaal dat een groepje reuzeneekhoorns maakte, hoorde hij een ander geluid, diep en ritmisch dat uit de grond onder zijn voeten leek te komen alsof het de hartslag van de aarde zelf was. Het geluid ging vergezeld van een op en neer gaand gemurmel dat toenam en toen herkenbaar werd als een lied, gezongen met het sonore geluid van een contrabas. Kawai had het eerder gehoord. Dit was het marslied van de Firvulag.

Hij liep naar het hoofdpad terug en keek naar de ingang van de kloof. Hij zag een inktzwarte schemering, doorschoten met barbaarse flitsen veelkleurig licht. De drums bonsden en het diepe muzikale neuriën begon te weerkaatsen tussen de naar elkaar toebuigende wanden van de kloof naarmate de invasiemacht dichterbij kwam. Kawai begon standaards te zien, behangen met goud en emblemen, afdelingen voetvolk in pantsers van obsidiaan, zwart omfloerste chaliko's waarop de officieren reden.

Nog steeds met de vaas rode rozen in zijn handen, bleef hij midden op het pad staan en wachtte.

Als in een droom zo onverschillig kwam de horde gedrochten dichterbij. De krijgers te voet droegen getande pieken, spiksplinternieuwe kruisbogen en speren die aan de punten waren beslagen met een metaal dat enkel ijzer kon zijn. Ze marcheerden in colonnes van vier en toen die hem bereikten, weken ze uiteen aan weerskanten alsof hij een rots was in het midden van een duistere stroom. Het marslied dreunde voort. Geen enkele Firvulag besteedde aandacht aan hem. Hij leek geworteld in het stof, te verbaasd om bang te zijn.

Toen de cavalerie en het korps bereden officieren hem bereikte, hielden zij de teugels in. Maar de infanterie marcheerde onverbiddelijk verder naar het dorp. Kawai staarde naar één enkele reusachtige ruiter, die van hoofd tot voeten bedekt was met glinsterende platen zwart glas, bezet met knoppen en punten en geornamenteerd met juwelen. De massieve helm werd bekroond door een paar melkkleurige kristallen hoorns. Ook de linkerhandschoen van de verschijning was gemaakt van melkwit glas. Hij droeg een groot, met halfedelstenen bezet schild en aan zijn zijde hing een schede, waaruit de handgreep te voorschijn kwam van een geducht wapen uit de 22e eeuw. Vlak achter deze aanvoerder stonden twee anderen, iets minder geducht om te zien, samen met een dwergachtig uitziende officier die ridicuul voorovergebogen zat op een groot strijdros. De cavalerie verspreidde zich naar twee kanten aan weerszijden van Kawai en op een mentaal commando haalden ze laserkarabijnen uit hun zadelholsters te voorschijn die ze op de oude man richtten.

Kawai boog ernstig voor de officieren.

'Goedemorgen. Welkom in de kloof van de verborgen bronnen. Onder de voorwaarden van de Wapenstilstand, mede gewaarborgd door koning Sharn en koningin Ayfa, kunt u zich beschouwen als geëerde gasten.'

Hij hield het boeket rozen voor zich uit.

De leider van de Firvulag tilde het vizier van zijn helm omhoog en onthulde een grotesk gerimpeld gezicht dat hem woest aanzag. 'Ik ben Betularn met de Witte Hand, Kampioen, Grote Kapitein en Eerstkomer, Verdelger van de Aartsvijand!' declameerde hij met een rommelend gegrom. 'Bid, Mindere, tot wat voor povere goden jij de jouwe noemt!'

'Dat heb ik reeds gedaan, dank u,' zei Kawai, dichterbij stappend in de richting van de chaliko die het monster bereed. 'Uw bloemen, Heer Betularn.' Hij wierp de rozen omhoog, volhardend glimlachend.

Onder de andere officieren weerklonk gemompel. Een officier in een duifkleurig kuras zette de helm af en bleek een vrouw te zijn met springerig haar die haar aanvoerder een brede glimlach schonk. 'Die heeft je bij de staart, Witte Hand, al mag Té weten hoe een Mindere ooit achter die zowat vergeten gewoonte is gekomen. Je moet ze aannemen.'

De witte handschoen aanvaardde de bloemen. Als bij toverslag lieten de anderen hun wapens zakken. De twee andere officieren deden eveneens hun vizieren omhoog en keken met verbijstering op Kawai neer. Een van hen maakte een gebaar naar de overige cavaleristen die daarop in de richting van het dorp draafden.

'Dus het schenken van bloemen heeft ook onder uw volk een betekenis,' merkte de oude man op.

Betularn negeerde dat. Hij hield zijn hoofd schuin alsof hij luisterde en gaf toen een grom van verbazing. 'Weg?' riep hij uit. 'Wat bedoel je . . . weg?' Hij tuurde naar de oude man. 'Waar is de rest van de Minderen?'

Kawai gaf zijn gezicht de uitdrukking van formele spijt. 'Gomen nasai, Heer Betularn. Ze zijn allemaal weggegaan. Ziet u, we hebben de afgelopen maanden geleden onder zoveel tegenslagen. Overvallers die zich volstrekt niet hielden aan de wensen van uw monarchen overrompelden onze vreedzame nederzettingen en doodden veel mensen. We besloten toen dat deze omstreken te gevaarlijk waren voor menselijke bewoning. Al de Minderen, behalve ikzelf, zijn naar Nionel vertrokken om daar de gastvrijheid te aanvaarden die door Heer Sugoll en zijn metgezellin, Katlinel de Donkerogige, zo vriendelijk werd aangeboden!'

'Dat is dan één karweitje minder om onze jongens en meiden af te leiden,' zei de vrouwelijke officier. 'Op dus maar naar het grote werk.'

'Houd jij nou je kop, Fouletot,' snauwde de Grote Kapitein. Hij vroeg aan Kawai: 'Wanneer zijn jouw mensen weggegaan?'

'O, tijden geleden. Die moeten nu al bij de hoofdstroom van de Pliktol zijn.'

Betularn kauwde op zijn grijze snor en trok aan zijn baard. 'Verdomme . . . we zullen een omweg moeten maken om dit te controleren.'

'En we hebben nog maar een week tot de Wapenstilstand!' kwaakte de officier met de dwergengestalte.

'Jij houdt ook je kop, Pingol!' bulderde Betularn.

'Denk aan onze orders,' zei de tweede mannelijke strijder.

'En jij houdt je ook stil, Monolokee. Té mag me tot sintels blazen! Laat me even nadenken.'

Kawai zei zachtaardig: 'Ik kan u maar een povere gastvrijheid bieden, goede buren. Maar in het gemeenschapshuis is koud bier dat verfrissend kan zijn na een warme rit en ik heb verder nog een tamelijk grote voorraad aardbeienjam.'

Betularn keek de kleine glimlachende man met een doordringende blik aan. 'Als dit een valstrik is . . .'

Kawai spreidde zijn handen in een gebaar van onderdanigheid. 'Ik ben volstrekt alleen. Uw mannen moeten dat feit inmiddels hebben vastgesteld. Alstublieft, volgt u mij. U bent zeer welkom, dat verzeker ik u.'

Hij draaide zich om en begon in de richting van het dorp te lopen. *Lieve Amerie-chan*, bad hij, *je rozen hebben een compleet wonder bewerkstelligd. Dat wil je toch nu niet in de war sturen, of wel dochter?*

Achter zich hoorde hij de monsters lachen. Tuigleer kraakte, geklauwde poten maakten langzame plofgeluiden in het stof.

'Dat verdomde bier kan maar beter goed koud zijn,' mopperde Betularn.

'Oh, maar dat is het,' zei Kawai grinnikend over zijn schouder.

'Komt u maar gewoon mee. Het is niet ver.'

'Ben je er zeker van dat je hiermee wilt doorgaan?' vroeg Greg-Donnet.

Het ene blauwe oog midden op het voorhoofd van de Huiler-vrouw bleef standvastig. 'Als ik eruit gezien had als een mens, dan zou hij van me gehouden hebben. Mijn illusies waren niet goed genoeg. Doordat hij eens een zilveren halsring had gedragen, kon hij meer over de aard van onze mentale scheppingen waarnemen dan andere echtgenoten die ook Minderen waren.'

Ze trok haar laatste kledingstuk uit, gaf die aan een vrouwelijke laboratoriumassistent en stond toen licht huiverend naast de uitge-breide rij toestellen die samen de tankapparatuur vormden en het bedieningspaneel. Haar gemuteerde lichaam was slank, geschubd en vanaf haar schouders en over de helft van haar borstkas bedekt met een pels die leek op die van een blauwvos.

'Ik ben klaar. Wat moet ik nu doen, Melina?'

'Stap in de tank,' zei de assistente, 'en dan verpakken we je in Huid. Dan zullen dokter Prentice Brown en ik de monitoren aan-zetten en jou verbinden met de apparatuur die je levensfuncties gaande houdt. Het zal zijn alsof je gaat slapen. Je zult er niets van merken wanneer de tank gevuld wordt.'

'Zal ik dromen?' De vraag klonk angstig.

'Goede dromen,' stelde Greggie haar gerust. 'Misschien wel van hem.'

Het kleine schepsel glimlachte. 'Ik weet dat er een kans is dat ik sterven zal of dat ik erger mismaakt dan eerst uit de tank te voor-schijn kom. Maar ik doe dit graag. Mocht hij komen voor ik weer wakker word, dan moet je hem dat zeggen. Beloofd?'

'Vast en zeker,' zei Greggie. 'En nu . . . in de tank. Zorg ervoor dat je positieve gedachten denkt. Het is heel belangrijk om je eigen zelfgenezende impulsen nu al vrijwillig te ontwikkelen.'

Hij en zijn assistente gingen aan het werk en verpakten de gemu-teerde vrouw vlug in het transparante membraanweefsel van Huid en sloten de hulpapparatuur aan. Daarna sloten ze de tank af en controleerden voor het laatst of alle functies werkten. Daarop lie-ten ze de grote kristallen container vollopen. Het lichaam begon nu vrij te drijven en nam een horizontale positie in, verankerd aan de Medusakap die nu snel zou beginnen met het invoeren van regene-rende commando's naar het slapende brein.

Greg-Donnet raakte zijn gouden halsring aan terwijl hij keek naar de steeds veranderende gegevens op de afleesapparatuur. 'Ben je in slaap, mijn lammetje? Kun je me horen?'

De hersengolven trokken langzaam hun golvingen over de moni-tor. Eén enkel woord ontsnapte nog over de drempel van het bewustzijn voor de geest van de mutante zich overgaf aan de Huid-

253

tank en aan de helende vergetelheid:
Tonie.

6

De acht eenheden die waren opgebouwd uit de zo dappere oorspronkelijke terreinwagens, nieuw geschilderd in een pruimkleur met goud, kwamen uit de branding te voorschijn en daverden het zandige strand van het Bretonse Eiland op. Aan de zwiependeantenne van het leidende voertuig hing de banier van koning Aiken-Lugonn, de digitus impudicus. De koning zelf zat aan de knoppen. Hij was in een uitstekend humeur, want voor de verandering was alle nieuws dit keer goed. De expeditie naar de Alpen had een route uitgezet over de bedrieglijke Gresson IJswaterval en inmiddels het eerste bevoorradingskamp opgezet. De strijdmacht van Famorel daarentegen was door een lawine getroffen in de Tarentaise en was daarbij een dag achterop geraakt en had bovendien dertig man verloren. Kuhal Aardschudder meldde vanuit Roniah dat de voorraad wapens uit het Bestel die daar was aangetroffen aanzienlijk groter was dan ze hadden durven hopen. Hij was bezig het merendeel daarvan in te pakken om naar Goriah te worden verscheept langs de veilige, maar wat langere zuidelijke route. Want het leek niet verstandig om dat rechtstreeks te doen, zelfs niet onder de termen van de Wapenstilstand. Een sterke groep dappere Tanu zou de wapens over de Rhône en over land naar Sasaran brengen, daar gingen ze met een rivierboot de Garonne af, waarna de koninklijke vloot de lading verder kon transporteren naar Goriah.

Omdat hij zich zo opgewekt voelde, gaf Aiken een serie klappen op de claxon van de terreinwagen en zond daardoor een fanfare van getoeter kaatsend over de met gras begroeide zandduinen. Oeverlopers en grutto's maakten dat ze weg kwamen en de koning lachte. Hij was, samen met een aantal hovelingen en veertien van de jonge Amerikanen op weg naar de officiële opening van de Koninklijke Siderurgische Onderneming in de Bretonse Hooglanden, die nu eindelijk zo ver was dat er op volle capaciteit kon worden geproduceerd. De huishouding van het kasteel had een uitgebreide lunch meegegeven. De terreinwagens rolden soepel over een hellend pad dat gemaakt was om zwaar verkeer van en naar de smeltoven mogelijk te maken. De kobaltblauwe hemel was gevuld met de bloemkooltjes van witte wolken.

'Het is een veel te mooie dag voor een overval,' zei Aiken tegen Dougal. 'Ik denk dat je het je maar verbeeldt, ouwe schavuit.'

De imitatie-middeleeuwer, die in de tweede stuurstoel zat, liet een diepe zucht ontsnappen. 'Zulke welkome en onwelkome dingen zijn moeilijk te verzoenen. Maar het is op het helderst van de dag dat de adder zich laat zien. Dat vraagt om behoedzaam te treden . . . en als dat wezen geen slechts in de zin heeft, waarom rijdt hij dan samen met de kinderen van de Rebellie?'

'Vilkas gaat waar zijn baas gaat,' zei de koning op redelijke toon. 'En Yosh controleert een paar onderdelen van de automatische piloot van Hagens terreinwagen. Daar schijnt een kleinigheidje aan te mankeren.'

'Ik ben maar een arme onnozelaar,' zei Dougal, 'maar ik heb in oprechtheid verteld wat ik ik deze ochtend hoorde toen die schurkachtige Noord-Amerikanen op het voorplein van het kasteel bijeenkwamen. (Aan mij besteden ze geen aandacht omdat ik nou eenmaal gek ben.) En de bedoeling van hun plan was duidelijk genoeg, Sire. Zij hebben weet van uw mentale onvermogen door informatie die de vermaledijde Litouwer hun heeft verschaft en ze zijn op de een of andere manier van plan u deze dag verraderlijk te misbruiken.'

De ogen van de koning werden glinsterende zwarte spleetjes onder de rand van zijn gouden hoed.

'Vilkas en Yosh en die andere knaap *waren* inderdaad erbij in Calamosk toen ik dat kunstje uithaalde. Maar wat zou Vilkas voor motief kunnen hebben om mij te verraden?'

'Hij denkt te veel! Zulke mensen zijn gevaarlijk. En hij heeft een zuur en nors karakter en voelt zich nog altijd te kort gedaan omdat hij geen goud heeft gekregen.'

Alberonn Geesteter, die met zijn vrouw Eadnar in de navigatiestoelen in het achterste deel van de stuurcabine zat, leunde nu voorover en straalde ongerustheid uit. 'Als er verraad dreigt, Hoge Koning, dan zouden we direct naar Goriah moeten terugkeren. Je hebt niet te veel geesten met de nodige moed op dit uitstapje meegenomen en je hebt het al evenmin nodig gevonden om de mechanische afweerschermen te dragen.'

'Ik vind die dingen verstikkend,' zei Aiken. Hij liet het toerental van de turbine oplopen toen de helling was genomen en de weg recht werd. Al snel lag hun terreinwagen voor op de andere en scheurde door het opengebroken beboste landschap met een snelheid van zo'n negentig kilometer per uur. De ionisatoren die de wind moesten tegenhouden, hadden het weer eens begeven en de koning keek diep in gedachten met zijn ogen toegeknepen voor zich uit. Toen ze bij de nieuwe hangbrug kwamen die de Proto-Oust overspande, nam hij gas terug zodat ze met een slakkegangetje eroverheen gingen. Geen van de andere voertuigen was al in zicht.

Aiken remde en wachtte. Op de monitor die het omringende

terrein weergaf, waren de gebouwen van de smelterij al te zien, nauwelijks drie kilometer verderop. Hij zei: 'En jij was er zeker van dat ze vandaag iets van plan waren, Dougie? Het lijkt er eerder op dat ze er gewoon zin in hebben mij een beetje voor joker te laten staan.'

'Bedrog, Sire, is overal aanwezig en omcirkelt ons als de zon die ook overal schijnt!' De halvegare onderging ineens weer een van die bliksemsnelle persoonlijkheidsveranderingen en voegde er krachtig aan toe, 'Veertien van deze junior-rebellen zijn meegegaan op dit uitje. Alleen juffrouw Cloud en die drie wetenschappelijke tovenaars zijn thuisgebleven. Hersenkracht genoeg om een akelige kleine metabundeling in gang te zetten. En ik hoorde die kerel met de vossekop, Nial Keogh, zeggen dat de ijzersmelterij unieke mogelijkheden bood.'

Alberonn en Eadnar gooiden tegelijk hun gedachten naar buiten: Bloedmetaal in grote voorraad. Al je dappere verdedigers voornamelijk Tanu&kwetsbaar!

De andere zeven voertuigen naderden nu de brug, aangevoerd door de wagen waarin Hagen en diens metgezellen zaten. Aiken bestudeerde hen met zijn metavermogens, maar kon niets anders ontdekken dan onschuldige opgewekte vrolijkheid. De reparatie aan de automatische piloot was blijkbaar uitgevoerd en nu waren de Noord-Amerikanen bezig om Yosh en Vilkas en Jim te voorzien van bekers niet erg voortreffelijke maar ruimschoots voorradige muscadetwijn die door de inwoners van Goriah poedeltjespis werd genoemd.

Aiken drong met een klemmende vraag tot Yosh door: Belangrijk. Denk na! Kan die kapotte autopiloot opzettelijk zijn veroorzaakt om jou en je mannen in de terreinwagen van Hagen te krijgen?

Nouja godallemachtig Chef . . . dat kan. Waarom vraag je dat?

Doeternietoe Yoshmijnjongen maar wees bedacht op rotgeintjes.

'Er is nog goddelijkheid die koningen omsluit,' stelde Dougal Aiken gerust, 'zodat verraad slechts turen kan naar wat het willen zou.'

'Denk je dat werkelijk?' Aiken wierp een kille grijns naar de roodgebaarde grote kerel die op een vreemde manier langzamerhand zijn hofnar was geworden. 'Dan mag jouw goddelijkheid wel verdomd goed naar alle kanten kijken wanneer ik Hagen en zijn bende én Marc Remillard tegelijk moet bevechten! Ik dacht toch echt dat ik die jonge rebellen aan mijn kant had en nu blijkt dat ze alleen maar hun kans afwachten om een koning te kunnen verneuken. Ze hebben misschien wel uitgemaakt dat ik op- en uitgebrand ben na wat Vilkas hun heeft verteld over mijn bedriegerij bij Calamosk.'

'Dan zouden ze toch beter moeten weten,' riep Alberonn uit. 'Ze hebben toch zelf gezien hoe je de metabundeling leidde tijdens onze legeroefeningen?'

'Aha, maar de aanvoerder van zo'n metabundeling hoeft niet per se zelf over uitzonderlijke vermogens te beschikken,' reageerde Aiken. 'Zolang hij maar het juiste programma in zijn koppie heeft, is mentaal overwicht niet half zo belangrijk als handigheid en het vermogen om energieën goed te kanaliseren. Ik denk dat Hagen bang is dat ik niet in staat zal zijn Remillard in een gevecht van man tegen man te verslaan, zonder een metabundeling achter me. Hij is een doodvoorzichtig, achterdochtig pikkie, weet je. En hij moet niet veel hebben van mijn losse manier van doen, zomaar erop uit en lekker bezig zonder minstens drie sigmaschermen en een compleet pantser van kerametaal om mijn koninklijke reet te beschermen tegen een onverhoedse aanval. Dat jong zou zich ongerust kunnen maken dat zijn ouwe vader me te grazen neemt en me vervolgens misbruikt.'

De andere terreinwagens rammelden één voor één over de brug. Hagens opgewekte gedachte bereikte Aiken over de persoonlijke golflengte: Meneer, u hebt ons allemaal mooi in het stof achtergelaten! U bent een betere chauffeur dan wie ook van ons! Zullen we een mooie parade vormen voor we naar binnen gaan? Ik zou zelfs wat mooie doedelzakmuziek uit de luidsprekers kunnen laten komen . . .

Aiken antwoordde droogjes: Kom maar gewoon achter Mij aan.

'En dat zou hij,' zei Dougal zachtjes, terwijl Aiken hun eigen voertuig opnieuw startte. 'Hij zou er uit eigenbelang achteraan komen op voorwaarde dat jij eens en voor al liet zien wie er hier koning is en wie de vazal.' En hij klopte veelbetekenend op de leeuwekop die in goud geborduurd op zijn eigen koninklijke overmantel stond.

Aiken wierp een lange, verraste blik op de middeleeuwer, die niet eens een halsring droeg en die desondanks zo vaak zijn gedachten scheen te raden. Hij merkte nu pas voor het eerst dat de leeuwekop een klein kroontje droeg en daardoor kwam hem een half vergeten herinnering in gedachten, verbonden met zijn slecht doorgebrachte jeugd op Dalradia. Maar de gedachte week voor de druk van dringender zaken en hij zei: 'We moeten er eerst absoluut zeker van zijn dat ze inderdaad een coup van plan zijn. Het is nooit goed om energie bij voorbaat te verspillen. Vooral niet wanneer er niet al te veel pijlen meer in je oude pijlenkoker zitten.'

De ijzermeester van de nieuwe Koninklijke Siderurgische Onderneming was een taaie ouwe blootnek die Axel heette, een van de Minderen die al heel vroeg de IJzeren Dorpen in de Vogezen had verlaten. Van de koning had hij carte blanche gekregen en zodoende had hij, met meer dan voldoende materiaal en personeel, een heel wat volwaardiger bedrijf opgezet op het Bretonse Eiland, dat bovendien vrijwel veilig was tegen elke aanval, een bombardement uit de lucht daargelaten. De mijnen zelf, waar sideriet werd gewonnen, bevonden zich geheel ondergronds. De delfstof kon met een minimum aan menselijke inspanning naar boven worden gebracht door vier compacte mijnmachines die bij de smokkelwaar in Goriah waren gevonden. Het eerste smeltproces werd gedaan in een oven die vlak bij de mijn stond en door water werd aangedreven.

Na een korte wandeling door de mijn en een vluchtige blik op de bulderende oven, werden Aiken en zijn gezelschap meegenomen naar een overspanning die vijftien meter boven de vloer van de geweldige smelterij lag. Daar keken ze toe hoe de stroom gesmolten ruw ijzer op spectaculaire wijze uit de smeltkroes in een grote, emmervormige gietvorm stroomde. Die container was driemaal zo groot als de eromheen scharrelende arbeiders die allemaal gekleed waren in zilveren reflecterende kleding die hen beschermde tegen de hitte en de rondvliegende vonken. Toen de gietvorm vol was, liep die over een spoor naar een nog groter, eivormig vat dat van boven open was en dat naar één kant overhelde om het nog niet veredelde maar gesmolten ijzer in zich op te nemen.

'Het ijzer uit de smeltkroes kan direct worden gebruikt voor de vervaardiging van pijlen, speerpunten en andere simpele toepassingen,' legde Axel de koning uit. 'Het kan ook in baren worden gegoten zodat het gebruikt kan worden als smeedijzer in de smederij hiernaast. Maar daar is het een herrie als in de hel en eigenlijk is dat niet zo boeiend om te zien. Ik denk dat de Verhevenen liever iets spectaculairders zien, dus gaan we kijken naar de eerste resultaten van de nieuwe Bessemer omvormer.'

'Dat lijkt me aardig,' zei de koning.

'Ik had er al zo een willen bouwen in Haut Fourneauville, maar onze opzichter, Tony Wayland, hield dat tegen.' Axel grijnsde. 'Hij wilde iets ingewikkelders! Alsof wij allerlei speciale legeringen nodig hadden om de Firvulag overhoop te steken! Wayland heeft nooit kans gezien om zijn elektrische oven in bedrijf te stellen. Want we konden uit Finiah niet genoeg vermogen krijgen om de oven te laten draaien.'

De koning luisterde aandachtig. 'Die Wayland . . . was dat volgens jou een topmetallurg?'

De ijzermeester krulde zijn lippen en knikte in de richting van Dougal.

'Dat weet hij beter. Hij was Waylands oppasser. Alles wat ik weet is dat we hier met mijn simpele Bessemer omvormer honderd maal meer staal kunnen produceren dan ooit in Waylands elektrische oventje mogelijk was geweest.'

De dichterbij komende gietvorm goot het withete metaal in de wijde mond van de omvormer. Alberonn merkte op: 'Wat zou de Firvulag-aartsvijand tekeergaan, als ze deze overvloed aan bloedmetaal zouden zien die hier verfijnd wordt om hun verwoesting teweeg te brengen.'

'Ze *zullen* het zien,' verklaarde Aiken, 'want ik ben van plan een paar bruikbare stalen dingetjes tijdens het Grote Toernooi tentoon te stellen om Sharn en Ayfa aan hun verstand te peuteren dat ze er niets mee opgeschoten zijn door die IJzeren Dorpen van de Minderen te overvallen. En dan zullen we weten of het Kleine Volk er nog steeds zo happig op is om hun Oorlog der Schemering te beginnen.'

Axel keek van boven neer op de arbeiders. Een in zilver geklede gestalte sloeg de handen boven zijn hoofd in elkaar ten teken dat hij klaar was. De gietvorm rolde weg en het grote ei, nu vol met gesmolten ijzer, begon te kiepen op zijn onderstel. Een ogenblik was de opening rechtstreeks gericht op de toeschouwers en die deinsden instinctief achteruit bij het zien van de gloeiende inhoud. Toen stond de omvormer weer recht en kwam ten slotte licht achterover hellend tot rust, zodat de gietopening haar hitte kon afstaan tegen een gebogen schild dat de houten muur van het gebouw beschermde.

'Kom allemaal maar hier staan,' riep Axel, overlopend van plezier nu hij zijn show kon laten draaien. 'Ik zal uitleggen wat er gaat gebeuren.'

Aiken was dicht omringd geweest door de Tanu uit zijn hofhouding, de meeste Noord-Amerikanen en andere menselijke bedienden stonde verspreid langs de rest van de reling. Ineens zei de koning tegen de buitenaardsen: 'Wat nu, Verheven Broeders en Zusters! Waar is ons gevoel voor gastvrijheid gebleven? Maak plaats rondom Mij voor onze Noordamerikaanse gasten zodat zij kunnen horen wat Axel te vertellen heeft. Jij ook, Yosh. Kom hierheen en neem je assistenten mee. Deze staalfabriek is maar ten dele geautomatiseerd, misschien brengt het jullie op ideeën hoe we de produktie kunnen verhogen.'

De samurai met de gouden halsring boog. 'Zoals je wilt, Aikensama.' Sunny Jim kwam begerig naar voren, belust op een plaatsje vooraan, maar Vilkas bleef met een onverschillig gezicht achteraan hangen.

'Kom aan, man,' drong Aiken aan. 'We zijn klaar voor de grote show. Wil je geen zitplaats vooraan? Er is plaats genoeg naast Hagen en Nial.'

De jonge Remillard en zijn dertien volgelingen stonden in een losse groep links van de koning. Axel keek hen stralend aan. Hij was een menselijke chauvinist tot en met en de ijzermeester was er in het geheim trots op dat deze belangrijke jonge mensen blootnekken waren, net als hijzelf. Ze hadden met strelende aandacht tijdens de rondleiding naar zijn kleine lezingen geluisterd en verschillenden van hen waren bijzonder onder de indruk van zijn slinkse uitleg waarom dit bloedmetaal het afdoende wapen was tegen beide buitenaardse rassen.

Nu sprak hij de toeschouwers met groeiende opgewondenheid toe. 'Deze Bessemer omvormer is even eenvoudig als indrukwekkend. U zult hebben opgemerkt dat er *nergens* sprake is van externe verhitting van de kamer en toch zal binnen een paar minuten de temperatuur zo omhooggaan dat sommige van de onzuiverheden worden uitgestoten als gassen en andere in de vorm van slakken! Dat doen we door een geweldige stoot lucht via straalpijpen in de bodem van de omvormer te jagen. Daar gebruiken we geen simpele blaasbalg voor, maar een door zonne-energie aangedreven compressor. De geïnjecteerde zuurstof dwingt de koolstof die nog steeds in het ijzer zit, tot ontbranding over te gaan. De inhoud gaat koken als een vulkaan! Wat we er niet in willen laten zitten, boert het apparaat in een groot vuurwerk naar buiten. Efficiënt en indrukwekkend om te zien!' Hij trok een gekleurde, gestippelde zakdoek te voorschijn en veegde er zijn druipende voorhoofd mee af. 'Iemand nog wat te vragen voor we haar laten afgaan?'

'Schuilt er geen gevaar in het koken van dit duivelse ei?' vroeg Dougal in alle ernst. 'Ten slotte heb je gezegd dat dit ding voor het eerst in gebruik wordt gesteld.'

'Er is geen enkel gevaar,' hield Axel vol. 'Mijn God, we zijn vijftig meter bij het ding vandaan en het staat bovendien de andere kant op.'

'Laten we ermee doorgaan,' zei Hagen. 'Wij zijn niet bang. Het zal beslist de moeite waard zijn.' Hij keek de koning met koel blauwe ogen aan. 'Wat zegt u ervan, Majesteit?'

'Doorgaan,' zei de koning.

Axel leunde over de reling en wapperde woest met zijn zakdoek. Een van de figuurtjes beneden wuifde terug en haastte zich naar een grote ronde afsluiter die in de rechter tap van het onderstel was geplaatst. Terwijl hij die opendraaide, ontstond er een sissend geloei en een monsterachtige tong van vuur kwam uit de mond van de omvormer te voorschijn. Een oogverblindende vonkenregen sloeg neer tegen het beschermende schild van staal en keramiek langs de achterwand. Een hittegolf sloeg over de toeschouwers heen. Het hele gebouw schudde op zijn grondvesten. Veelkleurige rook waaierde omhoog naar de balken om via de ventilatieroosters te ontsnappen.

'Let op!' schreeuwde Axel. 'Het wordt nog beter!'

De man aan de afsluiter joeg nog meer samengeperste lucht naar binnen. Het bulderende geluid nam toe en werd hoger totdat heel de omvormer leek te schreeuwen van triomf. De rook werd eigenaardig bruinrood en daaruit kwamen langgerekte schichten gloeiend gas te voorschijn die purper en roze en oranje opflikkerden. Druppels gesmolten slakken schoten als meteorieten door de lucht. De in zilver geklede arbeiders beneden op de werkvloer sprongen opgewonden op en neer terwijl op de loopbrug de groep rondom de koning helemaal in het schouwspel opging.

Langzamerhand werden de lekkende vlammentongen heldergeel. De rook trok op terwijl de zuivering van het ijzer voortgang vond en de silicium brandde. Onopvallend verwijderden Hagen en zijn mensen zich verder naar links, gevolgd door Vilkas. De Litouwer, in zijn feestelijke ashigaru-uitrusting stond met open mond: zijn ogen vlogen heen en weer tussen de koning en het vuurspuwende ei beneden in het gebouw. De Noord-Amerikanen stonden nu schouder aan schouder in een dichte groep op een afstand van tien meter. Ze hadden hun ogen, verbazingwekkend genoeg, gesloten.

De vlammen in de omvormer verkleurden van oranje naar puur wit en verspreidden nu een glinstering van diamant terwijl de vlammen kronkelden als een hete massa sterremateriaal. De koolstof brandde en de gloeiende uitgestoten gassen waren nu op zijn heetst en joegen tegen het schild zodat de vuurvaste bekleding daarvan begon op te lichten.

Ineens begon de omvormer rond te draaien.

Axel schreeuwde: '*Nee!*'

De reusachtige vlam draaide weg van het schild terwijl de container ronddraaide en stak in een fractie van een seconde het houtwerk van de muren in brand. Beneden begonnen de arbeiders zich te verspreiden. Eén heldhaftige figuur worstelde onmachtig met de afsluiter. Als uit een kolossale toorts bulderden de vlammen uit de mond van de eivorm en schroeiden een gat met een diameter van drie meter eerst door het dak en vervolgens door de muur direct achter de koning en zijn gevolg.

Toen werd de open mond rechtstreeks op hen gericht. Ze werden omgeven door een golf witte hitte.

Vilkas kreunde van angst. De loopgang stond in vlammen en het hele gebouw raakte gevuld met verstikkende rook. Hij begon te rennen en bereikte de houten trap, maar struikelde en kwam hals over kop terecht in een rookwolk die hem verblindde en bijna deed stikken. Hij jankte luidkeels, hield zich vast aan de reling en gilde: 'Help. Laat iemand me helpen! In godsnaam!'

Hij hoorde hoe het gebulder van de omvormer werd afgesloten. Daarop kwam het geluid van brandend houtwerk dat tot niets oploste. Een geweldige windstoot joeg de rook naar boven, door de ventilatiespleten en nog een korte tijd rookten de sintels van het verbrande hout en gloeiden helder voor ze veranderden in levenloze houtskool.

Vilkas trok zichzelf overeind, de tranen stroomden uit zijn pijnlijke ogen. De grote eivormige omvormer stond bewegingloos onder een hoek van ongeveer vijfenveertig graden, de mondopening gericht op de plek waar Aiken en zijn mensen stonden. Ze bevonden zich veilig binnen een glinsterende bol van psychocreatieve kracht die de geest van de koning had gevormd, verzameld op een stuk van de loopbrug die niet eens geschroeid was en zonder enige steun in de lucht leek te hangen.

Langzaam daalde de bol naar de vloer van de smelterij. De sectie van de loopbrug kwam tot rust op de gebeukte aarde terwijl de bol oploste.

Axel viel voor Aiken op zijn knieën en barstte in tranen uit. Vilkas kon door zijn grijze halsring heel duidelijk horen wat de koning zei:

'Maak het jezelf niet moeilijk, kerel. Dit was niet jouw schuld en we zijn niet gewond.'

De kleine man in het gouden pak keek omhoog om de veertien jonge Noord-Amerikanen aan te kijken die nu bewegingloos vlak bij de rand van de verwoeste insteekverdieping stonden. 'En het ziet ernaar uit dat ook onze vriendjes van overzee de ramp hebben overleefd! Dat is geweldig! We zouden er heel wat meer moeite mee hebben om de tijdpoort te bouwen en tegelijkertijd het Veelkleurig Land te verdedigen tegen jullie geliefde ouders zonder jullie hulp! Natuurlijk zouden we er op de een of andere manier toch wel iets op weten te vinden als jullie ons door een rampzalig ongeluk kwamen te ontvallen. Maar ik denk dat we door samen te werken onze doelen beter kunnen bereiken . . . Of ben je dat niet met me eens, Hagen Remillard?'

'Ik ben het ermee eens, Hoge Koning.'

Zonder te kijken naar de mensen die nog boven waren, liep Aiken naar de grote omvormer en bekeek de afkoelende druppels slakken die zich rond de rand hadden gevormd. 'Met een kleine aanpassing en een paar nieuwe veiligheidsmaatregelen zal dit ding ons uitstekend van dienst zijn. Ook voor de mensen kunnen we veiligheidsmaatregelen nemen. Ik heb er een hekel aan om dat soort dingen te doen omdat ik weet hoe verkeerd sommige mensen op de halsringen reageren. Ik heb er geen flauw idee van of de dragers van zilveren halsringen verbonden kunnen worden met mensen met werkzame vermogens zonder het circuit van de halsringen op te blazen . . . of de hersens. En ik sta ook niet te trappelen om dit soort experimenten uit te proberen tenzij ik geen ander alternatief heb. Begrijp je *dat* ook, Hagen Remillard?'

'Ik begrijp het, Hoge Koning.'

De koning hervatte zijn wandeling, wuifde met een verontschuldigende hand naar de arbeiders die hun zilveren beschermkappen hadden afgezet en in een afwachtend klein groepje bijeenstonden.

'Rustig maar. Denk er niet te veel over na, jongens en meisjes. Eind goed, al goed, zou mijn beminnelijke Dougal zeggen . . .' Hij draaide zich snel om en keek naar de Tanu en zijn menselijke volgelingen. 'Maar toch, er zijn geruchten geweest. Er werd gezegd dat mijn koninklijke vermogens waren verzwakt, dat ik niet langer goed genoeg was om koning van het Veelkleurig Land te zijn.' Zijn overredingskracht wierp zich als een helder net over hen heen. 'Wat zeggen jullie daarop?'

'Slonshal, Aiken-Lugonn!' schreeuwden ze allemaal.

De koning neuriede een wijsje dat heel goed 'Ere aan de Chef' had kunnen zijn en kwam toen bij Vilkas die aan de voet van de trap stond die naar de loopbrug voerde. 'En hier is er nog één die geluk heeft gehad. Of niet?'

Vilkas liet een verstikte kreet horen. De omtrekken van de smelterij om hem heen leken te vervagen om direct daarna met ongewone helderheid terug te keren. Martelende pijnen joegen door zijn schedel.

Aiken maakte sussende, begrijpende geluiden. 'Ik heb er een hekel aan zo ruw in iemands gedachten door te dringen, maar in dit geval is het nodig. Ah! Wat is dat nou erg. En dat allemaal omdat je vond dat jij goud had verdiend? Jij arme donder. Als je het gekregen had, had je wel iets anders gevonden om over te broeden en misschien ook wel een andere voor de hand liggende reden om diegenen te verraden die je vertrouwden.'

'Alstublieft, Hoge Koning,' begon Vilkas. Toen gaf hij één hartverscheurende kreet en greep met zijn vingers naar de halsring die samen leek te trekken en naar verbrand vlees rook. Het grijze metaal rondom Vilkas' nek gloeide als geel gesmolten staal dat nog steeds in de Bessemer omvormer rookte. Hij viel op de aarden vloer zonder nog een geluid te maken.

'Je wilde goud,' zei de koning en draaide zich om.

7

Tony Wayland peddelde zijn bootje door het grote moeras onder het Lac de Bresse en probeerde een kompaskoers aan te houden die hem noordelijk naar open water zou brengen. Maar daar had hij nogal wat moeite mee.

De vochtige ochtendmist gaf hem maar een paar meter zicht en het moeras was vergeven van de bloedzuigers die letterlijk zijn bloed konden drinken als hij dom genoeg was om hun schuilplaatsen te verstoren die tussen het dichtopeenstaande druipende riet waren gebouwd.

Al langer dan drie weken sinds zijn ontsnapping uit Bardelask trok hij voort in noordelijke richting, meestal te voet reizend over de Grote Zuidweg die parallel liep met de Rhône. Hij was in het land aan de westelijke oever helemaal geen Firvulag tegen het lijf gelopen, want het daar wijd verspreid wonende Kleine Volk hield zich schuil en was geneigd de van vijanden omgeven rivier met een grote boog te mijden. Het ergste waar Tony onder geleden had waren de slangen op droge overnachtingsplaatsen en wilde beren in de moeraslanden. En dan waren er natuurlijk de onverwachte moeilijkheden met leden van zijn eigen prooizoekende soort. Hij kwam er maar op het nippertje goed vanaf toen hij een bende blootnekken tegenkwam die hem in een hinderlaag hadden gelokt achterafpad terwijl hijzelf probeerde een groot fort uit de weg te blijven. Hij was gedwongen geweest twee van die hufters neer te schieten voordat ze dit karwei als te zwaar maar lieten liggen.

Terwijl hij in de buurt van de metropool Roniah kwam, was Tony bijna het slachtoffer geworden van de Koninklijke Rekrutering. Koning Aiken-Lugonn kamde alle bosjes en zandpaden uit op zoek naar personeel van allerlei soort en hij liet dat met des te meer intensiteit doen naarmate duidelijk werd dat een oorlog met de Firvulag steeds minder goed te vermijden was. Vrijwilligers die bereid waren een grijze halsring te accepteren, kregen allerlei verleidelijke aanbiedingen en er gingen geruchten onder de vele vluchtelingen dat er zelfs sprake was van verplichte indiensttreding. Tony droeg natuurlijk goud. Maar het contrast tussen hem en zijn exotische halssieraad was nogal groot. En het verschil tussen de halsring en de schamele kleding die hij droeg zou op zichzelf al een reden zijn hem verdacht te vinden. Vandaar dat hij de halsring zorgvuldig verborg achter een halsdoek bij die zeldzame gelegenheden dat hij gedwongen was voorraden te kopen of zich te mengen onder de andere reizigers op de weg.

De rekruteringsdienst had zijn net vakkundig gespreid over een boomloze savanne waar de Grote Zuidweg omhoogklom om een steile kloof van de Rhône te omzeilen. Daarboven, op die door de wind schoongeveegde vlakten, kon je bijna naar alle kanten tot kilometers ver zien en iedere reiziger die probeerde de hoofdweg te ontlopen, kon direct in de gaten worden gehouden. Tony's eerste aanwijzing dat er gevaar dreigde, was een vrolijk aanplakbord:

WELKOM REIZIGERS!
DORSTIG? HONGERIG?
VERDEROP GRATIS ETEN & DRINKEN!
HEUVELTOP HUIS R.R.S. – 6 KM

De namiddag waarop Tony dat deel van de weg aflegde was heet geweest en stoffig en hij las het bord met de nodige opwinding. Maar toen werd hij ingehaald door een karavaan die chalikovee-voer naar Roniah bracht en een van de rijders gaf Tony een lift. Hij heette Wiggy en hij was er snel bij om Tony de werkelijke bedoeling uit te leggen van het etablissement dat ze naderden.

'Een wespennest vol oplichters, da's wat 'et is! Kijk uit je doppen, reiziger, want voor je het weet hebben ze een grijze ketting om je nek gedouwd en marcheer je naar Goriah als een kersverse re-kruut in 's Konings Strontschoppers Brigade!'

De vrachtrijders waren goed bekend bij het rekruteringsteam en liepen geen risico omdat hun beroep veel te waardevol was. Deson-danks namen ze elke keer hun kans waar bij de gratis uitdeling van voedsel en drinken. Voor Tony zat er niets anders op dan deze wisselvalligheid van het lot met een stoutmoedig hart tegemoet te gaan. Hij stommelde met de anderen mee naar binnen en al spoe-dig zaten ze aan lange tafels koud bier te drinken of sangria terwijl ze allerlei soorten hapjes naar binnen werkten. Het werd duidelijk dat de vrachtrijders oude bekenden waren van de kapitein en de afdeling soldaten die in de zaak dienst deden. Tony voelde zijn ingewanden zich omdraaien toen de officier bij wijze van grap naar hem verwees als een 'energiek persoon' terwijl hij Wiggy tegelijk een aardige bonus beloofde wanneer die kans zag Tony te bewegen zich aan te melden.

'Hartelijk bedankt, maar ik ben ziek geweest,' zei de metallurg. 'En ik ben helemaal niet het type dat jullie zoeken. Jullie hebben dappere mensen nodig voor het leger van de koning.' (Het olifants-geweer dat aan de nu dode Karbree had toebehoord, had hij veilig-heidshalve, verpakt in een stinkende rauwe huid, in de vrachtkar buiten achtergelaten, samen met zijn andere spullen.)

De ogen van de rekruteringskapitein twinkelden.

'Meer dan genoeg andere baantjes in koninklijke dienst! Ik kan zo wel zien dat je een ontwikkeld man bent, geen voer voor de spoken zoals de rest van deze troep halfgare aardappelen.' De vrachtrijders, stevig etend en drinkend zolang de grap duurde, grijnsden en stootten elkaar aan. 'Als je een of ander technisch vak beheerst, dan kunnen we je indelen bij het nieuwe Wetenschappe-lijke Keurkorps dat het Gilde van de Scheppers bezig is samen te stellen. Het wordt aangevoerd door die goede oude Heer Celadeyr, een echte ouderwetse gentleman onder de Tanu. Houdt van mense-lijke wezens als een echt *mens* en deelt zilveren halsringen uit als carnavalsmedailles aan iedere geleerde kop die braaf wil meewer-ken.'

'Nou ja,' mompelde Tony ontwijkend, 'ik ben eigenlijk meer een student sociale wetenschappen.'

'Hersens zijn hersens,' zei de kapitein geniaal. 'Je zult het leuk vinden in Goriah. Al de vrouwen die je maar wilt, goed voedsel en drank, nachtleven, allemachtig, ik zou zelf gaan als ik de kans kreeg.'

Hij haalde een perkamenten rol te voorschijn die bedrukt was met kleine lettertjes en een goed ogend zakje van blauw fluweel waarin iets ronds en zwaars zat en een balpen.

'Gewoon hier tekenen, jongen. Je zult er nooit spijt van krijgen. We kunnen je met de snelle karavaan morgen nog naar Goriah sturen na een avond vol lol en feestmakerij in Roniah die je van je leven niet zult vergeten. Wat zeg je ervan?'

De vrachtrijders die met Tony en de kapitein rond de tafel zaten, giechelden als gekken en allemaal, behalve Wiggy, drongen ze erop aan dat hij zou tekenen. Bij wijze van laatste verleiding opende de kapitein de fluwelen zak en haalde met een dramatisch gebaar de glimmende grijze halsring te voorschijn. Het gelach en de grappenmakerij stierven onmiddellijk uit. De nekken van de vrachtrijders waren allemaal bloot.

De kapitein duwde de halsring over de tafel in de richting van Tony. De knobbelige sluiting was open. Het gedraaide metaal was hol van binnen en was overal doorsneden met kleine openingen om de psycho-elektronische componenten te kunnen ventileren.

'Doe je sjaal maar af,' suggereerde de kapitein. 'Probeer het maar eens.' Hij raakte zijn eigen grijze halsring aan. 'Deze dingen zijn geweldig. Ze *doen* wat voor je, weet je? Geen hoofdpijnen meer, geen zere voeten of je moe of vervelend of bang voelen. En dat is nog maar de helft van het verhaal. Als je baas iemand is die goud of zilver draagt, dan kan hij genot voor je oproepen via de ring. Daar krijg je een kick van zoals je nooit hebt gehad van seks of drank of dope. Je vergeet al je zorgen in een ommezien. Dat doet dit magische bandje voor je. *Dus tekenen!*'

Vier grote infanteristen stonden onverwachts achter Tony's stoel. Hij kwam half overeind, zakte toen weer terug, terwijl het zweet van zijn voorhoofd zijn halsdoek doorweekte. 'Ik . . . eh . . . ik heb er dit moment niet zo'n zin in.'

De vrachtrijders dronken de droesem uit hun bekers, graaiden nog een laatste koekje of een handvol noten weg en drentelden in de richting van de deur. Wiggy zag er beschaamd uit.

'Tekenen!' drong de kapitein aan, zijn ogen gericht op die van de door paniek overvallen metallurg.

'Tekenen!' riepen de vier krachtpatsers in koor. Ze grijnsden als wolven.

Tony probeerde zijn stoel achteruit te duwen. Er was geen beweging in te krijgen. De kapitein was opgestaan en had de halsring in zijn handen genomen. Hij liep om de tafel heen naar Tony's kant en trok de halsring verder aan de scharnieren open terwijl hij hem boven Tony's hoofd hield.

'Godverdomme, *nee!*'

Tony's geest induceerde het genotscircuit van het rekruteringsteam door middel van zijn eigen gouden halsring en smakte de maximale orgastische lading tegen hun hersens. Alle vijf soldaten sloegen tegen de vloer alsof ze met een voorhamer waren neergeslagen.

'Heilige shit,' riep de vrachtrijder uit die Tony's vriend was geworden. Een paar van de anderen keken over zijn schouders mee en gaapten van verbazing.

Tony duwde de tafel achteruit, bekeek de lichamen, zag daarna de vrachtrijders aan en trok de sjaal van zijn nek.

'Genoeg is genoeg. Nu moet ik maken dat ik hier vandaan kom. Hoewel, deze knapen zullen zich niets meer herinneren als ze bijkomen . . . denk ik. Maar voor het geval dat niet zo is, wil ik ver weg zijn.' Tony deed zijn best bijzonder indrukwekkend te kijken. 'Wil je me naar Roniah rijden of niet?'

Wiggy raakte meesmuilend zijn voorhoofd aan. 'Uw rijtuig wacht, Zeer Verheven Heer.'

Tony grabbelde de grijze halsring van de grond en kwam ermee naar voren. 'Ik heb er verdomd veel zin in om jou ook maar zo'n ding om te doen om er zeker van te zijn dat je je woord zult houden.'

'Nee!' schreeuwde de vrachtrijder. 'Nee!'

Tony produceerde een gemeen klein lachje. 'Dus je weet blijkbaar wat oververzadiging aan Tanu-pleziertjes met een man kan doen. Des te beter, dan weten we wat we aan elkaar hebben. Laten we gaan.'

Hij stond al op het punt de grijze halsring weg te gooien toen hij zich bedacht. Hij deed hem weer in de fluwelen zak en nam hem met zich mee.

Diezelfde avond in Roniah verkocht hij het ding op de zwarte markt en kreeg er genoeg geld voor om zichzelf een volledig uitgeruste chaliko te kunnen kopen, een nieuw stel kleren, een boot en een tent van decamole en een wat verdachte maar zeer chic uitziende set sieraden met robijntjes die een uitstekend vredesoffer konden zijn voor Rowane. Daarna had hij nog meer dan genoeg geld over om er zeker van te zijn dat hij de rest van de weg naar Nionel in stijl kon afleggen en de volgende morgen reeds was hij op weg.

Maar opnieuw keerde het fortuin zich tegen hem. De chaliko bleek een miskoop te zijn die veertig kilometer boven Roniah voorgoed kreupel werd. Als hij naar de stad terugkeerde om zich te beklagen of een nieuw rijdier aan te schaffen, liep hij de kans opgepakt te worden wegens het toebrengen van mentaal letsel aan leden van de Koninklijke Rekrutering. Hij bevond zich in het midden van een gebied dat wemelde van de vijandige Firvulag die zonder twijfel nog graag een laatste klap wilden uitdelen voor over vijf dagen de Wapenstilstand begon. Het verkeer op de weg naar het noorden bestond nu nog slechts uit militaire colonnes en een paar arme, strompelende vluchtelingen die net als hijzelf op weg waren naar het beloofde land van Nionel. Het zag er niet erg naar uit dat hij van iemand een lift kon krijgen en als hij te voet verder ging met zijn kostbare nieuwe uitrusting, dan was hij een al te gemakkelijk doelwit voor menselijke of niet-menselijke overvallers.

Er bleef maar één mogelijkheid over, verder gaan over het water. De Saône was op dit punt breed en traag en makkelijk bevaarbaar voor het soort bootje dat hij nu had. Hij zou kunnen zeilen of simpelweg door de stille lagunes peddelen. Hij probeerde het laatste en dat werkte. Hij schoot niet erg vlug op, maar als hij eenmaal op het Lac de Bresse was, zou hij breeduit naar de Westelijke Weg kunnen zeilen en daarna . . . op naar Nionel!

Zo boomde Tony zichzelf dus verder te midden van de door mist verhulde rietbossen. Het was 27 september en zijn grootste zorg waren de bloedzuigers. Zijn vérziende vermogen was in dit vormloze moeras onbruikbaar en hij moest zich voortdurend opnieuw oriënteren op zijn polskompas. Hij vervloekte zichzelf dat hij niet ook wat geld had uitgegeven aan een richtingaanduider met automatisch signaal op de zwarte markt in Roniah. Maar wie zou hebben kunnen denken dat hij dat nodig kon hebben?

Toen hij eindelijk in een gebied kwam van open kreken, haalde hij opgelucht adem. Dat betekende in elk geval het einde van de bloedzuigers. Maar toen kwam de zon en daarmee de vliegen en de muggen. Hij smeerde zichzelf vol met insektenolie en verduurde het.

Af en toe passeerde hij kleine, laag liggende eilandjes. Toen het tegen koffietijd liep, legde hij het bootje bij een van die eilandjes aan de wal en begon koffie te maken onder een taxusboom die zwaar met mos was beladen. Hij had een tafel-en-stoelcombinatie van decamole die in een oogwenk was opgeblazen en hij bezat nog overgebleven pasteien om te eten. Een paar rood met zwarte slangehalsvogels hielden hem vanuit een boom dichtbij in de gaten. Een klein knaagdier met zwemvliezen peddelde door een aangrenzend stuk water en liet een flauw spoor achter. Overal waren waterlelies. De zon werd warm en de insekten verdwenen. Tony Wayland voelde zich zeer vredig.

Rowane . . .

Met zijn ogen dromerig gesloten, reikte hij met zijn telepathische vermogens naar haar uit. Hij was meer dan driehonderd kilometer van haar verwijderd, maar misschien zou zijn verlangen zijn zwakke metavermogens voldoende versterken. Hij zei:

Ik kom naar jou terug, mijn kleine bruid. Jouw Tonie is onderweg met een nieuwe gouden halsring om de moed erin te houden. Van nu af aan kan niemand ons meer tegenhouden. Wacht op me, Rowane. Wacht.

Hij dommelde een beetje weg en werd toen wakker door het geluid van roeiriemen.

Wie is daar? vroeg zijn geest zonder erbij na te denken. Hij sprong van de tafel op, morste de koude koffie en joeg daarmee een kleine veldmuis weg die tussen de kruimels bezig was geweest.

Het riet aan de overkant van het water week uiteen en een grote gecamoufleerde kano van decamole kwam in zicht. Er zaten zes mensen in, vijf mannen en een vrouw, allemaal indrukwekkend fysiek toegerust en allemaal tot de tanden bewapend. Een andere oorlogskano was met de boeg aan de achtersteven van de eerste vastgemaakt en daarin zat een tweede vrouw en nog drie mannen, samen met een hoeveelheid bagage. De voorste roeier in het leidende bootje, een geweldige Amerikaanse Indiaan in junglekleren, legde een straalgeweer aan en begon te richten op het moment dat Tony erover dacht snel de vlucht te nemen naar zijn eigen vaartuig.

'Blijf staan waar je staat,' zei commandant Burke.

Tony bleef staan, boos en stuurs, maar zijn handen omhoog. De kano's legden aan en de desperado's kwamen aan land. Een van de vrouwen begon direct Tony's uitrusting te doorzoeken, terwijl de anderen rondscharrelden. Sommigen trokken zich discreet even in de bosjes terug of knoeiden met de koffiemachine. De rondscharrelende vrouw, een stevig Latijns type met grote bogen blauwe oogschaduw boven haar even grote ogen, gaf een gil van opwinding toen ze het Rigby-olifantsgeweer ontdekte.

'Madre! Kijk nou es naar dit cojonudo-stuk. Twee lopen en met een schot uit één daarvan kun je iedere arme cagarutta dwars doormidden schieten.'

Burke onderwierp zijn gevangene aan een eerste onderzoek. 'Ken ik je niet ergens van? Hoe heet je?'

'Bill,' zei Tony, terwijl zijn ogen wegdraaiden. 'Bill . . . Johnson.'

Een grote, zwarte man die achter de Indiaan stond, lachte hartelijk.

'Hey, hij zou evengoed m'n lang verloren kleine broertje kunnen zijn. Ben benieuwd of-ie ook tenor kan zingen.'

'Hij heet in elk geval geen Bill,' riep de Latijnse vrouw uit. Ze wuifde ergens mee. 'Tenzij hij een goede verklaring weet voor een onderbroek van gele zijde en een bijpassende zakdoek waar "Tony" op geborduurd staat in mooie liefdevolle steekjes.'

'Blijf daar van af, verdomme,' jankte Tony. En hij dankte de hemel dat de robijnen waren opgeborgen in een geheim geldzakje.

De vrouw klakte quasi medelijdend met haar tong. 'Ay! Hoy tiene mala leche . . . no?' Ze hield een dunne boekplaquette omhoog. 'Dit is alles wat we nodig hebben, Peo. Ik dacht al dat-ie me bekend voorkwam.' Ze kwam dichterbij en gaf het boek aan Denny Johnson, die direct de titelpagina bestudeerde.

'*Techniek der metallurgie*, aangeboden aan ene Anthony Bryce Wayland door de Alchemistensociëteit van de Universiteit van Manchester.'

Denny kwam dreigend naar voren. 'Zo. Dit is dus onze met de noorderzon vertrokken voortvluchtige baas uit de IJzeren dorpen. Jullie herinneren je toch allemaal Tony Wayland wel die ons volk bedroog in de Vallei der Hyena's! Zullen we hem nu meteen ophangen of een beetje later zodat hij ons eten niet bederft?'

Tony trok de sjaal opzij die zijn hals bedekte. Het goud glinsterde.

'Raak me niet aan!' schreeuwde hij, vingerend aan de ring. 'Ik kan jullie hersens doorbranden op ieder moment dat ik wil!'

Een heel kleine uitbarsting van psycho-energie kwam uit zijn gestrekte vingers en schroeide het vochtige mos voor de gelaarsde voeten van commandant Burke. 'En dat is enkel bij wijze van voorbeeld, Roodhuid! En nou, laat dat geweer vallen en de rest houdt zich koest, want anders . . .!

Tony Tony Tony.

Een vrolijke kleine ring van vlammen danste rond Tony's eigen voeten. Commandant Burke maakte het bovenste stuk van zijn groene hemd los en zei: 'Zoals je kunt zien, draag ik ook een gouden halsring. En dat betekent dat ik je metapsychische aura kan zien. Die is heel klein. Ik zou hem zelfs zeikerig armzalig kunnen noemen . . . of ruwweg gelijk aan de mijne voor wat de aanvallende metavermogens betreft. Tenzij je het risico wilt lopen bliksemsnel door ons geroosterd te worden, kun je je bluf maar beter laten varen.'

'Oh, naar de hel ermee,' zei Tony vol walging. 'Hang me dan maar op, maar maak een beetje voort.'

'Levend ben je voor ons heel wat meer waard. De ether staat al heel wat weken bol van jouw naam. Het ziet ernaar uit dat koning Aiken-Lugonn heel erg graag kennis met je wil maken.'

Tony leefde op, kreeg toen de blik in Burkes ogen in de gaten en liet zich weer in elkaar zakken. 'Wat heb ik *hem* in godsnaam gedaan? Soms lijkt het er waarachtig op dat iedereen in het Veelkleurig Land erop uit is mijn vel aan de dichtstbijzijnde boom te nagelen.'

'Jij bent ruilwaar,' zei Burke bondig. 'Dat is alles wat je voor het ogenblik hoeft te weten.' Hij keerde zich naar Denny Johnson en gaf hem het fotonenwapen. 'Vanaf nu is hij jouw gevangene, Geeloog. En pas verdomd goed op hem als je ooit nog de kans wilt hebben om Baron Scarpia te zingen in de Garden.'

'Hem meenemen op de tocht naar *Roniah*?' riep Johnson uit. 'Ben je helemaal uit je bijlzwaaiende bol gegaan, Peo?'

'We hoeven Roniah niet meer binnen te vallen op zoek naar wapens,' zei Burke. 'Het is niet langer noodzakelijk kracht te gebruiken om ervoor te zorgen dat ook de Minderen fatsoenlijk worden behandeld. Dat geldt ook voor onze vrije doortocht door de tijdpoort. We zullen openlijk naar Roniah gaan en daar zal Kuhal Aardschudder, 's konings afgevaardigde en lid van de Hoge Tafel, ons persoonlijk welkom heten en ons alles geven waar we om vragen.'

'Alleen om *hem*?' riep een man uit.

De chef knikte. 'Wayland is iemand die met alle winden meedraait, hij is een verrader en een door en door misselijk kereltje. Maar hij is ook ons vrijkaartje terug naar het Bestel.'

De verzameling desperado's mompelde en fluisterde. De Latijnse vrouw schreeuwde: 'Maar Orion Blauw en Karolina en twee anderen zijn gestorven door de schuld van dit hoerenjong! De mensen van Basil werden door hem verraden! Ik zeg dat hij moet hangen!'

'Het heeft geen zin, Marialena,' zei Burke. 'Tony Wayland krijgt zijn gratie rechtstreeks van het allerhoogste gerechtshof.'

Ze wierp een dodelijke blik op de metallurg. 'Nou, je krijgt je broek in elk geval niet terug,' siste ze. Daarna draaide ze zich om naar de anderen en verklaarde: 'En nu ga ik wat te eten maken.'

MARC: Cloud. Dochter.

CLOUD: *Vader!* Je had niet moeten komen . . . er is gevaar . . .

MARC: Ik ben alleen in simulacrum aanwezig. Net als de zendingen van je vriend Kuhal. De tuin is afgelegen, maar Aiken Drum heeft zijn mentale signatuur in de computers van de aftasters gevoerd. Ik weet wel beter dan een d-sprong te wagen binnen het Glazen Kasteel.

CLOUD: Je hebt me gadegeslagen toen ik hier kwam?

MARC: Gadegeslagen. Niet afgeluisterd. Geloof me.

CLOUD: Wat wil je?

MARC: Jouw hulp. En die van Hagen.

CLOUD: Daar is het te laat voor.

MARC: Ik verdien het om door jullie beiden verworpen te worden. Ik heb jullie verwaarloosd, ik was afgeleid door mijn werk. Niet hartelijk tegen jullie. Ongeduldig tegenover zijn zwakheden. Ruw. Het incident met de tarpoen was onvergeeflijk. Maar ik wil hem om vergiffenis vragen. Hij kan het niet helpen dat hij is wie hij is, maar datzelfde geldt voor mij. Hij moet begrijpen dat ik niet opzettelijk wreed ben geweest. Het was verkeerd gerichte therapie.

CLOUD: Het was een doordachte gewelddaad. Je weet dat hij altijd bang voor je is geweest. Je dacht dat je hem breken kon; in plaats daarvan vond hij de kracht om te ontsnappen . . .

271

MARC: Dat is verkeerd, Cloud. Ik moet de kans hebben om uit te leggen, aan hem, aan jullie beiden, waarom jullie niet moeten gaan.

CLOUD: We zullen de autoriteiten van het bestel niet toestaan door de tijdpoort te komen . . .

MARC: Dat weet ik. Daar maakte ik me nooit echt zorgen over. Er is een veel belangrijker reden waarom jullie niet naar het Bestel terug moeten gaan.

CLOUD: Wat dan, papa?

MARC: Ik wil jullie beiden graag zien, persoonlijk. Dan zal ik alles uitleggen.

CLOUD: Ik wil je wel vertrouwen, maar ik denk dat Hagen dat niet zal kunnen. Vertel mij wat je tegen hem wilt zeggen. Ik zal de boodschap overbrengen.

MARC: Dan werkt het niet. Ik moet jullie beiden in levenden lijve zien . . .

CLOUD: Om ons te overreden? Oh, papa.

MARC: Liefje, wat ik jou wil vragen, kan ik nooit door middel van overredingskracht krijgen. Dat zou alleen maar zolang duren als ik mentaal vat op jullie heb. Ik heb jullie vrijwillige medewerking nodig, toewijding . . .

CLOUD: Papa, het is er te laat voor! Jaren te laat! We hebben onze keus gemaakt. We willen vrij zijn.

MARC: Daar gaat het juist om. In het Bestel zullen jullie niet vrij zijn. Niet echt. Net zo min als ik. Jullie zijn mijn kinderen, jullie dragen mijn erfenis. Er zijn dingen die jullie nog niet begrijpen . . . die ik niet had willen vertellen totdat de zoektocht tussen de sterren zou zijn geslaagd. Ter wille van jullie gemoedsrust. Maar nu dwingen jullie me . . .

CLOUD: Papa, in godsnaam! *Wat!*

MARC: Ik moet het jullie beiden vertellen. Rechtstreeks. Alles wat ik deed was voor jullie bestwil. Dat moet je geloven.

CLOUD: Ik . . . ik kan Hagen alleen maar vertellen wat je mij hebt verteld. Maar hij is bang, papa. En nu . . . ben ik dat ook.

MARC: Dat is niet nodig. Niet voor mij. Als jullie er de moed toe bezitten, ziet de toekomst er geweldig uit. Ik zal je er alles over vertellen als jullie bereid zijn mij te ontmoeten.

CLOUD: Ik zal Hagen vertellen wat je zei. We zullen erover praten.

MARC: Dank je, Cloud. Ik houd van je.

CLOUD: Ik houd ook van jou, papa, maar . . .

MARC: Alsjeblieft.

. . .

MARC: Cloud?

. . .

8

Terwijl hij in de diepten van de grote gletsjerspleet tuimelde, behield Basils mentale stem de gebruikelijke laconieke toon:

Ik val. Iedereen zet zich vast waar hij is.

Chazz, die nummer twee was aan de lijn, schreeuwde iets obsceens. Hij viel op zijn gezicht, de ijsbijl bungelde machteloos buiten bereik aan het einde van de riem en hijzelf werd voortgesleurd door ruwe, korrelige sneeuw, armen en benen wijd gespreid. Derek, de nummer drie, dreef zijn bijl gelijk met Nirupam in het harde witte ijs, precies op het ogenblik dat Chazz de rand van de scheur bereikte. De lijn kwam met een dof *twoeng* strak te staan.

Nirupam zei: Hoe gaat het, Baz?

Basil zei: Ik hang ondersteboven als een haas in een strik. Wacht even terwijl ik mijn rugzak afdoe . . . Ah . . . daar gaan we. Goeie hemel, ik ben net niet tegen een rottig uitstekend stuk gedonderd. Dat was prima hoe jullie jezelf vastzetten al was het aan de late kant. Is Chazz ook in het gat?

Chazz zei: Precies op die verdomde rand.

Nirupam zei: Alsjeblieft. Niemand bewegen. Derek, ben je goed en secuur belegd?

Derek: Daar zou ik niet te vast op vertrouwen.

Een weerkaatsende gil kwam van Chazz die toen luid begon te schreeuwen: 'Die verdomde lijn snijdt in de rand van de spleet als een mes in kaas! Ik ga eroverheen . . .'

Basil zei: Ik zal mijn stuk van de lijn doorsnijden, dan neemt de spanning af.

'Niet doen, Baz, niet doen!' schreeuwde de man boven hem. Het beeld van Basils lichaam dat hulpeloos neerviel in een bodemloze blauwkristallen kloof schokte door zijn bewustzijn en werd via de grijze halsring naar de anderen uitgezonden.

Basil zei: Rustig an, mijn jongen. Ik *zei* toch dat ik net boven een uitstekende richel zat! Daar dan. Ik ben er al.

Nirupam zei: Geweldig. Iedereen houdt zich op de een of andere manier gedeisd totdat ik een verankering heb geslagen. Zodra ik wat spullen te voorschijn heb gehaald, kunnen we beginnen met de Doodsverachtende Baz & Chazz Reddingsoperatie.

Diep in de kloof met zijn overgang van blauw ijs, bewoog Basil zich voorzichtig een paar meter over de uitstekende rand zodat hij niet langer direct onder de doorgesneden klimlijn stond, waar zijn rugzak met een lichtere lijn nog aan vast zat. Sluiers zachte sneeuw dwarrelden constant naar beneden terwijl boven hem Chazz langzaam in veiligheid werd getrokken. Toen kwam er onverwachts een brok sneeuw naar beneden dat van de bovenrand afbrak en zo groot was als een terreinwagen. Het smakte op de uitspringende rand en viel tot een wolk suikerpoeder uiteen.

Basil zei: Maak je geen zorgen. Ik denk dat ik ga proberen eruit te klimmen.

Wat! riepen de anderen uit.

Basil zei: De rand rijst omhoog en de spleet wordt in noordelijke richting steeds smaller. Hallo. Het ijs trekt krom hier en de sneeuwlaag wordt heel dun. Ik geloof . . . kunnen jullie me zien?

Hij porde met zijn arm boven hem door de sneeuwkorst en wuifde ermee. Een ogenblik later was zijn hele bovenlichaam aan het oppervlak. Hij lachte toen hij de uitdrukkingen zag op de gezichten van de anderen en terugliep naar de plek waar de lier was vastgezet.

'Zien jullie die kerel nou!' riep Derek uit. 'Zo koel als het spreekwoordelijke ijsblokje. Mijn God, toen ik je buiten mijn gezichtsveld zag vallen en Chazz daar achteraan zag gaan, dacht ik een ogenblik dat jullie beiden onderweg waren om die arme Philippe in het Walhalla gezelschap te houden.'

Basils rugzak kwam nu ook omhoog, voortgetrokken door de op zonne-energie werkende lier. De leraar klassieke talen en de drie technici kropen bij elkaar om snel een kop thee te drinken en een tablet chocolade met algen te eten.

'Gletsjerspleten hoeven niet dodelijk te zijn,' zei Basil, 'zolang als er niemand in de val gewond raakt of, zoals Philippe, verdrinkt in smeltwater. Hij had de pech om in een moulin te vallen, dat is een spleet die de functie heeft van afvoerpijp dwars door het slechte ijs van een gletsjer. Die spleet was smal en kronkelend en het water liep snel. Op die manier was hij niet te redden, zelfs niet door de psychokinese van Heer Bleyn.'

'Ik herinner me nog steeds zijn laatste mentale noodkreten,' zei Nirupam zachtjes. 'Wat ironisch om te moeten sterven op de allereerste dag van onze ondersteuningsoperatie.'

Chazz was bezig zijn geschaafde gezicht met zalf in te smeren. 'Het heeft ons schreeuwlelijkerds in elk geval goed geleerd ons aan jullie staart vast te blijven houden, zelfs als we pissen moeten. Het is mij een raadsel hoe jij en Basil en Ookpik vooraf weten waar er spleten onder de sneeuw zitten.'

'Af en toe hebben we het bij het verkeerde eind,' merkte Basil op. Hij haalde een kleine verrekijker uit zijn anorak en bestudeerde de Middelste Tand waarheen ze tot nu toe op weg waren geweest.

'Denk je een snellere weg te hebben gevonden?' vroeg Nirupam. 'De tijd staat niet stil. We zullen steenlawines krijgen in de ravijnen wanneer de zon de bevroren rots begint op te warmen en op die rand daar liggen een paar smerig uitziende sneeuwvelden die misschien nog voor het eten een echte lawine in gedachten hebben.'

'Het is een rechttoe, rechtaan karwei dwars over de rest van deze glaciale uitloper,' zei Basil, terwijl hij de kijker overhandigde. 'Alleen een kleine, brokkelige gracht waar het ijs niet meer aansluit op de wand van de kloof. Daar zullen we moeten klimmen en hakken om temidden van de couloirs omhoog te komen. Ik heb een voorkeur voor die donkere, die door dat tweede uitsteeksel overschaduwd wordt. Die ziet eruit alsof hij het langer zal houden dan de andere.'

Nirupam kneep zijn mongoloïde ogen nog verder dicht. 'Dat ben ik met je eens. Hij ziet eruit alsof er sinds het Mioceen de zon niet meer op geschenen heeft. Scherp en diep, en waarschijnlijk zwart ijs van onder tot boven, keihard als bewerkte solicrete. Onze ijsbijlen ketsen er zo op af. Tenzij we met de laser het ijs smelten om treden te krijgen, zijn we zeker vijf uur verder voor we bovenaan zijn. Ik kies voor een van de meer open hellingen. We kunnen goed in de schaduwzijde blijven en toch oppassen. De derde couloir noordelijk van jouw zwarte schoonheid is steil genoeg om een regelmatige lawine te hebben. Dus veel sneeuw kan er niet zitten. Die zou ik eerst proberen.'

Hij gaf de kijker aan Basil terug, wachtend tot de leraar op zijn suggestie reageerde. 'Wel? Wat vind je?'

Basil zuchtte. 'Goed. Ik doop hem het Darjeeling Riool ter jouwer ere, als je mij die . . . eh . . . christelijke gewoonte wilt vergeven.'

Ze dronken hun thee op, pakten hun uitrusting bijeen, maakten zich weer aan de gezamenlijke lijn vast en trokken verder.

Ze waren die ochtend begonnen bij helder weer en een glanzende, afnemende maan, rond drie uur in de morgen. Ze waren vertrokken van de voorraadpost die aan de voet van de Gresson IJswaterval lag op een ogenblik dat die onstabiele stapeling van gletsjerblokken het rustigst was. Basil en de ervaren klimmer uit India droegen elk veertig kilo, Chazz en Derek elk achtentwintig. Het merendeel daarvan lieten ze achter in kamp 1, dat net nieuw was en zich op 5585 meter hoogte bevond. Toen het licht werd, waren ze weer op pad gegaan om de route naar kamp 2 te verkennen. Ze namen markeerstaven met vlaggetjes mee, spullen om een bivak op te slaan, en verder de lier en meer dan genoeg lijn. In het ideale geval zouden ze, nadat ze via de een of andere koker de top van de Middelste Tand hadden bereikt, gezocht hebben naar een goede lokatie om de lier te beleggen. Wanneer die met de nodige lijn definitief was vastgezet, ontstond op die manier een 'vliegende lijn' waaraan andere klimmers simpelweg vasthaakten om door de trouwe lier met zo min mogelijk inspanning omhoog te worden getrokken.

Maar zij, als eersten, moesten het op de moeilijke manier doen.

Het was rond half tien toen ze de grachtachtige spleet bereikten die de westelijke rand van de gletsjer begrensde. Later in de middag, zou de koker omhoog, die half uit ijs, half uit rots bestond, gevaarlijk worden omdat er dan smeltwater doorheen liep. Maar nu was het ijs nog goed bevroren en vormde bijna een trap voor hun met ijskrammen beslagen schoenen. Ze klommen makkelijk omhoog tot aan de basis van het Darjeeling Riool, staken de miniatuur-bergkloof over waarvan de opstuivende sneeuw aansloot bij de hoofdgletsjer en begonnen omhoog te kruipen tegen een duizelingwekkend witte helling van zestig graden. Ze bleven zover mogelijk links aanhouden om het dodelijke opwarmende effect van de zon te vermijden, dat rotsbreuken en lawines kon veroorzaken. Het was ongeveer 900 meter naar de top. Het grootste deel van die afstand bestond de couloir uit een constant veranderend patroon van hard geworden sneeuw, afgewisseld met ondoorschijnend ijs dat bros was door de dagelijkse cyclus van smelten en weer bevriezen. Daarnaast waren er gedeelten met 'vast ijs' dat de glazen klauwen van hun ijssporen en bijlen makkelijk weerstond en af en toe een strook poedersneeuw.

Aanvankelijk kwamen ze goed vooruit, maar na ongeveer een uur begonnen Derek en Chazz moe te worden. Zij waren maar amateur-klimmers en moesten gebruik maken van de eenvoudig te leren maar vermoeiende techniek waarbij de horizontale punten van de ijssporen onder hun schoenen in het ijs moesten worden gedreven, terwijl ze zichzelf met behulp van hun bijlen verder omhoogwerkten. Basil en Nirupam maakten gebruik van een efficiëntere techniek door hun voeten plat te verplaatsen. Ze merkten dan hun snelheid drastisch door de andere twee werd afgeremd en begonnen daarom hun vermoeide kameraden te helpen door voor hen treden uit te hakken op de ergste stukken vast ijs.

De zon steeg hoger en de geul werd een hete val. Ze droegen allemaal brillen, maar desondanks was het licht nog verblindend. Stukjes bros ijs begonnen door de pijp naar beneden te vallen. Ze waren niet groot en de klimmers droegen harde hoeden, maar het psychologische effect was toch aangrijpend.

Ongeveer halverwege werd de helling iets eenvoudiger en de twee amateurs herkregen hun moed. Lunch was niet meer dan een snelle aangelegenheid, haastig naar binnen gewerkt op een kleine rots die de helling doormidden sneed. Het geschramde gezicht van Chazz was er door het sterke zonlicht niet beter op geworden en het vlees rond zijn ogen was gezwollen en rauw. Maar het was nu zo warm geworden dat zelfs de gedachte aan een bandage van lichtgewicht zijde onverdraaglijk was. Hij bleef er dus simpelweg nog meer antibiotische zalf op smeren.

Ze waren amper nog eens een half uur verder geklommen toen de telepathische stem van Basil hen tot stilstand bracht net boven een smalle, uitstekende rand.

Hij zei: Niru, oudeman niet verrukt van hoe dit stuk helling eruitziet.

Nirupam zei: Krijgt late sneeuw diep genoeg om glibberig te worden.

Basil zei: Zou kunnen.

Nirupam zei: Alternatieve dwarsgang gaat zuidelijk rots op. Ellendige klim duurt twee keer zo lang. Zouden het toch kunnen halen. Nu pas twee uur.

Basil zei: Riskant.

Nirupam zei: Jij de baas. Maar Chazz op laatste benen. Ramp die jij voorkwam terug in spleet krijgt hem nu te pakken. Misschien verlate shock. Daarbij kapotte kop & bijna blind.

Basil zei: Chazz we gaan jou verplaatsen naar nummer drie aan de lijn. Dat is veiliger voor ons allemaal voor het geval ik in leidende positie naar beneden donder.

Chazz zei: Sorry dat ik de sloomste uit het nest ben, jongens.

Derek zei: Houd snertpraat maar voor je makker. Ruil maar gewoon met me. Veiligheidslijnen in orde? Oké! Rustig aan. Als je me trapt met die gespoorde schoenen, horen ze me in het basiskamp schreeuwen.

Basil zei: Wees alsjeblieft allemaal heel stil . . . zelfs als er op je getrapt wordt. De gevolgen van onverwacht geluid op deze plek zouden heel vervelend kunnen zijn.

Chazz zei: Hij bedoelt dat jij met je grote bek een lawine in beweging kunt zetten, Derek.

Derek zei: Of jij met jouw onhandige rotpoten.

Basil keek neer op die twee die hun harnassen los hadden gemaakt van de hoofdlijn. Ze bewogen zich beiden heel voorzichtig op de smalle rand van samengesperste sneeuw. Chazz was door een lichte veiligheidslijn met Derek verbonden en Derek zelf stond klaar om hen weer aan de hoofdlijn vast te maken zodra de plaatsruil was voltooid. Nirupam, de laagste man, hield de twee beginners nauwlettend in de gaten en sprak hen moed in. Toen klonk in de verte een krakend geluid. Nirupam kreeg een klein sliertje wit in het oog dat even afstak tegen de glinstering van het bovenste ijsveld. Een rafelige blauwe lijn verspreidde zich over het bovenste stuk van de couloir en ging als een klauwachtige bek open voor hij verdween achter een schuimende wolk sneeuw.

'Ze komt naar beneden!' schreeuwde Nirupam. 'Houd je vast! Houd je vast!'

Zijn kreten werden gesmoord in een muzikaal gedonder alsof iemand de pedalen van een groot orgel bediende. De klimmers doken weg, klemden zich vast aan de helling en trokken hun hoofden zover mogelijk tussen de schouders. Basil lichtte zijn gepunte hamer uit de holster en sloeg die met de linkerhand in het ijs. Daarna hield hij zich met beide handen aan bijl en hamer vast terwijl de lawine over hen heen kwam.

277

Hij zei: Houd je vast jongens *houd vast!*

Chazz' bewustzijn liet het eerst van zich horen. Hij klonk alsof hij het niet geloofde, alsof hij weigerde toe te geven dat hij hals over kop door ondoorzichtige witte lucht wentelde in plaats van zich met tenen en slecht vastgezette bijl vast te houden aan de helling. Derek werd schreeuwend van zijn plaats gerukt door een veertig kilo zware sneeuwmassa die tegen hem aankwakte met het geweld van een zware trottoirtegel. In een onhandige poging toch weer ergens houvast te krijgen, sloeg hij met zijn bijl om zich heen en sneed de lijn doormidden die Basil met Nirupam verbond. De Indiase klimmer die door Dereks vallende lichaam werd geraakt, tuimelde hulpeloos naar beneden terwijl de riem van zijn losgelaten ijsbijl zich rond zijn enkels wikkelde. Het stuk gereedschap was nog steeds met zijn harnas verbonden, maar hij kon het niet naar zich toe halen omdat zijn nek gebroken was waardoor de motorische zenuwen van zijn armen niet meer werkten.

De neerstortende sneeuw passeerde Basil. Hij waagde het erop zijn hoofd op te tillen en naar beneden te kijken. Net op tijd om te zien hoe de lawine de onderkant van de couloir bereikte en daar glinsterende kortdurende sluiers veroorzaakte terwijl de sneeuw de bergspleet vulde. Chazz liet een laatste telepathische vloek horen. Derek zei eenvoudigweg: Vaarwel. Nirupam citeerde sereen een boeddhistisch gebed terwijl hij stierf doordat zijn ruggemerg het begaf. Basil riep de namen van alle drie mannen af, eerst telepathisch, daarna luidkeels. Toen hing hij daar met zijn gezicht naar het ijs en liet de tranen langs zijn verweerde wangen lopen. Het was zonnig en heel stil.

Na een tijdje raapte hij zijn vérsprekende vermogens over grote afstand bij elkaar en sprak met Bleyn de Kampioen in kamp Bettaforca. Nee, zei hij, hij zou niet terugkomen. Hij had de lier en de kabel nog bij zich en zou de klim over de nu sneeuwvrije helling voltooien en zorg dragen voor de installatie van de lier, zodat kamp 2 door het volgende ondersteuningsteam eenvoudiger kon worden opgezet. Het zou voor hem niet moeilijk zijn om tegen het vallen van de duisternis naar kamp 1 terug te komen door de lier te gebruiken en daarna de gemarkeerde route over de Tand Gletsjer te volgen.

Met tegenzin stemde Bleyn hierin toe. En gedurende enige tijd luisterde hij mee hoe die koppige mens tegen de berg omhoogkroop en hoorde met het oor van zijn geest de tekst die eindeloos door Basils hoofd maalde en zo ongewild in de ether uitstraalde.

I, demens, et saevas curre per Alpes,
ut pueris placeas et declamatio fias.

De Tanu wist dat Basil andermaal een menselijke dichter citeerde, zoals hij dat ook had gedaan bij zijn eerste toespraak voor de klim begon. Het gedicht van Kipling had Bleyns gevoel voor heldenmoed wel aangesproken; maar dit gedicht leek vreemd genoeg aan Basils eigen onbewuste te ontspruiten.

Ga heen, jij razende en haast je over de wrede Alpen
opdat je kleine jongens moogt verrukken en inspireren zult tot
stomme vleierijen.

Mensen, dacht Bleyn de Kampioen, waren toch een paradoxaal stelletje.

9

Aiken was alleen op zijn balkon in het Glazen Kasteel en sloeg de Kylliki met zijn vérziende vemogens gade. Hoewel het nacht was in Goriah, was de zon in de buurt van de Azoren net bezig onder te gaan terwijl de schoener noordelijk daarvan over de Atlantische Oceaan voortploegde onder een stevige wind. De als zonnecollectoren werkende zeilen glansden als brons in het warme licht. Het schip zeilde verder over een vlammende zee, de avondster over zijn schouder en diepe nacht ver vooruit.

Aiken riep: Elizabeth?

Ja, hoe is het met jou?

Bezig de moed van de leeuw te cultiveren. Ik heb naar de Kyllikki gekeken en Laphroaig gedronken en mezelf volgestopt met Schotse eieren. De drie draagbare sigma's zijn allemaal geladen en klaar om rond zijn koninklijke nek te hangen wanneer ik besluit om te gaan slapen. Maar zonder dat ik er iets aan kan doen, zit ik toch te denken hoe de straal van een X-laser dwars door die velden heen kan gaan als een sgian door een kluit noedels . . . Ik neem aan dat je niet weet waar Marc is?

Nee. Toen hij ons woensdag verliet nadat de baby genezen was, heeft hij niets gezegd over wanneer hij terug wilde komen. Moet ik in Goriah voor je kijken?

Alsjeblieft.

. . . Nergens te zien daar, tenzij hij een mentaal schild heeft opgetrokken.

Ben je er *zeker* van?

Aiken, ik kan hem in de verte niet opzoeken als ieder ander mens. Wanneer hij door de ruimteplooien ergens in de gewone ruimte te voorschijn komt, staat het hem vrij zijn aura te vermommen of die zelfs uit te wissen zodat zelfs een grootmees-

teres hem niet kan vinden. Maar ik weet dat hij nu nog niet in staat is iets omvangrijks met zich mee te nemen. Enkel kleine voorwerpen die hij aan de binnenkant van zijn harnas mee kan nemen. En zeker geen X-laser. Je bent veilig zolang je de sigma's draagt. En ik denk bovendien dat hij niet zal proberen je te doden . . . niet nu.

Niet zoals zijn lieve zoontje Hagen, bedoel je? Wel, dat heerschap is voorlopig mooi afgekoeld! Overigens hoeft hij niet meer te rekenen op een ritje in een van die vliegtuigen, als het Basil en de jongens tenminste lukt om die terug te brengen. Zowel Hagen als Cloud wil ik goed aan de lijn bij mij in de buurt houden totdat ik vind dat het anders kan. Ik laat hen werken aan het ontwerp van Guderian, terwijl Celo over hun schouders meekijkt om te zien of ze geen verkeerde streken uithalen.

Hoe gaat het met het project?

Goed genoeg, denk ik. Ze hebben zo'n beetje de helft van al mijn apparaatjes overhoop gehaald uit de smokkelkelder en daar onderdelen en materiaal uit gesloopt.

Heb je er nog over nagedacht of je wel of niet naar het Bestel terug wilt gaan?

Ik kan alleen maar denken aan de confrontatie met Marc. Ik wou dat het snel achter de rug was.

Hij zal zijn eigen tijd en plaats kiezen. Tenzij jij doet wat ik jou heb voorgesteld.

Hem bij jou ontmoeten? . . . Van zijn leven niet! Dan heeft hij ons *beiden* precies waar hij ons hebben wil.

Hij heeft de kans al gehad om mij te overheersen toen hij het uitvoerende werk overnam tijdens Brendans genezing. En hij liet me gaan. Ik denk dat jij Marc niet begrijpt . . .

! Denkjijdat*JIJ*datweldoet?

Beter dan jij. Ik heb met hem gewerkt en ik heb bovendien een diep onderzoek uit mijn herinnering gedaan naar allerlei geschiedkundig materiaal over de Rebellie die ik lang geleden had bestudeerd. Marc is een man met een eigen sterke erecode. Als hij erin toestemt jou op neutraal terrein te ontmoeten met mij als bemiddelaarster, dan zou hij jou geen kwaad doen.

Haha! Ik zou *hem* te grazen nemen zonder zelfs maar met mijn ogen te knipperen, wapenstilstand of niet!

Nee, dat zou je niet. Niet als je mij je woord geeft. Ik ken je.

Verdomd als dat waar is Vrouw! Dit gedonder met die Marc die troep met zich meesjouwt terwijl hij d-sprongen maakt, is werkelijk de laatste druppel. Wanneer hij helemaal in de gaten heeft hoe hij met dat programma moet werken, wat weerhoudt hem er dan van om met Kyllikki en al hier op het voorplein van mijn kasteel te springen?

Luister naar mij Aiken. Probeer het te begrijpen. Wanneer

Marc op een keer in staat is dat soort omvangrijke zaken te transporteren, dan heeft hij geen enkel motief meer over om de heropening van de tijdpoort te willen tegenhouden. *Ik wil jullie tweeën juist samenbrengen om jullie daarvan goed te doordringen.*

? . . . Je bedoelt dat de bonzen van het Bestel voor Marc geen bedreiging meer zouden betekenen als hij in staat is links en rechts over de planeet te springen met zijn geriatrische boevenvriendjes en al hun spullen bij wijze van spreken onder zijn metaforische arm?

Precies.

(Vrolijke opwinding.) Mens je kon wel eens gelijk hebben. (Verwerping.) Oh, oh, we vergeten een complicerende factor. Die verdomde bloedige rebellenkinderen. En ik gebruik die bloedige toevoeging met opzettelijke precisie.

Zij zouden bij iedere oplossing betrokken moeten zijn. Marc wil hen niet laten gaan.

(Perplexheid. Woede. Tweezijdige mogelijkheden. Vermoeidheid.)

Ik weet het. We kunnen trouwens direct toch niets doen. Ik zal het te druk hebben met toe te zien hoe de situatie op de Monte Rosa zich ontwikkelt om de mensen daar advies te kunnen geven.

Denk je dat de Firvulag van Famorel morgen zullen aanvallen? Wanneer er twee teams druk bezig zijn te proberen over de top te komen?

Nog maar twee dagen tot aan de Wapenstilstand. En het Kleine Volk van Famorel is traditioneler ingesteld dan Sharn en Ayfa. Zij zullen met vechten stoppen bij de dageraad van de eerste oktober.

Ik heb vandaag naar hen gekeken terwijl ze om de voet van die berg rondkropen. Verdomme! Als ik zelf maar tot iets in staat was! Maar ik had maar amper genoeg vermogen om die aanslag met de Bessemer omvormer af te slaan. De uitputting als gevolg daarvan heeft me te zwak gemaakt om te vliegen. Maar Hagen en zijn troep weten dat natuurlijk niet.

Je zult je kracht in een veel sneller tempo herkrijgen nu de integratie van je persoonlijkheid zich voortzet. Te zijner tijd zul je zelfs sterker zijn dan eerst.

Zonder twijfel. Als ik zolang leef tenminste. Maar ik heb een griezelig voorgevoel . . . Weet je dat wij de enige twee overgebleven Groentjes zijn?

? Groep Groen?

Allemaal weg. Behalve wij tweeën. En nou zit die onnozele Dougal te blaten over ene Aslan en diens ridderlijke opdracht en de Tanu rond mijn Hoge Tafel gaan besluiten dat Marc Remillard de Tegenstrever is waardoor de Oorlog der Schemering in gang wordt gezet. En daarna ben jij de enige die nog over is.

Aiken, mijn beste, je hebt teveel whisky gedronken. Je wordt grienerig en je hebt het verkeerd. Stein leeft nog.

Ik heb naar hem uitgekeken. En nooit iets gevonden, geen haar, geen huid, geen stukje van zijn gehoornde helm.

Je bent echt een beetje aangeschoten. Ik zal je hem en Sukey en de kleine Thor laten zien als je me belooft dat je nooit zult proberen contact met hen te maken of op de een of andere manier in hun leven in te grijpen.

Ze hebben een kind . . .? Ai, ai. Ik beloof het. Op mijn erewoord als koning. Waarom zou ik ze in mijn sores betrekken? Maar wacht . . . zijn ze gelukkig?

Zo gelukkig als mogelijk is.

(Sentimentele tevredenheid.) Laat het me zien. Alsjeblieft.

Wacht. Daar. (Beeld: Eiland in een rivier, halvemaan stroomt door venster reflectie zwart water cipressen, levende eiken, kaneelbomen, huis van boomstammen aanlegsteiger, vlot van balken kering tegen krokodillen zilveren tuin binnenplaats beschermd door doornstruiken gevlochten dak stevige schoorsteen. Open met kralen afgeschermde kamer werkplaats hoofd cabine glazen ramen grote haard planken vloer. EEN MAN EN EEN VROUW DIE EEN KIND VASTHOUDEN.)

Een jongen die Thor heet, zei je? Hoe oud?

Nu bijna twee maanden. Het is een prachtig en sterk kind.

Sukey ziet er goed uit. Stein lijkt . . . ouder. Waar leven ze van?

Hij jaagt en vist en zet vallen. Een heel enkele keer zakt hij de Garonne af en zeilt naar Rocilan om te ruilen. Sukey is begonnen hem op zijn huid te zitten om haar en het kind mee te nemen, maar hij houdt de boot af, want hij is bang dat ze dan in de buurt van een stad zal willen wonen. Bij Tanu of anderen die achter de waarheid zouden kunnen komen.

Hoe Stein Felice bij Gibraltar heeft geholpen? Zit dat hem dwars?

Hij herinnert het zich. Hij denkt dat het niet anders kon, maar de herinnering zit hem dwars. En dat zou heel wat erger worden als jij in zijn leven terugkeerde. Stein moet met rust worden gelaten tot zijn wond genezen is. Kijk.

(Beeld: Baby in wieg gelegd huilt Vader haalt hem eruit houdt hem tegen zijn massieve met herteleer beklede schouder klopt op kleine billen met deskundige hand steekt vingertoppen in honingpot Baby zuigt Vader wiegt hem geelgebaarde woestheid glimlacht.)

Hij lijkt een aardig goede vader.

Je onbewuste dacht dat.

. . .Dat was knap eigenaardig en ik zou het nooit hebben ver-

282

wacht.

Het onbewuste gebruikt wat het gebruiken kan.

En waarom voor mij Mayvar als moederfiguur, niet bijvoorbeeld jij?

Ze was de juiste. Je hield van haar en van hem ook macht&kwetsbaarheid indrukwekkend&laagbijdegrond volwassenoordeel&kinderlijke impulsen. In beiden. In jou. Hun kind is vader van jouw man. Jij koos je ouders en liet jezelf geboren worden.

Ik houd ook van jou.

Als van een zuster. Ik ben de IJskoningin, herinner je je? (Bedaard gelach. Contemplatie van langzaam vervagend beeld.) Eigenaardig. Ik ben de laatste tijd niet in dat soort dingen geïnteresseerd geweest.

Dat zal weer terugkomen. Maak je daarover geen zorgen.

Spaar mijn energie voor de werkelijke problemen! Er is één brokje goed nieuws te midden van al de ons omringende somberheid. We hebben uitgevonden waar Tony Wayland zit, dat is de metallurg die we nodig hebben voor het Guderian-project. Je zult het nooit geloven! Commandant Burke en zijn Minderen hebben de knaap te pakken gekregen en hebben aangeboden hem aan ons te geven. Alles wat ze ervoor terug willen is vrije toegang tot de tijdpoort naar het Bestel en een eerlijke behandeling voor hun boefjes-kameraden. Natuurlijk heb ik toegestemd. Burke komt morgen naar Goriah om de details van de ruil uit te werken met Kuhal Aardschudder in het huis van de Heer van de stad.

Hmm. Ik heb met Peo geen contact meer gehad sinds Brendans genezing. Merkwaardig dat hij bereid is een van zijn soortgenoten als handelswaar te gebruiken.

Tony had er best oren naar over de rivier heen verkocht te worden. Zijn alternatief was opgehangen te worden voor bedreven misdaden en wangedrag.

Goeie genade.

Welterusten Elizabeth.

Walter Saastamoinen kwam precies om middernacht op de brug van de Kyllikki om Patricia Castellane aan het roer af te lossen.

'Alles rustig, neem ik aan,' merkte hij op, terwijl hij met zijn duim op het toetsenbord van de navigatiecomputer drukte om een herhaling van de gebeurtenissen tijdens de eerste wacht te bestuderen. 'Je doet het heel goed voor een leerling, Pat. De machine heeft je in de hele vier-uurswacht maar één keer gecorrigeerd.'

'Het is een opluchting om even iets anders te doen dan die ellendige psychische herhalingsoefeningen,' zei ze. 'Mijn metavermogens zullen door die mentale spieroefeningen heus niet sterker worden. Eerder zwakker, als je van mijn dirigerende vermogens uitgaat. Maar probeer dat Jeff maar eens te vertellen.'

Haar mond stond strak van afweer.

Walter liep naar het stuurwiel, ontkoppelde de automatische piloot en liet de ziel van de grote schoener over hem komen. *Oh, jij schoonheid!* 'De Kyllikki zeilen is goed medicijn tegen wat jou en mij dwars zit. Ik wou dat we altijd maar door konden gaan. De koers naar het zuiden verleggen . . . vlak onder de kust van Afrika langs . . . rond Kaap de Goede Hoop en dan verder over de Indische Oceaan om het Pliocene Azië te bekijken. Marc wilde ons na die tragedie in het poolijs nooit meer ver weg laten gaan. Maar nu is er geen echte reden meer waarom we dat niet zouden doen.'

Ze haalde voor hen beiden koffie uit de automaat en gaf toen, licht fronsend, een beker aan Walter.

'Ik begrijp niet wat je bedoelt.'

'De politie van het Bestel zal ons nooit meer te pakken kunnen krijgen als Marc nog verder slaagt in die d-sprongen.' Hij rommelde met de atmosferische aflezer naast het kompashuisje. 'Voor zover ik het begrijp moet hij in staat zijn *ons allemaal* buiten de planeet mee te nemen zodra hij het helemaal onder de knie heeft. We zouden domweg rond kunnen kruisen net zolang tot hij zover is. Dat geknok met de kinderen over de tijdpoort is dan helemaal niet nodig. Ze zouden er vast en zeker geen bezwaar tegen hebben om de opening daarvan uit te stellen totdat wij goed en wel veilig vertrokken zijn.'

'Zouden ze dat echt niet?' Patricia's stem klonk neutraal. 'Ik kan er minstens ééntje bedenken die bezwaar zou kunnen hebben.'

Walter sloeg er geen acht op. 'Ik weet niet of ik die kleine weersvoorspeller nog wel kan vertrouwen,' zei hij fronsend. 'Die doet een beetje vreemd over die diepe trog bij Rockall. Is blijkbaar niet van plan zichzelf op een koers vast te leggen. Als die storm onze kant op drijft, dan konden we wel eens een paar verdomd ongemakkelijke dagen krijgen, die met een kleine koersverandering te vermijden zouden zijn als de binnenkomende gegevens allemaal goed waren.'

Patricia liet zich er niet door afleiden.

'Je weet dat Hagen Marc haat. Die jongen kijkt er gewoon naar uit om de Magistratuur van het Bestel op zijn vaders spoor te brengen. We zullen geweld moeten gebruiken om te zorgen dat die tijdpoort gesloten blijft. Niks anders zal echt afdoende zijn. Tenzij *jij* de kinderen van het gevaar weet te overtuigen, Walter.'

'Ik houd ervan om zo over het pad van de maan te zeilen, jij niet? Het gebeurt niet vaak dat het precies recht op je koers ligt, maar als dat wel het geval is, is het in één woord betoverend!'

Ze kwakte haar koffiebeker op de kaartentafel.

'Steek jij je kop maar in het zand als je dat liever doet. Blijf maar dromen dat we deze verschrikkelijke toestand enkel met vriendelijke bedoelingen en rustig praten kunnen oplossen. Maar Cordelia Warshaw en ik weten wel beter en het zal niet lang meer duren voor ook Marc daar achter komt.'

Walter kneep zijn lippen samen tot een strakke lijn. Ondertussen bleef hij recht vooruit staren, het stuurwiel af en toe met kleine bewegingen corrigerend.

Patricia zei: 'Ik heb met Jordy gesproken over de teleportatie van externe toegevoegde massa. Wanneer Marc in staat wil zijn om voorwerpen mee te nemen die niet binnen de hersenversterkende machine passen, dan zal hij het ypsilonveld moeten vergroten door middel van zijn geest. Dat houdt in dat de input van de machine ook moeten worden opgevoerd en dat houdt weer een grotere druk in op zijn hersens. Hij kan dat niet in één keer doen, hij zou er overbelast door raken. Kramer is er zelfs niet eens zeker van dat Marc over de capaciteit beschikt om een gebied te omsluiten dat praktisch genoeg is voor enig vervoer. Dan zijn er de passagiers nog. Zullen zij levenbeschermende uitrusting nodig hebben voor sprongen op Aarde? We hebben maar één extra uitrusting over die bij de machine hoort, maar die weegt drie ton en ook dat zou Marc moeten dragen. Het uitproberen zal nog wel een tijdje duren . . . maar ik kan me nauwelijks voorstellen dat Hagen of Aiken Drum bereid zijn de opening van de tijdpoort uit te stellen om Marc de gelegenheid te geven zijn teleportatieproblemen op te lossen.'

'We zouden het kunnen vragen,' zei Walter.

Patricia was al bij de deur van de stuurhut. 'Dat zullen we zeker. Met de X-lasers achter ons en al het gebundelde mentale aanvalsvermogen dat we kunnen opbrengen.' Toen was ze verdwenen.

Walter volgde mentaal haar vertrek om er zeker van te zijn dat ze naar haar cabine was teruggekeerd en controleerde daarna de anderen. Ze waren allemaal in slaap of bezig met hun werk, op twee na. Marc was weg op een d-sprong en Alexis Manion was onverwachts aan de wandel. Hij liep over het hoofddek en stond van tijd tot tijd stil om met een doek het metaal op te poetsen. Hij was onder invloed van de gehoorzaamheidsdrug. Niemand had eraan gedacht hem naar bed te sturen en alleen de magnaten beschikten over de code. Mindere Grootmeesters als Walter was het absoluut verboden zich met de potentieel gevaarlijke Manion te bemoeien.

'Arme duivel,' mompelde Walter. De vage figuur verdween

285

achter het door de nacht omhulde voorste dekhuis. Enige tijd broedde Walter op het onderwerp Manion, wiens misdaad was geweest dat hij aan de kinderen de waarheid over hun ouders had onthuld. Toen was het tijd voor een telepathisch gesprek over grote afstand met Veikko en Walter vergat de dynamische-veldenspecialist toen hij zijn geest oostwaarts in de richting van de Alpen liet uitgaan.

WALTER: Hé, jongen.

VEIKKO: Ik ben hier, Walter.

WALTER: Hoe staan de zaken ervoor?

VEIKKO: Een van de klimmers heeft een zwelling in de longen en een ander heeft bevroren voeten. Maar we maken voortgang. Kamp 3 werd vandaag bevoorraad. De veroveringsteams gaan morgen hier weg voor de grote aaval. Basil is nog steeds op de berg en brengt de ondersteuningsgroep naar beneden. Ze zullen ongetwijfeld moeten wachten tot hij terug is. Verder verwachten we gezelschap van de Firvulag, dus de kanonnen worden gereed gehouden. Basil heeft een andere Tibetaan, een arts die Thongsa heet, aangewezen om de andere zes te leiden totdat ze hem hebben bereikt. Daarna verdelen ze zich in twee kleinere groepen zoals ze dat vanaf het begin van plan waren en dan brengt Basil hen naar de vliegtuigen.

WALTER: Het klinkt alsof die Basil de afgelopen week niet veel rust heeft gehad.

VEIKKO: Hij heeft zowat iedere andere groep gebracht waar ze wezen moest. Ik kan nauwelijks geloven dat die kerel tweeënzeventig is. Verjongingskuur natuurlijk.

WALTER: Dan is hij een jaar jonger dan Marc. En een paar jaar ouder dan ik.

VEIKKO: Nou ja, we weten allemaal dat die verdomde Marc onsterfelijk is. Maar jij ziet eruit . . . ik bedoel . . .

WALTER: De regeneratietank in Ocala begint een beetje te verouderen. En ik heb er nooit veel gebruik van gemaakt. Ik ben er zeker van dat deze Basil het produkt is van een inmiddels veel verder gevorderde techniek uit het Bestel, wanneer hij echt die klimmende superman is die jij van hem maakt.

VEIKKO: Dat moet me een plek zijn . . . het Bestel, bedoel ik.

WALTER: Je zult het wel zien.

VEIKKO: . . .Walter, weet je zeker dat je het nog steeds wilt proberen?

WALTER: Jullie kinderen moeten een kans hebben.

VEIKKO: Oh God. Maar Marc zou je kunnen doden.

WALTER: Dat zou kunnen. Maar misschien bedenkt hij zich wel tweemaal. Als de koersnavigator en de autopiloot het nu eens begeven. In rustig weer is de Kyllikki heel hanteerbaar. Maar als er een storm komt – en het lijkt erop alsof er eentje op de loer kan liggen – dan is deze grote schoener iets te onhandig om met de hand te besturen.

VEIKKO: Ik herinner me die orkaan in de Ross Zee! . . . Dus je denkt dat zelfs als jij . . . je denkt dat Marc het niet zal durven om . . .

WALTER: Ik ga het proberen en maar hopen dat Marc me niet doodt wanneer hij erachter komt. Maar wat er ook gebeurt, gebeurt. Ik weet niet precies wanneer mijn kans zich zal voordoen maar als hij er is, dan zal ik de gelegenheid aangrijpen. Alles zit goed achter slot en grendel, maar ik zal wel een manier vinden om dat te neutraliseren.

VEIKKO: Oh Walter. Oh vader.

WALTER: Let erop dat jij en Irena niet gedood worden door die verdomde kabouters of wat het dan ook zijn. Als er iets met jullie zou gebeuren, zou ik hier niet verder kunnen, denk ik.

VEIKKO: Het basiskamp is hier helemaal ingegraven en we hebben een overvloed aan allerlei wapens. Dus dat zit wel goed. Maar jij . . . wanneer . . .

WALTER: Als ik kan. Maak je geen zorgen. Roep me morgen op als dat mogelijk is. En anders op dinsdag.

VEIKKO: De Tanu die bij ons zijn zeggen dat de Firvulag het mogelijk zullen opgeven wanneer hun geheiligde Wapenstilstand begint op de woensdagochtend.

WALTER: Nou, dat is tenminste wat. Pas goed op, mijn zoon. Er komt net iemand de stuurhut binnen en ik moet ermee ophouden.

VEIKKO: Veel geluk . . .

Walter schakelde de autopiloot in en keerde zich glimlachend om. 'Hallo Alex, kom binnen.'

'Een zwervend minstreel ben ik,' zong Alexis, 'een vodje van lappen en draadjes.' Hij begon arbeidzaam de metalen randen van de vensters te poetsen.

Walter zei duidelijk: 'Alex. Houd daarmee op. Kom hier en luister naar me.'

De onderworpen man liet gehoorzaam zijn poetsdoek zakken en ging voor de kapitein van de Kyllikki staan.

'Jij bezit de meeste PK van ons allemaal, Alex. En je overredingskracht mag er ook wezen. Ik vraag me af of je sterk genoeg bent om die gehoorzaamheidsdrug te doorbreken. Ik vraag me af of jouw vermogen de commando's kan onderdrukken als ik je voldoende inspireer. Luister Alex: *Ik weet hoe jij en ik de kinderen kunnen helpen!* Ik heb je hulp nodig. Begrijp je dat?'

Een brede glimlach verspreidde zich langzaam over het geteisterde gezicht. Manion begon zachtjes te zingen:

Ben ik alleen. Niet gadegeslagen? En ben ik vrij?
Dan geef ik toe, dit is fraaie bedriegerij!

Walter greep hem bij de armen. 'Kun je het doen? Heb je er van binnenuit al aan zitten knagen? Je weet dat ik de drug niet kan uitschakelen.'
Alex zong:

Deez' strenge schijn is niet meer dan venijn!
De cynische grijns een sluier van geveins!
Deez' ingetogen snaak, misplaatste goede smaak!

'Mijn beste! Ik wil dat je met mij naar het vooronder gaat om Marcs fantasiesloten te verbreken.'

Als katten zullen we de prooi besluipen gaan,
in dodelijke stilte zoeken we ons een baan . . .

'Ik ga de X-lasers saboteren, Alex, zodat Marc ze niet tegen de kinderen kan gebruiken. Hij heeft dan natuurlijk de andere wapens nog. Maar de sigmavelden van de kinderen kunnen die wel tegenhouden. En er is een redelijke kans dat onze metabundeling in sterkte is afgenomen terwijl die van de kleine koning is toegenomen. Wanneer Marc erachter komt wat we hebben gedaan, zou hij ons kunnen doden. Maar hij heeft jou erg nodig en niemand kan deze tobbe zo goed besturen als ik, dus we maken een kans. En als we naar Europa kunnen komen, wie weet wat er gebeurt? Marc zou zelfs van idee kunnen veranderen als hij weet dat hij de X-lasers niet langer als pressiemiddel kan gebruiken.'
Alex zong:

Wanneer de snoodaard niet werkt aan een zaak
* (een zaak)*
zodat het kwaadaardig oogmerk rijpen kan
* (rijpen kan)*
is zijn vermogen tot onschulds vermaak
* (onschulds vermaak)*
precies zo groot als van een eerlijk man.

Met onvoorstelbare traagheid viel het ene ooglid dicht en ging daarna weer open. Alex Manion had ontegenzeglijk geknipoogd.
'Marc is weg op een d-sprong en de rest is in slaap of bezig,' zei Walter. 'Laten we het nu meteen doen, ja?' Hij nam de fysicus bij de hand en voerde hem weg als een gelukkig kind.

10

'Bets, wakker worden, kerel! Het is tijd om op weg te gaan.'
Mister Betsy bewoog. Een gemanicuurde hand kroop uit het binnenste van zijn met zijde en zwanedons gevoerde slaapzak en haakte zich achter de opening van zijn bivakmuts die tot aan de rand van zijn terugwijkende haargrens was opgekropen. Een vinger haalde het roze gebreide helmpje naar beneden zodat één enkel groen oog zichtbaar werd dat uit het vizier van wol naar buiten tuurde om de verlichte cijfertjes op de naar binnen gedraaide polschronograaf af te lezen: 0216. De grijze halsring tinkelde en verdreef de slaap.

Mister Betsy's telepathische stem klonk nors: Goede God, Ookpik, het *kan* toch nog geen tijd zijn op weg te gaan als ik net *naar bed* ben gegaan?

Slecht nieuws. Elizabeth heeft ons via een Tanu laten weten dat de Firvulag nu met grote snelheid naar Bettaforca komen. En Basil op de berg zegt dat het weer er onbestendig uitziet. We kunnen niet meer tot de ochtend wachten. Je hebt tien minuten.

Hardop zei Betsy: 'Oh wat een ellendig nieuws.'

Ookpik zei: En vergeet je geweer niet.

Zwakjes grommend werkte Betsy zichzelf overereind en sprong met de slaapzak om zich heen als een lenige rups in zijn cocon rond. Hij stak de hutlamp aan en knielde voor het oventje van de keukenuitrusting waarin zijn schoenen en de rest van zijn kleren als broodjes een korte nacht waren warm gehouden op vijftig graden Celsius. Hij controleerde de buitentemperatuur en merkte verrast dat die maar net rond het vriespunt schommelde. Prima. Geen gedonder dus met onderkleding en een tweede jekker: gewoon die lekker draagbare water- en winddichte kleren aan over zijn wollen onderkleding, de schoenen vast en de beenkappen tegen de sneeuw en in zijn harnas. Om het zweet uit zijn slaapzak te krijgen, stopte hij die eventjes in de nog warme oven en liet de bezige kleine microgolfjes hun werk doen. Daarna ging de slaapzak met nog meer ondergoed in zijn rugzak. Hij deed zijn handschoenen aan, greep de ijsbijl en de Weatherby Magnum.

Zes minuten. Mister Betsy permitteerde zichzelf een tevreden grijnslach terwijl hij naar buiten stapte in de alpennacht.

Een lauwe wind waaide uit het westen en de vers gevallen sneeuw was half gesmolten. Het hele kamp was bij wijze van veiligheidsmaatregel onverlicht, maar Betsy zag de bewegingen van donkere gestalten rondom de hutten van de soldaten met hun gouden halsringen. Een donzige halve maan verlichtte de Monte Rosa met een fletse, groenige gloed. Boven het bergmassief hing een ongewone dubbele wolkenformatie, een soort gladde kap die zich over de hoogste top kromde en daar weer bovenop stond een langgerekte, naar het oosten drijvende pluim.

Na een vlug bezoek aan de latrine, liep Betsy de hut binnen waar de klimmers zich zouden verzamelen. Ookpik was nog de enige aanwezige, hij zat op een bank vlak naast het slordige buffet en dronk thee en knabbelde aan slakken à la Villeroy.

'Ik ben blij dat er tenminste iemand van dit stelletje kans heeft gezien er direct uit te komen,' merkte de Eskimo droogjes op. 'De rest van het team scharrelt ongetwijfeld nog rond op zoek naar hun sokken. En daar is zelfs onze geduchte dokter Thongsa bij inbegrepen. Neem wat thee, Bets. Die op zijn Frans gebakken slijmerds zijn niet eens gek. Heb je die wolk gezien boven de berg?'

'Ja,' zei Betsy kort. Hij liet zijn plunje vallen en trok zijn handschoenen uit. 'Heer Bleyn deed gisteren zijn best om de zaken er een beetje rooskleurig te laten uitzien. Maar ik wist wel dat we hier niet zo makkelijk vandaan zouden komen! Die Firvulag moeten in staat zijn geweest hun bewegingen op de een of andere manier te verbergen, anders hadden ze niet zo dichtbij kunnen komen zonder dat Elizabeth het in de gaten had gekregen. Ze hadden er niet voor morgen mogen zijn. Om 's nachts over die snuit van de gletsjer te gaan bij dit warme weer kon wel eens heel gevaarlijk zijn.'

Ookpik bestudeerde zorgvuldig de volgende gefrituurde naaktslak voor hij hem in zijn mond stopte. 'En dat is niet onze enige sores, ouwe reus. Ik heb zelf met Basil gesproken. Kon niet slapen.'

Betsy lepelde een dikke klont honing in zijn thee. 'Ik dacht dat jouw bereik niet verder ging dan een paar honderd meter?'

'Ik heb geoefend. Je zou ervan opkijken hoe pure paniek die ouwe hersentjes opjut . . . Hoe dan ook, met Stan gaat het slechter.'

'Oh hemel.'

'Hij is natuurlijk een taaie ouwe walrus, maar vocht in de longen is geen kleinigheid. Doordat ze hem naar beneden naar kamp 2 hebben gebracht is zijn toestand wel wat verbeterd, maar hij is er nog steeds slecht aan toe. Basil en Taffy zullen hem de hele rest van de weg op een slee moeten vervoeren.'

'Hoe is het met die arme lieve Phronsie?'

'Haar voeten reageren op de extra circulatiestoot via de halsring. Ze kan lopen, maar niet al te vlug. Ze wil dat Baz en Taffy haar achterlaten in kamp 2 en zelf verder gaan met Stan. Ze zegt dat ze denkt dat ze hier wel op eigen houtje heen kan komen wanneer ze eerst een paar dagen heeft gerust. Of we zouden van hieruit een reddingsploeg kunnen sturen.'

'Als de Firvulag tenminste voor die tijd Bettaforca niet schoonvegen,' mompelde Betsy. 'Reddingsploeg? De enige klimmers die hier achterblijven nadat wij zijn weggegaan, zijn Cliff en Cisco

290

Briscoe en geen van beiden is al te sterk.'

Hij trok een bedenkelijk gezicht en legde een half opgegeten slak op het bord terug.

'De troepen van Basils Bastaards worden aardig uitgedund. We hebben echt geen aanval van de Firvulag of een storm daar bovenop nodig.'

De deur van de hut ging open. Drie buitenaardsen kwamen binnen en Kang Lee, officier van de wacht en drager van een gouden halsring. De Tanu-klimmers, Bleyn de Kampioen en Aronn zagen er in hun alpenkleding bijna uit als bovenmaatse mensen, maar Ochal de Harpist leverde een vreemd gezicht op: hij droeg een witte anorak met een broek over zijn gloeiende wapenrusting van amethist.

'De anderen komen direct,' zei Bleyn. 'We zullen deze oriëntatiekaart gebruiken, liever dan telepathische communicatie te proberen.' Hij ontvouwde een groot vel durofilm over de tafel in het midden van de hut.

Er kwamen nog meer mensen naar binnen gestommeld, Bengt Sandvik en Nazir van de tweede ploeg en de arts die zelf niet zou klimmen, Magnus Bell. Als laatste, glimlachend en onverstoorbaar onder de koele blikken van de anderen, kwam dr. Thongsa, de kleine plaatsvervangende groepsleider binnen.

'Laat de briefing maar beginnen,' droeg hij op. Iemand meesmuilde.

Ochals gemaliede vinger volgde een route dwars over de kaart en liet een heldere afdruk op het materiaal van de kaart achter. 'Het ziet ernaar uit dat de Aartsvijand voor het onverwachte heeft gekozen. Nadat de aardverschuiving hun krachten had uitgedund, had niemand meer verwacht dat ze het wagen zouden het restant ervan in twee groepen op te splitsen. Maar dat is precies wat ze wel hebben gedaan. Nadat ze de kleine Sint-Bernhardpas zijn overgestoken en zo in de Proto-Augustavallei kwamen, gingen ze hierheen.' Hij wees naar een punt bij de rivier ongeveer veertig kilometer ten oosten van de bergpas. 'Maar ongeveer honderd Firvulag zijn langs de Augusta rechtdoor gegaan naar Val d'Ayas en dat is inderdaad de meest voor de hand liggende toegangsweg naar Bettaforca. Dat is de troepenmacht die door Elizabeth werd gezien en gevolgd.'

'En de rest van hen?' vroeg Ookpik.

'De strijdmacht die ze *niet* zag,' vatte Ochal samen, 'bestaat uit ongeveer zeventig van de dapperste Firvulag die goed in staat zijn krachtige, verhullende afweerschermen op te roepen. Nadat deze hun kameraden hadden verlaten, zijn ze door de steile kloven en ravijnen van de Valpelline getrokken waar zelfs een Grootmeester de grootste moeite zou hebben om hen op te speuren. Ze gingen verder naar het noordoosten en daarna oostelijk over zeer ruw en oneffen terrein dat een beetje naar het zuiden terugboog. Ze zullen op ons afkomen vanaf de top van de Ayas, niet van de voet en waarschijnlijk proberen aan te vallen vanaf die rand in het noordoosten.'

'De storm komt ook uit die richting,' merkte Ookpik vrolijk op. 'Dat zou de ellendelingen vertraging kunnen bezorgen.'

'We moeten direct vertrekken,' piepte Thongsa. 'Wanneer we eenmaal op de gletsjer zijn, zullen de Firvulag ons niet durven volgen. En dan zullen *wij* tenminste veilig zijn.'

Een verlegen stilte begeleidde die flater.

Ochal zei vriendelijk: 'We denken dat de Aartsvijand klaar is om Bettaforca aan te vallen en onze mensen zijn gewapend en gereed. Maar jullie moeten begrijpen dat er nog een andere mogelijkheid is. De Firvulag zijn oorspronkelijk afkomstig van de hoge, besneeuwde bergen op Duat. Ook al wonen ze nu dan al zo'n duizend jaren in het Veelkleurig Land, hun vaardigheid in het leven in dergelijk terrein zal er niet door verminderd zijn. En het Kleine Volk van Famorel is nog beter in de bergen thuis dan hun verwanten meer naar het noorden. Ze kunnen uitstekend over grote afstanden mentaal waarnemen. Ze kennen zonder twijfel de precieze ligging van onze vooruitgeschoven kampen op de Monte Rosa.'

'Nee toch!' jammerde de arts.

'Het doel van de Firvulag,' herinnerde Bleyn hem, 'is te voorkomen dat wij de vliegtuigen krijgen. Bettaforca met zijn sterke verdediging aanvallen is niet half zo verleidelijk als achter de klimmers aan te gaan. Afgezien daarvan, de tweede strijdmacht van het Kleine Volk is straks in een veel betere positie om het basiskamp aan te vallen.'

Thongsa's zwarte kraalogen dartelden als verschrikte kevertjes in zijn platte gebronsde gezicht.

'We moeten de klimpoging uitstellen totdat de vijand is verslagen!'

Bleyn was onverstoorbaar. 'De Aartsvijand zou kunnen winnen. De koning staat er daarom op dat we direct aan de beklimming beginnen.'

'Maar dan moeten we ons misschien een weg naar boven vechten over de hele Zuidelijke Wand!' riep Thongsa uit.

'*Nu* weet je precies waar we aan toe zijn, liefje,' zei Mister Betsy genoeglijk. Hij hees zijn rugzak over zijn schouders, maakte de sluitingen vast en schoof de kap van zijn anorak over de roze balletjes op zijn bivakmuts. 'Zullen we dan maar gaan?'

'Wacht!' riep de Tibetaan wanhopig uit. Maar zijn stemgeluid raakte verloren in de rommelende instemming van de anderen die ook hun uitrusting begonnen om te doen.

'Heb jij vandaag zin om een nieuweling een beetje op weg te helpen, Bets?' vroeg Magnus Bell. 'Ik slenter een tijdje met jullie mee, een deel van het traject tenminste om me met de zieken bezig te houden en hen naar beneden te helpen. Bergbeklimmersgewijs gesproken ben ik een nul, maar vol goede bedoelingen. Op de moeilijke stukken wil ik graag gesleept worden.'

Thongsa sprong nu wild op en neer van woede. 'Dit is waanzin! Toen ik erin toestemde om de tweede aanvalsgroep aan te voeren, was ik er absoluut niet op voorbereid dat er onderweg zou moeten worden gevochten. Ik ontsla mezelf direct.'

'Ga jij maar mooi voorop,' zei Aronn duister. Hij was een Tanu met het gezicht van een paard en een uitdrukking van eeuwigdurende desillusie en hij voelde zich niet te goed om zijn PK te gebruiken tegenover hufters. Hij had spieren als een reuzenstier. 'Je mag je leidersbaantje erbij neerleggen als je dat wilt, Mindere, maar je bergbeklimmerservaring en je gidskwaliteiten zijn onmisbaar. Je gaat met ons mee, ook al moet ik je bij je nekvel meesjouwen.'

'Dit is onverdraaglijk,' fluisterde Thongsa.

'Wat je gelijk hebt,' stemde Betsy in. Zijn olijke geitekop kwam dicht bij dat van de opstandige piloot en arts. Terwijl andere handen zorgden dat Thongsa's rugzak op zijn schouders terechtkwam, maakte Betsy de sluitingen vast. 'Denk aan de vliegtuigen, lieverd. Denk aan de tijdpoort die we door die vliegtuigen zullen kunnen bouwen! Denk aan je zelf, door die poort stappend. Wil je soms niet terug naar het Bestel?'

Tranen stonden in Thongsa's ogen. 'Daar heb ik niet eerder aan gedacht. Maar nu . . . ja. Ja! *JA!*'

Ze kropen over het verrotte ijs van de Gresson Gletsjer, verdeeld in groepjes van vier man en stevig onderling verbonden ondanks het feit dat de route met vlaggetjes aan stokken was gemarkeerd. Overal om zich heen hoorden ze het geluid van stromend water en het kreunen van zich opnieuw zettend ijs. Met lange tussenpozen hoorden ze het donderende gebulder wanneer gletsjerbrokken van de vier grote ijswatervallen naar beneden kwamen. Er was een kring om de maan en de top van de Monte Rosa droeg een spectrale helm.

De twee Tanu bleven in constante telepathische verbinding met het basiskamp terwijl ze tegelijkertijd met hun vérziende vermogens de grote ijsvlakte afzochten naar tekenen van de naderende Aartsvijand. Maar er gebeurde niets. Langer dan twee uur, tot het grijze licht van de dageraad de hemel achter Rosa's rechterflank met licht besmeurde, zochten ze hun weg over de gletsjer. Thongsa ging voorop, het ijs sonderend met zijn langstelige bijl. Achter hem kwamen Bengt, Nazir en Aronn. Daarachter kwam Ookpik, voor Betsy, Magnus en Bleyn de Kampioen. Niemand viel in een spleet. Niemand verloor zelfs maar zijn evenwicht. De halsringen hielpen hen om in het donker toch goed te kunnen zien. De manier waarop Thongsa zijn weg zocht was een schoolvoorbeeld van klassieke bergbeklimmerskunst: angstvallig, veilig en zeer, zeer langzaam.

Ze zagen de storm in hun richting zwiepen toen ze bij de bevoorradingspost kwamen aan de voet van de Gresson IJswaterval. Op dat moment deed Bleyn een aankondiging:

Elizabeth betuigt haar spijt over het feit dat een combinatie van meteorologische omstandigheden gedachten afschermende rotsformaties en afweerschermen van de Aartsvijand het haar onmogelijk maken de lokatie van de noordelijke strijdmacht van de Aartsvijand precies vast te stellen. De zuidelijke troepenmacht is makkelijk waar te nemen op acht kilometer ten zuiden van Bettaforca in de Ayasvallei. Ze hebben daar blijkbaar hun kamp opgeslagen.

Natte sneeuwbuien sloegen in hun gezicht. De ether weergalmde van de bijvoeglijke naamwoorden toen ze stilstonden om hun wapens beter op te bergen en de capuchons over hun hoofd te trekken. Daarna sjokten ze voort door de schemering, terwijl Aronns vérziendheid Thongsa hielp om de markeerstokken te vinden en de storm in hevigheid toenam. Soms stonden ze tot aan hun enkels in stromend water en al snel waren hun sokken doorweekt. Maar voor de twee Tanu-heren was het mogelijk om via de grijze halsringen de bloedcirculatie te versnellen in de ledematen van de dragers ervan, zodat hun in wol gestoken voeten desondanks warm bleven.

Magnus zei: Op die manier zullen we heel gauw blaren krijgen, tenzij we ons snel kunnen drogen.

Bleyn zei: Ik zie dat de tenten met de voorraden nog maar amper een halve mijl voor ons uitliggen.

Ookpik vroeg: Hoeveel in echte meters?

Aronn zei: Dat weet ik niet maar jullie zullen minstens nog een uur aan jullie kleine beentjes moeten trekken om er te komen, tenzij jullie de snelheid flink opvoeren.

Nazir zei: Subhan'llah ik geloof dat ik zinken ga . . . *Ja, ik zink!*
Thongsa zei: Beleg hem Bengt ik ben er zo.

Bengt zei: Ik heb hem.

Nazir zei: Godverdomme ik zit er tot mijn middel in . . .

Thongsa zei: Kun jij hem eruit tillen Heer Aronn?

Aronn zei: Uppie uppie kleine man.

Alsof hij zich op een liftvloer bevond, zo eenvoudig werd de Arabische technicus omhooggetild uit de met modderige brij gevulde kloof die dreigde hem te verslinden. De psychokinese van zowel Bleyn als Aronn hield hem midden in de lucht en daarbij werd hij even scheef gehouden zodat het overtollige water uit zijn kleren kon lopen.

Bleyn zei: Het stormt te hard om je behoorlijk droog te krijgen, Nazir. Maar ik kan wel zorgen dat je er geen ongemak van voelt totdat we de voorraadpost hebben bereikt. In orde?

Nazir zei: Laten we verder gaan.

De natte sneeuwstorm minderde een beetje toen het ochtend begon te worden. De sneeuwvelden op de Monte Rosa kregen langzamerhand een roodachtige tint en de hemel werd purperrood, bezaaid met snel voortjagende kleine zwarte wolken.

'Ik weet het,' zei Magnus, 'rood in de morgen, scheepslui maak je zorgen. Geldt dat ook voor het weer in de bergen?'

'Waarschijnlijk wel,' zei Betsy met opgewekt pessimisme. 'Kijk daar eens! Ik zie de ijswaterval! De wind blaast de mist uit elkaar. Daar, de tenten!'

Ze juichten het allemaal uit. De schuilplaatsen van zilverkleurig decamole waren tegen de achtergrond van het ijs vrijwel onzichtbaar, maar ze droegen wimpels van wapperende oranje zijde en leken minder dan 150 meter van hen verwijderd.

'We zullen er goed uitrusten, droog worden en een flinke maaltijd klaarmaken,' verklaarde Thongsa. 'Het is duidelijk dat de Firvulag voorzichtiger zijn geweest dan wij. Die hebben waarschijnlijk de nacht in een stormvaste schuilplaats doorgebracht. Kom! Laten we opschieten!'

Hij begon naar voren te lopen en hield zijn bijl zwierig als een wandelstok voor zich uit terwijl de glazen sporen onder zijn schoenen tinkelden tegen het waterige ijs. De fotonenstraal die hem onmiddellijk doodde was duidelijk een vergissing. Een of andere niet te houden dappere Firvulag had de zaak verknoeid door te vroeg te vuren vanachter een slordige opeenhoping van gebroken witte blokken links van de tenten. De verspreide salvo's die daarop volgden kwamen uit Matsu's voor wie dit bereik vrijwel te groot was. Bovendien werd hun zicht belemmerd door een plotselinge vlaag ijsregen die over de gletsjer joeg.

'Naar beneden!' schreeuwde Bleyn. 'Achter die ijsrand.'

Ze zagen net op tijd kans van het bevlagde traject weg te komen. De storm was uitgewerkt en terwijl de lucht ophelderde, schoten de stralen van laserwapens met toenemende doelgerichtheid grote brokken ijs van de rand waarachter ze zich verscholen.

Op hun buiken kropen ze verder weg in oostelijke richting. De ijsrand, ook al was die niet hoog, bood afdoende bescherming en bracht hen naar een groot granieten rotsblok dat met ijzel was overdekt. Daarachter hergroepeerden ze zich en bekeken de situatie.

Het was nu volop dag. Ze waren nu ruim 300 meter van de plek verwijderd waar de tenten stonden en nog iets verder bij de schuilplaats van de Firvulag vandaan. De Aartsvijand had zichzelf verborgen achter een stapeling van huizenhoge gletsjerblokken rechts van de ijswaterval en hadden vandaaruit een open schootsveld over de enige weg die naar de tenten voerde.

'Iemand onder dat zootje heeft zijn hersens goed gebruikt,' merkte Ookpik op. 'Maar toch . . . het had nog erger kunnen zijn.'

'En dat zou het ook,' mompelde Betsy, 'als één van die spoken niet zo schietgraag was geweest.'

'Is dit de hele bende?' wilde Nazir weten. 'Die ongeveer zeventig sodemieters die Ochal de Harpist had geschat?'

'Ik ben aan het tellen,' zei Bleyn verbeten. 'Van zo dichtbij kan ik ze er één voor één uithalen, zelfs als ze zich mentaal verbergen.'

'Jammer dat je dat niet eerder deed,' mompelde Betsy.

'Dat was onvergeeflijk zorgeloos,' bekende de Kampioen. 'Maar voor zoiets is intense concentratie nodig en mijn aandacht was verdeeld. Zelfs een lid van de Hoge Tafel is wel eens even niet helemaal wakker – Tana vervloeke hun geluk.'

'Het had erger gekund,' zei Ookpik nog eens. Hij leek onverklaarbaar opgewonden terwijl hij een verrekijker uit zijn rugzak haalde en toen dat met enige moeite was gelukt er zwijgend door begon te kijken.

'Wat is er?' vroeg Bengt.

'Ze noemen dit niet voor niks een ijswaterval, cheechako,' zei de Eskimo-ingenieur.

Aronn zei: 'Daar is geen beweging in geweest sinds we hier voor het eerst kwamen.'

'Dan moet het gesmeerd worden,' zei Ookpik.

'Je zou hem pal op het goeie punt moeten raken,' zei Nazir twijfelachtig. 'Ik bedoel, we kunnen hier geen uren achter elkaar scheten lopen te laten tegen die ijsberg zonder dat die griezels doorhebben wat we proberen.'

'Hoe kan ik die hoeken nou vaststellen als jij blijft ouwehoeren?' klaagde Ookpik. Iedereen was een paar minuten stil. Daarna vroeg de Eskimo: 'Kan iemand van jullie Tanu vliegen?'

'Nee,' zei Bleyn. 'Ik ben in dat opzicht mentaal geblokkeerd en Aronn heeft het programma daarvoor nooit onder de knie kunnen krijgen.'

'Maar jullie kunnen de dingen op een afstand bewegen?'

'Ik ben geen Kuhal Aardschudder, maar ik kan toch wel ongeveer acht keer mijn eigen gewicht tillen. Aronn is goed voor ongeveer de helft daarvan.'

Ookpik maakte een snelle berekening. 'Iets meer dan een ton. *Oké!* Zouen jullie iets over de rand van de ijswaterval kunnen krijgen?'

'Nou,' Bleyn aarzelde. 'Dat kunnen we proberen. Maar we kunnen alleen maar opgooien. Niet voor een langere tijd omhooghouden. En we moeten er goed zicht op hebben.'

De ogen van de Eskimo glinsterden. 'Geef me nog een paar minuten.'

Ze ontspanden zich achter de met ijs overdekte rotsen. Drijfnatte schoenen en sokken werden door het creatieve vermogen van Aronn gedroogd. Betsy hielp Nazir om van kleding te wisselen. Magnus maakte hete chocola. Van tijd tot tijd werd er door de Firvulag op hun positie gevuurd, maar het enige resultaat daarvan was dat het merendeel van de ijsrand aan de noordelijke zijde werd afgeschoten terwijl hun granieten schuilplaats zelf nauwelijks schade opliep.

'Ik tel achtenzestig Aartsvijanden,' kondigde Bleyn aan. 'Ze moeten zich dus alle achter die enorme gletsjerblokken bevinden.'

'Ze lijken voornamelijk uitgerust met Matsu's,' zei Betsy. 'Ik heb twee of drie schoten gezien die blijkbaar van iets anders afkomstig waren. Waarschijnlijk Mausers, aangedreven door zonne-energie. Maar niks dat zo goed is als onze Weatherby- en Bosch-geweren.'

'Ik heb de plek gevonden,' zei Ookpik ten slotte. 'Perfect. Een beetje hoger dan ik zou willen, maar wat geeft het, momentum is momentum. En wat maakt het uit als we een nieuwe route tegen de ijswaterval moeten zoeken? We kunnen op de voorraadpost eerst uitrusten en dan heeft Basil een kans om met die arme Stan naar beneden te komen.'

'We weten nog niet of ons plannetje zal werken,' zei Betsy grimmig. 'Maak dus maar niet *al te ver vooruit* mooie plannen, lieverd.'

Ookpik had de kijker weer voor zijn ogen. 'Probeer allemaal met mij mee te kijken. Zien jullie dat gletsjerblok dat eruitziet als een op zijn kant liggende Colafles?'

'Wat is een Colafles?' vroeg Aronn.

'Die daar!' maakte Ookpik duidelijk. Toen iedereen het juiste ijsblok had geïdentificeerd, legde de ingenieur uit wat er gebeuren moest. Daarna pakten ze allemaal hun wapens en legden aan op het aangewezen punt.

'Denk eraan, jullie twee Verhevenen,' zei Ookpik tegen de beide Tanu, 'op het ogenblik dat wij gevuurd hebben, moeten jullie tillen. We moeten het naar beneden zien te donderen en met een beetje geluk dondert er dan een heel brok in elkaar. Klaar? . . .'

'Vuur.'

Drie groene stralen en vier blauwwitte schoten uit. Even werd een wolk zichtbaar van tot poeder geblazen ijs. De twee psychokinetici oefenden al hun mentale kracht uit. Het gletsjerblok sidderde, maar bleef staan.

'Schudden!' riep Ookpik. 'En nog eens vuren!'

De fotonenwapens zongen. Bleyn en Aronn stonden schouder aan schouder, hun anders zo aantrekkelijke gezichten verwrongen door de inspanning. De wolk halverwege de ijswaterval werd groter. Een schurend geluid bereikte hun oren.

Aronn schreeuwde: 'Hij gaat over de rand!'

Toen leek die klontering van reusachtige ijsblokken ineens te flikkeren in het toenemende licht. De Tanu maakten gebruik van hun vérziende vermogens en zonden dat wat ze waarnamen naar de dragers van de grijze halsringen over. Zodoende zagen ze allemaal hoe die massa bevroren waterval overhelde, beefde en losscheurde. Blauwwitte massa's vlogen naar boven en naar buiten als in een vertraagde opname en tuimelden daarna hals over kop en glinsterend over de rand. Een verbijsterend gebulder vulde de lucht. Losse sneeuw, van de tuimelende brokken gerukt, vormde grote wolken stuifsneeuw en kristallen wervelwinden begonnen te fonkelen langs de randen van de nu op gang komende lawine.

In de ether klonken onmenselijke kreten.

Toen het allemaal voorbij was, leek de Gresson IJswaterval maar heel weinig veranderd, want het ene stuk ijs verschilt in vorm niet zoveel van het andere. Maar de voorste rand van de tot rust gekomen lawine reikte nu tot halverwege de rotsen waarachter de klimmers zich in veiligheid hadden gebracht. Het eerste vuile ijs had nu weer de oorspronkelijke kleur. De schuilplaats van de Firvulag lag begraven onder zeker zestien meter ijs en rommel. Hun eigen voorraadtenten waren maar tien meter diep begraven.

Ookpik keek de anderen met een berustende uitdrukking aan. 'Je wint hier wat, elders verlies je wat. Maar ik denk dat we beter kunnen beginnen te klimmen. Het is nog een lange weg naar boven naar kamp 1.'

11

Geketend in glazen boeien, verdoofd maar gelaten, stond Tony Wayland naast Kuhal Aardschudder op het balkon van het paleis van de Heer van de stad Roniah en sprak tegen het beeld van de koning, die met gekruiste benen midden in de vochtige lucht leek te zitten, net aan de andere kant van de balustrade.

'Wel, Uwe Majesteit, er moet met het niobium gewerkt worden in een pure argonatmosfeer, om mee te beginnen. Dat is eigenlijk het grootste probleem. Hoe daarvan een legering moet worden gemaakt met dysprosium, daar heb ik geen flauw idee van.'

'Maar je zou kunnen experimenteren?' Aiken leunde begerig naar voren, de handen rond de knieën van zijn gouden pak geklemd.

'Oh, ik denk van wel.' Tony's manieren waren nog maar nauwelijks beleefd. 'Als er voldoende hoeveelheid van het spul aanwezig is om mee te werken. Maar jullie hebben helemaal niets van dat element in zijn pure vorm. Hebt u er enig idee van hoe moeilijk het is om dat aan ruwe grondstof te onttrekken. Ik bedoel, zelfs als het lukt om het yttriumcomplex uit het erts te halen, dan nog is het een duivels karwei om daar de dysprosium weer in enigszins zuivere staat uit te halen. Ik neem aan dat het niet door een andere paramagnetische substantie vervangen kan worden?'

'Nee,' zei Aiken. 'Maar we hebben een apparaat dat ionen kan concentreren en dat zou een hulp kunnen zijn bij het raffineren.'

'Misschien,' snauwde Tony. 'Maar dat is jouw probleem, niet het mijne.'

Kuhal Aardschudder schudde hem licht, waardoor Tony op zijn knieën viel.'Bedenk tegen wie je spreekt, Mindere. Je leven hangt aan een dunne draad.'

Tony lachte alleen maar. Zijn gouden halsring en zijn relatief fragiele psyche zouden hem beschermen tegen de meer subtiele uitwerkingen van mentaal geweld – dat wist hij nog heel goed uit zijn jaren in Finiah.

'Ga je gang maar, sla me in elkaar!' smaalde hij. 'Dan zul je verdomd weinig aan me hebben als je mijn hersenschors in elkaar frommelt!'

Aiken knikte instemmend. 'Je werd natuurlijk altijd met vriendelijkheid overreed om barium te blijven produceren, waar of niet, Tony?'

'Reken maar.'

'Maar ik wil ook je vriend zijn,' zei de koning overredend. 'Ik zal Heer Kuhal je gouden halsring niet laten vervangen door een zilveren of een grijze, op voorwaarde dat je belooft in een sfeer van goede wil met ons samen te werken. Ik ben bang dat ik je wel onder huisarrest moet houden voor de duur van het project, maar dat is meer voor je eigen veiligheid. Je zult je buiten de werkuren vrij door het kasteel kunnen bewegen en daar zul je kunnen krijgen wat je hartje begeert. Wanneer het lukt om het Guderian-ontwerp echt te laten werken, kun je vragen om elke beloning die je kunt bedenken.'

'Alles wat ik wil,' zei Tony met een hopeloze stem, 'is teruggaan naar mijn vrouw in Nionel.'

De koning ontvouwde zijn benen, stond op en strekte zich uit.

'Help ons met het maken van die prullerige draadjes die wij nodig hebben en dan kun je haar tegen de tijd van het Grote Toernooi in de verliefde oogjes kijken.'

'Oogje,' verbeterde Tony hem. 'Oh . . . nou ja, goed. Ik zal er mijn best op doen. Je hebt mijn woord.'

'Stuur hem nog vanavond met het konvooi op weg,' droeg Aiken Kuhal op. Daarna verdween hij.

De Aardschudder bracht Tony naar het trappehuis. 'We zullen de boeien er tijdelijk om laten vanwege de veiligheid. Ze zijn niet al te ongemakkelijk. Ik heb ze zelf een tijdje gedragen.'

''t Is niet waar?' zei Tony onverschillig. Glazen ketens liepen van zijn polsen naar een ring die aan zijn halsring was vastgemaakt. Het was eerder symbolisch dan een werkelijke belemmering. Ondanks dat was het vernederend genoeg. Terwijl ze de trappen afliepen naar de lagere regionen van het kasteel, liep hij zorgelijk te broeden. Ze zochten zich een weg naar het voorplein waar chaliko's stonden te wachten om hen naar de haven van Roniah te brengen.

'Ik ben in elk geval verlost van die bende strotafsnijders die me in het moeras te pakken kregen,' zei Tony, terwijl hij in het zadel klauterde. 'Ik neem aan dat ze bedolven zijn onder de koninklijke gunsten?'

Kuhal zei: 'De Hoge Koning heeft met genoegen hun verlangens ingewilligd. Ze vroegen om vrije doortocht door de tijdpoort wanneer het lukken zou om die weer in werking te stellen. En om de gelegenheid zoveel van hun kameraden mee te nemen als ze willen, voor zover die ook naar de Oude Aarde terug willen keren.'

'Huh!' Tony's stem klonk minachtend. 'Dan zijn we er mooi vanaf, zou ik zeggen.'

Kuhal schonk hem een plotselinge glimlach. 'Ik denk dat de Hoge Koning in dit opzicht jouw gevoelens deelt, Scheppende Broeder.'

Een steek vol herinneringen ging de metallurg door het hart. Scheppende Broeder . . . Zo hadden de Tanu in Finiah hem ook genoemd en nu bevestigde dit lid van de Hoge Tafel zo nonchalant weg opnieuw zijn adoptie. Tony dacht: ik mag dan tijdelijk gedeclasseerd zijn, ik heb tenminste weer grote toekomstmogelijkheden!

'Ik meende het echt toen ik zei dat ik mee wilde werken,' zei hij op zachte toon.

'Ik weet het,' zei Kuhal, nu op volstrekt vriendschappelijke toon. 'En dat verheugt me. Ikzelf ben een van hen die door de tijdpoort naar het Bestel zou gaan als daartoe de gelegenheid was.'

'Jij!' riep Tony ongelovig.

'Als je je werk snel en goed doet, zullen heel wat mensen je dankbaar zijn. Er staan ons belangrijke gebeurtenissen te wachten waarvan jij geen weet het en jouw lot is van doorslaggevend belang voor het leven van duizenden.'

Tony was met stomheid geslagen. Ze reden de paleisgronden af en kwamen in de Tanu-wijken van Roniah. Sinds de dood van Bormol in de grote Vloed werd de stad geregeerd door Condateyr de Bliksemende en de bevolking was afgenomen. Maar voor het merendeel leek Roniah nauwelijks aangetast door de troebelen die zoveel andere delen van het land hadden getroffen. Rama's waren bezig met het afleveren van goederen, veegden de straten en verzorgden de bloembedden. Fonteinen ruisten in hun zilveren bassins op de koele, door bomen omringde en overschaduwde pleinen.

Roniah was niet zo barok en oogverblindend als de Stad van Lichten was geweest, maar desondanks nog mooi genoeg met zijn bewerkte bogen van spierwit marmer, de schitterende gebouwen met hun glas-in-loodramen en daken van gouden en blauwgekleurde tegels die door slanke torenspitsen werden onderbroken.

Tony en Kuhal reden over de esplanade. Overal om hen heen waren de Tanu en de menselijke bewoners van de stad aan het wandelen of op weg naar hun bestemming in de slaperig makende namiddaghitte.

'Ik was vergeten hoe mooi een stad van de Tanu kan zijn,' zei de metallurg. 'Nadat Finiah gevallen was, hielden de Minderen me gevangen in het noorden in hun IJzeren Dorpen. God, wat was dat afschuwelijk! Ik ben weggelopen.'

'En naar Nionel gegaan?' vroeg de Aardschudder.

Tony grinnikte. 'Precies op tijd voor het Grote Liefdesfeest. Ik had nooit verwacht te zullen trouwen. Maar toen dat wel was gebeurd, kon ik het niet verdragen om te blijven, hoewel ik van Rowane hield. Ze hadden mijn zilveren halsring afgenomen en . . . nou ja, je weet wel. Maar nadat ik daar was weggegaan, kwam ik in allerlei soorten moeilijkheden terecht. Ik realiseerde me dat ik weer naar Rowane wilde. Ik moest gewoon! Dat is eigenlijk nogal gek. We hadden weinig gemeenschappelijks. Rowane is een van de Huilers.' Hij projecteerde haar verbazingwekkend vreemde uiterlijk, helemaal door een zachte halo omgeven en staarde neer op de teugels van zijn chaliko. 'Raar ding, liefde. Je hebt het niet voor het kiezen.'

'Dat begrijp ik, Broeder. Beter dan je denkt.'

'Ik neem toch niet aan dat . . .' Tony aarzelde en ging toen verder. 'Zou de koning het willen overwegen om Rowane naar Goriah te laten komen? Als ze me vergeven heeft dat ik haar heb verlaten?'

Het mooie, melancholieke gezicht van de Tanu stond vol spijt. 'Er moet een prikkeling zijn om grote taken te volbrengen, Broeder. Maar de koning vindt ongetwijfeld dat Rowane de jouwe is. Je kunt toch vrijelijk met haar communiceren? Door middel van je gouden halsring kunnen jullie harten elkaar over de afstand heen ontmoeten.'

'Dat heb ik geprobeerd,' zei Tony verslagen. 'Maar ik droeg geen halsring toen we bij elkaar waren en ik denk dat ik gewoon niet weet hoe ik over de golflengte van de Firvulag moet praten. Ik ben daar eigenlijk helemaal niet erg goed in, zelfs niet met mijn eigen mensen als de afstand iets te groot wordt.'

'Dan zou je Vrouwe Katlinel om hulp kunnen vragen.'

Tony's gezicht verhelderde. 'Zou ik haar mentale frequentie mogen hebben?'

'Met plezier,' zei de Tanu. Vervolgens projecteerde hij het beeld terwijl Tony zijn best deed het correct in zijn geheugen op te slaan, bij zichzelf zwerend dat hij nog die avond zou proberen de Vrouwe van Nionel te bereiken.

In een sfeer van vriendschappelijke gemoedelijkheid reden ze verder langs de rivier waar zich een groen recreatiegebied bevond vol wilgen en bloeiende struiken. Hier speelden menselijke en buitenaardse vrouwen met hun kinderen en een oude blootnek wandelde er rond met een draaiorgeltje en een aangekleed aapje aan een ketting. Tony's mond verstrakte bij het zien van het gevangen beestje, maar Kuhals gedachte gleed toch zijn bewustzijn binnen.

Je enige werkelijke vrijheid ligt bij het volk dat je geadopteerd heeft. De boeien zullen spoedig worden verwijderd en dan zal alles veel beter zijn dan tevoren. Help hen alleen maar met het bouwen van de generator voor de tijdpoort.

Je moet wel heel graag weg willen?

Zij zal gaan en ik moet haar volgen.

Oh, nou ja. Een rare plek hoor, dat Bestel. Maar ik wens je geluk.

Ze naderden nu het voornaamste havengebied waar het wemelde van de arbeiders. Wagens vol met goederen en hele karavanen droegen bij aan de verstopping op de kaden. De aanlegsteigers lagen bijna helemaal vol met opblaasschepen die werden ontladen.

'Voorraden voor het Grote Toernooi,' verklaarde Kuhal. 'Gelukkig zijn al de plantages langs de Rhône in het noorden voor plundering door de Firvulag gespaard. Misschien is het Kleine Volk slimmer dan wij denken en hebben ze geen zin de kans te ontlopen dat er op het toernooi te weinig te eten zal zijn.'

'Dus de koning heeft de Veldslag werkelijk afgezworen?'

'Er zal nog steeds sprake zijn van geduchte strijd en ongetwijfeld zullen sommigen daarbij hun leven verliezen. Maar de uitslag wordt niet langer bepaald door het aantal afgesneden hoofden.' Hij zuchtte. 'De Vredesfactie is daar erg tevreden mee en heeft verklaard dat ze van plan zijn deel te nemen. Maar misschien zullen de gebeurtenissen niet zo saai zijn als sommigen onder de traditionalisten vrezen wanneer Minanonn de Ketter aan de spelen meedoet.'

Ze kwamen bij een grote pier die door een kordon van de andere was afgesloten. Ongeveer twintig schepen werden er geladen, niet door rama's maar door stuwadoors met grijze halsringen. Tanuridders in volledige wapenrustingen die wapens uit het Bestel droegen stonden op de schepen zelf op wacht en bij de stapels verzegelde kratten die nog op de kade stonden. Afdelingen soldaten met grijze halsringen in halve pantsers patrouilleerden langs de grens van het hele gebied en hielden nieuwsgierige toeschouwers op een afstand.

'Je zeilt de Rhône af,' zei Kuhal, 'daarna ga je over land naar Sasaran en vervolgens over de rivier de Baar. Het zal je misschien interesseren om te weten dat je meereist met een lading die waarschijnlijk de kostbaarste is die ooit vanuit deze stad is verscheept. De Heer van Sasaran zelf zal deze begeleiden.'

'Oh ja? Schatten zeker?'

De Aardschudder bewoog zijn goudblonde hoofd ontkennend. 'Het is beter dat je het niet weet. Maar wees ervan verzekerd dat zowel jij als de lading voor koning Aiken-Lugonn van buitengewoon belang zijn.'

Kuhal reed naar de blauwgepluimde kapitein van de garde en groette hem door zijn vuist tegen het embleem op zijn roze-gouden tuniek te plaatsen waarop een Januskop stond afgebeeld. 'Mijn complimenten aan de Zeer Verheven Heer Neyal de Jonge. Wilt u zo goed zijn hem te vertellen dat zijn passagier is aangekomen?'

'Tot uw dienst, Verheven Heren,' zei de kapitein. 'Zijn bagage is al aangekomen en aan boord gebracht.' Hij hielp Tony bij het afstijgen die daarop onzeker om zich heen keek.

'Wel, dan zal ik maar vaarwel zeggen . . .' begon hij.

Een luide begroeting, zowel vocaal als telepathisch, weerklonk van het verste einde van de pier. Wuivend met een notitieblok beende de Heer van Sasarin in hun richting waarbij hij golven van sympathie voor zich uitzond. Hij was zonder helm, maar voor het overige helemaal gekleed in het saffierkleurige harnas van de bedwinger die rijkelijk met goud en amberkleurige zirkonen was bezet. Neyal was zo groot en dun dat hij alleen maar een slungel kon worden genoemd. Zijn haar leek wel een bos tarwestoppels.

'Schudder! Ik was van plan je op te zoeken zodra de karavaan binnenkwam, maar ze hebben me meteen aan het werk gezet op deze Tana-vergeten rotboten!'

Neyal wisselde verdere beleefdheden uit met het medelid van de Hoge Tafel en straalde in de richting van Tony alsof hij een Oogstgod in eigen persoon was, terwijl hij tegelijkertijd een gehandschoende hand uitstak.

Tony nam die met enige schroom, maar de begroeting bleek heel discreet te zijn.

Kuhal zei: 'Mag ik je onze Scheppende Broeder Wayland-Velkonn voorstellen, die de symbolen van Tana's vrede draagt totdat hij onder de hoede van de Hoge Koning is gebracht.'

Opnieuw onderging Tony dat gevoel van déjà vu. Niemand had hem meer het voorrecht gegund van de eretoevoeging Velkonn aan zijn naam sinds de Stad van de Lichten zo lang geleden in vlammen was opgegaan . . . was het zo lang al?

'Vandaag een jaar geleden,' sprak Neyal somber. 'En sommigen denken dat het slechts het voorspel was voor de Oorlog der Schemering.'

Kuhals ondoorzichtige blauwe ogen leken ineens waarschuwend.

'Zij die er zo over denken, kunnen hun gedachten beter voor zich houden.'

Neyal haalde de schouders op. 'Kom aan boord en hef met ons een beker,' nodigde hij Kuha. Maar de laatste wees dat van de hand, zeggend dat hij zich terug moest haasten naar kasteel Doortocht.

'Ik ben enkel naar Roniah geroepen om 's konings onderhandelaar te zijn ten einde de diensten te verwerven van de Heer Wayland-Velkonn,' zei Aardschudder. 'Met de Wapenstilstand voor de deur, moet ik ervoor zorgen dat het platform voor de tijdpoort voltooid wordt binnen kasteel Doortocht zelf, voor de liefhebbers van sport in grote aantallen naar het noorden komen voor het Grote Toernooi. Spionnen van allerlei soort zijn vandaag de dag op de wegen en de koning wil er zeker van zijn dat de plek goed beveiligd is.'

Tony keek verrast. 'Maar het ontwerp voor de tijdpoort wordt toch zeker buiten het kasteel gebouwd, op de plek waar de toegang vanuit het Bestel in het Plioceen uitkwam?'

'Dat zou ik zelf ook verondersteld hebben,' zei Kuhal. 'Maar de koning heeft ons een zekere Dmitri Anastos gestuurd – die tot voor kort de buiten de wet geplaatste bende behoorde die Basils Bastaards werden genoemd. Die verdienstelijke man schijnt in het Bestel een ontwerper te zijn geweest van uitrusting voor ypsilonvelden en hij weet naar alle waarschijnlijkheid ook het een en ander over temporele velden. Hoe dan ook, hij waarschuwde ons dat ons ontwerp alleen maar zou werken als er geen interferentie mogelijk was met het ontwerp uit het Bestel. Onze poort moet in de Oude Aarde uitkomen in de lege lucht.'

Tony keek verstandig. 'Precies. Ik begrijp het. Het einde hier kwam ook een halve meter boven de grond uit waardoor we allemaal op die hoogte midden in de lucht materialiseerden boven dat open rotsige terrein voor kasteel Doortocht.'

'Het schijnt,' voegde Kuhal eraan toe, 'dat het tauveld operationeel kan worden overal binnen de begrenzingen van een zekere toekomstige stad in de Rhônevallei. De oorspronkelijke eerste machine werd zelfs door de uitvinder naar verschillende plaatsen gezeuld. Zou men een plaats uitkiezen waar de ... eh ... vracht ... zich zou materialiseren binnen een onwrikbare solide massa, dan zou het ontwerp van Guderian simpelweg niet werken.'

'Met noodbeveiliging dus,' noteerde Tony. 'Het zou ook heel vervelend zijn om vanuit de tijdplooi te materialiseren in een massief stuk rots. Of gedeeltelijk begraven te worden in de tuinmuur van een Frans landhuisje in de provincie.'

Kuhal zei: 'Deze Anastos heeft een bruikbare plek uitgezocht binnen kasteel Doortocht. We bouwen er een platform omdat we er rekening mee willen houden dat dit gebied in de zes miljoen jaar tussen nu en toen enigszins hoger is komen te liggen.'

'Je zult er toch bij zijn op de spelen, of niet, Aardschudder?' vroeg Neyal. 'Onze jongens uit Sasaran zijn er klaar voor om er een goede show van te maken, maar we hebben natuurlijk wel wat aanmoediging nodig.'

'Ik zal er zijn,' antwoordde Kuhal, 'tenzij onze vriend hier zijn werk heel erg vlug doet. In dat geval heb ik een afspraak die voorrang heeft.'

Neyal lachte niet-begrijpend. 'Wel, ik zie je dan weer in elk geval. Kom jij maar mee, Velkonn. We varen zo snel mogelijk uit.'

Hij sloeg met zijn vuist op de negenpuntige ster op zijn borstkuras bij wijze van groet en wenkte Tony hem te volgen.

'Ik . . . ik zal mijn best doen,' zei de metallurg tegen Kuhal. 'En veel geluk voor u en uw Vrouwe.'

Kuhal draaide zich om en liep langzaam de pier af, zijn weg zoekend tussen de elkaar verdringende sjouwers. Heer Neyal stond alweer te argumenteren met een kribbige voorman in zilver en scheen Tony helemaal vergeten te zijn. Deze ging daarom zolang op een krat zitten, eindelijk even met rust gelaten en onopgemerkt. Eindelijk kwam een kapitein van de bewaking hem vertellen dat hij ingekwartierd zou worden op de allerlaatste boot, dus klom hij daar aan boord. De hut waar hij zijn bagage terugvond, was klein en smerig. Daarom liep hij naar de open achtersteven die van de kade afgewend al in de hoofdstroom van de Rhône dreef. Het met lucht gevulde materiaal van het schip vormde een gerieflijke zitplaats en het was een plezierige afwisseling daar te zitten en naar het overige verkeer op het water te kijken. Heer Neyals belofte dat ze vrijwel direct zouden vertrekken bleek weer eens een goed voorbeeld van het overdreven optimisme van de Tanu. Er ging een uur voorbij, daarna nog een uur. Toen viel Tony in slaap.

Een ironische telepathische stem maakte hem wakker.

Als dat niet de schlemiel is met het dure prijskaartje!

Hij keek suffig om zich heen. Eerst zag hij enkel de brede rivier, kastanjebruin en geel gestreept door de ondergaande zon; de twinkelende lichtjes langs de bochten van de esplanade en de grote vlammende toortslichten aan het hoofd van de pier.

Eh. Hier op het water stommerd. Tachtig meter stroomopwaarts.

Tony spande zijn metavermogens in om te kunnen waarnemen. Daarna vond hij een donkere, kleine vlek, een soort rivierboot. Zijn geest was nog suffig van de slaap, maar hij pikte er toch een onbehouwen figuur uit die over het dolboord leunde en naar hem keek.

Tony zei: Commandant Burke.

Burke zei: Dezelfde. Ik dacht dat jij al lang verkocht en de rivier af was?

Tony zei koeltjes: We kunnen elk ogenblik vertrekken. Maar dit stelletje is al net zo efficiënt als jullie.

Burke zei: Touché boebi. Maar weet je, je hoeft je nergens zorgen over te maken. Ik heb ervoor gezorgd dat Aiken je behoorlijk zal behandelen nog voor ik erin toestemde om jou naar Roniah te brengen. Dat kon ik natuurlijk niet tegen de rest van mijn mensen vertellen.

Tony zei: Ik hoop dat je in ruil voor mij wat meer hebt gekregen dan een ketting van schelpen en een vrijkaartje naar Onbegrensd Utopia.

Burke zei: We hebben ook nog es deze krachtboot gekregen en zoveel wapens als we dragen konden. Nu zijn we op weg naar Nionel waar de rest van de mensen uit Verborgen Bron ook al zijn om overvallen van de Firvulag te ontlopen.

Tony zei: *Nionel?*

Burke zei: Er zijn niet veel Minderen meer over in de Vogezen. Of waar dan ook op de jachtvelden van de Firvulag. Nionel is ons enige alternatief, afgezien van samenwerken met Aiken Drum, totdat de tijdpoort weer opengaat.

Tony zei: Nou, toi-toi dan en schrijven hoeft niet.

Burke zei: Ben je niet meer kwaad?

Tony zei: Nummer tien op de schaal van Richter is genoeg.

Burke zei: Pijnlijk, pijnlijk. En ik probeerde nog wel Kemosabe te zijn.

Tony zei: Burke ... mijn vrouw is in Nionel. Ik ben bij haar weggelopen. Ik was een stomkop. Ik zal proberen met haar in contact te komen, maar als er iets gebeurt, wil jij haar dan vertellen dat ik proberen zal op de een of andere manier terug te komen? Ik zal je laten zien hoe ze eruitziet. (Beeld.) Ze heet Rowane.

Burke zei: Ik zal het haar zeggen. Ze ziet eruit als een lief klein vrouwtje. Sjalom boebi. Probeer voor de verandering uit de narigheid te blijven.

Tony nam niet de moeite om te antwoorden. Hij zat met zijn hoofd omlaag, de wereld helemaal uitgewist, diep verscholen in de gouden eenzaamheid van zijn halsring. Nog twee uren gingen voorbij. Heer Neyals ondergeschikten, die eindelijk klaar waren met het inladen, moesten nu de bemanningen optrommelen die zich in de taveernes en havenkroegen langs de waterkant hadden verschanst. De bewaking op de pieren werd streng gehandhaafd.

Tony werd uit zijn dromerijen wakker gemaakt doordat iets puntigs in zijn borstbeen prikte. Hij deed zijn ogen open, gaapte onbeschaamd en zag een zwaar gebouwde man voor zich staan, gekleed in de vodden van een vagebond, die aan het andere eind van een met ijzer beslagen speer stond.

'Houd je bek dicht, Mindere,' kwam een ruw gefluister. 'Als je beweegt of telepathisch iemand probeert te waarschuwen, spiets ik je hieraan als een geroosterde leeuwerik.'

Een primitieve touwladder was over de achtersteven geworpen. De bandiet klom erlangs naar boven en werd direct gevolgd door minstens een dozijn kameraden. Twee ervan bezaten Matsu-karabijnen en de rest droeg ijzeren wapens.

'Hoeveel zijn er aan boord van deze schuit?' vroeg de leider.

'Ik heb niemand anders gezien behalve de ridder die de loopplank bewaakte,' zei Tony. De speer veranderde van richting en prikte nu in zijn adamsappel. 'Goeie God, man, geloof me! Ik ben alleen maar een passagier! En een gevangene!' Hij hield zijn ketens van glas omhoog. 'De meeste soldaten waren op de kade toen ik aan boord kwam. Maar dat is uren geleden.'

'Doorzoek de boot,' beval de man met de speer.

Er klonk zacht geplas rondom de andere aangemeerde boten. De maan was nog niet op en de Rhône, bedolven onder de mist, was inktzwart. Verder dan een paar meter afstand viel er niets te zien. Het kabaal van muziek en luidruchtige vrolijkheid kwam van buiten het kordon. Al de sprookjeslichten van Roniah brandden en deden de gebouwen fonkelen in blauw en ambergeel. Het leek alsof de stad al bij voorbaat de Wapenstilstand vierde en dat het vertrek van het konvooi was uitgesteld, ondanks de koninklijke orders.

De meesten van de mannen die aan boord waren geklommen, waren verdwenen om de boot van Tony te doorzoeken.

'Jullie maken een grote fout,' siste hij dringend. 'Jullie Minderen hoeven niet meer van de Tanu uit de steden te stelen. Er is een amnestie afgekondigd. Ik neem aan dat jullie wapens zoeken.'

'Slimme kleine doerak, is het niet, Pingol?' zei een kolossale schurk die gewapend was met een straalgeweer.

'Veel te slim.' De ijzeren speer beschreef een zachtmoedige halve cirkel van Tony's ene oor naar het andere en raakte daarbij onderweg zijn gouden halsring.

'Aan de andere kant, zijn metavermogens zijn aan de bedroevende kant zoals de eerste de beste gek direct kan zien en het is nog een onvoorstelbare schijtlaars bovendien. Dus waarom draagt deze kerel goud? Om nog maar niet te praten over de heilige ketens van de Godin?'

De grote kerel met de Matsu leunde voorover, zijn gelaatstrekken waren bijna onzichtbaar achter een grote massa vettig en donker haar. De adem van de bandiet deed Tony bijna kotsen.

'Hoe heet jij, schijtebroek?'

'Ik ben Heer Velkonn!'

Het puntje van de lans hing nu vlak voor Tony's linkeroog en de

307

stem van de speerdrager klonk nu zijdezacht en dreigend. 'Je *menselijke* naam.'

De woorden rolden achter elkaar over Tony's lippen.

'Tony Wayland. En jullie konden dit maar beter niet doen, dat zweer ik je! Commandant Burke heeft in ruil voor mij een lading wapens gekregen. Hij is nu bezig die naar Nionel te brengen, naar jullie eigen mensen. Als jullie met deze overval doorgaan, kon de koning wel eens zo kwaad worden dat hij die hele amnestie vergeet. En wat mij betreft, het zal hun nooit lukken om dat Guderian-ding te bouwen zonder mij en als jullie mij kwaad doen, dan zullen je kameraden die naar het Bestel terug willen, achteraf gehakt van jullie maken.'

De grote overvaller deed een stap achteruit en riep 'Tony Wayland?!'

'Té in een tapdans, waar kakel je allemaal over?' gromde de man met de speer tegen zijn metgezel. 'Laten we deze bleke knolraap in mootjes hakken en . . .'

Een van de bandieten die naar voren was gegaan kwam terug om rapport uit te brengen. 'Kapitein Pingol! Kapitein Fouletot! Groot nieuws. Er was maar één Tanu-ridder aan boord die het schip bewaakte en die heeft zich overgegeven aan ons bloedmetaal. De andere schepen langs de kade zijn precies zo verlaten hoewel er heel wat soldaten in grijs over de kaden patrouilleren. Zal ik het signaal geven dat ook de anderen aan boord moeten komen?'

'Breng dat persoonlijk over. Geen telepathie, de Aartsvijand zou ons kunnen afluisteren.' Zijn omtrekken leken nu verlicht door een fosforiserende glans en zijn hele figuur leek op merkwaardige wijze weinig substantieel.

Tony haalde sidderend adem. 'Jullie zijn helemaal geen Minderen!'

Het paar voor hem grijnsde in verenigde boosaardigheid.

De dwergachtige brenger van het goede nieuws voegde er opgewekt aan toe: 'We hebben een krat in de laadruimte opengemaakt. Té zij geprezen, maar het was precies zoals onze spionnen hadden verteld. De krat zit vol met wapens uit het Bestel.'

'Breng dat meteen aan Heer Betularn met de Witte Hand over,' zei de man met de speer. Hij en zijn metgezel begonnen voor Tony's verschrikte ogen te veranderen. Ze lieten hun mentale vermomming vallen en kregen hun natuurlijke uiterlijk terug. De een zag eruit als een aardmannetje, de ander leek een vrouwelijke menseneetster. Beiden droegen de maliënkolder van obsidiaan van officieren uit de strijdcompagnieën van koning Sharn en koningin Ayfa.

'En vertel Betularn ook dat we de beruchte Tony Wayland in onze handen hebben,' zei de menseneetster Fouletot. 'Dezelfde die de Verschrikkelijke Skathe, die dappere verwante van mij, en de

308

held Karbree de Worm vermoordde.'

De boodschapper groette en klauterde over de achtersteven terug waar hij verdween in de duisternis.

'Wat gaan jullie met me doen,' vroeg Tony zwakjes.

'We gaan je verpatsen aan koning Aiken-Lugonn in ruil voor ons Heilige Zwaard,' antwoordde Pingol met een dubbelzinnige grijns. 'Te zijner tijd tenminste.'

12

'Gelukkige naamdag! Gelukkige naamdag! Slitsal voor de jonge Smeerlap!'

De grote hal in Hoog Vrazel daverde van het applaus toen de zevenjarige oudste zoon van het Firvulag-koningspaar naar de verhoging werd gebracht door zijn sponsorbroeder, de held Medor. Om zijn overgang van kind naar jongeling te markeren, was de kleine knaap gekleed in een miniatuur-uitrusting van glinsterende bepantsering, versierd met groene kristallen punten en knobbels. Zijn helm werd bekroond door een wrattenbijter van emerald die zijn vleugels gespreid hield. Hij leek nogal bevreesd door het open vizier terwijl het lawaai langzaam wegstierf en de menigte zich begon te verdringen om iets van deze Eerste Manifestatie op te vangen.

'Ziet hij er niet geweldig uit?' fluisterde Ayfa tegen haar echtgenoot, terwijl ze een traan wegpinkte. Ze zaten verborgen achter een grote stalagmiet zodat het kind niet nog meer nerveus zou worden bij het zien van zijn ouders in heel hun koninklijke pracht. 'Onze eerstgeborene! En wat een prachtig geschenk voor ons *allemaal* op zijn naamdag . . .!'

'Ssst,' zei de koning. 'Medor gaat beginnen.'

'Strijdgezellen, dappere jongelingen en kinderen!' declameerde de held. 'We zijn hier vanavond bijeengekomen om de overgang te vieren door middel van een beproeving van een van ons van de staat van niet-strijdende afhankelijkheid naar de rangen van Strijdende Jongeling! Hier doet hij zijn eerste stap op ons Heilige Pad – het pad naar de roem waartoe de Godin van de Strijd ons sinds onheuglijke tijden roept. Zoals alle kandidaten voor het strijderschap zal hij het Pad moeilijk en zwaar vinden. Hij zal zijn jeugdige kracht gebruiken in de studie van het geestbuigen en de training in de strijdtechnieken. Hij zal de ouderen dienen met een trouw en nederig hart. Hij zal de opdrachten van zijn sponsorbroeder getrouw uitvoeren zelfs als hem dat het leven zou kosten zodat hij op de tijd die Té daarvoor kiest, toegelaten moge worden tot de

Strijdcompagnieën van de Firvulag-natie.'

De menigte schreeuwde luidkeels de rituele vraag. 'Wie is hij? Wie is hij?'

Medors hoog oprijzende gestalte en die van de kleine knaap stonden vlak naast elkaar, hun handen ineen.

'Ik heb hem gekend in de dagen dat hij nog in zijn wieg lag, zoals ik zijn vader kende en diens vader daarvoor. We hebben hem met zijn broers en zusjes zien spelen in de hoekjs en gaatjes van Hoog Vrazel. Onlangs werd hij voor het eerst toegelaten bij feesten en ceremonieën. Sommigen zijn zijn leraren geweest, anderen hebben hem geleerd rampspoed en kwelling te verduren. Weer anderen hebben hem bestraft wanneer kinderlijke uitbundigheid hem tijdelijk zijn plichten deed vergeten.'

De andere kinderen in de grote hal giechelden. Maar de volwassenen riepen: 'Wie is hij?'

'Gedurende zes jaren hebben we hem bij zijn wiegenaam genoemd, de Smeerlap. Maar vanavond schuift hij die naam voorgoed ter zijde, samen met al het andere dat bij zijn kinderlijke staat van afhankelijkheid behoorde. Vanavond neemt hij die ene, zijn ware naam, in bezit.'

Medor ging achter de jongen staan en legde beide handen op de smalle schouders.

'Vol vertrouwen en liefde, noem ik hem nu: *Sharn-Ador! Manifesteer en treed voorwaarts!*'

'Nu komt het,' fluisterde Ayfa met trillende stem. 'Oh Godin, laat hem het niet verknoeien.'

Medor trok zich terug en liet de jongen in zijn pantser eenzaam op het platform staan. Sharn-Ador stak beide armen hoog boven zijn hoofd en begon op te lichten met een pulserende groene glans. Zijn lichaam verloor de menselijke vorm en veranderde tot het een doorzichtige groene sprinkhaan was geworden met regenboogkleurige vleugels en trotse klapperende kaken. Hij groeide en groeide tot hij vrijwel even groot was als de reus achter hem.

De menigte brulde: 'Sharn-Ador! Slitsal! Slitsal! Slitsal!' En daarop werden ze stil toen de psychisch versterkte stem van de jongen door de grot daverde.

'Ik sta voor jullie als een jongeling. Ik dank jullie voor de toejuiching en aan mij is de eer vanavond een grote triomf van onze strijdcompagnieën aan te kondigen. De held Betularn met de Witte Hand en zijn medestrijders Fouletot Zwarttiet, Pingol Kippevel en Monolokee de Afzichtelijke hebben een belangrijke overwinning behaald in Roniah, de stad van de Aartsvijand.'

De menigte gaapte van verbazing en barstte daarna uit in luid geschreeuw en toejuichingen. De illusoire sprinkhaan sprong uitbundig omhoog en omlaag, omhoog en omlaag en wist maar net de veroverde banieren en vergulde schedels te ontwijken die overal van de veelkleurige rotsformaties omlaaghingen. 'We hebben ze verslagen! We hebben ze verslagen!' tsjirpte de van vorm veranderde jongen. Maar toen hervond hij zijn waardigheid, stond weer gewoon op de verhoging en kondigde aan: 'Nog geen uur geleden hebben onze strijders een overmacht van bloeddorstige Tanu-ridders overvallen en hen allen gedood! En geplunderd . . . ik bedoel de buit van onze overwinning bestaat uit een ongelofelijke bende gekke wapens uit de toekomst!' Vreugdevol gebulder begroette die mededeling, maar het kind was nog niet klaar. 'Wacht, wacht! Dat is nog niet alles. We hebben ook de hand gelegd op die laffe moordenaar, Tony Wayland. Op ditzelfde ogenblik maken Fouletot en Pingol zich klaar om die schurk de armen en benen af te branden en hem zijn eigen geroosterde geslachtsorganen te laten opeten.'

Aaahhh! loeiden de op wraak beluste geesten in de menigte luidkeels.

Het kind nam zijn gewone vorm weer aan en boog netjes.

'En ik wil wel zeggen dat ik denk dat niemand ooit zo'n geweldige naamdag heeft gehad als ik.'

'Slitsal, Sharn-Ador! Slitsal! Slitsal!'

'Mijn kindje!' kreet Ayfa met vochtig geworden blik.

Maar de koning greep haar plotseling bij een arm. 'Grote Godin!' blafte hij. 'Kijk daar eens!'

De juichkreten van de menigte gingen over in uitroepen van verbazing. De jonge Sharn-Ador stond van ontzetting vastgenageld en staarde naar de niet-bezette tweelingtroon op de achterkant van de verhoging, waar zich een langzaam verdichtende tintelende gouden mist had gevormd.

In het midden daarvan stond een kleine figuur in een kostuum dat helemaal met zakken was overdekt. Een schouderriem bezet met juwelen en een harnas met een krachtbron was rond zijn bovenlichaam bevestigd en hij droeg een groot zwaard bezet met diamanten in één hand. Met de andere wenkte hij het aan de grond genagelde kind.

'Ik heb nog een cadeautje voor je, jongetje.'

Sharn, Ayfa en Medor renden naar het platform, hun wapens geheven en hun geesten brullend van woede. Snijdende zwaarden van obsidiaan kloofden het gouden mannetje, maar raakten niets anders dan lucht en sneden en passant de wimpels en het vloerkleed in rafels. Aiken stond er nog steeds, niet gewond.

'Idioten,' zei hij. 'Ik ben een mentale projectie.'

De twee monarchen en de grote kapitein deinsden verward achteruit. De toeschouwers stonden zwijgend en bewegingloos. De kleine Sharn-Ador piepte zijn vraag: '*Wat* voor cadeau?'

Aiken liet het Zwaard suizen.

Oooohh, kreunde de menigte monsters.

Aiken zei: 'Ik wil Tony Wayland en jullie willen het Zwaard. We

311

kunnen zaken doen . . . maar alleen wanneer Wayland volstrekt onbeschadigd is. Je kunt dus maar beter telepathisch contact zoeken met die hufters in Roniah om daar voor te zorgen.'

Koning Sharn gloeide van woede, maar tegelijkertijd was zijn geest al bezig over de persoonlijke golflengte contact te zoeken.

Koningin Aifa zei: 'Het zou waar kunnen zijn dat de moordenaar Tony Wayland nu in onze handen is. Als dat zo is, zijn we bereid te overwegen hem te ruilen voor ons Heilige Zwaard.'

'*En* de tien bootladingen wapens die jullie gestolen hebben,' eiste Aiken. 'Voor de patrouilles en de dapperen van Heer Neyal overeind komen en dat stelletje gauwdieven over de rivier achternazitten.'

'We weten niks over boten of wapens,' zei Ayfa brutaal. 'We hebben wel gehoord dat Roniah vanavond door Minderen werd aangevallen. Maar de Firvulag houden zich aan de Wapenstilstand. Zoals altijd.'

'Dus dat is de manier waarop jullie dit willen spelen,' zei Aiken, terwijl hij het machtige Zwaard liet rondwentelen waardoor de hal in het binnenste van de berg gevuld werd met dansende prismatische lichtjes.

'Zo is het, Aik,' zei Sharn. 'Jij wilt Wayland. Je kunt hem krijgen. Je vliegt het Zwaard morgen persoonlijk naar Betularn, op de eerste dag van de Wapenstilstand. Hij zal je dan ontmoeten op de Noordweg, twee mijlen ten noorden van Roniah. Hij is de aanvoerder op een vredelievende onderzoekingstocht door de Hercyniaanse Wouden. Daar hebben ze Wayland gevangen genomen.'

'Tony vertelde Katlinel de Donkerogige een heel ander verhaal,' zei Aiken.

'Minderen zijn zulke leugenaars,' antwoordde de Firvulagkoning.

Ayfa zei: 'We doen alleen zaken op basis van geen vragen stellen. Wayland in ruil voor het Zwaard. Neem het of neem het niet.'

'Oh, ik neem het,' zei de kleine man. 'Morgen dan. Omstreeks zonsondergang. En geen geintjes, daar krijg je spijt van.'

Ayfa's gezicht kreeg nu een uitdrukking van cynisch medeleven. 'Weet je wel heel zeker dat je in staat bent helemaal van Goriah te komen vliegen met dat zware Zwaard? We zouden niet willen dat je jezelf overbelast, mijn beste.'

'Je bezorgdheid is ontroerend,' antwoordde Aiken ernstig. 'Maar ik denk als ik in staat ben een astrale projectie dwars door anderhalve kilometer solide rots overeind te houden, dan zal het wel lukken om dat vrachtje te sjouwen. Ik zie jullie allemaal op het Grote Toernooi.'

De gouden figuur begon te vervagen, verdichtte zich toen ineens weer. Hij marcheerde naar de jonge Sharn-Ador en tikte hem even met de vlakke kant van het Zwaard op beide epauletten van zijn borstpantser. 'Dat vergat ik bijna. Ik sla je hierbij tot ereridder van de Tanu. Marcheer dapper, Heer Ador de Wrattenbijter! Kom een keertje bij me langs, jongen en nog een gelukkige naamdag.'

Daarop verdween de koning van de Tanu.

De verzamelde Firvulag begonnen allemaal door elkaar te schreeuwen, sommigen in triomf, anderen uit felle verontwaardiging over de overmoed van de koninklijke Aartsvijand. Het kind in zijn wapenrusting keerde zich met een stralend gezicht naar zijn ouders.

'Vader! Mammie! Zagen jullie wat-ie deed?'

Ayfa en Sharn keken elkaar over het hoofd van het kind heen in de ogen.

'We hebben het gezien,' zei de koning op neutrale toon. Hij knielde, pakte het kind beet en riep uit: 'Je zult dat minderwaardige eerbetoon moeten verwerpen. Aiken Drum is de Aartsvijand! Voorbestemd om te sterven onder mijn Heilig Zwaard in de Oorlog der Schemering. Jij bent een jeugdige krijger, je behoort je niet te laten afleiden van ons glorieuze Pad door ijdele gebaren! Begrijp je dat? Zeg dat je hem verwerpt!'

'Dat doe ik,' huilde het kind. 'Dat doe ik!' En hij draaide zich om en rende van het platform met het vizier omlaag om zijn leed te verbergen.

VEIKKO: Walter! Walter!

WALTER: . . . Oh – zoon! Ben je in orde? Ik probeerde eerder met je in contact te komen, maar ik kreeg geen antwoord. Ik maakte me zulke zorgen!

VEIKKO: We hebben het heel erg druk gehad, er is hier van alles gebeurd. De Firvulag van Famorel hebben rond zevenen het kamp Bettaforca aangevallen. Een andere troep van hen legde de klimmers in een hinderlaag. Een van de klimmers werd gedood, maar de anderen zijn in orde. Ze hebben zich verenigd met Basil in kamp 1 en zijn van plan om bij het eerste licht over de top te gaan.

WALTER: Wat kan mij dat schelen. Hoe is het met jou en Irena? Je gedachten komen zo zwak over . . .

VEIKKO: Wel, hier is het bijna ochtend en die ouwe Aarde begint een beetje dwars te liggen. Maar ik ben prima en Rena ook.

WALTER: God zij gedankt. Vertel me alles.

VEIKKO: (Herhaling van de gebeurtenissen.) Het was alleen maar echt erg bij het begin van hun aanval. Toen ze een grondige metabundeling gebruikten om zichzelf te beschermen en psychoenergetische vuurstoten af te geven. De elitetroepen en de ridders van de Tanu kregen daardoor het ergste te verduren. Vier mensen en één buitenaardse werden erdoor gedood. Maar toen raakten die spoken hun mentale discipline kwijt en gingen één voor één in de aanval. Toen konden onze mensen hen als gras neermaaien, vooral toen we de zware stralers gingen gebruiken en hun afweerschermen niet meer goed werkten. Niemand van ons kinderen werd zelfs maar geschroeid. Twee uur geleden was het allemaal al voorbij, maar ik voelde me nog een beetje dizzy, waarschijnlijk een reactie op al dat geweld, denk ik. Ik heb al die tijd nodig gehad om mezelf weer een beetje in het gareel te krijgen. Het spijt me dat je je zorgen hebt gemaakt.

WALTER: Het is in orde. Als jullie maar veilig zijn.

VEIKKO: We hebben zeker zestig of zeventig Firvulag gedood. De rest is er vandoor gegaan.

WALTER: Is er kans op nog meer aanvallen?

VEIKKO: De leider van de Tanu, Ochal, zegt dat de Firvulag nu niet meer zullen vechten, nu de Wapenstilstand begonnen is.

WALTER: Prachtig.

VEIKKO: Vader, heb je het gedaan?

WALTER: Ja. Alex Manion en ik hebben ze allemaal kapot gemaakt. We hebben Boem-Boems snijbrander gehaald en we hebben de EM-pulsars aan flarden gereten. We hebben zelfs de reserve-onderdelen gesmolten. Je kunt de kleine koning vertellen dat hij zich geen zorgen hoeft te maken over een aanval met X-lasers. Ik wilde dat we kans hadden gezien ook de rest van de wapens te pakken te nemen. Maar die zijn te dicht bij die hersenversterkende machine opgeslagen. Te veel sensoren in de buurt.

VEIKKO: Is . . . is Marc er al achter gekomen?

WALTER: Maak je daar geen zorgen over, zoon. Ik heb, toen we klaar waren met de stralers, ook de autopiloot van de Kyllikki kapot gemaakt. En er is een hele reeks van stormen in de maak op onze weg. Marc gaat mij heus niet dood maken en het risico lopen in die stormen de boot kwijt te raken. Niet met de machine aan boord die hij zo dringend nodig heeft.

VEIKKO: Hij zou wat ergers kunnen doen dan jou doden. Ik herinner me nog steeds hoe hij Hagen in een vis veranderde en ermee speelde!

WALTER: Dat deed hij niet echt.

VEIKKO: Nou dan was het een illusie. Maar Hagen heeft nog steeds het litteken van de haak aan zijn lip. Psychosomatisch. Dat is zelfs *erger*.

WALTER: Je zei dat die groep klimmers klaar is om kamp 1 te verlaten. Hoe lang kan het dan nog duren voor ze de vliegtuigen bereiken?

VEIKKO: Als alles goed gaat, over drie dagen. Ik houd je op de hoogte. Nu . . . de anderen het grote nieuws vertellen . . . als ik denk aan het risico . . . zorgen . . . hoe jij . . .

WALTER: Je begint weg te vallen, zoon. Ik maak later wel weer contact. Ik ga nu.

Walter Saastamoinen gaf zijn ogen de gelegenheid zich weer te focussen en liet ze daarna even over de monitoren gaan om de windverwachting af te lezen en de huidige situatie op zee. Dreigende, hoge cirruswolken lagen op de noordelijke horizon, maar verder was het een prachtige zonnige ochtend op de Noordatlantische Oceaan.

'Gefeliciteerd met het overleven van je zoon,' zei Marc.

Walter knikte. 'Ik neem niet aan dat jij met een d-sprong daar ook in de buurt was en de kinderen een handje hielp?'

'Het basiskamp werd uitstekend verdedigd. Ze hadden mijn hulp niet nodig. Eerder heb ik ze wel geholpen een lawine naar beneden te krijgen die de Firvulag om de oren vloog. Dat was de strijdmacht die de klimmers bedreigde.'

'Dat was aardig van je. Ik vraag me trouwens af waarom je de moeite neemt.'

'Er is nogal wat moed voor nodig om die berg aan te durven. Ik heb een zekere bewondering voor mensen met zoveel onversneden lef.'

Walter glimlachte en keek naar de zee.

'Heb je me daarom laten leven?'

Marc gaf geen antwoord.

'Maar je hebt een voorbeeld gesteld, ondanks dat. Ik ben nieuwsgierig. Is er een speciale reden waarom je deze disciplinaire maatregel hebt genomen?'

'We zijn aan boord van een schip,' antwoordde Marc, 'en ik moest op de een of andere manier denken aan het verhaal van de kleine zeemeermin. Ze stond erop haar eigen soort te verlaten en betaalde daar een zware prijs voor, net als jij. De zeemeermin wilde liever benen dan haar eigen vissestaart en die wens werd haar toegestaan. Maar wanneer ze maar liep, leek het haar dat ze op onzichtbare messen stapte.'

De deur naar de brug ging open en Steve Vanier kwam binnen.

'Acht uur en alles in orde. Ik kom je aan het roer aflossen, schipper. Hoe is het met jou, Marc? Klaar om een van ons op een sprong mee te nemen?'

'Nog niet helemaal, Steve. Ik wil de risicofactor zo klein mogelijk maken.'

Vanier bestudeerde de instrumenten. 'Ik zie dat George er weer aankomt.'

Walter zei: 'Ik ben bang van wel, Steve. Houd haar met de hand op de aangegeven koers.'

'Aye, aye, schipper.'

Marc zei: 'Wil je dat ik je een hand geef om je naar je hut te helpen, Walter?'

315

'Dat zou fijn zijn, ' antwoordde de kapitein van de Kyllikki. Zwaar leunend op Marc hinkte hij naar de deur. Hij droeg enkel zware wollen sokken aan zijn voeten en liet een spoor van donkere vlekken op het dek achter.

Op Vaniers uitroep van afgrijzen grinnikte hij. 'Gebeten door zo'n verdomde zeemeermin. Maak me wakker als de wind boven de dertig knopen komt en neem maar niet de moeite om die arme Arne-Rolf te vragen de autopiloot te repareren. Als ik iets stuk maak, dan blijft het stuk.'

13

Op de derde dag van de beklimming naar de top kreeg de Monte Rosa nog een storm te verduren. Gelukkig waren de klimmers ruim van tevoren door Elizabeth gewaarschuwd, die hen bijna voortdurend van een afstand in de gaten hield. Aangevoerd door Basil vertrok de groep van zeven mensen nog voor de dageraad uit kamp 2 en begon aan de beklimming van de Middelste Tand onder bedrieglijk mooie weersomstandigheden. Afgezien van hoogteziekte die beide Tanu begon te kwellen, gebeurde er niets bijzonders. De klimmers staken de bovenste gletsjer van Bettaforca over toen dreigende cumuluswolken zich in het westen boven de krijtwitte Breithorn begonnen samen te pakken. De lucht begon elektrisch geladen te worden. Het deed hun huid prikkelen en de halsringen maakten uit zichzelf vreemde gonzende melodieën die een contrapunt vormden met de trommelende donder van de naderende bui.

Ze hadden zich nog maar net in kamp 3 genesteld in de twee hutten van decamole toen een reusachtige lichtflits, roze oplichtend in de toenemende duisternis, op de top van de Monte Rosa insloeg. De polycelstructuur van het decamole waaruit de tenten waren vervaardigd, bleek een uitstekende isolator en dat was een feit waarvoor ze de volgende uren meer dan dankbaar waren toen een vuurwerk van verbijsterend geweld het bergmassief tot in zijn wortels teisterde. Daarna ratelde de hagel omlaag, gevolgd door dikke sneeuw en de wind kreeg de kracht van een orkaan.

Maar kamp 3 lag huiselijk genesteld in de luwte van een uitstekende rots op 7039 meter hoogte en de zeven mensen daarbinnen waren veilig en warm. Ochal de Harpist zond hun vanuit de verte telepathische geruststellingen: Taffy Evans en Magnus hadden eindelijk kans gezien Stan en Phronsie naar beneden in veiligheid te brengen. De geringere hoogte had Stans zwellingen verminderd en Magnus leek erop te vertrouwen dat de vroegere officier van een sterrevloot tijdig genoeg zou herstellen om één van de vliegtuigen naar Goriah te kunnen brengen. De bevroren voeten van Phronsie reageerden goed op de medische behandeling. Het lichaam van dokter Thongsa was geborgen en begraven onder de rotsen. De klimmers werden aangemoedigd de aanval zo spoedig mogelijk voort te zetten, vooral omdat in kamp Bettaforca de voorraad ingemaakte slakken danig begon te verminderen.

Later die avond, toen de bui zichzelf had uitgeput, sprak Elizabeth met Bleyn de Kampioen in kamp 3.

ELIZABETH: Hoor je me, Bleyn?

BLEYN: Ja, Elizabeth. Ik sliep niet. Aronn evenmin. Maar de mensen vullen de tweede hut met zo'n gesnurk dat zelfs het gebulder van de storm erdoor wordt overtroffen.

ELIZABETH: (Een glimlach in de geest.) Ze zijn dus allemaal in orde?

BLEYN: Basil is een toonbeeld van kracht. Ookpik, Bengt en Nazir zijn vermoeid maar in orde. Degene die Mister Betsy wordt genoemd, beklaagt zich uitbundig bij iedere gelegenheid die zich voordoet, maar hij lijkt nauwelijks minder uithoudingsvermogen te hebben dan Basil.

ELIZABETH: En jullie Tanu?

BLEYN: (Malaise.) Zowel Aronn als ikzelf hebben zwaar te lijden van hoofdpijn, kortademigheid en spierzwakte. Basil denkt dat onze grote buitenaardse lichamen zich minder makkelijk en snel bij de veranderende hoogte aanpassen als de mensen. We proberen de juiste vloeistoffen naar binnen te krijgen en helpen elkaar gedurende de nacht bij de genezing.

ELIZABETH: (Bezorgdheid.) Zou slaap niet genezender zijn?

BLEYN: Je weet dat wij Tanu van nature met minder slaap toekunnen dan jouw ras. We voelen ons terwijl we wakker zijn heel wat beter. We kunnen onze ademhaling daardoor op een hoger tempo houden en de gifstoffen sneller verwijderen.

ELIZABETH: Nou ja . . . wees voorzichtig. Ik heb begrepen dat bergziekte de sterken even makkelijk te pakken neemt als de minder sterken. Tenminste bij mensen. En ik neem aan dat het bij jullie niet anders is.

BLEYN: Morgen bereiken we het hoogste punt van onze klim. We zullen het volhouden . . . Heb je een weg voor ons uitgezocht? Ik heb de kaart hier klaar om jouw route op aan te geven.

ELIZABETH: (Beeld.) Het ziet ernaar uit dat de sneeuwrand boven kamp 3 nog steeds de beste mogelijkheden biedt om op de col te komen. Na deze storm zal de sneeuw er hoger liggen en je zult rekening moeten houden met langzame voortgang. Vertel Basil dat er gevaarlijke kloven en gaten zijn in het zadel van de col zelf, dus kan hij er niet langer op rekenen dat die weg bruikbaar is. Jullie zullen het hard bevroren sneeuwveld moeten oversteken aan de voet van de hoogste westflank van de Monte Rosa. Ik ben bang dat dat nog een stuk klimmen betekent, zo'n vierhonderd meter bij elkaar.

BLEYN: Tot 8210! De Godin helpe ons. De adem brandt in mijn longen bij de gedachte daaraan.

ELIZABETH: Maar vandaar af gaat het heel de weg naar beneden en bij goed weer. Jullie hebben minstens drie dagen lang een onbewolkte hemel.

BLEYN: Als Tana het wil, is er op die manier zelfs een goede kans dat we de vliegtuigen morgen al bereiken. Zijn die door de storm begraven?

ELIZABETH: Ze zijn nog steeds goed zichtbaar. Een beetje begraven maar onder opgewaaide sneeuw.

BLEYN: Iets verborgens. Ga en zoek het. Iets verborgen achter de toppen . . . (Gelach.)

ELIZABETH: (Ongerustheid.)

BLEYN: Nee, het is alleen maar een gek gedicht dat Basil voor ons citeerde, een soort menselijke verheerlijking van een onderneming als deze. Ik vind het gedicht en de houding die het toejuicht, volstrekt onbegrijpelijk. Van de vijf mensen in onze groep heeft alleen Mister Betsy het gezonde verstand om ons gereis door deze verschrikkelijke oorden te verachten en te vervloeken. De anderen zijn tot het uiterste opgewonden bij de gedachte om deze berg te bedwingen! . . . Vertel me eens, Elizabeth. Is het waar dat in jullie toekomstige wereld de mensen bergtoppen als deze beklimmen enkel voor de sport?

ELIZABETH: Helemaal waar.

BLEYN: Hoe moet ik jullie ras ooit leren begrijpen?

ELIZABETH: Als ik het je vertelde, zou je me nooit geloven.

In de ochtend voelden Bleyn en Aronn zich beter. Basil besloot om terug te keren naar de oorspronkelijke opzet waarbij de gehele groep in tweeën werd verdeeld. Hij, Betsy en Bleyn gingen voorop, gevolgd door een tweede groep bestaande uit Nazir, Ookpik, Bengt en Aronn die op een afstand van vijftien minuten volgden. De sneeuw op de rand was kniediep en heel zacht nadat de vroege ochtendzon erop aan het werk was geweest. De groep van Basil ploeterde vooruit en maakte drie uur lang een spoor dat de anderen konden volgen. Toen was het de beurt aan de groep van Ookpik. Op sommige plaatsen zakten de mensen bijna tot aan hun middel in de sneeuw, maar vreemd genoeg leken de langbenige Tanu het meest door de inspanningen te lijden. Aronn vooral zag doodsbleek en kwam maar moeizaam vooruit. Hij leek door de simpelste opdrachten van Ookpik in de war te raken en kon maar moeilijk de zeer gematigde snelheid bijhouden die de mensen in zijn ploeg pro-

318

beerden aan te houden.

Tegen negenen hadden de klimmers bijna de voet van de laatste helling naar de Westelijke Col bereikt. Hier gaf Basil opdracht tot een lunchpauze in een beschermde en besneeuwde holte. 'Zien jullie dat mistige geglinster voor ons uit?' Hij wees omhoog naar de helling. 'Dat is de wind die over de col blaast. Het betekent het einde van dit beestachtige geploeter door de zachte sneeuw. Maar ik ben ook bang dat we van de wind nogal te . . . eh . . . lijden zullen hebben als we het sneeuwveld op het bovenste deel van de helling oversteken. Dat is maar een kort traject, maar waarschijnlijk behoorlijk grimmig, totdat we langs de noordelijke flank weer naar beneden gaan en buiten het bereik van die trekkende wind komen. Wat we nu nodig hebben is een goede warme maaltijd en veel te drinken. Soep en gezoete thee. Uitdroging is nu een van onze dodelijkste vijanden. Het maakt vermoeidheid, onderkoeling en bergziekte en andere spanningen allemaal veel erger.'

'De ergste spanning die ik te verduren heb, is wanneer ik in een spiegel kijk,' klaagde Mister Betsy. 'Mijn arme neus en wangen zijn volkomen door de zon verbrand, de flarden hangen erbij!'

Ookpik gooide hem een draagbare brander en een grote kan van decamole voor de voeten.

'Vooruit, ga sneeuw smelten en bespaar ons je gelamenteer, dan krijg je wat van mijn rinocerosvet. Het is maar een klein beetje ranzig.'

'Ugh!' schreeuwde Betsy en stoof weg.

Basil wenkte Bleyn en nam hem apart van de anderen. 'Ik ben nogal bezorgd over Aronn. Zijn toestand schijnt erop achteruit te gaan.'

'Ik heb het ook gemerkt.' De ogen van de Kampioen gingen naar zijn Gildebroeder die apathisch vlak voor een infrarood verwarmingsapparaat zat met een chocoladereep in zijn gehandschoende hand waarvan hij niet had gegeten.

'Op de helling zullen we gelijnd verder moeten,' zei Basil. 'Er kunnen steile plekken zijn met ijs en de wind zal heftig zijn. Ik denk dat er geen sprake van kan zijn dat Aronn achteraan kan blijven in de groep van Ookpik. Als hij zou vallen, sleurt hij door zijn grote gewicht de andere drie mee. Ze zouden over die gladde helling naar beneden glijden en aan de voet van de col terechtkomen. Dat is een val van misschien wel duizend meter.'

'Dat ligt erg voor de hand,' zei de Tanu.

'Ik heb eerder klimmers gezien met de verschijnselen van Aronn,' zei Basil. 'En het kan zijn dat je vriend straks onhandelbaar wordt. Sommigen raken in die conditie in paniek, anderen worden afschuwelijk euforisch en besluiten dat ze hun bijl niet meer nodig hebben of gaan dansen op het ijs. Dat kan hem overkomen. Ben je in staat hem met je gouden halsring in bedwang te houden?'

'Ik kan hem zeker bedwingen. Maar Aronn is dapper en heeft een krachtig psychokinetisch vermogen. Als hij echt gek wordt, zou hij mijn overreding teniet kunnen doen. Wanneer personen van mijn ras mentaal te lijden hebben, hebben ze behoefte aan genezende invloeden niet aan bedwingende . . . en mijn hersens, daartoe gedreven uit zelfbehoud, zullen dat vermogen vrijwel automatisch ter beschikking stellen. En er is nog een ander probleem. Gewoonlijk ben ik Aronns meerdere in bedwingingskracht, maar zijn vermogens zouden de mijne tijdelijk kunnen overheersen wanneer hij gestimuleerd wordt door ziekelijke mentale impulsen.'

Basil zei: 'We kunnen Aronn hier niet achterlaten en we kunnen ook niet terugkeren. Wanneer we eenmaal over de col zijn, kunnen we hem op een decamole slede zetten en zo de helling afbrengen. Maar op de een of andere manier moet hij eerst over dat sneeuwveld zien te komen. Ik stel voor dat we Betsy zijn plaats aan de lijn van Ookpik laten innemen. Jij en ik zullen dan Aronn bij ons aan de lijn nemen. Wij zullen vooropgaan en ik zal zorgen voor . . . eh . . . bomvrij beleg, de hele weg omhoog.'

'Aronn weegt bijna honderdtachtig van jullie kilo's. Zou dat voor jou niet een beduidend risico inhouden? Ik ben zelf flink verzwakt. Ik denk niet dat ik Aronn met mijn psychokinese op de been zou kunnen houden. Dat zou op de gewone fysieke manier moeten gebeuren.'

'We kunnen hem tussen ons in nemen en . . .'

'En dan zouden we alle drie vallen,' zei Bleyn onbuigzaam. 'Wie zal dan de anderen naar de vliegtuigen brengen? Ik moet je er toch aan herinneren dat Ookpik niet half zo'n ervaren bergbeklimmer is als de overleden Thongsa. Mijn orders van de koning bevelen me de vliegtuigen tegen elke prijs in bezit te krijgen.'

'We zullen Aronn niet in de steek laten.' Basil was vastbesloten.

'Nee,' stemde Bleyn zachtjes in. 'Maar *jij* en de anderen zullen een team van vijf mensen vormen en ik en mijn Gildebroeder zullen jullie volgen, samen aan één lijn. Wij zullen vertrouwen op Tana. Als wij tweeën vallen, is het haar wil.'

Basil zei: 'Wanneer jullie vallen, komen wij mensen bij de vliegtuigen zonder dat er een Tanu is om ons in bedwang te houden. Hoe kun je weten dat wij er dan niet met een vliegtuig vandoor gaan om onze vrijheid tegemoet te vliegen? Noch jij noch de koning zouden ons vanaf grote afstand kunnen tegenhouden.'

'Er is geen reden om jullie te overheersen. Ik heb eens gezegd dat mensen onmogelijk te begrijpen zijn, maar daarin had ik ongelijk. Ik begrijp jou goed genoeg, Basil, om te weten dat jij je aan je belofte zult houden, onverschillig of Aronn en ik overleven of niet.'

Basil knikte bijna onmerkbaar.

'Dat is dan in orde. Ik stel voor dat we verder gaan.'

De wind krijste. Basil schatte dat de extra koudefactor die door de wind werd veroorzaakt, de subjectieve temperatuur op een equivalent van min zestig graden Celsius bracht. Hij voelde hoe zijn gezicht beetje bij beetje bevroor binnen de met rijp bedekte bontrand van de capuchon van zijn anorak. Met het hakken van iedere stap in het harde, witte ijs, raakten zijn vingers verder verdoofd. Hij verzonk een haak in het ijs, maakte vast en zei: Belegd! Klimmen maar!

Ookpik zei: Ik klim. Dan kroop hij vlug omhoog langs de net uitgehakte voetsteunen en verankerde zich op zijn beurt. Terwijl Basil verder hakte en haken in het ijs dreef, bleef Ookpik verankerd en voorbereid op een mogelijke val van de leider. Verder naar beneden op de steile helling volgden op diezelfde manier eerst Bengt, dan Nazir en vervolgens Betsy. Tien meter daaronder en steeds verder achterblijvend, volgden de beide Tanu.

Basil zwaaide zijn bijl nu op het ritme van zijn zwoegende hart. Zijn longen probeerden steeds opnieuw extra zuurstof te onttrekken aan de dunne lucht en de pijn daarvan dreef hem tot nog grotere inspanning. Vlugger. Hij hakte nu in het ijs zo snel als hij durfde, want snelheid was het enige dat hen tijdig buiten bereik van die huilende wind kon brengen die hen langzaam maar zeker deed bevriezen. Basil wist het en Bleyn de Kampioen wist het. De anderen waren allemaal te zwak en ellendig om zich daar rekenschap van te geven.

Basil zei: Hoe doet Aronn het Bleyn?

Bleyn zei: Zwak heel zwak half versuft maar geen maniakale neigingen Tana zij gedankt hij reageert op mijn bedwinging.

Basil zei: We gaan even onder een hoek iets naar beneden. Steil heel steil maar bijna bij het einde misschien tweehonderd meter verder naar veilige rand. *Horen jullie dat allemaal?* Niet ver meer!

Een paar geesten reageerden met vormloze transmissies.

De wind huilde en krijste.

Basil hakte treden.

De lijn van vijf kleine figuurtjes en de twee grotere daalde nu iets af op een glinsterend witte helling net even boven de col. De lucht was oogverblindend helder. Geen wolkje was aan de hemel te zien. Hoog boven hen vormde de Monte Rosa een monoliet van hartveroverende schoonheid. Bijna heel de westelijke topflank was opnieuw bedekt met verse sneeuw die de laatste storm had aangevoerd.

Een maagdelijke berg, dacht Basil. De maagdelijke koningin van de bergen, misschien de hoogste die er ooit op Aarde was geweest. Je zult van mij zijn. Dat zul je.

Hij hakte treden.

Ineens kwamen ze weer op een stuk terrein waar de sneeuw rondwervelde. Ze gingen in de richting van een rotswand die door een kap van sneeuw werd afgedekt. De wind minderde, veranderde van krijsen in huilen, van gekreun naar zacht snikken. Basil deed een laatste stap vanaf de gevaarlijke 45°-helling op het krakerige maar horizontale ijs dat dunnetjes met sneeuw was bedekt. De overhangende sneeuwrand stak nu boven hem uit en zag er solide uit als wit plascrete. Grijze rotsen, overdekt met ijs staken uit de basis naar voren. Door een paar meter verder te gaan, kon Basil om de schouder van de rots kijken en keek daardoor neer op de noordelijke flank van de berg.

Dit waren de Helvetiden, de Pliocene Zwitserse Alpen. In steeds waziger wordende golvingen strekten ze zich uit naar de horizon. Van hier af zouden ze naar beneden gaan.

Hij zei: Beleg vast. Kom naar boven. We hebben het gehaald, mannen!

Hij hoorde zwakke juichkreten van de menselijke geesten. Ookpik kwam te voorschijn uit de fonkelende sneeuwstorm en daarna Bengt, breeduit grijnzend. Daarna bracht Nazir zich met omzichtige behoedzaamheid in veiligheid terwijl hij een dankgebed naar Allah opzond. Daarna kwam Betsy, stevig met zijn bijl in de laatste trede slaand om de afbrokkelende steun te verbeteren.

Basil riep: Bleyn?

Ik ben hier.

Basil zei: Kom. Het is niet meer dan tien meter.

Bleyn zei: Het spijt mij heel erg.

Door hun halsringen vingen de mensen een beeld op: een groot lichaam, half knielend op een glooiende, glinsterende witheid. Twee met ijssporen beslagen voeten staken onveilig in twee kleine gaten. De armen waren boven het hoofd gestrekt en grepen de stelen van een vastgezette ijsbijl en een punthamer. Aan de riem van het harnas hing een strak getrokken lijn. Aan het einde daarvan, vijf meter omlaag, hing een ander lichaam onmachtig tegen het ijs. Die figuur gleed centimeter voor centimeter verder weg terwijl de handen van de man daarboven wegslipten van zijn gereedschappen.

Basil schreeuwde: Alle geesten bijeen! KOM BLEYN. HOUD VAST.

Dat wensten ze allemaal, ze dwongen het af: KOM BLEYN. HOUD VAST.

Bleyns gebogen knieën zetten zich schrap tegen de zwaartekracht, tegen de trekkracht van Aronns dode gewicht. Zijn handen klemden zich opnieuw om de stelen van hamer en bijl. Hij dwong zichzelf omhoog.

KOM BLEYN. HOUD VAST. HOUD VAST.

Heel langzaam wrikte een gebogen arm de slecht verankerde ijs-bijl los. *Klink!* Bleyn zwaaide, zette de bijl weer vast. Het hield.

Basil zei: Naar de rots, Ookpik. Beleg me *stevig*. HOUD VAST BLEYN, IK KOM.

De anderen zeiden: HOUD VAST BLEYN HOUD VAST.

Ookpik zei: Belegrotsvast. Gagaga.

Basil zei: Ik klim ik klim HOUD VAST BLEYN.

Bleyn zei: Het spijt me heel erg. Ik kan het niet houden.

Ookpik zei: Hebbes Basil hebbes? Stevig? HOUDVAST HOUDVAST HOUDVAST.

Bleyn viel.

Basil schreeuwde: *Houdvasthoudvasthoudvast!*

Hij viel.

De drie lichamen kletterden naar beneden, kregen meer snelheid en kwamen ineens met scheurend geweld tot stilstand toen de lijn waaraan Basil vastzat het hield. Basil tilde zijn bont en blauw gebeukte gezicht omhoog en grijnsde naar Ookpik. 'Ze lijken beiden bewusteloos te zijn,' riep hij, 'maar ik heb ze goed vast.'

'En ik heb jouw lijn weer vast aan de kabel van de lier,' zei Betsy triomfantelijk. 'Klaar om te hijsen wanneer jij klaar bent, lieverd.'

Basil zei: Oh God *nu* jij stomme idioot!

'Tsk, tsk,' plaagde Betsy en zette de lier aan.

Nadat ze hadden uitgerust en een beetje waren bijgekomen, begonnen ze aan de afdaling. In het begin waren ze voorzichtig, de beide Tanu lagen op sleden. Maar toen vonden ze een breed lawinespoor dat zich stevig had vastgezet en Basil zei: 'Allemaal aan boord voor de kortste weg!' Hij liet de anderen zien wat ze doen moesten, afhankelijk van hun klimmersbekwaamheden en stuurde hen vervolgens glijdend en rodelend naar beneden over een helling van meer dan duizend meter terwijl ze het uitkrijsten van vreugde en opwinding. Toen ze veilig waren, kwam hij zelf naar beneden, skiënd en glijdend op de zolen van zijn schoenen in een wolk van ijs en sneeuw, terwijl zijn geest een geweldige kreet van vreugde door de ether zond die niet alleen Elizabeth en haar gezellen aan de andere kant van de berg bereikte, maar zelfs de koning in het verre Goriah.

En Aiken zei: Goed gedaan.

Na een lange pauze antwoordde Basil (ditmaal via Elizabeths tussenstation): Dank u, heer.

Aiken zei: Ik heb begrepen dat Bleyn en Aronn naar beneden moesten worden gesleept.

Basil zei: Ze zijn bezig te herstellen binnen een van de weer geactiveerde vliegmachines, Hoge Koning. De luchtvoorziening van het interieur voorziet in een zuurstofconcentratie op zeespiegelniveau. Binnen twee dagen moeten ze weer helemaal in orde zijn.

Aiken zei: Goed Goed. Dus jullie hebben zo'n vlieger zonder al te veel moeite weer aan de praat gekregen.

Basil zei: Verschillende zijn makkelijk bereikbaar. De energiebronnen moeten weer geladen worden met gedestilleerd water natuurlijk en er zit nog wel wat werk vast aan het vrijmaken van ondergesneeuwde machines. Maar zo te zien wachten ons geen onverwachtse problemen.

Aiken zei: Helemaal te gek! Het is dus allemaal in orde . . .

Basil zei: Ja.

Aiken zei: Noem me je beloning.

Basil zei: Eén dag rust. En dan, terwijl de anderen bezig zijn met het reactiveren en het terugvliegen, wil ik de top van de Monte Rosa zelf beklimmen, in mijn eentje. Als ik na drie dagen niet ben teruggekomen, kun je er vanuit gaan dat ik bij die poging om het leven ben gekomen. Niemand moet dan moeite doen. Geen levens of vliegtuigen wagen in onzinnige reddingspogingen. Dat is mijn enige persoonlijke verzoek aan jou.

Aiken zei: Het is toegestaan.

Phronsie Gillis legde haar boekplaquette van de *Grey Lensman* ter zijde en keek door de patrijspoort van het vliegdek van de Oude Nummer Een naar de zich verdichtende sneeuwstorm. 'Lieve hemel. Moet je die sneeuw zien. Als het op de top van de berg net zo hard naar beneden komt, heeft die arme Basil even weinig kans als een klein Chineesje.'

Miss Wang keek op van haar borduurwerk in de feng huang-stijl en zei klagend: 'Ik wilde dat je minder beledigende metaforen gebruikte.'

'Zoeterdje,' gaf Phronsie weerom, 'ik heb scheldwoorden voor ieder ras, ieder geloof, iedere nationaliteit, iedere seksuele denominatie. Het is niks persoonlijks.'

Miss Wang liet haar hoofd hangen en snifte. 'Basil was een goede leider. Ik zal hem missen.'

'Dat zullen we allemaal,' zei Stan Dziekonski. Hij kwakte zijn kaarten op de navigatietank. 'Troef.'

De drie andere spelers leverden mismoedig hun kaarten in. 'Kun je met je vérziendheid helemaal niets opvangen?' vroeg Ookpik aan Bleyn.

De Kampioen schudde zijn grote, blonde hoofd. 'Het komt door de storm. Wanneer het Elizabeth al niet lukt om Basil te vinden, hoe mag ik dan hopen het wel te kunnen? En op onze telepathische oproepen komt geen enkel antwoord.'

'We hebben al langer gewacht dan de afgesproken tijd,' herinnerde Ochal de Harpist hem. 'We zullen moeten gaan.'

'Verrek met je afgesproken tijd,' schreeuwde Phronsie, terwijl ze het bedieningspaneel van de Oude Nummer Een een opdonder verkocht met haar boek. 'Ga jij maar met Stan en Ookie in Nummer Twee, Heer de Harpist, en laat ons hier nog maar een dag rondhangen. Bleyn zal daar niks op tegen hebben, of wel, Kampioen?'

Bleyn zei: 'Beide schepen moeten gaan, Phronsie. Wij zijn de laatsten en Basil zelf heeft de afspraken gemaakt.'

'Dat deed hij inderdaad,' zei Miss Wang met een klein, treurig stemmetje. Ze veegde met haar mouw langs haar neus, ging in de stoel van de vlieger zitten en begon uiterst langzaam aan de vluchtvoorbereiding. 'Phronsie, lees me de gegevens voor.'

Al de anderen lieten tegelijk hun adem gaan. Stan zei: 'Wel, het lijkt me dat Ookie en Heer Harpist en ik maar es beter naar Nummer Twee terug kunnen sloffen.'

'Ja,' zei Bleyn. 'We zien jullie wel in Goriah.'

Het vertrekkende drietal zette hun capuchons op, ritste de windjeks dicht en trokken hun handschoenen aan. Daarna schuifelden ze naar het toegangssluik. Toen Miss Wang het luik ontsloot, huilde de sneeuwstorm buiten een klaagzang.

'Rhoveldgenerators lijken in orde,' zei Phronsie. 'Luik weer dicht. We kunnen verder.'

Miss Wang onderdrukte een snik. 'R-energie in het externe web. Vleugels helemaal naar achteren. Klaar voor opstijgen.'

Phronsie sprak in de microfoon. 'Zijn jullie veilig in Nummer Twee terug, jongens?'

'Bevestigd,' zei Ookpik. 'De Harpist heeft het nog een keer geprobeerd terwijl we buiten waren. Tot in de tiende graad niks te horen. Je moet maar denken, Basil is waar hij wezen wou.'

'Die stomme hufter kon het allemaal wel eens zo gepland hebben,' kankerde Phronsie. 'Dat zou me geen mallemoer verbazen . . . Nou, in godsnaam, laten we maken dat we hier wegkomen, Wang!'

Op de top van de Monte Rosa zat Basil veilig in een grot van sneeuw terwijl het gebulder van de orkaan langzaam wegstierf. Daarna gebruikte hij zijn schop van vitredur en groef zich een weg naar buiten. De hemel boven hem was fluweelzwart en bezaaid met subtiel gekleurde sterren. Een uitgestrekt wolkendek maakte de wereld beneden de 8000 meter volkomen onzichtbaar. In het westen bogen twee purperen strepen als stervende meteorieten buiten zijn gezichtsveld achter de Proto-Matterhorn.

Basil ging zitten op een aangestampte sneeuwhoop en strekte zijn benen met de grootst mogelijke voorzichtigheid. Zijn linkerscheenbeen en zijn rechterenkel maakten krakende geluiden. Sterren die niet tot de kosmos behoorden, dansten even voor zijn ogen en hij hield zijn adem in. De gescheurde knieën van zijn bovenbroek en de pijpen daaronder waren zwart van bevroren bloed. De laatste twee- of driehonderd meter na zijn val was hij naar boven gekropen. Dat was eigenlijk nogal gemakkelijk geweest, maar de korrelige harde sneeuw had zijn kleren gescheurd alsof het glas was en hij moest zich zorgvuldig en secuur ingraven voor de sneeuwstorm losbarstte.

Hij draaide zich langzaam rond en bekeek zijn wereld. Zijn adem veroorzaakte bevroren wolkjes die in de leegte wegzweefden en elkaar steeds vlugger opvolgden. Hij voelde hoe een waarschuwende band rondom zijn borst samentrok iedere keer wanneer hij zijn longen probeerde te vullen. Hij was heel gelukkig.

De overweldigende koude priemde in zijn onbeschermde ogen en dus deed hij ze dicht en voelde zich direct warmer. Hij zei: 'Vulgo enim dicitur: iucundi acti labores.'

Cicero, is het niet?

'Precies goed. *De Finibus.*'

De goede paters in New Hampshire hebben nogal wat moeite moeten doen om het Latijn er bij ons in te stampen, maar ik denk dat ik er nog steeds wel wat van terecht breng: 'Er wordt algemeen gezegd dat voltooide werken verrukking schenken.' Een heel toepasselijk gezegde, al zou ik dat van mezelf niet willen beweren.

Basil deed zijn ogen open en zag een donkere massa, heel groot en ongeveer in de vorm van een mens, die voor hem stond in de sneeuw.

'Hallo daar,' zei de leraar, 'ik neem aan dat jij het bent? Ik bedoel, geen door onderkoeling veroorzaakte hallucinatie?'

Het ding gleed dichterbij en leek iets kouds uit te stralen dat nog dieper ging dan die van de alpennacht op deze hoogte.

Je moet me verontschuldigen dat ik binnen mijn pantser blijf.

'Heel begrijpelijk. Ik neem aan dat je onze pogingen hebt gadegeslagen?'

Vooral de jouwe.

'Aha. Nou ja, met mij is het gedaan.'

Je neemt je voor hier te sterven?

'Ik heb weinig keus.'

Ik zou je er één kunnen bieden.

'Hoe bijzonder merkwaardig,' mompelde Basil. 'Vertel me er alles over.'

Ik ben aan het experimenteren geweest met mijn vermogen tot de d-sprong. Ik heb geleerd dingen mee te dragen buiten het bewapende mechaniek dat mijn lichaam omgeeft. Dat is een kwestie van mentaal een ypsilonveld oproepen, begrijp je?

'Als bij een sterreschip in de hyperruimte?'

Precies. Ik heb mijn capaciteit op ongeveer 75 kilo inerte massa gebracht. Ik ben er nu klaar voor om te proberen iets levends te teleporteren. Ik zou natuurlijk een dier kunnen gebruiken.

Basil knikte begrijpend. 'Of je zou mij kunnen nemen.'

Er is nogal wat risico. Ik heb nog niet de gelegenheid gehad iets levends in het externe veld met mij mee te nemen. Jij zou je in dit geval als het ware aan de buitenkant van het sterreschip bevinden. Maar in theorie moet het allemaal lukken.

'Wat moet ik doen?'

Je zou kans moeten zien om rechtop te gaan staan en zo dicht mogelijk bij het apparaat te komen zonder het aan te raken.

Basil tastte om zich heen en vond de schop. 'Ik moet zien te balanceren op mijn gebroken enkel. Het linkerbeen is op meerdere plaatsen gebroken. Je zult vlug moeten zijn, want ik houd het niet lang vol.'

Kom.

Hij stortte het blad van de schop in de sneeuw en drukte zich omhoog. De pijn voer in ziekmakende golven door hem heen en hij schreeuwde het uit. Maar toen stond hij, licht wankelend, voor het dodelijk zwarte monster.

'Ik ben klaar,' zei hij en toen nam het grijze niets hen beiden in zich op.

III. Oorlog der Schemering

1

Regen stroomde als een zondvloed door de nacht van Armorica. Op de noordwestelijke horizon was Goriah niet meer dan een moeilijk te onderscheiden lichtvlek te midden van de lichtflitsen. Veilig binnen een bol van psychocreatieve kracht, vlogen Elizabeth en Minanonn door de storm.

'Het lijkt eerder januari dan vroeg in oktober,' merkte Elizabeth op.

Minanonn zei: 'Vier zware stormen, de een na de ander! Het weer weerspiegelt de verziekte geest van deze tijd. In mijn sterkte in de Pyreneeën heeft de sneeuw nu al de hoogste passen afgesloten. Dat is in al de vijfhonderdzestien jaren van mijn ballingschap nog nooit zo vroeg in het seizoen gebeurd. Het is bijna genoeg om iemand inderdaad aan die Oorlog der Schemering te doen geloven! Onze legenden vertellen dat aan die oorlog de Verschrikkelijke Winter voorafgaat.'

'Dan zouden we in elk geval tot aan de lente voor oorlog gespaard blijven,' zei Elizabeth.

'Ik wilde dat dat waar was. Maar *winter* was destijds op Duat een dubbelzinnige uitdrukking. De as van onze planeet helde niet over, dus de seizoenen waren nooit grondig vooraf bepaald. Voor ons betekende winter iedere langdurige periode met slecht weer.'

Elizabeth gaf daar geen commentaar op. In plaats daarvan vroeg ze: 'Zal de sneeuw in de bergen de leden van de Vredesfactie ervan weerhouden aan de spelen mee te doen?'

'Degenen die de verleiding van Aikens nieuwigheden niet konden weerstaan, zijn de vorige week al vertrokken, op de eerste dag van de Wapenstilstand. Zij zijn nu al in de laaglanden. Ik vrees dat de meesten van hen het volgende halve jaar daar door moeten brengen totdat het weer beter wordt. Ik geef mezelf de schuld voor de moeilijkheden waarin ze dan raken, want als ik de uitnodiging van de koning om deel te nemen niet had aanvaard, zouden de anderen van mijn Vreedzame Volk niet zo sterk door het spektakel zijn aangetrokken.'

Nogal ondiplomatiek vroeg Elizabeth: 'Wat bezielde je om het aanbod te accepteren?'

De Ketter lachte berouwvol. 'Ik zou die beslissing kunnen rationaliseren door te zeggen dat ik op die manier mij akkoord verklaarde met de wijze waarop Aiken-Lugonn de oorspronkelijke Grote Veldslag van het vele bloedvergieten heeft ontdaan. Maar waarom zou ik niet eerlijk zijn? In mijn hart werd ik aangetrokken door het

331

idee nog één keer mee te doen in een grote kloppartij. Mijn intellect mag het geweld dan verachtelijk hebben afgezworen, maar iets van de Oude Strijdmeester is nog altijd in mij aanwezig, of ik dat nu wil of niet. Soms maakt me dat wanhopig. Maar op andere ogenblikken, wanneer ik wat meer filosofisch ben ingesteld, dank ik Tana dat Zij mij de kans geeft mezelf te kennen zoals Zij mij kent ... terwijl Ze me toch haar liefdevolle hand blijft reiken.'

'Vervloek je jezelf nooit omdat je toegeeft? Omdat je je door je eigen zwakheden laat overmeesteren?'

Het gezicht van de Ketter lichtte speels op in de stormachtige duisternis. 'Er wordt gezegd dat Tana ons niet perfect heeft gemaakt, want dan zou er geen groei kunnen zijn, groei door te triomferen over pijn en tegenstelling, geen toevoeging door dat te transcenderen. Niet voor het individu en zeker niet voor de Galaktische Geest.'

'Dat werd mij ook geleerd,' gaf Elizabeth toe. 'Lang geleden. Maar die opvatting gaat gemakkelijk verloren. Speciaal wanneer we gedwongen worden lijden en geweld onder ogen te zien. Men ontwikkelt een zeker ongeduld tegenover het mysterie en men begint te wanhopen of er nog wel ooit iets goeds kan groeien uit zoveel persoonlijke zwakheid.'

Ze begonnen naar Goriah af te dalen. Minanonn liet even een bijna jeugdige grijns zien. 'Desondanks ben ik *nog steeds* van plan in Aikens Grote Toernooi mee te strijden.'

De koning kwam hen persoonlijk begroeten toen ze op het binnenplein van het Glazen Kasteel landden. De omgeving werd enkel door sputterende olielampen en toortsen verlicht. In het schaduwrijke terrein naast de gebouwen van het garnizoen stonden meer dan twintig van de donkere, vogelachtige vliegtuigen schouder aan schouder verborgen onder grote netten.

'Geweldig om jou weer in levenden lijve te zien,' zei Aiken tegen Elizabeth. Hij stond op zijn tenen en kuste haar licht op de wangen. Minanonn kreeg niet meer dan een ironisch lichten van de koninklijke hoed. 'Zullen we maar naar binnen gaan? Dan hoef ik mijn armzalige vermogens niet verder in te spannen met de regen op een afstand te houden.'

'We zouden niet willen dat je jezelf overbodig belastte,' zei Minanonn. 'Je moet je krachten bewaren voor het Grote Toernooi. Tot nu toe hebben de stormen Nionel ongemoeid gelaten, maar wanneer deze ongewone regen blijft aanhouden, zou het Veld van Goud wel eens een metapsychische overkapping nodig kunnen hebben. In vroeger dagen was dat het werk van Kuhal en diens overleden broer, Fian Hemelbreker. Zij zorgden voor een afscherming boven de arena van Muriah. Maar ik vrees dat Kuhal alleen niet over voldoende vermogen beschikt om het hele terrein van de spelen te overdekken. Die taak zou aan de Hoge Koning toevallen.'

'Of aan jou, Broeder Ketter,' gaf de koning terug. 'Kuhal neemt niet aan het toernooi deel volgens de lijsten. Als jij hem een psychocreatief handje hielp, zouden jullie samen een paraplu kunnen opzetten die het Veld van Goud zelfs beschermde tegen een cycloon. Wat zeg je daarvan? Dat is pas een vreedzame manifestatie van kracht!'

'Ik zal erover denken,' antwoordde Minanonn nogal somber.

Ze kwamen nu bij de zuilengang van het kasteel met de gedraaide pilaren van brons en purperkleurig glas en de grote, van goud glinsterende toortshouders.

Elizabeth stelde een terloopse vraag. 'Zijn dat al de vliegtuigen die jullie hebben weten te redden? Maar eenentwintig?'

'Je hebt goed opgelet, is het niet?' zei Aiken. 'Nee, we hebben ze alle zevenentwintig in ons bezit. Maar ik heb er zes naar Fennoscandia gestuurd om van nut te zijn bij het zoeken naar erts.' Hij keek Elizabeth speculerend aan. 'Ik zou gedacht hebben dat je daar al van op de hoogte was, Alziende Vrouwe.'

Ze keek hem geïrriteerd aan. 'Soms moet ik rusten. En nu al het toezicht op de beklimming van de Monte Rosa . . .'

'Smoesjes, smoesjes,' voer de koning ondeugend uit. 'Wat ben *jij* eigenlijk voor een Pliocene dirigent?'

'Ik ben de dirigent niet,' zei ze scherp. 'Niemand heeft mij in die functie benoemd. Breede niet . . . en jij zeker niet.'

Aiken trok één wenkbrauw omhoog. 'De meesten van ons namen stilzwijgend aan dat je die rol op je hebt genomen, liefje. Is het niet een beetje te laat in de wedstrijd om ons te vertellen dat je nooit van plan bent geweest mee te spelen?'

'Ik . . . ik heb nooit gezegd dat ik niet mijn best zou doen om jullie te helpen. Mijn positie is echter enkel informeel, adviserend. Ik bezit niet de competentie om richting te geven en ik heb geen macht. Ik *wil* helemaal geen . . .'

'Oh, meidje.' De koning was ernstig. 'Je vliegt nog steeds boven ons allemaal, is het niet? Neerkijkend op die rondscharrelende Minderen en futloze sprookjeskinderen? . . . Heb je nu eindelijk wat gezelschap? Een aanvallige en toch trotse ziel om je edele melancholie mee te delen?'

'Doe niet zo stom, idioot!' antwoordde Elizabeth. Maar de stem van haar geest klonk wanhopig vermoeid.

'Waar is hij trouwens?' vroeg de koning. 'Ik heb zowat een week lang geen enkel teken van leven van hem opgevangen. En met al deze stormen achter elkaar is zelfs de schoener uit mijn gezichtsveld verdwenen. Ik heb erover gedacht een van de vliegtuigen op verkenning te sturen ondanks het risico om door de scheepsbemanning omlaag te worden gehaald. Maar nu jij hier bent, hoeven we geen levens te riskeren. Wil jij hier en nu met me naar de toren gaan voor een vlug onderzoek?'

'Dat is niet nodig,' zei Elizabeth. 'Ik weet waar Marc is. Daarom ben ik hierheen gekomen. Om over hem te praten. Met jou en Hagen en Cloud.'

'Aha,' zei de koning. 'Waait de wind uit die hoek?'

Ze liepen nu door de grote hal die de entree van het paleis vormde. Er waren daar maar weinig mensen, hoewel het nog vroeg in de avond was. Enkel de geduldige soldaten van de paleisgarde met hun grijze halsringen waren alomtegenwoordig en stonden op wacht in hun glanzende halve kurassen van brons met daaroverheen de violette mantels. Maar ze droegen wapens uit het Bestel in plaats van de traditionele glazen zwaarden.

'Marc is in mijn huis,' zei Elizabeth. 'Ik ben hier op zijn verzoek.'

'Wel, wel!' riep de koning uit. 'Voelt hij zich wat vredelievender nu de weegschaal in mijn richting doorslaat? Dat moet nogal een klap voor zijn plannen zijn geweest, het verliezen van die X-lasers.'

Elizabeh zei: 'Aiken, Marc heeft Basil Wimborne naar ons toegebracht vanaf de top van de Monte Rosa. Door een d-sprong.'

De koning bevroor ter plekke. 'Christus!'

Elizabeth keek hem in stilte aan. De spotzieke zorgeloosheid was op slag verdwenen.

'Ben je hier gekomen om me dat te vertellen?' vroeg Aiken haar. 'Dat Marc klaarstaat om ons in te sluiten en dat we met het Guderian-project moeten stoppen?'

'Nee,' zei ze.

'Wat dan?'

'Marc heeft een voorstel voor jou en Hagen en Cloud. Ik wil dat graag met jullie drieën bespreken.'

Minanonn zei: 'Ik denk dat je bij de koning even veilig bent als bij mij, Elizabeth. Als jullie mij willen excuseren, dan wil ik graag een bezoek afleggen bij Vrouwe Sibel Langvlecht. In vroeger jaren hebben zij en ik heel wat genoeglijke uren doorgebracht, pratend over de voordelen van vrede.'

Hij ging heen en liet Elizabeth glimlachend achter.

'Hij hangt helemaal de beschermer uit,' zei Aiken zuur.

'Jij en jouw manier van regeren hebben tot nu toe zijn instemming.'

'Nou, nou, hoera!' neuzelde de koning. 'Jammer dat hij niet voor zijn hoogdravende principes wil vechten. Ik heb vandaag de dag elke dappere geest nodig die ik krijgen kan. Je weet dat ik het Zwaard aan Sharn en Ayfa heb moeten geven en je weet ook wat dat inhoudt.'

Ze knikte. 'De Firvulag kunnen de Oorlog der Schemering niet beginnen zonder hun heilige wapen . . . en nu hebben ze het. Je hebt een groot risico genomen.'

Zijn zwarte ogen knipperden. 'Misschien niet.' Ze stonden bij de toegang tot de westelijke kasteelvleugel die door een groot hekwerk van brons was afgesloten en bewaakt werd door elitetroepen met gouden halsringen die amphycions aan de lijn hielden.

'Ik zou Hagen en Cloud naar de koninklijke ontvangstkamer kunnen roepen, maar misschien vind je het leuker om naar hen te gaan. Ik zal je een snelle rondleiding geven door de laboratoria van het Guderian-project en ik heb er niet het minste bezwaar tegen wanneer je Marc vertelt hoe vlug we opschieten.'

Ze zei: 'Ik zal je rondleiding heel plezierig vinden. Om je de waarheid te zeggen, ben ik er nogal nieuwsgierig naar.'

Met een zekere zwier beval Aiken de schildwachten het hek te ontsluiten. Daarna ging hij haar voor en wees op de verschillende veiligheidsmaatregelen die het project beschermden. Overal in de vleugel waar de jonge Noord-Amerikanen en hun personeel zich bevonden, waren sensoren opgesteld. Elitetroepen liepen binnen de wacht en de borstweringen waren bemand door zwaar bewapende dragers van grijs en zilver die opdracht hadden elke binnendringer direct te rapporteren aan hun meesters. De directe omgeving van de trap die toegang verleende tot de omgebouwde kerkers waarin zich eens de algemene voorraad smokkelwaar had bevonden, en die nu de laboratoria herbergden, werd bewaakt door helden van de Tanu onder commando van Celadeyr van Afaliah. De foyer voor de trap was bezaaid met valstrikken, zowel van mechanische als psychische aard, aangevuld met elektromagnetische barrières met een toenemend dodelijk potentieel. Wie erin slaagde deze gevaren te ontlopen, wachtte altijd nog het laatste bastion: het grote SR-35-sigmaveld met de luchtsluis die enkel die personen doorliet wier mentale signatuur in de koninklijke computer waren opgeslagen.

'Jij staat *nu* op de lijst, liefje,' vertelde Aiken met een knipoog aan Elizabeth. 'Maar alleen voor vandaag.'

De op een spiegel lijkende muur aan het einde van de luchtsluis loste op na een koninklijk gebaar van Aiken en toen konden ze het laboratorium in. Elizabeth keek nog even achter zich naar het dynamische veld en tikte met een vingernagel tegen het onecht vochtig aanvoelende scheidingsvlak. 'Dus dit is de ondoordringbare sigma die Marc met zijn X-lasers hoopte te breken.'

De joviale houding van de koning veranderde en werd grimmig. 'Dat is het. De kinderen hebben het uit Ocala meegebracht. Zolang dat het project beschermt, zijn we veilig. Hagen zegt dat het bescherming biedt tegen psycho-energetische aanvallen tot in de vijfhonderdste sterktegraad. Felice zou er zich misschien een weg doorheen hebben kunnen blazen met haar vermogens, maar Abaddon zal zelfs een gebed niet helpen. Niet met dat handjevol geesten dat hij vandaag de dag bijeen kan brengen voor een metabundeling.'

'Maar je kunt het Guderian-ontwerp niet hier in Goriah gebruiken,' merkte Elizabeth op.

'Nee,' stemde de koning in. 'Dat is een stukje slechte planning van mijn kant. Ik had de laboratoria in kasteel Doortocht moeten opzetten, ongeacht de ongemakken die dat zou hebben veroorzaakt. Maar gedane zaken nemen geen keer. De SR-35 is in de lucht niet goed hanteerbaar, maar als het zover is dat we moeten verhuizen, vinden we er wel iets op. *Dat* mag je ook tegen Marc vertellen.'

Ze liepen door een schijnbaar eindeloze reeks kleine werkruimten waar de componenten van de taugenerator werden beproefd en geassembleerd. Aiken wist nauwkeurig wat er in elk vertrek gebeurde en hij groette alle technici en geleerden met naam en toenaam. De laboratoria waren overvol en alles leek er bedrieglijk chaotisch toe te gaan. Veel van de assemblage moest onder micro-manipulators worden verricht en voor de amateuristische toeschouwer was het allemaal weinig opwindend. De kamers voor het chemische ingenieurswerk waren iets dramatischer, vol borrelende retorten en vreemde geuren wanneer kritische materialen door verhitting vrijkwamen en moesten worden doorgezonden naar de plekken waar ze nodig waren.

In een van die grotere werkruimten werd de koning door Tony Wayland aangeklampt.

'Ik heb nog minstens drie diamanten nodig,' zei hij. 'Twaalf karaats of meer. En een industrie-lasser die gaten kan boren variërend van vijf tot veertig micron, een kweekbak van kerametaal, balsahars of een synthetische die daarmee overeenkomt, een fles argon en een nieuwe kamergenoot. Die ellendige Hewitt snurkt als een zaagmolen.'

'Anders nog iets?' vroeg de koning vriendelijk.

'Nieuws over mijn vrouw!'

'Vrouwe Katlinel stelt een onderzoek in. Maar er zijn problemen. Je schoonouders zijn niet erg ingenomen met de manier waarop je bij je kleine meisje bent weggelopen en ze zijn daardoor niet erg geneigd mee te werken. Vrouwe Katlinel raadt je aan geduld te hebben.'

Tony hief zijn armen omhoog en beende weg. De koning en Elizabeth liepen verder. Toen ze veilig in de andere kamer waren, zei ze: 'Mijn genezende vermogen ontdekte een dysfunctie van niveau twee in de psyche van die man. Ik veronderstel dat hij zware tijden achter de rug heeft. Ik zou hem niet te zeer aan spanning blootstellen als ik jou was.'

'Hij wil werken,' zei de koning. 'Voor hem is dat nu het beste.

Dat weerhoudt hem ervan al te veel aan zijn Huiler-vrouwtje te denken.'

'Ik zal me met genoegen door Minanonn langs Nionel laten vliegen. Misschien kan ik bij die weerspannige schoonouders iets bereiken.'

'Dank je, Elizabeth,' zei Aiken nogal somber. 'Maar ik heb net tegen die arme Tony gelogen. Deels uit egoïsme, deels omdat het nu nog het aardigst is tegenover hem. Je kent toch Heer Greg-Donnet, die Meester der Genetica was onder koning Thagdal?'

'De man die ze Gekke Greggie noemden?' Ze knikte.

'Hij is naar Lionel gegaan toen Katy met Sugoll trouwde en nu is hij aan het knutselen met een schema om de misvormingen van de mutanten een stuk minder te maken. Een man met talenten, die Greggie, ondanks zijn vreemde tics. Kort en goed, het schijnt dat hij een of ander experimenteel apparaat heeft ontworpen, iets tussen de Huid van de Tanu en een regeneratietank uit het Bestel in. Hij denkt dat die nieuwe Huidtank van hem een aantal van de echt misvormde Huilers min of meer een gewoon Firvulag-uiterlijk kan geven. Hij vroeg om vrijwilligers. Raad es wie zich opgaf?'

'Oh hemeltje,' zei Elizabeth.

'Rowane, Tony's vrouw, dacht dat hij haar in de steek had gelaten omdat ze een monster was,' zei de koning. 'Greggies experiment leek haar een gouden kans. Dus daar drijft ze nu, alles op nul, voor nog minstens vier weken terwijl Greggie en het Huiler-equivalent van genezers proberen haar protoplasma te reorganiseren. Rowane kan er erger uit te voorschijn komen dan ze was, ze kan sterven, maar het experiment kan ook een groot succes zijn; het leek mij in elk geval verstandig Tony hiervan op een afstand te houden.'

'Ik ben het met je eens. Het is pathetisch . . .'

'Zijn we dat niet allemaal?' vroeg de koning. Hij bracht haar naar een tamelijk grote kamer waar op een platform een nog in opbouw zijnde glazen structuur stond. Het leek een grote doos uit latwerk, overal behangen met metaalkleurige kabels die door de glazen ledematen slopen als veelkleurige wijnranken. Nog veel meer van die soepele kabels lagen overal rond op werkbanken waar hun ingewanden bloot werden gesteld aan de onderzoekende aandacht van de arbeiders. Monitoren, testapparatuur en een verwarrende hoeveelheid machines maakten het platform overvol.

'Daar is het dan,' kondigde Aiken aan. 'Het ontwerp van Guderian. Min of meer tenminste.'

'Ik herinner me niet dat het zo groot was,' zei Elizabeth.

'We hebben het een beetje uitgebouwd. Onze tamme dynamische-veldenexpert, Anastos, zei dat dat geen kwaad kon. Dat is 'em, die daar loopt te vloeken, die magere, donker uitziende kerel. En natuurlijk herken je dat misprijzend kijkende stelletje achter hem.'

'Ik had ze al gezien. Is er een plek waar we onder vier ogen kunnen praten?'

Aiken bracht haar naar een niet-bezette, door ramen omgeven ruimte die blijkbaar als kantine dienst deed. Er stonden zachte stoelen en een tafel en een paar Spartaanse wasgelegenheden. Daarna deed hij een vriendelijke telepathische oproep aan Cloud en Hagen. Broer en zus kwamen snel en sloten de deur achter zich. Hun nieuwsgierigheid bij het zien van die vrouwelijke bezoeker zonder halsring wisten ze slecht te verbergen. Ze waren beiden gekleed in witte overals die nauwelijks verschilden van wat de andere werkers droegen. Hun haren hadden dezelfde roodgouden kleur, maar voor het overige leken ze niet erg op elkaar. Cloud had een hoog en rond Keltisch voorhoofd met vrijwel onzichtbare wenkbrauwen, dat er haast gepolijst uitzag. Diep verzonken ogen van een doordringend groenblauw, omkranst door zachte wimpers. Haar huid was doorschijnend, hier en daar met sproeten en haar neus wees een beetje omhoog, als een delicaat, klein lemmet. Nu Elizabeth haar in levenden lijve zag, was ze in staat de karakteristieken die ze van Marc had geërfd te vergeten en daaronder de spookverschijning te zien van een andere vrouw die reeds lang was overleden. Hagen Remillard had de stevige bouw en de arendsneus van zijn vader, maar zijn gelaatstrekken hadden iets ruws en onafgemaakts. Zijn aura wees op onderdrukte woede, zonder de magnetische hoffelijkheid die Marc eigen was. Bij de korte, brandende aanraking van zijn geest, kon Elizabeth enkel medelijden en begrip voelen. Van Cloud daarentegen ervoer ze direct openlijke warmte. Daarna gingen de mentale schermen omlaag en toen stonden ze getweeën met een lege glimlach te wachten op wat de koning wenste.

'Ik wil jullie de Grootmeesteres, Genezeres en Vérvoelende Elizabeth Orme voorstellen,' zei Aiken. 'Ze is erelid van mijn Hoge Tafel en is de facto de adviseuse van deze Pliocene Aarde.'

Hagen en Cloud reageerden formeel. De koning verzocht iedereen te gaan zitten en serveerde in eigen persoon thee met koekjes terwijl hij ondertussen korte vragen stelde over verschillende aspecten van het project. De jonge Remillards antwoordden beknopt, maar ter zake kundig. Ze spraken de hoop uit dat de geologische expeditie er spoedig in zou slagen de zo belangrijke ruwe ertsen op te sporen.

'De vliegtuigen komen morgen op de plaats waar de groep over land zich al bevond,' zei de koning. 'En vanaf dan kan de omgeving werkelijk grondig worden uitgekamd zonder dat ze constant op de uitkijk hoeven te staan voor trollen of Yotunag.'

'Ze kunnen maar beter opschieten,' zei Hagen. 'We hebben het niobium dat we tot nu toe nodig hadden uit andere voorwerpen

338

kunnen slopen, maar er is geen andere manier om aan meer te komen, behalve via erts. En de helft van die verdomde kabels behoren vol te zitten met een bedrading van niobium en dysprosium.'

'Wanneer die bedrading klaar is,' vroeg Elizabeth, 'hoe lang duurt het dan nog tot het ontwerp klaar is?'

Hagen keek haar doordringend aan. 'Idee om u bij de grote exodus aan te sluiten, Grootmeesteres?'

Elizabeth bloosde. Toen zei ze neutraal: 'Daar heb ik inderdaad over gedacht.'

Hagen grinnikte. 'Dan hoop ik dat u uw goede diensten wilt aanwenden om Marc op een afstand te houden, want anders ben ik bang dat onze kansen om naar het Bestel terug te keren uiterst gering zijn.'

Ze zag hem een ogenblik in stilte aan. 'Ik was even vergeten dat jij daar geboren bent . . . Maar de anderen van de jonge generatie zijn toch allemaal hier in het Plioceen geboren?'

'En allemaal minstens drie jaar jonger dan Hagen en ik,' antwoordde Cloud. Ze keek haar broer misprijzend aan. 'Om uw vraag te beantwoorden, het zou ons daarna een maand of meer kosten om het ontwerp af te maken. We hebben hier de beste geleerden uit het Veelkleurig Land aan het werk met gereedschap en machines van allerlei soort. Het is ongelofelijk wat sommige tijdreizigers naar het Plioceen hebben meegenomen. En natuurlijk hebben we vaders voorraden aan materiaal grondig geplunderd voor we Ocala verlieten . . .'

Hagen onderbrak haar. 'De Grootmeesteres weet dat, Cloudie. Ze weet *alles* over ons.'

Er ontstond een pijnlijke stilte. Hagen keek Eliazabeth uitdagend aan.

'Zou het Bestel ons toelaten . . . wetend wie we zijn?'

'Ja,' zei Elizabeth.

'En wetend op welke manier we Felice hielpen?' voegde de jongeman er zachtjes aan toe.

'Als je wilt delen in hun Eenheid, dan zul je je schulden moeten betalen. De omstandigheden waren buitengewoon, toch was jullie handeling een misdaad.'

'Niet gericht tegen vrije menselijke wezens,' zei Hagen, 'maar tegen buitenaardse onderdrukkers en hun slaafse volgelingen.'

'In de Grote Vloed van Gibraltar kwamen bijna vijftigduizend personen om het leven,' zei Elizabeth. 'En de meesten van hen waren volkomen onschuldig.'

'We wilden enkel de buitenaardsen doden. Dat is niet hetzelfde als menselijke wezens . . .'

'Zowel de Tanu als de Firvulag zullen bijdragen aan de menselijke genetische erfenis,' antwoordde Elizabeth. 'Ik ben met enige tegenzin tot de conclusie gekomen dat restanten van beide etnische rassen op Aarde zijn blijven bestaan tot vrijwel in historische tijden. Ze hebben zich met het menselijk ras vermengd precies zoals zij dat hier in het Plioceen met de tijdreizigers hebben gedaan. Dat wordt door onze mythen en legenden en door de erfenis van ons collectieve onderbewuste bevestigd.'

'Maar dat is onmogelijk!' riep Cloud uit. 'Er zijn geen fossielen, geen enkele andere concrete aanwijzing . . .'

Elizabeth bleef onaangedaan onder de geschokte reactie van beide Remillards. Ze merkte dat ook Aiken onder de indruk was.

'Hebben jullie er enig idee van,' vroeg ze hun, 'hoe spaarzaam het fossiele bewijs is voor de toch zo goed bekende vroege menselijke rassen? Ramapithecus? Homo erectus? Voor de denkende Neanderthaler? Een pathetisch handjevol brokjes voor de eerste. Een paar verspreid gevonden schedels en botten voor de tweede. En minder dan tachtig exemplaren van de Neanderthaler mens waarvan er toch miljoenen tijdens het Plioceen moeten hebben rondgelopen.'

'Toch zou je mogen verwachten dat er tenminste één specimen van Tanu of Firvulag gevonden zou zijn,' protesteerde Hagen.

'Er zijn afwijkingen gevonden,' vertelde Elizabeth hen. 'Heel wat. En niet enkel skeletresten. De computer van koning Aiken-Lugonn bevat bewonderenswaardige verwijzingen die ik in de afgelopen maanden heb kunnen consulteren. Maar omdat die afwijkende vondsten niet in overeenstemming waren met andere, meer acceptabele gegevens, werden ze verdonkeremaand of er werden andere verklaringen aangevoerd voor het bestaan ervan om het wetenschappelijke establishment geen ongemak te bezorgen.' Ze kreeg een ondeugende uitdrukking op haar gezicht. 'Dat zou een van de meer verleidelijke motiveringen kunnen zijn om naar het Bestel terug te keren. Om als een kat tussen de paleontologische duiven rond te sluipen.'

Cloud bleef somber toen ze op het ernstiger deel van hun gesprek terugkwam. 'Maar we *zouden* gestraft worden voor het helpen van Felice.'

'De wereld die jullie willen binnengaan, verschilt sterk van die welke Marc en zijn rebellen verlieten. Er bestaat nog steeds misdaad en dus bestaat er ook nog steeds straf. Maar voor hen die werkelijk berouw hebben, bestaat de straf uit heropvoeding en dienst aan het algemeen belang.'

Broer en zus keken Elizabeth twijfelachtig aan. Aiken zei: 'Geen uitzonderingen? Geen verzachtende omstandigheden? Non compos mentis?'

'Het zou de taak zijn van de metapsychische genezers om uit te maken hoe ver ieders persoonlijke schuld reikte,' antwoordde Elizabeth.

'En zij zouden dat *weten*?' vroeg Hagen.

'Oh ja,' antwoordde de Grootmeesteres.

'Maar nadat wij ... geboet hebben,' zei Cloud, 'zullen zij ons dan aanvaarden in de Eenheid?'

'Beslist,' zei de Grootmeesteres.

'Daar gaan jullie dan, jongens!' Aiken schonk het tweetal een stralende glimlach. 'Wie zijn wonden likt, mag bij de grote mensen horen. Denken jullie nog steeds dat het dat waard is?'

Hagen deed poeslief. 'En wat vindt de Hoge Koning?'

'Wie weet wat ik ga doen?' antwoordde Aiken luchtig. 'Jullie hebben de tijdpoort nog niet gebouwd en de Schemering blijft wellicht nog uit.'

'En vader vindt misschien een manier om ons met die breinroosterende hersenversterker van hem alsnog naar de andere wereld te blazen,' zei Hagen.

Elizabeths medeleven omhelsde hen allemaal.

'Daarom ben ik vanavond met jullie komen praten. Het vermogen van Marc tot de d-sprong is nu zo uitgebreid dat hij in staat is omvangrijke hoeveelheden materie mee te nemen in een veld dat buiten de machine wordt opgewekt. Hij heeft een levende man overgebracht zonder hem schade toe te brengen en binnen niet al te lange tijd zal hij nog veel meer kunnen.'

Hagen vloekte bitter en zij hield hem met een gebiedende hand tegen.

'Jullie weten dat Marc altijd zijn liefde voor zijn kinderen heeft behouden. Hij draagt ook Aiken geen kwaad hart toe. Hij heeft mij gevraagd zijn afgevaardigde te zijn en namens hem te bemiddelen zodat we de huidige crisis vreedzaam tot een oplossing kunnen brengen. Hij wil jullie graag ontmoeten in mijn chalet op de Zwarte Piek.'

'Van zijn leven niet!' riep Hagen uit. 'We hebben het hem al eerder gezegd, hij kan ons ieder denkbaar voorstel doen, maar vanuit de verte. Ik kom niet dichter bij vader dan op een afstand van drie kilometer of ik moet een sterke sigma bij me hebben. Ik wil niet meer overreed worden.'

'Hij heeft me zijn erewoord gegeven dat hij dat niet zal proberen,' zei Elizabeth. 'En hij heeft me toegestaan hem te sonderen opdat ik wist dat hij de waarheid sprak. Bovendien, wanneer de koning ook meegaat, is diens bedwingende vermogen groot genoeg om dat van Marc te neutraliseren.'

'Dat wil ik geloven,' mompelde Hagen.

Cloud zei: 'Maar er is niet echt wat veranderd. Vader en zijn medestanders zullen nooit instemmen met een heropening van de tijdpoort.'

Elizabeth zei: 'Marc heeft me gevraagd jullie te zeggen dat hij iets volkomen nieuws met jullie wil bespreken. Hij zei – ik moet bekennen dat ik geen flauw idee heb waarop hij doelde – hij zei dat het te maken heeft met jullie vroegere vragen over jullie genetische erfenis.'

'God . . . zei hij dat?' Hagens stem klonk schor. Zijn geest verbond zich over de persoonlijke golflengte met die van zijn zuster en zowel Elizabeth als de koning voelden hoe opgewonden die uitwisseling was. Hagen en Cloud waren wanhopig bang en tegelijkertijd zeer nieuwsgierig.

'Elizabeth,' vroeg de koning, 'weet jij of Marc met die hersenversterker meer dan één metavermogen tegelijk kan gebruiken?'

'Daar kan ik antwoord op geven!' riep Hagen uit. 'Of ik dat kan! Vader heeft me grondig genoeg opgeleid in het gebruik van dat ding! Hij stond er klaar voor om mij ook in zo'n ding op te sluiten dat al helemaal gereed was toen wij uit Ocala ontsnapten . . .'

'Bewaar je kalmte!' De amper in bedwang gehouden overredingskracht van de koning hing Hagen boven het hoofd. 'Dit is belangrijk.'

Hagen kalmeerde. 'De machine kan maar één metavermogen tegelijk versterken. Wanneer Marc bijvoorbeeld een d-sprong maakt, is de machine aangesloten op zijn vermogen een ypsilonveld op te roepen. Maar toen hij tussen de sterren zocht, versterkte het zijn vérziendheid.'

'En toen jullie met z'n allen Felice hielpen bij Gibraltar,' onderbrak Aiken hem, 'versterkte het zijn scheppende vermogen?'

'Zo is het precies,' stemde Hagen in. 'Wanneer hij met de machine in fase is en de naaldelektroden witheet worden terwijl ze zich in zijn brein bevinden, heeft hij maar één enkel, van tevoren vastgesteld supermetavermogen. De andere zijn op dat moment perifeer. Ze zijn er wel, maar enkel in de orde van grootte die hij normaal op kan brengen, zonder de machine. Hij zou naar de sturende computer terug moeten gaan als hij wilde overschakelen.'

'Dan is dat in orde,' zei Aiken zichtbaar opgelucht. 'Ik was bang dat hij het ding kon gebruiken om ons in het landhuis de hersens door te branden.'

'Onmogelijk.' Een sluwe glimlach verspreidde zich over Hagens gzicht. '*Dat* zal hij pas kunnen wanneer hij in staat is de hele machine met alles wat erbij hoort te teleporteren. De machine zelf, de energievoorziening, alle bijkomende apparatuur. Samen zeker tien ton rotzooi.'

'Dan hebben we tijd,' zei Aiken. 'Ik zou zeggen, laten we zien wat Marc te vertellen heeft. Alleen tegenover zijn blote hersens durf ik de kans wel te nemen.'

'Zou jij *hem* kunnen doorbranden?' vroeg Hagen.

'Nee!' gilde Cloud.

Elizabeth zei: 'Jullie moeten me allemaal jullie woord geven dat je je vreedzaam zult gedragen en je zult moeten goedvinden dat ik jullie nu en in mijn landhuis sondeer om er zeker van te zijn dat jullie het menen.'

'Akkoord,' zei Cloud meteen.

Elizabeth keek Aiken vragend aan. Hij trok zijn wenkbrauwen spottend op alsof hij diep nadacht. 'Als ik Marcs hersens doorbrandde – even aangenomen dat ik hem man tegen man kon verslaan – dan zou ons dat heel wat potentiële ellende besparen.'

'Ik wil je erewoord,' hield Elizabeth aan, 'en een open geest.'

De knoopjesogen fonkelden ondeugend. 'Ik zou het kunnen beloven. Ik zou het zo zelf kunnen geloven dat jouw onderzoek je zou vertellen dat het waar was. En daarna van idee veranderen. Dat weet je met Mij maar nooit.'

'Oh, toch wel,' zei Elizabeth.

De kleine man haalde zijn gouden schouders op. 'Wanneer zullen we vertrekken? Morgen? Dan moet je Minanonn wel vertellen dat hij ons allemaal moet dragen. Ik heb geen zin om zo ver op eigen kracht te vliegen. Ik heb me de laatste tijd niet goed gevoeld.'

Over het Pliocene Frankrijk heen en in de Zwarte Bergen, waar de nieuwste storm nog steeds uren ver weg was, zaten Marc en Broeder Anatoly op het balkon van het landhuis onder de sterren, terwijl ze het laatste beetje van de Martell dronken en discussieerden over de theologische aspecten van schuld en onbewuste motivatie. Ze waren sterk in hun gesprek verdiept en Marc excuseerde zich maar één keer, om snel vanuit de verte de Kyllikki gade te slaan om er zeker van te zijn dat ze goed naar het noorden koerste en zo de nieuwe depressie ontliep die nu de westkust van Armorica bedreigde. Toen hij zag dat de schoener veilig was en op de koers lag die hij Walter Saastamoinen had opgegeven, keerde hij terug naar het fascinerende onderwerp van zijn eigen veroordeling. Het was pikant om advocaat van de duivel over zichzelf te spelen.

2

De koning der Firvulag en diens vazal in naam, Sugoll, reden zonder escorte naar het Veld van Goud om daar te wachten op de aankomst van Betularn en de schat die hij met zich meebracht. Het was een prachtige, zonnige dag en heet.

Naast elkaar draafden de twee witte chaliko's over de nieuwe Regenboogbrug die de Nonol overspande. De oude gammele constructie was vervangen door een mooie, buiten de dragende pijlers uitgebouwde bruggeboog die gemaakt was door de Minderen die nu in Nionel woonden. De brug droeg de kleuren van de regenboog en werd omlijst door een bewerkte bronzen reling met lamphouders en was zo breed dat twintig chaliko's er zij aan zij tegelijk overheen konden.

'Een prachtig werkstuk,' zei Sharn van harte. De Heer van de Huilers accepteerde dat compliment met zijn gebruikelijke gelijkmoedigheid waarbij hij even zijn fraaie kale hoofd boog. Sugoll droeg een kaftan van soepel vloeiend zilverkleurig materiaal over een illusoir lichaam dat evengoed menselijk als niet-menselijk zou kunnen zijn. Sharn droeg een groene rijbroek van geiteleer, kaplaarzen met hoge hakken, sporen en juwelen en een hemd met wijde mouwen van het fijnste georgettelinnen, dat tot de navel openstond om de koninklijke beharing te laten zien en tegelijkertijd voor ventilatie te zorgen.

Toen de twee heersers het midden van de overspanning bereikten, pauzeerden ze even om aandacht aan het uitzicht te schenken. Achter hen lag Nionel, een stad als een visioen van El Dorado in de trillende hitte. Beneden hen stroomde de brede rivier waarvan de rechteroever werd omzoomd door reusachtige essen, kaneelbomen die in kruidig geurende bosjes bijeenstonden, en wilgen. Voor hen lag de bloeiende steppe waar het Grote Toernooi zou worden gehouden met de tribunes, de markt en de andere gebouwen, die nu helemaal waren hersteld door de werkzame emigranten van de Huilers. Het Veld zelf was schitterend groen en bezaaid met boterbloemen.

'Het verbaast me om alles hier zo weelderig en groen te zien,' zei Sharn. 'Het land hier heeft toch heel wat minder last gehad van de stormen die in het zuiden zo hebben huisgehouden.'

'De bossen zijn inderdaad te droog,' zei Sugoll. 'Maar we hebben hier elke derde dag een regenbui opgeroepen om er zeker van te zijn dat de toernooivelden in optimale conditie zijn voor de feestelijkheden. Tegen die tijd zal de hele vlakte overdekt zijn met madeliefjes en goudkleurige zonneroosjes die het hele strijdveld zullen omgeven en ook onder de bomen groeien op de kampementplaatsen.'

'Een regenbui oproepen?' herhaalde Sharn die blijkbaar zeer verbaasd was. 'Je bedoelt, *zorgen dat het regent*?'

De mutant knikte onschuldig. 'Het is niet al te moeilijk om geschikte wolken bij elkaar te brengen wanneer iedereen zijn bewustzijn daarvoor gebruiken wil onder passend leiderschap. Of denk je daar anders over?'

'Wel . . .,' zei Sharn.

'We zouden warempel slechte gastheren zijn wanneer een uitgedroogd Veld alles was wat we tijdens dit eerste Grote Toernooi hadden aan te bieden.'

Sharn probeerde zijn verbazing te onderdrukken. 'Beste Neef, maakt jouw volk er dan een gewoonte van regelmatig hun geesten samen te voegen? Ik bedoel op die wijze die de Minderen een meta-bundeling noemen?'

Sugoll overwoog de vraag en zei toen: 'Ik neem aan dat wij het niet vaker doen dan anderen. Er is ten slotte enig overleg voor nodig. We veranderen het weer wanneer dat noodzakelijk is en natuurlijk helpen we op die manier mee bij het construeren van grote voorwerpen zoals deze brug. We hebben alle koepels van de stad op die manier gepolijst toen we net de stad voor het eerst binnentrokken. En vroeger op de Weideberg was het nogal eens nodig iets op te blazen. Maar daar waren er nooit meer dan vijftig tegelijk voor nodig en die hadden mijn leiding daarbij niet nodig.'

'Wanneer je hun geesten dirigeert, accepteren ze dan jouw lei-derschap zonder vragen te stellen?'

Sugoll keek verbaasd. 'Maar natuurlijk. Doet jouw volk niet ins-gelijks?'

Sharn zuchtte van harte. 'Neef, we moeten hier later nog eens uitgebreid over praten. Door jullie lange afzondering en afgeschei-denheid van de overige Firvulag hebben jullie onder ernstige tekortkomingen geleden. Maar de genadige Godin heeft jullie ook gezegend met een uitzonderlijke vergoeding.'

'In elk geval,' zei Sugoll bescheiden, 'heeft ze ons rijk gemaakt.'

Sharn klemde zijn tanden op elkaar. 'Dat ook. Maar ik had het eigenlijk over jullie vermogen om mentaal samen te werken. Ik moet bekennen dat mijn niet-mutante onderdanen pas onlangs hun onafhankelijke bloeddorst hebben verruild ten gunste van een gezamenlijke inspanning.'

'Jullie zijn vechters,' zei Sugoll rechtuit. 'Wij niet. We moesten samenwerken om te kunnen overleven.'

Sharn sprak gretig. 'En nu nodig ik jou uit om met de rest van ons samen te werken . . . in de meest edele onderneming in de geschie-denis van het Veelkleurig Land! Dit inspectiereisje van mij was alleen maar een excuus om hierheen te komen, met jou te praten om je te bewegen dat jij en je volk deelnemen aan dit grootse gebeuren!' Met een plotseling, dramatisch gebaar wees hij naar de rivier. 'Kijk daar! Daar komt Betularn, precies zoals ik heb gezegd. En je raadt in geen miljoen jaar wat hij mee hierheen neemt met de complimenten van de glanzende kleine kwast uit Goriah.'

De Heer van de Huilers glimlachte op een wijze die tot niets verplichtte. 'Terwijl wij wachten op de aankomst van de held, heb je misschien zin om van dichterbij naar een paar van onze renova-ties te kijken.'

Samen reden ze de brug af en over een brede met geel zand bedekte weg naar de twee enorme tribunes van bewerkte kalksteen. Deze waren gedurende de veertig afgelopen jaren van onbruik vrijwel tot ruïnes vervallen. Nu waren mutanten overal aan het werk met het herstellen van metselwerk en met schilderen. De tribunes werden opnieuw geschilderd in meerdere tinten groen, met honingkleurige pilaren en balustrades. Later zouden daar de met stro gevulde gele kussens voor de toeschouwers komen te liggen en groen met geel gestreepte zonnedaken. De centrale koninklijke loges werden gedragen door groene gekronkelde pilaren met trappen in een levendige kleur die naar zitplaatsen langs de zijlijnen voerden. Ze waren overdekt door puntige daken met gouden dakpannen en torens die door standaarden werden bekroond. Boven de loge van de Firvulag-koning was de kristallen schorpioen zichtbaar van koning Sharn, gecombineerd met de gehoornde maan van koningin Ayfa. De spits van de Tanu droeg een vergulde weergave van Aikens onbeschaamde vinger.

Herinneringen maakten het hart van de Firvulag-koning week. 'Ik was vergeten hoe mooi en solide de gebouwen waren op ons Veld van Goud. Heel wat indrukwekkender dan die flodderige paviljoens die de Tanu gewoon waren op de Witte Zilvervlakte neer te zetten. En heel wat koeler ook. Je hebt hier een verbazingwekkend werk verricht, Neef. Wat zijn die barricade-achtige bouwsels rondom het podium waar de prijzen worden uitgereikt?'

Sugoll legde het een en ander uit over de nieuwe spelen die in dit Toernooi voor het eerst zouden worden beoefend en over de veiligheidsmaatregelen die nodig waren binnen de nieuw te verwachten geest van kameraadschap.

Sharn grinnikte en liet zijn schitterend gepunte tanden zien. 'We zullen de Aartsvijand toch wel een paar rake klappen kunnen verkopen. Het steekspel en de achtervolging met hindernissen bieden grote kansen op verminkingen. En het slingerwerpen natuurlijk. Stel je voor, de Aartsvijand die dat oude spel in ere herstelt! Mijn vader vertelde me hoe het op Duat werd gespeeld, met de hoofden van tegenstanders!'

'De Tanu noemen het shinty,' zei Sugoll. 'Maar wij zullen een grote witte bal met zwarte vlekken gebruiken als vervanging voor de schedel.' Hij wierp een blik op de rivier. 'De grote held Betularn staat op het punt te arriveren. Zullen we hem tegemoet gaan?'

Ze reden langs de rand van het water waar zitplaatsen voor de bootwedstrijden nog in aanbouw waren. Langs de aanlegsteigers lagen achttien grote opblaasbare schepen, tot aan het boord vol geladen met gewapende strijders en een lading kratten. Witte Hand, opgetuigd in een compleet harnas van obsidiaan, sprong uit de voorste boot en beende naar Sharn. Hij droeg een purperkleurige met leer beslagen kist, bijna even lang als hijzelf. Hij knielde voor de Firvulag-koning die nog op zijn chaliko zat en bood de langwerpige kist aan. Zijn vizier stond open en er stroomden tranen uit zijn opgezwollen ogen.

'Uwe Vreeswekkende Hoogheid!' kraakte zijn stem, 'Soeverein Heerser van Hoogten en Diepten, Monarch van de infernale Oneindigheid, Vader van alle Firvulag en onbetwist Medeheerser over heel de Bekende Wereld, in uw handen leg ik ons Zwaard.'

Sharn sprong uit het zadel, greep de purperen kist en trok het deksel open. Het grote, diamantheldere wapen flitste in het zonlicht. De knoppen op het gevest bestonden uit verschillend gekleurde juwelen. De kabel was keurig opgerold en de meter liet zien dat het volledig was opgeladen.

'Godin!' riep Sharn uit. 'Eindelijk!' Hij tilde het fotonenwapen eerbiedig omhoog. Betularn en al de andere Firvulag die zich nog op de boten bevonden, sprongen in de houding en sloegen hun gehandschoende vuisten tegen hun hart. Sugoll steeg langzaam af, herkreeg zijn eigen voorkomen en hurkte in raadselachtige afschuw op de grond terwijl de anderen het Lied van de Firvulag aanhieven.

Toen de laatste diepe toon was weggestorven over de rivier, zei Sharn: 'Gord mij aan.'

Betularn gespte hem het harnas met juwelen om en maakte de batterij vast rondom het middel van de koning. Het gezicht van Sharn droeg een uitdrukking van verheerlijking. 'Laat je troepen rust nemen, Witte Hand, en loop mee met mij en onze mutante Neef.'

Hij stak het Zwaard weg in de riemholster en liep weg over het gele pad dat naar de tribunes voerde. De hete middaglucht die over de grote grasvlakte woei, droeg de geur met zich mee van gekruide thee.

Betularn wierp een misprijzende blik op de Heer van de Huilers. 'Je lange afwezigheid van onze Firvulag-hof heeft je vroomheid geen goed gedaan, Neef. Laten we hopen dat je trouw daar niet in gelijke mate onder geleden heeft.'

'Ik ben voor altijd de trouwe dienaar van de Godin,' mompelde de Grote Gruwel, 'en een trouw vazal van de Hoge Koning.'

'Kom, Witte Hand,' zei Sharn op vriendschappelijke toon, 'laten we geen ruzie zoeken bij zo'n historische gebeurtenis.'

'Ik ben enkel begerig jouw eer te verdedigen,' gromde de oude krijger, 'en je weet dat mijn hart jou trouw blijft tot de aarde onder ons openbreekt en de hemel instort en de Schemering volgt op de komst van het reinigende vuur.'

Ergens op het Veld van Goud kweelde een veldleeuwerik. De Firvulag-koning, de veteraan-generaal en de Prins der Monsters stapten van het gloeiend hete zandpad in de groene koelte die bezaaid was met boterbloemen.

'Dus het is waar,' zei Sugoll.

'Ja,' zei Sharn. Hij legde zijn handen op zijn rug en keek hoe zijn schoenen de kleine bloemen onder het voortgaan vertrapten. 'Maar je moet je niet al te ongerust maken over Betularns al te letterlijke uitleg van de legenden van ons ras.'

'Ik begrijp het niet,' zei de Gruwel.

'Ik evenmin!' De stem van Witte Hand klonk rauw van opwinding. 'Het is de oorlog die een einde maakt aan de wereld, of niet?'

Sharn stak geruststellend een hand op en glimlachte terwijl zijn ogen op de grond gericht bleven. Zijn vingers zochten de controles van het Zwaard.

'Laat ik het jullie beiden uitleggen, zoals het ik later het hele Kleine Volk zal uitleggen. Ayfa en ik hebben een zorgvuldige studie gemaakt van onze heilige tradities sinds we op de troon zijn gekomen. De tekens en voortekenen en al het gedoe rondom de Tegenstrever. Ons onderzoek heeft ons ervan overtuigd dat de Oorlog der Schemering niet per se een conflict hoeft te zijn van wederzijdse totale vernietiging. Er kan aan die traditionele opvatting een meer positieve uitleg worden gegeven: de geboorte van een nieuwe en betere wereld, volgend op de verwoesting van de oude. Met één enkel ras als overwinnaar. Wij, natuurlijk.'

'Wat weten jongeren als jullie van de oude Gebruiken,' riep Betularn. 'Jouw opvatting is misplaatst! Je Verschrikkelijke Overovergrootvader die bij het Scheepsgraf onsterfelijk werd, moet kokhalzen voor de Zetel van de Godin bij het horen van zoveel blasfemie. De Oorlog der Schemering betekent het einde, dat weet iedereen. Het einde van alles!'

'Dat is het niet,' hield Sharn vol, 'want, onverschillig wat wij hier doen, Duat en al haar dochterwerelden zullen het overleven en zouden dat ook hebben gedaan wanneer Tanu en Firvulag de Oorlog der Schemering op Leegtes Rand hadden uitgevochten.'

'Ketterij!' sputterde Betularn. 'Erger nog. Haarkloverij!'

'Maar het is blijkbaar jouw overtuiging, Koninklijke Neef,' zei Sugoll, 'dat wanneer de Oorlog der Schemering in het Veelkleurig Land zou plaatsvinden, daarmee het begin zou ontstaan van een Nieuwe Aarde en een Nieuwe Hemel volgens onze overleveringen. En wel in onze tijd en ruimte, niet op een hoger, meer geestelijk bestaansplan?'

'Precies,' zei Sharn. 'En wij Firvulag zullen de voorlopers en voorboden daarvan zijn. De Aartsvijand bevindt zich in een zeer verzwakte positie, verminderd in aantal en kracht. Hun koning is een vreemde overheerser, die zijn verslapte strijdcompagnieën probeert aan te vullen met Minderen die van heimwee nauwelijks kunnen wachten tot ze een kans krijgen om door de tijdpoort terug te gaan naar hun ellendige toekomstwereld. We zijn sterker dan ooit tevoren, we bezitten nu een grote voorraad hoogtechnische wapens als aanvulling op onze nieuwe metapsychische strijdtechnieken. En nu hebben we ook nog het Zwaard.'

Hij pauzeerde, trok toen het grote glazen zwaard uit de holster en hief het met beide handen omhoog. Toen sprak hij zacht: 'Voor de Aartsvijand zal de Nacht vallen, maar voor ons zal het een nieuwe dageraad zijn.'

Hij drukte de laagste knop in, waardoor energie werd toegevoerd die voor een rituele slag vereist was en verbrandde de gouden digitus impudicus boven op de koninklijke loges van de Tanu tot een wolkje gloeiend plasma.

'Godin!' schreeuwde Betularn. Zijn gezicht weerspiegelde de schok die zijn geest probeerde te verwerken. 'Ik was bereid er een eind aan te maken, mijn hoofd te buigen voor de voortekens. Maar nu . . . Sharn-Mes, mijn jongen . . . je hebt deze ouwe soldaat bijna zover dat hij de kuierlatten neemt. Ik weet waarachtig niet meer wat ik hier allemaal van denken moet.'

'Vertrouw me,' drong Sharn aan. Hij wendde zich tot Sugoll. 'En jij, Neef Huiler? Ook in de war?'

'Ik denk het niet.'

Sharn knipoogde. 'Je houdt je op de vlakte, is dat het?'

Het verschrikkelijk bepluimde hoofd maakte een licht gebaar van instemming.

Sharn schoof het sluitstuk dat de bovenste knoppen van het Zwaard afdekte, terug. 'Mag ik jullie beiden eraan herinneren dat ons heilige wapen een schitterend veelzijdig voorwerp is? Die gouden Asaleny denkt dat hij de overhand heeft in bewapening omdat hij de hand heeft weten te leggen op een vloot vliegmachines. Ons Zwaard is echter niet enkel ontworpen voor rituele gevechten, maar ook ter verdediging toen we in ons oude sterrestelsel van de ene planeet naar de andere werden verjaagd.'

Een vlucht gevlekte zwanen vloog westelijk van de rivier en Sharn glimlachte wetend en legde aan. 'Zullen we eens zien wat voor effect dit wapen in zijn hoogste stand geeft? Waarom niet, laten we dat doen.'

Hij drukte de bovenste knop in.

Er gebeurde niets.

Terwijl hij de ene onwaarschijnlijke vloek na de andere uitte, probeerde de koning ook de drie overige knoppen uit de hoogste standen. Niet één ervan werkte.

'De verraderlijke bastaard! Die leugenachtige kleine bedrieger!' Sharn duwde op de laagste knop. Een groene flits vernietigde één enkele zwaan. De rest verspreidde zich verschrikt.

'Het Zwaard is nog steeds volledig geschikt voor zijn legitieme doel,' zei Betularn ernstig, 'en de symbolische waarde ervan is niet aangetast. De Aartsvijand is bijzonder slim geweest.'

Sharn probeerde zijn woede in te houden. 'Ik neem aan dat je gelijk hebt. Maar om op zo'n manier bedrogen te worden! Het is . . . het is . . .'

'Heel typerend voor deze tijden,' zei de Heer van de Huilers op bedaarde en verdrietige toon. Hij hernam weer een menselijke vorm. 'De hitte wordt drukkend, mijn Soeverein. Zullen we terugkeren naar de vrede van Nionel?' Sugoll boog lichtjes voor Betularn. 'Natuurlijk bied ik ook u en uw troepen gastvrijheid aan, Witte Hand.'

'Mijn dank,' zei de generaal. 'Maar ik denk dat wij er beter aan doen om vooruitlopend op de spelen hier op het Veld onze tenten op te slaan. Maar ik kom graag voor de maaltijd, nadat ik ervoor heb gezorgd dat de jongens en meiden onderdak zijn.'

Sugoll knikte. 'Er zijn pas enkele gasten in de logiesruimten, maar alles is daar verder gereed voor gebruik. Tenzij u natuurlijk uw eigen uitrusting hebt meegebracht.'

'Alles wat we maar zouden kunnen nodig hebben,' antwoordde Betularn, 'en nog een klein beetje meer.'

WALTER: Hoor je me, zoon?

VEIKKO: Vader! Jeez, je klinkt hard. Jullie moeten heel dichtbij zijn.

WALTER: Minder dan 300 kilometer noordelijk van jullie daar in Goriah, in de Golf van Armorica.

VEIKKO: Hoe kan dat?

WALTER: De stormen. We gingen voor de wind.

VEIKKO: Voor de wind . . . met zulk weer in de Kyllikki? Oh, mijn God. Je moet gek geworden zijn. Of deed je soms je best om . . .

WALTER: Wat denk je?

VEIKKO: Marc heeft niets gemerkt?

WALTER: Hij was niet zo vaak aan boord en hij heeft nooit eerder met de Kyllikki gevaren. Thuis in de Rye Harbor Yacht Club heeft hij nooit iets groters onder zijn voeten gehad dan een dek van een twintig meter lange Nicholson. Mooi schip, maar geen vergelijking met de streken van een viermaster. Trouwens, ik heb het eerlijk gespeeld en hem zo goed mogelijk toegerust en gevaren. Als we ten onder waren gegaan, was het kismet geweest. En Marc was in feite nogal ingenomen met de snelheid die ik eruit wist te halen. En doordat wij in het spoor van de storm bleven, moeten alle pogingen om ons vanuit de verte gade te slaan, aardig zijn mislukt.

VEIKKO: Niemand in Goriah heeft enig idee waar jullie zijn. Hagen werd er gek van. Hij wilde dat ik jullie met mijn vérziendheid zocht. (Gegrinnik.) Op de een of andere manier kon ik niet goed richting bepalen. Toen wou hij een vliegtuig de lucht in sturen om jullie op te sporen en aan te vallen. Maar daar moest de koning niks van hebben. Er is hier trouwens iets raars aan de gang, Walter.

Vanmorgen zijn Hagen en Cloud en de koning en een of andere hoge pief van de Tanu samen met Elizabeth weggegaan. Op een lichaamsvlucht, moet je nagaan, terwijl we hier die perfecte vliegtuigen hebben staan! Niemand hier weet . . .

WALTER: Het draait om Marc.

VEIKKO: ?

WALTER: Zijn laatste beroep op jullie kinderen.

VEIKKO: Je bedoelt dat als Hagen er niet mee akkoord gaat het werk aan de tijdpoort stop te zetten, dat het dan vanaf dat moment vrij vechten is?

WALTER: Daar zal het wel op neerkomen. Je hebt natuurlijk, neem ik aan, wel in de gaten gehad dat tot nu toe Marc zo meegaand en begrijpend is geweest als hij maar kan, weigerend om jullie schade te berokkenen als dat te vermijden was. Castellane en Warshaw en de meeste andere magnaten hier waren ervoor om jullie de volle lading te geven bij de eerste gelegenheid die zich voordeed.

VEIKKO: Jij hebt ons gelijke kansen gegeven, vader. Jij en Manion. Ik heb Diane verteld wat haar vader heeft gedaan. Ze was niet verbaasd. Hagen wel.

WALTER: Dat kan ik me voorstellen, die arme donder.

VEIKKO: . . . Wat moet ik nu doen? Ik kan jou geen doelwit maken voor de koning. Vader, *dat kan ik gewoon niet*.

WALTER: Nu we zo dicht bij het vasteland zijn, zal het voor iedereen moeilijk worden om ons met metavermogens in de gaten te houden. Ragnar Gathen en Arne-Rolf Lillestrom hebben een psycho-elektronische stoorzender in elkaar gezet tijdens de reis. Primitief, maar waarschijnlijk goed genoeg om gegluur op lange afstand tegen te gaan. Heeft de koning mechanische zoekers?

VEIKKO: Een IR met een bereik van 70 kilometer. En de vliegtuigen hebben grondzoekers. Kun je niet zorgen dat je *wegkomt*?

WALTER: Maak je niet ongerust.

VEIKKO: Maar dat doe ik wel. Je weet dat best.

WALTER: Wanneer Marc van plan is om Hagen en Cloud te gaan vertellen wat ik vermoed, dan zijn al jullie problemen opgelost.

VEIKKO: ? . . !! Wat Marc ook belooft, we gaan die tijdpoort bouwen!

WALTER: Mogelijk.

VEIKKO: We waren het er allemaal over eens, vader. Nou ja, bijna allemaal. En de koning staat aan onze kant.

WALTER: Wacht toch maar af tot je zijn voorstel hebt gehoord.

VEIKKO: Walter, je kiest nou toch niet ineens voor *zijn* kant? Godnogantoe!

WALTER: Ik sta aan jouw kant, Veik. Altijd. Luister. Probeer geen contact meer met me te krijgen, *tenzij* jullie instemmen met het voorstel van Marc. Het is anders te gevaarlijk voor ons alle twee. Je bent nu bijna binnen het bereik van Castellanes vermogens en als zij aan Marc zou vertellen wat we aan het doen zijn . . . Ik kan nog steeds nuttig voor jullie zijn zolang ik blijf leven. Dood ben ik alleen bruikbaar als ik de Kyllikki met me meeneem.

VEIKKO: Maar wat moet ik . . .

WALTER: Wacht. Het kan niet lang meer duren. Vaarwel, Veikko.

VEIKKO: Vaarwel, vader.

3

Basil opende zijn ogen in een wazige schemer. Er hing overal een roodachtig licht waar subtiel iets overheen leek te kronkelen, vergelijkbaar met het ingewikkelde patroon van vertakte aderen. Hij hoorde het zachte, regelmatige sissen van een branding. Hij hoorde de onderdrukte drumbeat van een hartslag: dum-*dum* (overslag) dum-*dum* (overslag) dum-*dum* (overslag). Zijn herinnering leverde een bijpassende melodie: 'Zwei Hertzen in Drievierteltakt'. Hij dacht: Nee, dat is maar één hart in een driekwartsmaat. Het Mijne. In een kunstmatige baarmoeder. Constatne?

'Helemaal gelijk, ouwe vriend.'

Een bleke bobbel zweefde op ooghoogte. De schemer verdween abrupt toen iets dat een beetje kraakte en transparant was en aan een plastic membraan deed denken, van zijn gezicht werd getrokken. Hij zag een engel van El Greco die een gouden halsring droeg. Hij sprak ertegen. 'Nou, hallo, Creyn. Ben ik in Huid geweest?'

'Twee dagen.'

'Ik voel me heel goed,' zei Basil. Het licht werd een beetje helderder en het normale spectrum keerde terug. Hij was zich bewust van andere Tanu die in de schaduwen van het vertrek stonden. Het besneden houtwerk, de gestucte wanden en de barokke luiken voor de ramen behoorden ongetwijfeld bij het landhuis op de Zwarte Piek. 'Dus hier heeft hij mij naar toe gebracht? Dat is absoluut schitterend . . . Maar mijn benen kunnen toch nu nog niet beter zijn?'

'We zullen zien.' Creyn begon hem verder uit te pakken terwijl hij de gebruikte membranen van Huid in een rode zak stopte. Over zijn schouder zei hij: 'Heer Genezer, wil jij het micro-onderzoek doen?'

Een grotere Tanu, net als Creyn gekleed in rood-witte gewaden, kwam dichterbij. Zijn ogen met de speldepuntkleine pupillen

352

waren bleekblauw, maar er schemerden andere kleuren doorheen als van opalen. Afgezien van de diepe lijnen rond zijn mond, had hij een jeugdig gezicht. Zijn haren waren als fijngesponnen platina.

'Merkwaardig,' zei Dionket ten slotte. 'Het versnelde weefselherstelprogramma van de Tegenstrever heeft de enkel compleet doen genezen. Het kuitbeen is nog niet helemaal geregenereerd rondom de mergholte, maar lijkt weer helemaal in staat tot het verrichten van de normale functies.'

De geesten van vijf Tanu riepen het tegelijk uit: Tana zij geprezen.

En Basil voegde daar begeesterd aan toe: In saecula saeculorum!

Hij voelde hoe een soort frame dat tot nu toe zijn lichaam had ondersteund, werd weggehaald. Daarna stond hij op zijn eigen beide voeten en realiseerde zich dat hij spiernaakt was. Hij stapte van een soort verhoging af.

Creyn glimlachte tegen hem. 'Voel je je nog zwak?'

'Helemaal niet, ouwe jongen. Maar moordlustig hongerig.'

Creyn hielp hem in een wit katoenen overkleed en slippers. 'De genezers die je hebben geholpen heten Heer Dionket, eens de president van ons Gilde der Genezers, Heer Peredeyr de Eerstkomer, Meyn de Wakkere en Vrouwe Brintil.'

Basil zei: 'Ik dank jullie allemaal voor jullie ... eh ... professionele toewijding en zorgen. Ik ben meer dan verbaasd dat jullie dat zo snel hebben kunnen doen. Ik meende dat behandelingen met Huid bij verwondingen als deze veel en veel meer tijd in beslag namen.'

'Dat is gewoonlijk ook zo,' antwoordde Dionket, 'wanneer de traditionele genezingstechnieken worden gebruikt. Maar we hebben bij jou een experimentele methode toegepast – een intensieve behandeling waarbij de vermogens van vijf genezers in plaats van één werden gebruikt.'

'Mmm,' zei Basil, 'ik ben blij dat mij dat voordeel te beurt viel.'

Dionket en de drie andere genezers raakten via Basils grijze halsring even zijn bewustzijn aan ten groet en verdwenen toen. Basil zei tegen Creyn: 'Ik moet ook mijn redder danken die mij vanaf de Monte Rosa hierheen heeft gebracht. Maar ik neem aan dat Remillard niet langer hier is?'

Op Creyns gezicht was geen uitdrukking te zien. 'Hij is er. Het was zijn wijziging van het Huidprogramma dat we hebben toegepast.'

'Dan ben ik hem dubbel dank verschuldigd, of niet?' Ze liepen de ziekenkamer uit en beklommen een open trap die naar de eerste verdieping van het jachthuis leidde. 'Ik wil je wel vertellen dat het nogal een schok was om hem ineens boven op die bergtop te zien verschijnen, helemaal gepantserd als een of andere archetypische machinegod. Hemzelf heb ik helemaal niet gezien. Het idee hem zo meteen van gezicht tot gezicht te zien is tamelijk opwindend . . . de uitdager van het heelal, het metapsychische toonbeeld van volmaaktheid, die veranderde in de zwartste schurk die ons ras ooit heeft gekend.'

'Hij eet paddestoelomeletten en popcorn met Broeder Anatoly,' zei Creyn. 'En hij legt zijn voeten zowat in de haard om ze warm te krijgen op stormachtige avonden als deze. En vergeet om het deksel van het toilet naar beneden te doen.'

Basil lachte. 'Punt voor jou. Iemand als wij allemaal, uiteindelijk, is het niet?'

'Dat niet helemaal,' zei Creyn. 'Maar hij zou het willen wezen, denk ik.'

Basil stond stil boven aan de trap. Hij keek de Tanu in de ogen die tijdens de lange exodus vanuit Muriah zijn vriend was geworden. 'Er waren aanwijzingen die Bleyn de Kampioen zich liet ontvallen toen we op expeditie waren: Remillard en Elizabeth zouden geest aan geest samen hebben gewerkt. Is dat waar?'

'Ze hebben samen de baby van de vrouw die aan het hoofd van de huishouding staat genezen van het zwartringsyndroom. Meer nog dan dat, ze hebben de kleine metavermogens gegeven. Zonder halsring.'

'Goede God. En toen Remillard me hierheen bracht . . .'

'De Tegenstrever werd geïrriteerd toen wij voorstelden om jou in Huid te plaatsen. Hij had dat psychoactieve materiaal nooit zien gebruiken. Toen Heer Genezer Dionket ons gewone genezingsprogramma demonstreerde, bedacht de Tegenstrever deze nieuwe techniek, die hij beschreef als een soort kortste weg vergeleken bij de meer ingewikkelde procedure die bij de kleine was gebruikt. Elizabeth vroeg ons zijn instructies op te volgen en vertelde ons dat hij een vooraanstaand ontwerper van metabundelende programma's was geweest in het Bestel. Het resultaat was jouw versnelde genezing.'

Ze kwamen in een kleine zitkamer waar een vuur brandde. Basil zei: 'De naam die jij hem geeft: de Tegenstrever. Zou je me daar de betekenis van willen uitleggen?' Hij raakte het grijze metaal rond zijn hals aan. 'Ik ontvang vreemde mentale boventonen van jou, ouwe jongen. Hoe diep is Elizabeth al persoonlijk bij die bastaard betrokken?'

'Ik zal je alles vertellen wat ik weet, samen met de conclusies die ik daaruit heb getrokken en die ik nog aan niemand heb verteld . . . Basil, jij en ik hebben haar beiden zonder hoop liefgehad. We hebben haar twijfels gezien en haar neiging om aan de wanhoop ten prooi te vallen. Ze wist niet waar haar bestemming lag. Nu is ze bang voor deze Tegenstrever, terwijl ze tegelijkertijd onweerstaanbaar binnen zijn omloop wordt getrokken. Misschien kunnen we haar helpen.'

'In godsnaam, hoe?'

Creyn hielp hem in een stoel en trok een voetenbankje dichterbij. 'Blijf hier een poosje rusten. Ik kom direct terug met iets te eten voor je . . . en een gouden halsring.'

Zware regens sloegen tegen de openslaande glazen deuren van de grote salon van het jachthuis. De langzaam brandende eikeblokken in de grote open haard deden maar weinig om de kilte te verdrijven.

Marc zei tegen Broeder Anatoly: 'Ze zijn aangekomen.'

De schrale oude monnik kwam uit zijn stoel overeind en veegde de kruimels popcorn van zijn priesterkleed. 'Dan ga ik maar naar bed. Je zult mij bij de familiereünie niet nodig hebben. Ik denk niet dat ik je geluk kan toewensen.'

'Ik zou willen dat je bleef. Misschien kom je dan tot de overtuiging dat er voor mijn standpunt iets te zeggen valt.' Marc knielde naast het rek met de gestapelde houtblokken en zocht er een paar blokken van een steeneik uit. 'Datzelfde geldt voor de kinderen. Jullie beschikken geen van allen over alle gegevens. Als jullie die wel hebben, gaan jullie het misschien begrijpen. Cloud en Hagen hebben absoluut niet door dat zij van vitaal belang zijn voor het concept van de Mentale Mens. En datzelfde gaat ook op voor de meesten van mijn kameraden die met mij naar het Plioceen zijn gekomen. Als de kinderen nooit geboren waren, zou ik er tevreden mee zijn geweest te sterven tijdens mijn mislukte opstand en dat was dan dat geweest. Maar ze zijn *wel* geboren! Noem dat voorbestemming of synchroniciteit of wat je maar wilt. Maar nu hebben ze geen andere keus meer dan hun bestemming te vervullen.'

'Geen keus?' zei Anatoly kwaad. 'Ne kruti mne yaitsa, khui morzhoviy! Een keus is nu precies wat ze wel hebben!'

Marc voedde het vuur en glimlachte. 'God, wat sla jij een smerige taal uit, priester.'

'Ik weet het. Dat heeft me destijds in Jakoetsk al heel wat narigheid bezorgd. Gebrek aan liefde, dat is de voornaamste zonde in mijn leven . . . En het zou de jouwe kunnen zijn, jij tinkelende cymbaal van een supergrootmeester, wanneer je erop staat je kinderen te blijven behandelen als specimen in een broedexperiment.'

'Jij hebt geen idee hoe belangrijk het concept van de Mentale Mens is.'

'Misschien niet. Maar ik begrijp wel iets van menselijke waardigheid en het recht van je kinderen op een eigen vrije keuze.'

'De geboorte van een transcenderende mensheid is van groter

belang dan de rechten van twee individuen, wie het dan ook zijn! Hagen en Cloud mogen zich hiervan niet terugtrekken. Niet op dit ogenblik, nu ik eindelijk de middelen heb om het project vruchtbaar te doen zijn.'

'Zorg dan maar dat ze in jou gaan geloven,' zei Anatoly. 'Overtuig hen! Overtuig jezelf! Bewijs dat het oordeel van het Bestel over jou een vergissing was.'

De vlammen begonnen groter te worden toen de houtblokken beter gingen branden. Marc zei: 'Het menselijke ras moet zijn grote potentieel waarmaken. Daar kan niets kwaads in schuilen!'

'Zit het zo,' zei de monnik op gevaarlijk kalme toon. 'Dus ik mag niet jouw verkeerde geweten bijstellen, maar jij wilt het mijne ombuigen! En als er dan één oude zalupa konskaya jou vertelt dat het achteraf allemaal toch geen zonde was, is het dan in orde? Je moet jezelf niet tegenover mij rechtvaardigen, Marc, maar tegenover Hagen en Cloud.'

Het licht van de vlammen wierp een schaduw over de ogen van Abaddon. 'Bid maar liever dat me dat lukt, Anatoly. Want in feite heb ik enkel hun genetisch erfelijkheidsmateriaal nodig.'

Er werd op de deur geklopt.

Elizabeths geest zei: We zijn gekomen.

Marc sprong overeind en ging met zijn rug naar het vuur staan, een silhouet in een zwarte sweater met een polokraag en een zwarte corduroy broek. De dubbele deuren van de salon gingen open. Er stonden vier mensen, allemaal gekleed in de stormpakken van de Tanu waarvan de kappen nu achterover waren geworpen. Elizabeth stapte opzij. Cloud en Hagen, beiden in het wit gekleed, stonden bij elkaar. Daarachter stond de koning.

Cloud zei: 'Papa!' Marc opende zijn armen en zij rende naar hem toe. Hun geesten omhelsden elkaar en zij kuste hem en hij hield haar hoofd met de helder glanzende haren tegen zijn borst totdat haar schreien was bedaard. Toen keek ze naar hem omhoog, een smeekbede in haar ogen en maakte plaats voor Hagen.

De jongeman bleef op een afstand van zeker vier meter naast Aiken Drum staan. Hij droeg zijn handschoen nog, zijn armen hingen stijf naast zijn zijden. Hij deed alsof hij de uitnodiging van zijn zuster niet merkte en die van Marc evenmin. Hij hield zijn geest stevig gebarricadeerd.

'Ik zal aanhoren wat je te zeggen hebt, vader. Dat is alles!'

Zware regendroppels kletterden tegen de ramen.

'Willen jullie niet gaan zitten?' Marcs stem klonk zachtmoedig. 'Het zal niet lang duren.'

Er stonden drie grote sofa's gegroepeerd rondom een lage tafel. Broeder Anatoly zei: 'Kom, kom, zoon. Je bent veilig. Wie zou er op een avond als deze iemands hersens door willen branden, terwijl er popcorn is en gekruide wijn. Neem er gerust van. Ik wilde net weggaan.'

Terwijl hij Elizabeths hand in het voorbijgaan aanraakte, wilde hij naar de deur lopen.

'Blijf hier,' beval Marc.

De monnik bevroor ter plaatse, liep daarna naar een stoel in een donkerder deel van de kamer en ging zitten.

Op de tafel bij het vuur stonden de aarden kan met de dampende, gekruide wijn. De popcorn was heet en glom van de boter. Aiken, helemaal opgedoft in verguld leer, maakte voor zichzelf wat klaar en zei: 'Ik heb er niets op tegen om met jou iets te eten, Remillard. Al is het met grote heren slecht popcorn eten.' Hij liet zich vallen op de bank die het verst van de haard verwijderd was. Na enig aarzelen ging Hagen naast hem zitten. Cloud nam een zitplaats naast haar vader. Elizabeth zat in haar eentje op de meest linkse sofa.

'Ik zei dat ik jullie kinderen zou inlichten over jullie genetische erfenis,' zei Marc zonder enige inleiding. 'Jullie weten dat mijn eigen lichaam zichzelf vernieuwt. Afgezien van mijn weerspannige haar is mijn uiterlijk in de afgelopen dertig jaar nauwelijks veranderd. Ik ben een mutant, net als al de kinderen van Paul Remillard en Teresa Kendall. Het vernieuwende aspect is genetisch dominant, net als de meeste andere mutaties. Jullie beiden, zowel Cloud als Hagen, zijn in feite ook onsterfelijk.'

'Ik wist het!' Hagen sprong overeind. 'Maar die waarheid wilde je ons eerder niet vertellen, is het wel, vader? Natuurlijk niet, want dat zou je greep op ons zwakker hebben gemaakt en jijzelf zou daardoor minder zijn geworden in de ogen van de anderen. Jij moest uniek zijn! Dus hield je ons aan het lijntje en deed af en toe kleine suggesties dat we misschien wel verschrikkelijke afwijkingen bij ons droegen zoals Oom Jack . . .'

'Wat ik jullie heb verteld,' onderbrak Marc, 'en wat ik jullie niet heb verteld, was voor jullie eigen veiligheid en vrede. Jullie bezitten supravitale genen die voor zelfvernieuwing zorgen en die jullie krachtige metavermogens verklaren . . . samen met andere. Dat is de dubbelzinnige en vreemd vervlochten erfenis van de Remillards. Jullie zouden natuurlijk te zijner tijd zelf wel hebben uitgevonden dat jullie onsterfelijk waren.'

'Wat heb je te vertellen over de rest?' vroeg Cloud, onthutst. 'Was je bang dat wij de waarheid niet konden verdragen?'

'*Jij* had het wellicht verdragen,' zei Marc tegen haar. Hij keek nog steeds in het vuur. Minutenlang sprak niemand een woord. Hagen zakte weer terug op de sofa.

Ten slotte zei Elizabeth: 'Marc, je zult hun moeten vertellen waarom ze naar het Plioceen zijn gebracht.'

'Omdat jullie de ouders zijn van de Mentale Mens,' zei Marc.

Hagen en Cloud zagen eruit alsof ze in steen waren veranderd.

Toen zei Hagen: 'Je hebt de inhoud van de bibliotheek in Ocala gecensureerd en alle details uitgewist over de werkelijke motieven achter de Rebellie. We hebben enkel aanwijzingen gehad en natuurlijk het feit dat moeder zichzelf probeerde te doden om succes van jouw plan te voorkomen. In godsnaam, vader . . . wat was dat Mentale Mens-project? *En wat is het nu nog?*'

Zijn geest liet het hun zien.

Overweldigd door ongeloof zaten ze daar, al hun mentale afweerschermen omlaag.

Elizabeth zei tegen Aiken: Als je ooit waakzaam moest zijn, wees het dan nu.

Aiken zei: God Vrouw hij probeert niemand te bedwingen *zie* je dat dan niet?

Marc keek hen nog steeds niet aan. Hij had de palmen van zijn handen plat tegen de schoorsteenmantel gelegd, zijn hoofd was naar de grond gebogen. De vlammen omringden zijn silhouet met een brandende corona. Hij zei: 'Totdat dit project in mij naar boven kwam, lang voordat ik jullie moeder had ontmoet, beschouwde ik mijn eigen onsterfelijkheid als de bittere grap van een grillige evolutie. Hebben jullie er ooit over nagedacht wat fysieke onsterfelijkheid werkelijk inhoudt? De geest van een meta, geketend aan het zwakke door emoties makkelijk overweldigde menselijke lichaam! Het was eerder een vloek dan een zegen in een wereld bevolkt met angstige, kortlevende menselijke wezens en zelfingenomen buitenaardsen die het potentieel van de mens in genetisch opzicht al met de nodige argwaan bekeken. Onze hele familie had er in meer of mindere mate onder te lijden en dat heeft ons weinig goed gedaan. Toen werd Jack geboren. De rest van ons keek toe hoe bij hem die speciale dodelijke combinatie zijn gang ging. Het was verschrikkelijk en het was groots en het was *het antwoord*. Hij vertegenwoordigde het uiteindelijke einddoel van de mens: een brein zonder lichaam dat in staat was elke fysieke vorm te kiezen die het wenste. Of geen. Maar we ontdekten ook dat le bon dieu nog een andere kosmische grap had uitgehaald. De arme Jack was niet onsterfelijk. Dat geweldige brein was gedoemd om beetje bij beetje af te sterven. In minder dan tachtig jaren zou het sterven . . . Toen kreeg ik die ingeving, het idee om de Mentale Mens kunstmatig te scheppen. Sommige leden van mijn familie en sommige magnaten van het Concilie die mijn droom konden waarderen, hielpen bij de allervroegste experimenten. We gebruikten mijn zaad, omdat ik die onsterfelijke factoren het best vertegenwoordigde. Samen met vrouwelijke geslachtscellen van genetisch goed bedeelde vrouwen die bij het project betrokken waren. Het werd allemaal kunstmatig gedaan en in het geheim omdat het idee erg controversieel was gebleken. We leken te slagen. Toen begonnen de moeilijkheden: er was sabotage, ontrouw. Het debat over de morele inhoud van het concept van de Mentale Mens werd het slagveld voor de ideologieën van de angstigen en de kortzichtigen. Was het waardevol voor de Galaktische Geest wanneer de evolutie door zulke radicale middelen werd versneld? De menselijke denkers waren verdeeld. De buitenaardsen veroordeelden ons zonder uitzondering.'

'En mama,' zei Cloud.

'En Cyndia,' gaf Marc toe. 'Een huwelijk en natuurlijke kinderen hadden nooit deel uitgemaakt van mijn levensplan. Alles wat ik wilde was vader te zijn van de Mentale Mens, in vitro en in cerebro. Maar Cyndia was er ook. Een tijdlang leek ze het project zelfs gunstig gezind. Want ze dacht dat de zich ontwikkelende ongeborenen hun lichamen zouden mogen behouden . . . Ze stond erop dat we zelf kinderen zouden krijgen, ook nadat ik haar had verteld over onze familieproblemen. Ten slotte kon ik haar dat niet meer weigeren. Jullie tweeën werden geboren, schijnbaar volkomen volmaakt. Maar ik wist dat jullie nooit in staat zouden zijn een volledig potentieel te bereiken. Net zo min als ik, tenzij . . .'

'Tenzij wij werden inbegrepen bij het project voor de Mentale Mens,' zei Cloud.

'En dat was het moment waarop moeder jou probeerde te vermoorden!' schreeuwde Hagen, overeind springend. Aikens vingers sloten zich als een stalen band rond zijn polsen en hij liet zich grommend weer vallen. 'En toen moeder dat verknoeide, vermoordde jij *haar*!'

Ten slotte wendde Marc zich dan tot hem, kalm en onverstoorbaar. 'Cyndia was in eerste instantie niet van plan mij te doden. Nadat onze geheime laboratoria door die ramp werden getroffen in de vroege dagen van de Rebellie, meende ze dat het voldoende was om mij te steriliseren om een einde te maken aan de Mentale Mens en aan de oorlog. Ze bezat een kleine, sonische stoorder, een heel vernuftig ontwerp. Ze deed wat ze van plan was te doen en het scheelde maar weinig of ze had me echt gedood. Mijn geest sloeg haar neer uit zelfverdediging.'

'Jezus,' zei Aiken, 'toen had je alleen de kinderen over.'

'Oh, papa,' zei Cloud met een toonloze stem. 'Daarom heb je gezegd dat het *noodzakelijk* was om ons naar het Plioceen te brengen toen de opstand faalde. En daarom wil je ons nu ook bij je houden.'

Marc zei: 'Het Bestel zal jullie niet toestaan je daar voort te planten. Jullie bezitten beiden de kracht en de zwakte van jullie ouders. In mijn tijd waren de eugenetici van het Menselijk Staatsbestel wat vrijer en gemakkelijker met dat soort dingen. Het was voor de machtigen tamelijk eenvoudig om de bestaande beperkingen te omzeilen. Maar zelfs Jack werd clandestien geboren, zoals jullie weten. Met zijn overweldigend quotiënt aan dodelijke genen, zoals dat heette, had hij geaborteerd moeten worden.'

'En als dat was gebeurd,' zei Elizabeth, 'zou jij hebben gewonnen.'

Marc liet enkel zijn beroemde glimlach zien.

Hagens gedachten verliepen chaotisch en werden slecht verborgen gehouden. 'Maar je had in het Bestel toch in de regeneratietank kunnen herstellen of zelfs hier. God ... jij *bent* hier in de tank geweest nadat Felice je te pakken nam! En je zelfgenezende vermogen, ga me niet vertellen dat dat bezwaren maakt tegen het herstellen van doorgebrande geslachtsklieren.'

'Het lichaam maakt geen bezwaren,' zei Marc. 'De geest wel.'

Verbluft kon Hagen enkel herhalen wat hij had gehoord. 'De geest?'

Marcs vaste blik wendde zich tot Elizabeth. 'Vraag de Grootmeesteres waarom ze na haar ongeluk terugviel tot de staat van metapsychische latentheid, hoewel haar geest perfect genezen werd.'

'We genezen onszelf,' legde Elizabeth uit. 'In elk genezingsproces. Langs de gewone weg of de buitengewone, in de tank of met Huid van de Tanu en de weer herstelde lichaamscellen moeten harmonieus door de rest van het geheel worden opgenomen. Ze moeten worden geaccepteerd en aangemoedigd om weer te gaan functioneren door de subtiele genezende processen van de geest zelf.'

'En ... jij kunt dat niet?' vroeg Cloud aan haar vader.

'Nee,' zei Marc.

'Maar *waarom niet*?'

'Misschien dat Broeder Anatoly dat weet,' zei Marc luchtig. 'We hebben samen langdurig gesproken over de sluwe manier waarop het hart het verstand ondergraaft. Wat ik zou moeten doen, doe ik nu net niet! Je suis le veuf, maar zonder een ster op mijn luit. Voor mij is er enkel de afgrond ... Jullie kinderen moeten het op je nemen om de Mentale Mens te scheppen op een veilige plek zonder tussenkomst van jaloerse buitenaardsen of kortzichtige mensen. En nu is de noodzaak om tussen de sterren te zoeken niet langer aanwezig. We hoeven niet te wachten tot we worden gered. Binnen niet al te lange tijd zal ik het vermogen hebben ons allemaal met een d-sprong naar elke plek in de kosmos te brengen. Er zijn tenminste drie werelden waar technisch hoog ontwikkelde beschavingen zijn die ons project zouden kunnen adopteren. Werkelijke metavermogens zijn daar nog niet ontwikkeld en transport door de tijdruimte evenmin, maar dat hoeft allemaal geen bezwaar te zijn zodra wij de macht over zijn planeet overnemen.'

Marc liet hun een mentaal beeld zien.

'Wij?' Hagen keek zijn vader misprijzend aan. 'Dus de andere kinderen zijn op de een of andere manier nog steeds bij het project

360

inbegrepen, precies zoals je ons ook op Ocala hebt verteld?'

'Iedereen die het concept van de Mentale Mens aanvaardt, kan zich bij ons voegen. Een goede en bruikbare voorraad genenmateriaal is noodzakelijk om de meer dodelijke erfelijkheidspatronen van de Remillards op afstand te houden. Mijn oude collega's weten dat allemaal al lang. Wat ze *niet* wisten, was dat jullie de enige bronnen zijn waar de genen met het onsterfelijkheidsmateriaal nog aanwezig zijn. Ze namen aan – dat deed ik trouwens zelf ook – dat ik in staat zou zijn mijn vruchtbaarheid te herstellen. De meesten van hen denken dat ik dat inderdaad ook heb gedaan. Het leek mij getuigen van een goed soort voorzichtigheid om hen daarmee tijdens de vroege jaren van onze ballingschap niet te verontrusten. Alles was erg onzeker. Ik was uitstekend in staat voor mezelf te zorgen, maar jullie kinderen waren kwetsbaar.'

'Ik ben verbaasd,' zei Hagen scherp, 'dat je geen specimens van ons erfelijkheidsmateriaal hebt opgeslagen.'

'Dat deed ik. De Keoghs waren onze beste fysici en zij kenden de waarheid. Zij namen bij jullie een eileider en een testikel weg toen jullie nog heel klein waren. De enig andere persoon die daarvan op de hoogte was, mijn beste vriend en vertrouwensman, vernietigde die ongeveer in dezelfde tijd dat hij begon jullie geesten te vergiftigen en tegen mij op te zetten.'

'Manion!' riep Hagen uit en begon bulderend te lachen.

'Waarom wil Alex dat wij teruggaan naar het Bestel, vader?' vroeg Cloud. De lach van haar broer bestierf hem in de mond.

'Hij wil dat de Mentale Mens onderworpen wordt aan de Eenheid. Hij is een misleide ziel.'

Hagen veegde dat argument ter zijde. 'Dus je hebt ons ten slotte toch nodig. Wij zijn het kostbare ruwe materiaal voor jouw fokkerij van de Mentale Mens, is dat het?'

Marc viel hem in de rede. 'Jij en Cloud zullen de voornaamste beheerders zijn van het project. Het zal van jullie zijn. Ik zal jullie helpen de gastplaneet te onderwerpen en je overal mee helpen. Maar de verantwoordelijkheid is die van jullie. Denk er zorgvuldig over na voor je het weigert. Niets dat hiermee valt te vergelijken zal jullie in het Bestel worden aangeboden. Integendeel.'

Zijn geest liet hun een aantal alarmerende schema's zien die de twee jonge mensen met afschuw vervulde voor ze zich tot Elizabeth wendden.

Zij schudde haar hoofd. 'Ik weet het niet. De meer drastische scenario's komen zeker niet in aanmerking. Het Bestel zou nooit zo onrechtvaardig zijn. Uiteindelijk zou jullie toekomst waarschijnlijk van jezelf afhangen. De toestand van jullie geest en de manier waarop het zou reageren op Eenheid.'

'Je bedoelt dat we netjes ons medicijn moeten innemen,' zei Hagen, 'en beloven om brave, kleine neuronen te worden binnen het Galaktische Brein.'

'Zo is het helemaal niet!' protesteerde Elizabeth. 'Eenheid is liefde en vervulling en maakt een eind aan eenzaamheid. Manion had gelijk toen hij jullie vertelde dat jullie vrede zouden vinden bij je eigen soort.'

Maar Marc zei: 'Er is in het Bestel geen plaats voor personen wier norm en droom afwijkt van de standaard en zeker niet voor mensen wier mentale potentieel buiten de smalle koers komt die door de buitenaardse rassen voor de mensheid is vastgesteld. Jullie zijn Remillards. Jullie vormen een bedreiging. En tenzij jullie je onderwerpen aan de dominantie van Eenheid zou er met jullie worden afgerekend . . . zoals er met mij is afgerekend.'

'En vergeet Mij niet,' zei Aiken.

'Dat zou ik nooit doen,' zei Marc vlug. 'Elizabeth heeft me jouw geschiedenis verteld. Ondanks je grote latente metavermogens was de Magistratuur bereid om je te laten gaan. Ik heb je juist voor deze bijeenkomst uitgenodigd omdat ik in jou een bondgenoot zag, één die voor mij zou willen pleiten tegenover Hagen en Cloud zodra je de waarheid had gehoord en begrepen. Ik ben er niet bang voor dat agenten van het Bestel mij door de tijdpoort achterna kunnen komen. Waarom zouden ze die moeite nemen? Het verleden is geweest. Ze weten dat ik niet terug kan komen. Maar jij, Hoge Koning . . . Wat voor soort ontvangst zou jou te wachten staan als je terugkeerde naar het Bestel? Ben je bereid je geest te onderwerpen aan de wil van hen die binnen Eenheid jouw minderen zijn? En als je hier blijft en er komt via de tijdpoort een tweerichtingsverkeer tot stand, ben je dan klaar om bemoeizieke hervormers uit de toekomst te verwelkomen, die ondersteund worden door de macht van de Magistratuur? Jouw regering kan nauwelijks een model van verlichte democratie worden genoemd. En de derde mogelijkheid: sluiting van de tijdpoort nadat de meest gezonden het Plioceen hebben verlaten. Je zou op zijn minst de kans lopen een aanzienlijk aantal van je meest getalenteerde onderdanen te verliezen. Er zijn trouwens nog onaangenamer mogelijkheden.'

Aiken grijnsde. 'Waarbij inbegrepen de kans dat al dit geklets voor noppes is wanneer de Firvulag gelijk hebben en de Götterdämmerung op het punt staat te beginnen.'

Ineens was de kleine man in het goud op zijn voeten. Hij hield de pols van Hagen vast met zijn linkerhand en die van Cloud met zijn rechter. Alle drie bevonden ze zich ineens binnen de glanzende doorschijnendheid van een bol van psychocreatieve kracht.

Marc spande zich. Hij stapte voorwaarts, zijn ogen lichtten op van woede. Hij zei: *De beslissing over hun toekomst is niet aan jou!*

'Ik heb die tot de mijne gemaakt,' zei Aiken, niet langer glimlachend. 'Wou je er een punt van maken?'

362

Het aspect van Abaddon verdween even snel als het gekomen was. Marc schudde zijn hoofd, blijkbaar onbezorgd.

Aiken trok Hagen en Cloud mee naar de openslaande deuren waar de regen nog steeds langs stroomde. Hij zei tegen Marc: 'We zullen heel zorgvuldig nadenken over wat je hebt verteld en dan zullen we je onze beslissing laten weten. Maar niet nu. We hebben tijd nodig.'

'Je hebt twee dagen,' zei Marc koud. 'Niet langer.'

De deuren werden opengeworpen waardoor een joelende stoot met regen beladen wind naar binnen kwam. Aiken en de jonge Remillards droegen plotseling hun kappen en werden onherkenbaar, klaar om te vliegen. De koning vroeg: 'Zul je hier op de Zwarte Piek op ons antwoord wachten?'

Marc zei: 'Als ik hier niet ben, weet Elizabeth waar ze me vinden kan.' Zijn geest strekte zich uit naar zijn gemaskerde zoon en dochter. *Ik weet dat het schokkend moet zijn wat ik jullie heb verteld. Beangstigend zelfs. Maar daar zullen we te zijner tijd voor zorgdragen. Jullie zullen alles te zijner tijd gaan begrijpen. Laat Aiken je niet overdonderen of overreden. Jullie dragen een kostbaar erfgoed met je mee en een enorme verantwoordelijkheid. Laat mij jullie helpen om die te dragen en te vervullen. Keer je niet van mij af. Vergeef me mijn fouten, voor het verdriet dat ik jullie heb aangedaan. Het was bedoeld voor jullie bestwil. Ik houd van jullie beiden. Geloof me . . .*

De gouden figuur en de twee die in het wit waren gekleed, verdwenen in de storm. De deuren sloegen dicht.

Marc en Elizabeth waren Broeder Anatoly compleet vergeten. Hij werkte zich met een diepe zucht uit zijn afgezonderde stoel overeind en kwam door de plassen water op de vloer naar hen toe soppen. Aan de tafel bij de haard hield hij zichzelf onledig door drie bekers te vullen met de nog steeds dampende kruidenwijn. Hij gaf er één van aan Marc en één aan Elizabeth en stond toen even in zichzelf te mompelen. Toen zei hij: 'Jullie zullen al de hulp nodig hebben die je kunt krijgen. Neem het en drink het. Jullie weten wat het is. Voor jullie bestwil en van ieder ander.'

De ogen van Elizabeth werden groot van de schok. 'Dat kan ik niet! Wat denk je eigenlijk dat je aan het *doen* bent?'

'Natuurlijk kun je het,' zei Anatoly bedaard. 'Kijk naar hem. Ben jij zoveel erger?'

Heel voorzichtig zette Elizabeth de beker wijn terug op de tafel. 'Amerie moet niet zichzelf zijn geweest om iemand als jij te sturen,' zei ze en daarna snelde ze de kamer uit.

Marc trok geamuseerd een wenkbrauw op boven de rand van zijn beker.

Anatoly dronk de zijne en pakte daarna die van Elizabeth. 'Ik geloof dat ze erg geschokt is. Ze voelt zich vreselijk bezwaard, weet je. En ze is wanhopig. Heel moeilijk mee om te gaan. Op haar manier is ze zelfs nog trotser dan jij. En jammer genoeg blijft verdoemenis altijd een zaak van kiezen.'

'Ik kan nog steeds geen schuld bekennen.'

'Je bent een arrogante, ongelofelijk pedante bastaard, maar je onbewuste bekent *wel* en daarom ego te absolvo.' Hij dronk de wijn van Elizabeth en zette de lege beker neer. 'Maar dit nieuwe dat je van plan bent, dat is een heel andere ketel borscht. Het is verkeerd en jij weet het. Geen psychologisch geouwehoer over dat punt, Remillard. Als je deze kinderen dwingt of hen opnieuw verminkt, dan maak jij dit keer je eigen hel. En nu voorgoed.'

'Ik weet het,' zei Marc. 'En ik probeer uit te maken of het de moeite waard is.'

4

De storm omsloot hen helemaal, maar nog voor Hagen en Cloud één enkele gedachte konden uitbrengen, sprak de geest van de koning met onweerstaanbare kracht:

Slaap. Zet het nu allemaal van je af. Alle angst alle onrust alle besluiten. Nu is er enkel de duisternis en het water en de wind. De wereld slaapt onzichtbaar beneden en jullie zijn hoog en veilig en beschermd. Slaap . . .

Ze ontwaakten volkomen verfrist en zaten naast elkaar op een glazen bank in een door sterren verlichte tuin. Het zwakjes tinkelen van kleine belletjes in de bomen en de glimp die ze opvingen van een toren die in gele en violette lichten stond afgetekend, vertelde hun dat ze terug waren in Goriah op de kasteelgronden.

Hagen duwde zijn capuchon naar achteren en keek op zijn polschronometer. Het was even na enen in de ochtend. 'Mijn God, die Tanu, Minanonn, heeft er bijna vier uur over gedaan om ons naar de Zwarte Piek te vliegen. De koning heeft ons in minder dan negentig minuten teruggebracht!'

'Waarbij een omweg over Roniah was inbegrepen,' zei een diepe, buitenaardse stem uit de schaduwen.

Cloud sprong overeind, haar vérziendheid inspannend. 'Kuhal,' fluisterde ze.

De Tweede Heer der Psychokinetici stapte op het zilveren grasperk. Er stond een menselijke vrouw naast hem.

Volslagen verrast slaagde Hagen erin iets te zeggen. 'Ben jij dat, Diane?'

'De koning stuurt ons beiden,' zei de dochter van Alexis Manion. 'Hij zei – en nu citeer ik letterlijk – "Het is lang geleden sinds jullie allemaal tijd hebben gehad voor een pleziertje. Ga naar de benedenstad en geniet. Morgen kunnen jullie terugkomen naar het kasteel en dan bepraten we de zaak verder." '

'Heeft . . . heeft hij je verteld waar we zijn geweest?' vroeg Hagen.

Kuhal zei: 'Hij heeft ons alles verteld. Hij zei dat hij zijn redenen had.'

Cloud knikte en leek in zichzelf te praten. 'We mogen het niet geheim houden.'

Er kwam een windvlaag van de Handelsrotonde die het vreemde snerpen van een elektronische doedelzak met zich meevoerde. Kuhal nam Cloud terzijde. 'De koning zal zich niet hebben gerealiseerd, toen hij deze ontmoeting arrangeerde, dat jij en ik hadden besloten de nodige afstand te bewaren. Maar hij wist dat we over de afstanden heen nog wel met elkaar spraken en onze hartsproblemen met elkaar deelden. Hij zag dat we vrienden waren . . .'

'En zag dat voor liefde aan,' zei zij.

'Van mijn kant is dat altijd zo gebleven.'

Cloud stapte uit zijn fysieke nabijheid. 'En dus ben jij hierheen gebracht om mijn beslissing te beïnvloeden. En Diane moet Hagen ompraten.'

'Ik denk dat je Aiken helemaal verkeerd beoordeelt. Zijn motief is vriendelijkheid, hij wil jullie niet beïnvloeden.'

'Misschien heb je gelijk.'

Ze wandelden langs het met struiken omzoomde pad en lieten het andere paar achter bij de vijver met waterlelies. Paddestoelvormige glazen lampen verlichtten de weg naar een onopvallende poort in de tuinmuur die toegang gaf tot de groenstrook die naar de stad voerde. Cloud hield haar geest verborgen. De capuchon van haar stormpak bedekte nog steeds haar haren en het strakssluitende stormpak maakte haar toch al slanke figuur bijna sekseloos, een glinstering van wit die naast een halfgod in de barbaarse dracht van de Hoge Tafel voortliep.

'Door al de beroering van de laatste maanden,' zei hij, 'heb je steeds met mij vanuit deze tuin gesproken.'

'Vader keek naar ons,' zei ze, 'maar hij zegt dat hij niet meeluisterde.'

'Wat doet het ertoe als hij dat wel deed? De schuld over de Vloed is evenzeer de zijne als de jouwe. Misschien is hij er wijzer door geworden, net als jij.'

Cloud lachte, een verdrietig, rustig geluid. 'Vader heeft genoeg schuldgevoelens van zichzelf om de doden die door de Vloed zijn veroorzaakt onbelangrijk te doen lijken. Ik twijfel of hij over die gebeurtenis ooit wel eens nadenkt in morele zin. Wij kinderen hebben hem in een noodsituatie om hulp gevraagd en hij heeft daarin toegestemd. Maar het misdrijf bleef op onze rekening.'

'Je hebt spijt,' zei Kuhal.

'De meesten van ons,' gaf ze toe. 'Nu wel. Nu we tot de ontdekking zijn gekomen dat jullie echte wezens zijn in plaats van lastige abstracties die ons eigen grote plan in de weg stonden. Ja, we hebben spijt . . . maar berouw is niet genoeg, of wel? Steriel broeden over de verkeerde daden die we hebben begaan, *helpt* niet echt. Niet wanneer het verkeerde zo schrikwekkend was.'

Zijn geest strekte zich vol mededogen naar haar uit, maar liep vast op haar mentale afweerscherm.

Ze zei: 'Toen we vanaf de Zwarte Piek terugvlogen, heb ik telepathisch geruime tijd met Minanonn de Ketter gesproken en hem gevraagd hoe hij vrede had gevonden nadat hij zich de belachelijkheid van de strijdreligie had gerealiseerd. Hij vertelde me dat een verandering vanuit het hart niet echt voldoende compensatie was voor een grote zonde. Die moet verzoend worden door een of andere daad van berouw, anders kan de geest zich niet ontdoen van het schuldgevoel. Als we dat mechanisme proberen te ontkennen, dan zoekt de ziel haar eigen straf, zoals vader dat heeft geprobeerd. In zijn geval, waar er sprake is van de bewuste verwerping van berouw, zal er nooit waarachtige vrede zijn . . . Hagen en ik en de anderen verwerpen het idee niet dat we het op een of andere wijze moeten goedmaken. Maar we weten niet *hoe* we dat tegenover jouw volk moeten doen.'

'Je vader heeft jullie een mogelijkheid geboden die in aanmerking komt,' zei Kuhal. 'De Mentale Mens zou een kracht kunnen zijn die wijsheid en liefde in dit stelsel brengt.'

Haar gesloten geest ging deels even open en liet een ironische gedachte ontglippen. 'Dat zou kunnen . . . op voorwaarde dat Vader en Hagen geen deel uitmaken van dat ontwerp. Ik ken mijn vader beter dan wie ook. Hij zegt dat Hagen en ik de beheerders zouden zijn, maar dat zou hij nooit toestaan. Niet zolang hij in leven is. En als mijn broer hem doodde – wat hij onvermijdelijk een keer zou doen – dan zou de Mentale Mens het merkteken van Kaïn blijven dragen, net als de rest van de mensheid.'

'En de mijne,' zei Kuhal.

Haar geest liet een glimlach zien. 'Je begrijpt het.'

'We begrijpen elkaar, Cloud. En ik denk dat je hier enkel over praat om jezelf moed in te spreken, want je weet heel goed wat je moet doen, welke beslissing je moet nemen om vervolgens je broer te overtuigen hetzelfde standpunt te gaan delen.'

'Hagen zal verschrikkelijk bang worden, Kuhal. Thuis op Ocala, toen Alexis Manion voor het eerst tegen ons begon te praten over Eenheid als een alternatief voor vaders plan, was Hagen bijna verlamd bij het idee van verzet alleen al. Hij vreesde vader en wilde niets liever dan ontsnappen, maar de gedachte aan een confrontatie met zoiets als een Galaktische Geest uit het Bestel – waarvan hij dan deel zou moeten uitmaken – joeg hem nog meer angst aan. Wij Remillards zijn erg op onszelf gericht en bewaken onze individualiteit jaloers.'

'Alsof ik dat niet wist!' Zijn smachtende verlangen probeerde haar te bereiken. De behoefte. 'Liefde houdt inderdaad voor een deel de overgave in van de soevereiniteit van het hart. Maar het is geen onderwerping, Cloud. Niet bij waarachtige liefde. En ook niet in die Eenheid waar we allemaal deel van kunnen uitmaken zoals Elizabeths geest het laat zien. Jouw vaders verwerping van Eenheid maakt deel uit van iets groters, zijn verwerping van liefde ten gunste van macht.'

'Je vergist je! Papa houdt van ons! En hij hield van mama tot in het onmogelijke. Hij is bezeten van zorg over het welzijn van het menselijke ras.'

'In abstracte zin misschien. Maar de ongeordende, bloeddorstige waarheid van werkelijke mensen is te veel voor hem.'

Ze weigerde om daarop te reageren.

Kuhal zei: 'Ik begrijp heel goed waarom jouw vader de Engel van de Afgrond werd genoemd. De Godin leidt en onderwijst haar kinderen, probeert ze tot volwassenheid te brengen en heeft verdriet over hun botheid. Maar Abaddon wilde zijn nakomelingen tot perfectie dwingen.'

Clouds geest glimlachte. 'Jullie Tanu weten niet hoe gelukkig jullie zijn dat jullie de godheid als godin beschouwen. Moeders zijn veel meer geneigd hun kinderen in hun eigen tempo te laten opgroeien.'

Ze kwamen bij de tuinpoort. De lichten van de stad twinkelden aan de overzijde van het open grasland en ze konden de geluiden van de menigte horen. Het geluid van de muziek was nu sterker en de doedelzakken jankten een of ander steeds herhaald thema.

'Denk je dat je veel moeite zult hebben om Hagen te overtuigen?' vroeg Kuhal.

'De meesten van de anderen staan aan mijn kant, met Nial Keogh als principiële uitzondering, want dat is een kwaadaardige kleine machtswellusteling. Sommigen van hen, zoals Diane Manion, zijn gewoon te timide om naar het Bestel te gaan. Ze aanvaarden liever de duivel die ze kennen dan het onbekende. Maar ik denk dat het me wel zal lukken om het voor elkaar te krijgen. Je gaat me toch helpen, of niet? Dank zij jouw advies ben ik er heel aardig in geslaagd om de rommel een beetje recht te breien na die stomme aanval op het leven van de koning in de ijzergieterij. Ik ben er zeker van dat je ook suggesties hebt hoe we het beste met deze situatie kunnen omgaan.'

'Politiek,' zei hij raadselachtig. 'Waarom zou ik dat spel niet kennen? Ik ben er ten slotte al meer dan vierhonderd jaar mee bezig.'

Ze keek eerst verbaasd, begon toen te lachen. 'Ja. Dat heb je inderdaad. Jullie Tanu leven zo lang. Hoe lang wel, Kuhal?'

'Er wordt gezegd dat we maar zelden drie volledige millennia halen, dat komt door de risico's van onze strijdgewoonten en het tekort aan goede Huidgenezers. Ik heb het erg getroffen dat jij mijn genezeres bent geweest.'

'Je begon toen al van me te houden,' zei ze beschuldigend. 'Daarom verliep je genezing ook zo goed. Dat zegt Boduragol tenminste.'

'Het was wederzijds.'

'Dat was het niet! We hebben alleen maar een mentale affiniteit. We staan elkaar heel na, maar dat is niet hetzelfde als liefde.'

'Het is een begin,' stelde hij voor.

'Je zult altijd mijn beste vriend zijn. Maar . . .'

'Je wilt niet dat ik samen met jou door de tijdpoort ga? Zou mijn aanwezigheid jou in verlegenheid brengen? Dan zal ik hier blijven.'

'Nee!' schreeuwde ze. Voor de eerste keer liet ze haar mentale afweer zakken. 'Ik houd niet echt van je – maar wat zou ik zonder je moeten beginnen?'

Zijn geest reageerde met een vormloze kreet, menselijk in zijn vreugde en voortgekomen uit wanhoop. Hij greep haar beide handen en ze voelde de elektrische warmte van zijn levenskracht door haar samengeklemde vingers stromen waardoor ieder zenuweind van haar lichaam in lichterlaaie werd gezet. Nu verenigd binnen één enkele aura stonden de statig geklede figuur en de kleine in het wit geklede in een duistere hoek van de tuin, omringd door roze licht. Het duurde maar een ogenblik. Toen wandelden ze hand in hand door de poort.

'Maar het zou alles oplossen, lieveling. Zie je dat dan niet?' Diane Manion was wanhopig gretig. 'Op deze manier zouden we niet bang hoeven te zijn door het Bestel als misdadigers behandeld te worden, we zouden geen angst hoeven hebben voor straf of de mogelijkheid dat we kunstmatig mentaal worden ingeperkt, gewoon om wie we zijn . . . Je zegt dat Marc tegen je gelogen heeft. Maar alleen over onbelangrijke dingen! Het echt belangrijke – dat wij kinderen allemaal deel zouden hebben aan de scheppen van een groots nieuw ras van metapsychici – dat was waar! Dat heeft Marc altijd beweerd. Dat hebben we ook geleerd van Falemoana en dr. Curtis en Trudi toen we nog kleine kinderen waren. Maar nu ligt je vaders droom niet meer zo ver weg in de toekomst en is ook niet langer afhankelijk van een of ander altruïstisch ras dat ons van deze godverlaten planeet komt halen. We kunnen weggaan en met het werk beginnen! Jij en ik kunnen een leger van superjonkies maken, Hagen. Helemaal van onszelf! Ik zou op anderen echt niet jaloers zijn. Ik bedoel, het zijn toch allemaal reageerbuiskinderen met kunstmatige voeding en zo, net als de ongeborenen in de kolonies van het Bestel. Dus waarom zou ik jaloers zijn. Ik zou trots zijn! Lieveling, *jij* bent de sleutel tot dit hele glorieuze idee – niet Cloud! Als het waar is wat je zegt, dan heeft je zuster maar één eierstok. Met misschien maar een honderdduizend geslachtscellen, vooropgesteld dat die allemaal vruchtbaar zouden zijn wat niet erg waarschijnlijk is. Maar jij . . .'

'Gelukkige ik.' Hagen lachte zachtjes. 'Ik ben een man. Ik zou er miljoenen en nog eens miljoenen kunnen verwekken. Met sperma op de bank en een beetje huidweefselcultures, zou de Mentale Mens eeuwigheden kunnen bloeien, zelfs als ik zou sterven. Door een ongeluk.'

Hij stond aan de rand van de tuinvijver en keek niet naar haar. De bij nacht bloeiende waterlelies geurden naar ananas. Diane was zich bijna volstrekt onbewust van zijn stemming, zo zwaar was zijn afweerscherm. Hij had simpelweg het verslag bevestigd dat Aiken aan Diane had gegeven over hun ontmoeting met Marc en daarna om haar reactie gevraagd. Nu had hij die.

'Toch is het niet hetzelfde als kinderen van onszelf,' protesteerde ze.

'En hoe zou jij je voelen wanneer de tijd is aangebroken om de lichamen van de kinderen weg te nemen?'

'Lichamen . . . wegnemen?'

Hagen draaide zich snel rond, greep haar bij de armen en kneep stevig door de lichte stof van haar Tanu-japon heen. 'Dat hoort erbij, jij kleine gek! Niet alleen voor de kunstmatig verwekte kinderen, maar voor allemaal! Ze moeten lichaamloos worden, net als mijn heilige Oom Jack. Daardoor worden ze gedwongen hun volledige mentale potentieel te gaan gebruiken. Naakte breinen die psychocreatieve vermommingen scheppen om hun onmenselijkheid te verbergen. Maar ze zullen beter worden dan Jack, dat moet ik Marc toegeven! Ze zullen onsterfelijk zijn en ze zullen zichzelf kunnen aansluiten op hersenversterkers wanneer ze dat maar willen zonder in de weg te worden gezet door zulke onhandige aanhangsels als armen en benen, of een hart en darmen. Breinen zonder gezicht! Zonder lippen om te kussen of handen om elkaar aan te raken. Keurige, efficiënte hersens met naaldelektroden erin en witgloeiend van de grootse gedachten! Waar zullen ze over denken, Diane? Zullen ze dromen? Zullen ze dingen tegenkomen die hen aan het lachen maken? Zullen ze elkander liefhebben? Zullen ze ons liefhebben en dankbaar zijn omdat wij hen op die manier hebben geschapen? Zullen ze dat, Diane?'

Zijn geest ging open en liet haar een duister ding zien dat ruwweg menselijk van vorm was, in zichzelf besloten, gewapend tegen de wereld, gescheiden van het overbodige lichaam, waarvan de ultrazintuigen de sterren doorzochten op zoek naar een geest gelijk aan zichzelf, zonder er ooit één te vinden. Dan dus maar besloten om die zelf te maken. *Huil niet zo, Hagen. Ik ben het maar, je papa. Wees maar niet bang . . .*

Hagen zei: 'Hij heeft voor mij zo'n tweede machine klaar staan op de Kyllikki.'

Diane schreeuwde.

Toen legde hij zijn armen om haar heen en hield haar tegen zijn borst. De witte antilopehuid van het stormpak was zacht, warm door het zachte vlees daarbinnen en geurde zwakjes naar een mengsel van was, loog en menselijk zweet. Het gezicht dat op haar neerkeek, zag er vertrokken uit, nat van de tranen. Het was aan een scheerbeurt toe, de kaak trilde van spanning en droeg nog altijd aan de linkerkant een litteken, het stigma van de vissehaak. Een gezicht dat op dat van Marc leek.

'Hij zal ons nooit laten gaan,' fluisterde Diane angstig.

'Met Aiken Drum aan onze kant kunnen we hem verdomd goed partij geven als hij probeert te krijgen wat hij hebben wil,' zei Hagen. 'En als de oude wolf te dicht bij de vluchtende slede in de buurt komt, dan kan ik Marc nog altijd de andere testikel aanbieden. Dan zou hij zijn Mentale Mens hebben en wij zouden voor altijd van hem verlost zijn.'

Ze barstte in tranen uit en daarna begon ze met hem te lachen en toen werd het lachen gesmoord in kussen. Hij zei 'Kom mee, baby,' en bracht haar naar de zelfs niet door sterren verlichte schaduw van een peperboompje. Nadat zij hadden gepaard, lagen ze op hun zij, de gezichten naar elkaar toegewend, lichamen strak tegen elkaar. De bodem was vochtig en niet al te zacht en een kille bries streek over de vijver, maar ze bleven bijeen en deelden adem en warmte.

'Ik wilde dat we vanavond de Mentale Mens hadden kunnen maken,' zei hij. 'Die verdomde implantatie.'

'Ik zal Becky Kramer vragen om het morgen weg te halen.'

'Het kind zal in het Bestel geboren worden,' zei Hagen, 'of anders vliegen we gewoon weg. Met ons drieën. Goed?'

'Ja.'

Ze hielden elkaar nog steviger vast, de mentale beelden dreven van het ene bewustzijn naar het andere. Angsten. Elizabeths geruststellingen. Gevaren. De kans dat het Guderian-project mislukte. Alexis Manions volgehouden verzekeringen tijdens de laatste winter op Ocala dat zij enkel vervulling zouden kunnen vinden in Eenheid . . . net als hun kind.

'En het zou onsterfelijk zijn, net als jij,' fluisterde ze met trillende stem.

'Zelfverjongend,' corrigeerde Hagen haar. 'En voor het geval je bang bent dat je je lieftallige jeugdige charmes verliest, wil ik je

370

eraan herinneren dat sommigen van de tijdreizigers in ons laboratorium zich in de tanks van het Bestel wel vier keer hebben laten vernieuwen en ze zouden daar waarschijnlijk tot in het oneindige mee door hebben kunnen gaan als ze niet zo gehunkerd hadden naar het primitieve leven hier in het Plioceen.'

Diane giechelde. 'Kun je je de consternatie voorstellen onder al die keurige thuisblijvers van het Bestel wanneer wij door de tijdpoort opduiken en hun vertellen dat we de kleinzoon van de Mentale Mens in embryo bij ons hebben?'

Hagen maakte een onfatsoenlijk geluid. 'Dat zal de *eerste* schok zijn. Als dit allemaal goed gaat, mogen we van geluk spreken wanneer de hele bevolking van hier niet met ons meekomt. Cloud en haar sprookjesprins zijn daar maar een deel van.'

Diane was een tijdlang stil. 'Hagen . . . ze zal toch niet achterblijven, of wel? Ze zegt dat ze niet van Kuhal houdt. Ze zal toch niet in de verleiding komen zichzelf voor de rest van ons op te offeren?'

'Voor vader, bedoel je? Houd jezelf niet voor de gek! In de eerste plaats had je helemaal gelijk toen je opmerkte dat in dit spel rondom de Mentale Mens het mannelijke exemplaar van de soort grote voordelen heeft boven het vrouwelijke. Vader wil mij. Waarom denk je dat hij Cloud met Elaby en de anderen naar Europa liet gaan terwijl hij mij in Ocola vasthield? Ik moet *zijn* plaats innemen.'

'Cloud heeft de genen,' hield Diane vol. 'Marc kan haar gebruiken.'

'Zij wil Eenheid meer dan wie van ons! Cloud en Elaby waren de eersten die zich door Manion lieten overtuigen dat opstand tegen vader de beste mogelijkheden bood.'

'Maar Elaby is dood, Hagen. En Cloud zegt dat ze nooit meer van iemand wil gaan houden en het risico lopen andermaal gekwetst te worden . . .'

'Mijn lieve rationele zusje zou liefde nog niet herkennen al werd ze erdoor in haar enkel gebeten. Het doet er niet toe wat ze zegt, zij en Kuhal zullen ons volgen, net als de anderen. En als jij denkt dat onze nakomeling het Bestel zal doen gapen van verbazing, denk dan maar eens wat een kruising tussen een Remillard en een Tanu zal veroorzaken!'

'Wij Manions hebben anders ook verborgen wonderen. Zal ik je er es eentje laten zien?'

Er volgde nogal wat gelach en gegiechel. Al te snel verbleekten de sterren en verdwenen achter opkomende bewolking. Terwijl de eerste druppels regen van de volgende bui op hen neervielen, hielpen ze elkaar zich aan te kleden en kusten elkander nog eens. Toen schiep Hagen een kleine, beschermende paraplu en daaronder wandelden ze terug naar het Glazen Kasteel, zich voornemend hun beslissing aan de koning mee te delen.

371

Maar Aiken was niet thuis.

En er was niets terug te vinden van het laboratorium voor het Guderian-project, al het personeel, de reusachtige sigmagenerator en de eenentwintig vliegtuigen die op de kasteelgronden hadden gestaan.

Daar was de pijn van de overzetting en toen hing hij in het grijze niets, niet gedurende een subjectieve seconde zoals tijdens zijn vroegere d-sprongen, maar voor een martelende vijftien minuten, want ditmaal was hij bij wijze van experiment bezig om drie ton aan logge massa te transporteren, samen met zijn gebruikelijke pantsering. Hij verduurde het terwijl het weerstrevende weefsel van de ruimte zich naar zijn bevelen welfde tot de opeenvolgende tijdruimteketting zich opende: een niet-bestaande lijn door een niet-bestaand gebied veroorzaakt door een niet-bestaande kracht.

Gevangen gehouden binnen de gekoelde en onder hoge druk staande hersenmachine, was zijn overbelaste brein verstoken van alle normale en metazintuiglijk toegevoerde impulsen. De hyperruimte was vormloos en leeg. Hij was zich volledig bewust van zichzelf binnen zijn matrix, het was alsof hij een tijdruimtesprong maakte in een sterreschip. Maar daar hield de vergelijking op. Wanneer hij zich op een schip had bevonden, had hij kunnen gaan slapen, of eten of lezen. Hij had lichaamsoefeningen kunnen doen of zich kunnen amuseren met de afleidingen die in allerlei soorten mogelijk waren, erop vertrouwend dat bemanning en schip hem meer dan veertienduizend lichtjaren van interstellaire ruimte zouden laten overbruggen.

In plaats daarvan was hij zelf het schip.

Hij bezat geen kunstmatig geleidingssysteem, geen gecomputeriseerde richtingzoekers waar alle kapiteins van sterreschepen over beschikten. Geen machines die door kernfusie energie leverden. De machinerie waarmee zijn brein was toegerust hielp hem enkel bij het doorboren van de tijdruimteplooien. Hij kon de hyperruimte binnengaan door middel van een ypsilonveld dat de toegangspoort vormde; maar eenmaal binnen dat grijze niets was er enkel het mentale programma dat richting en snelheid kon verzorgen. Het was een wonderbaarlijk programma, ten koste van veel verworven en het gebruik ervan was niet weggelegd voor weekhartigen. Terwijl hij zich leek voort te bewegen langs een onzichtbare kabel tussen twee werelden, waagde de d-springer het niet zijn concentratie ook maar een ogenblik te laten verslappen. Zijn aandacht mocht nooit afdwalen van zijn doel, zelfs niet door de minste zwervende inval. Het doel was leven. Als zijn geest daar voor het miljoenste deel van een seconde afstand van deed, was hij verloren.

Hij bleef al die eindeloze en angstaanjagende minuten vasthouden en kende enkel zijn doel. Het was een ster: G3-1668 in zijn

catalogus, een zon waarvoor hij nooit de moeite had genomen haar
een naam te geven toen hij die zeven jaren geleden met zijn metavermogen had gezien en toen weer had verworpen omdat de mensen daar nog geen metapsychische ontwikkeling kenden en dus
onbruikbaar waren voor zijn doel. Nu echter leek dit, van de drie
sterrenstelsels die een potentiële wieg voor de Mentale Mens zouden kunnen zijn, de meest veelbelovende. Dus noemde hij die zon
Doel en liet zijn geest aan niets anders denken dan dat om te kunnen vergeten welke gebeurtenissen zich nu terug op de Aarde moesten afspelen . . .

Na verloop van tijd bereikte hij een zeker einde. Zijn brein lichtte op en deed een zwaar beroep op de reserves van de kunstmatig
versterkte cortex om meer energie naar binnen te kunnen zuigen.
Hij spon het ypsilonveld, wierp de drie ton ballast erdoorheen en
volgde daarna zelf. Hij ervoer een verschrikkelijke marteling en
liet een gekwelde kosmische schreeuw horen. Maar toen hing hij in
de ruimte en overzag het stelsel met het oog van zijn geest.

Een gele ster verlichtte de helft van een wit omwentelde blauwe
knikker. Het was de vierde planeet van het stelsel van Doel, het
tehuis van een inheems ras. Urenlang bestudeerde hij het met zijn
vérziendheid, dankbaar voor de afwezigheid van pijn. Daarna
wenste hij zichzelf en zijn lading naar het oppervlak. Dit keer vol-
trok de d-sprong zich in minder dan een oogwenk en veroorzaakte
minder pijn dan een loskomend ooghaartje. De geteleporteerde
rotsblokken waarvoor hij zijn leven had gewaagd, lagen op een
onordelijke hoop. Sommige ervan waren nog steeds bedekt met
bevroren modder uit de mondingswateren van de Seine.

Marc vergat ze. Hij kwam uit zijn pantser naar buiten, maakte
zichzelf onzichtbaar en bewoog zich meer dan twee dagen onder
het nietsvermoedende buitenaardse ras.

Zij waren tweebenig, ongeveer menselijk van vorm en waarschijnlijk geëvolueerd via reptielachtigen. Ze waren intelligent en
vreedzaam en bezaten een geboortecijfer dat waarschijnlijk te laag
was om hen ooit in staat te stellen het 'magische aantal' van tienduizend miljoen levende geesten te bereiken, dat het normale
minimum mocht worden genoemd voor het ontstaan van een
gemeenschappelijke geest. De planeet bezat een ontwikkelde technische economie die de wezens bedrijvig en gezond hield. De bio-
medische ontwikkeling was er ver genoeg ontwikkeld om een
kweekprogramma voor de Mentale Mens te kunnen ondersteunen.
Het was bovendien een aantrekkelijke wereld met een ecologie die
passend was voor de mens en even goed als een kolonistenplaneet
uit het Bestel. De mensen werkten er hard en leken waardig. Ze
bezaten een psychosociale index die suggereerde dat ze zich snel
zouden aanpassen onder een vorm van verlicht despotisme.

Het was een wereld, dacht hij, die heel goed bruikbaar was. Hier zou onder zijn auspiciën de Mentale Mens kunnen uitbotten en bloeien om zijn stralende macht van ster naar ster uit te breiden in de eeuwigheden die kwamen: de allesbeheersende en onsterfelijke Geest.

Maar na zes miljoen jaar zou er geen spoor van Hem over zijn gebleven. Hij kon niet bidden om de uitkomst die hij wenste. Die bestond niet en zou ook niet bestaan. En hij vroeg zich af: kan ik het toch door *wil* bewerkstelligen?

Na twee dagen observatie in het sterrenstelsel van Doel, depressief tot in de diepten van zijn wezen, maakte Marc een d-sprong, terug naar de Kyllikki. Hij sprak vanuit de verte met Elizabeth op haar Zwarte Piek en zei:

Vertel het me.

Zij zei: De kinderen hebben me hun antwoord gegeven en vroegen me dit aan jou door te geven.

Heel goed.

(*Beeld: Dochter en zoon staan aan de voet van een stenen kasteel op een heuvel regen valt overdadig gras een pad omzoomd met witte stenen een vlak oppervlak van rots met het Vierkant.*)

Hagen: Dit is kasteel Doortocht, vader. We staan op de plaats van de tijdpoort die van het Bestel naar het Plioceen voerde. De poort waar we allemaal doorheen zijn gekomen. We hebben over je voorstel nagedacht. Wij beiden. We hebben ook met alle andere kinderen gesproken en overleg gepleegd met de koning, maar de beslissing is ten slotte de onze. We hebben besloten om terug te gaan naar het Bestel. Terug naar de wereld waar we geboren werden, terug naar gelijken in de geest die ons kunnen helpen vrede te vinden. Dat zou ons bij jou nooit geworden. De Mentale Mens kan nooit een gelukkig wezen zijn in jouw concept. Tenzij iedere geest een heilige was als Oom Jack. En heiligen komen niet zoveel voor, vader! Jij bent het niet en Cloud en ik zijn het evenmin. We zullen heel wat hulp van onze vrienden nodig hebben om ons leven tot een succes te maken en datzelfde geldt voor onze kinderen. Dat gaat de echte Mentale Mens worden, vader: onze kinderen. Ze zullen mensen worden als hun ouders, met een geest én een lichaam. Geen engelen. Hun eigen onsterfelijkheid zal hen angst aanjagen, zoals het dat jou en ons doet. Maar ze zullen verbonden zijn met miljarden andere geesten die liefde en steun en goede raad aanbieden. Wij denken dat dat voldoende is.

Cloud: We kunnen jouw weg niet gaan, vader. Jouw visie is niet zuiver. Diep in je hart denk ik dat je dat zelf wel weet. Er zijn zoveel gelegenheden geweest waarbij je ons had kunnen tegenhouden ons aan jou had kunnen onderwerpen ons zelfs had kunnen doden en toch de genen nemen. Maar dat heb je niet gedaan. Probeer uit te vinden waarom niet, misschien kun je je er dan bij neerleggen en ons laten gaan. Kijk ver terug in je verleden, vader! Leer begrijpen waarom je de Mentale Mens deze menselijke vorm hebt willen geven en probeer jezelf en je kinderen daarmee in overeenstemming te brengen. Ik denk dat wij het waarom daarvan beginnen te begrijpen. Te zijner tijd zullen wij in staat zijn je te vergeven en jij moet hetzelfde doen tegenover ons. We zullen zo goed mogelijk jouw droom behoeden en ervoor zorgen dat het groot wordt binnen de Eenheid waar het thuis hoort. Dat is voor alles en iedereen het beste. Vertrouw ons, vader . . .

(Beeld: Zoon en dochter maken gebaar wandelen pad omhoog regen valt op laag stenen kasteel dubbele poorten gaan open glimp van een binnenplein mensen machines wapens ZILVEREN HEMISFEER KOMT FLITSEND TOT VORM omhult het hele kasteel de kleine gouden man verschijnt.)

Aiken: Ik heb het hele Guderian-project van Goriah naar kasteel Doortocht overgebracht. Een van mijn trouwe onderdanen heeft het grote SR-35-sigmaveld met generator verbonden aan een stel SR-15's die ik zelf nog ergens had liggen en nu zijn Cloud en Hagen veilig binnen dat sigmaveld, samen met al de anderen. Het psycho-energetische equivalent van die gezamenlijke schermen ligt boven de 900. Jij hebt niet genoeg vermogen om daar doorheen te breken, zelfs niet wanneer je je creativiteit tot het uiterste drijft met de hersenversterker en je oude kameraden daar in een metabundeling aan toevoegt. Er is geen wapen in het Plioceen dat deze zilveren bol kon doorboren, Marc. Zelfs mijn fotonen-Speer niet. Zelfs Felice zou er niet doorheen komen! En de enige die de luchtsluis ervan kan activeren ben ik . . . Je staat schaakmat, Marc. Je kinderen hebben me verteld dat ze liever sterven dan jouw zin te doen. Ik heb ze onder mijn bescherming genomen. Ze zullen het Guderian-ontwerp afmaken en vervolgens door de tijdpoort naar het Bestel gaan. Zo nodig vanuit deze sigmaparaplu in het kasteel zelf. Het ontwerp zal hier ook werken. Vraag het Alexis Manion als je mij niet gelooft . . . Ik wil niet met jou strijden, Marc. Ik wil deze ellende vreedzaam oplossen als dat mogelijk is en me vervolgens met andere dringende zaken bezighouden. Maar als jij erop staat het Guderian-project aan te vallen, wees er dan zeker van dat ik het zal verdedigen en datzelfde geldt voor al de geesten die in een metabundeling met mij samenwerken. Duizenden van hen passen nu heel fraai in het programma dat jij mij destijds bij de Río Genil zelf hebt onderwezen . . . Ik weet dat de schoener met jouw hersenversterker en de enerige-voorziening zich ergens in de Golf van Armorica of in de delta van de Seine bevindt. Je hebt het schip gecamoufleerd met een of ander apparaat dat de vérziendheid stoort. Maar als je me probeert te bevechten, zal ik de Kyllikki hoe dan ook vinden en ik zal haar vernietigen en ik zal jou vernietigen . . . Maar zou dat niet een smakeloze manier zijn om er een eind aan te maken? Zou het niet heel wat meer in jouw stijl zijn – en de mijne –

om de Wapenstilstand te laten heersen? Zeil de Kyllikki recht-streeks de Seine op naar het Veld van Goud, een witte vlag in top en alle mentale schermen omhoog. Jij en je rebellen zijn hiermee als mijn gasten uitgenodigd om het Grote Toernooi bij te wonen! Geniet van de spelen, kus je kinderen vaarwel en zeil dan terug naar Florida . . . Denk erover na, Marc. Je hebt heel wat om over na te denken. (*Vervagend beeld.*)

Elizabeth zei: Dat is de hele boodschap. Aiken heeft je de waar-heid verteld over kasteel Doortocht. Hij heeft het hele Guderian-project verhuisd op één enkele avond. Hij heeft zijn kracht her-wonnen en die van Nodonn en Mercy binnen de zijne geïntegreerd. Daag hem niet uit, Marc. Je zou volkomen zinloos het Veelkleurig Land verwoesten. Geef toe. Alsjeblieft!'

Marc zei: Zij hebben hun beslissing genomen. Nu moet ik de mijne maken. Dat kan enige tijd duren.

De telepathische stem uit de verte stierf weg en alles wat er in de ether overbleef waren echo's van ver verwijderde blikseminslagen en de zwakke geluiden van een mentale ruis.

Elizabeth zond een vérziende straal zo scherp mogelijk gebun-deld over de golflengte van Marcs communicatiespoor. Maar aan het einde daarvan vond ze enkel door wind beroerd water waar een grote rivier de zee ontmoette en een nacht zonder sterren.

Op de achtersteven van de Kyllikki tilden Jordan Kramer en Gerrit van Wijk de zware helm van Marcs hoofd en hielpen hem daarna uit zijn pantser. Ook de andere magnaten die het hadden overleefd, stonden daar te wachten: Cordelia Warshaw en Ragnar Gathen en Jeff Steinbrenner en Patricia Castellane. In een hoek op een krukje, met vreemd heldere ogen ondanks de verdoving, zat Alexis Manion. Ze wachtten.

Marc zei: 'De kinderen hebben mijn aanbod verworpen. Zoals jullie nu weten is de Mentale Mens zonder hen niet mogelijk. Cloud en Hagen en de anderen bevinden zich op de plaats van de tijdpoort bij de rivier de Rhône. Aiken Drum heeft het hele Gude-rian-project daarheen verhuisd en beschermt het met een sigma-veld van de negenhonderdste grootte. Mijn zoon en dochter heb-ben me verteld dat ze de dood verkiezen boven samenwerking met mij in het doen ontstaan van de Mentale Mens. Zij willen dat Hij ondergeschikt wordt aan het Bestel.'

Alexis Manion glimlachte.

'Je kunt hun genen gebruiken!' riep Patricia.

'Ik weet niet of ik dat kan.' Hij stond daar nog in zijn zwarte drukpak dat nog nadroop van de vloeistof uit de hersenversterker, terwijl een klein beetje bloed uit de wondjes over zijn wenkbrau-wen en wangen druppelde waar de elektroden hadden gezeten. 'Op dit ogenblik kan ik geen enkele manier bedenken om door hun verdediging heen te breken. Ik ben er zelfs niet van overtuigd dat ik dat moet proberen.' De ene kant van zijn gezicht kwam behoedzaam omhoog. 'Ik voel mij zelf op een gevaarlijke wijze tot deugdzaamheid verleid.'

'Maar als jij het opgeeft, betekent dat het einde!' schreeuwde Patricia.

Alexis Manion zei heel duidelijk:

Mon front est rouge encore du baiser de la reine.
J'ai rêvé dans la grotte où nage la sirène . . .

Marc knikte instemmend. 'En de sirene zingt nog altijd en toont me haar beloften en ik ben verslaafd aan de kussen van de vampierkoningin.'

Patricia zei: 'Je bent uitgeput. Je zou eerst moeten slapen. Later kun je overwegen wat er nu moet worden gedaan.'

De andere magnaten voegden daar hun gemurmel van halve gedachten aan toe. Allemaal scholen ze weg achter geduchte mentale schermen.

Marc zei tegen Ragnar Gathen: 'We zullen de rivier opvaren. Ik heb begrepen dat die over een paar honderd kilometer bevaarbaar is. Hoe gedraagt de zonne-aandrijving zich?'

'Heel goed,' zei de vroegere sterrevlootstrateeg.

'Laat Walter dan een gemiddelde kruissnelheid invoeren. We hebben geen haast. Handhaaf de camouflage en zorg ervoor dat die dicht genoeg is om verkenning vanuit de lucht en vérziendheid te misleiden.'

'We zijn veilig genoeg,' zei Gathen, 'tenzij iemand van de mensen van de koning ons letterlijk vanaf een oever zou waarnemen.'

'We moeten er zeker van zijn dat niemand de kans krijgt onze positie te verraden,' zei Patricia, terwijl ze een blik op Manion wierp.

'Ik reken op jou om daarvoor te zorgen,' zei Marc.

Cordelia Warshaw vroeg: 'Heb je nog andere opdrachten voor ons?'

'Ontspan je,' vertelde Marc hun allemaal en zijn beroemde glimlach verdrong tijdelijk de wanhoop die uit zijn ogen sprak. 'Ik ben zelf van plan te gaan vissen.'

5

Gedurende die Wapenstilstand die aan de Schemering voorafging, leek het alsof iedereen in het Veelkleurig Land reizende was.

De Tanu waren altijd in groten getale naar de spelen gekomen, maar dit najaar had de koning een buitengewone proclamatie uitgevaardigd die ieder mens opdroeg het Grote Toernooi bij te wonen, ook zij die gewoonlijk anders thuis bleven om te zorgen voor de huizen en de steden, de fabrieken en de velden. Dus kwamen ze allemaal om van hun vakantie te genieten, mensen met gouden en zilveren en grijze halsringen en zelfs de allerminste blootnekken kwamen. De steden, met als uitzondering de hoofdstad en Roniah dat de gasten herbergde, waren vrijwel verlaten op de trouwe rama's na. De uitnodiging van de koning strekte zich ook uit tot de mensen die zichzelf buiten de wet hadden gesteld en dus kwamen ook die in kleine aantallen te voorschijn uit de Spaanse wildernissen, de hoge Alpen en de Jura. Het koninklijk woord bereikte zelfs de moerassen van Bordeaux en het Parijse Bekken en de door geesten bezochte wouden van Albion. Niet alleen aangetrokken door het vooruitzicht van feest en vrij eten en drinken, maar ook door nieuwsgierigheid over de beweegredenen achter de koninklijke oproep, trokken meer dan 45 000 menselijke wezens in de richting van Nionel en het Veld van Goud. Zij vertegenwoordigden vrijwel de gehele menselijke bevolking in het Pliocene Europa. Ongeveer 1500 van hen droegen goud en beschikten over aanzienlijke metavermogens. Ongeveer twee keer dat aantal droeg eveneens goud, maar beschikte niet over mentale vermogens van enige omvang. Verder waren er 4200 dragers van zilver, ongeveer 8500 grijzen en bijna 20 000 blootnekken die dienst onder de Tanu destijds vrijwillig hadden geaccepteerd. De Minderen telden er 8000, maar meer dan de helft van hen woonde al in Nionel.

Tadanori Kawai behoorde tot de weinigen die de proclamatie van de koning vernamen en vervolgens beleefd bedankten. Hij wilde zijn afnemende krachten liever sparen en er was nog heel wat werk te verzetten in Verborgen Bron voor het regenseizoen kwam.

Stein Oleson hoorde ook van de proclamatie en negeerde die. Zijn Viking-intuïtie vertelde hem wat de Fimbulvetr had voorspeld en hij wist dat het Veld van Goud geen plek was voor hem en zijn gezin.

Huldah Henning, ver weg op het eiland Kersic, hoorde helemaal niets over de koninklijke aankondiging en ze zou die uitnodiging trouwens toch niet hebben aanvaard. Ze was in haar achtste maand en de zoon van Nodonn de Strijdmeester die het zaad van drie rassen in zich droeg, ging woest in haar buik tekeer.

Tegenover zijn onderdanen die metavermogens bezaten, was de boodschap van koning Aiken-Lugonn heel wat soberder: Woon het Toernooi bij, sta klaar om in metabundeling mee te werken, anders riskeren we overheersing van ons land door de Aartsvijand.

De reactie was er één van overweldigende trouw. Iedere drager van goud in het koninkrijk die zich niet in Huid bevond of op de drempel van Tana's Vrede, reisde gehoorzaam af naar Nionel: ongeveer 2400 volbloed Tanu en iets minder dan 5000 halfbloeden. Samen met de mensen die goud en zilver droegen, stonden er op die manier iets meer dan 13 000 geesten de koning ten dienste voor het geval de Oorlog der Schemering mocht uitbreken.

De Huilers niet meegerekend, waren er meer dan 80 000 Firvulag.

Het was op een dag in het midden van oktober, toen de jaarmarkt van Roniah zich op haar hoogtepunt bevond en de lucht trilde in een hitte van vijfendertig graden en donderwolken zich samenpakten boven de stromende flanken van de vulkaan Mont Doré, dat de angstaanjagende verschijning zich voordeed.

Reizigers op de Grote Zuidweg bogen hun nekken naar achteren en stonden stil, omhoogstarend in de verblindende namiddaglucht. Hun geesten en stemmen lieten kreten van verrassing horen, van verbaasde herkenning of van paniek. Dat hing ervan af wie de toeschouwer was, Tanu, een mens of een Firvulag. Chaliko's en helladen en de bonte verzameling hipparions en half tamme antilopen waarop het Kleine Volk reed of die door hen werden voortgedreven, raakten door paniek bevangen zodra ze het ding in het oog kregen. De wegen, al de jaarmarktgronden en de aangrenzende kampementen veranderden in een tumultueuze wirwar van schreeuwende beesten, lachende mensen, verwonderde Tanu en wild geworden Firvulag.

Op het eerste gezicht zag het eruit als een donkere, drijvende vis. Het had stompe vinnen en een naaldachtige neus en het leek met sinistere doelbewustheid door de van hitte zware lucht te zwemmen, terwijl het groter en groter werd naarmate het dichter bij de aarde kwam. Snoeren van purper vuur omhulden het als een zwak gloeiend netwerk. (En onthulde zo aan de vroegere inwoners van het Bestel dat het niets anders kon zijn dan een vliegend voorwerp met een rho-veld, maar dan een machine van hoogst onorthodoxe vormgeving.) Een dodelijk geschrokken dwerg schoot een vuurstoot psycho-energie af op het ding dat boven hem in de lucht hing en zijn soortgenoten vervielen tot luid geweeklaag, vrezend voor repressailles.

Maar alles wat er gebeurde was, dat er iets in de buik van het ding openging. Het leek alsof het duizenden en nog eens duizenden felgeel gekleurde eieren begon te leggen die zich over de menigte verspreidden alsof een vrouwelijke zalm haar eieren over het water liet stromen. De vliegende machine gleed van de ene plek naar de andere, overal zijn overvloed lossend en toen ging er een heel ander soort geschreeuw onder de menigte op toen het duidelijk werd dat het zaad van deze hemelvis enkel uit ballonnen bestond. En elk daarvan, wanneer hij werd doorgeprikt, bleek snoepgoed te bevatten of koel fruit of gebak of met likeur gevulde suikereieren. (Een paar van de Tanu fluisterden 'Mercy-Rosmar!' want zij herinnerden zich haar vriendelijk en zachtzinnig vertoon van scheppingskracht tijdens de laatste Grote Veldslag.)

Het onderwerp van al die zintuiglijke aandacht richtte toen de gepunte snuit op de horizon en bleef zo midden in de lucht doodstil hangen, niet meer dan honderdvijftig meter boven de jaarmarktgronden. Het zag er gargantuesk uit, als een dikke speer met stabilisatievinnen en onder die violette flikkering die het omgaf was het zelf blijkbaar zwart. Uit het open buikluik kwam nu een vloed van ballonnen als luisterrijke vruchten. Ze leken een eigen leven te hebben, want ze dansten en sprongen en scheerden in en door de lucht als gek geworden protozoën.

De vliegmachine begon nu de ballonnen neer te schieten. Een blauwwitte speer van licht priemde uit de neus te voorschijn terwijl groene en rode en gele stralen onder wel een dozijn verschillende hoeken uit de vinnen te voorschijn spoten. Er klonken heftige knallende ontploffingen. De mensen schreeuwden. Wolkjes veelkleurige rook losten op en lieten parfumgeuren achter en een regenbui van confetti.

Het donkere ding boven hun hoofd begon te veranderen. De stompe vinnen vergrootten zich tot vleugels en het hing nu zo schuin dat alle toeschouwers een stralend gouden embleem aan de onderkant konden zien, de hand van koning Aiken-Lugonn.

Toen veranderde ook dat embleem. De onbeschaamde vinger maakte plaats voor een hand die helemaal open was en met de palm naar voren gericht, de vinger gestrekt in het waardige gebaar dat de meeste mensen herkenden als de groet tussen de burgers met metavermogens uit het Bestel.

Het vliegtuig begon vervolgens snel te rijzen en er klonk applaus van de onderdanen van de koning en verspreidde mentale uitroepen van 'Slonshal!' Toen werd iedereen weer stil, want het schip dat versierd was met het embleem van de gouden hand nam zijn plaats in aan de spits van een V-formatie van andere, identieke toestellen die uit het zuiden kwamen aanglijden op een hoogte van meerdere duizenden meters. Het waren er bij elkaar zevenentwintig, klein afstekend tegen de hemel als een vlucht wilde ganzen. Ze bleven langer dan vijf minuten voor de menigte rondom Roniah zichtbaar, verloren toen hun inertie en verdwenen na een donderende sonische klap.

Dougal, op de zitplaats van de co-piloot, ontsnapte een verbijsterde zucht. 'Ik had dit voor onmogelijk gehouden, ware daar niet de waarachtige en getrouwe waarneming van mijn eigen ogen . . . Hoe voor de duivel zijt ge tot zulk een capriool in staat geweest, mijn Heer?'

Aiken lachte. 'Scheppingskracht, m'n jongen, een behendigheidje van de geest. Een illusie hier, een stukje echte manifestatie elders, een angstaanjagende machine van kerametaal die maar al te echt is en dan een voorbeeldje van koninklijke scherpschieterskunst om hen te verbazen bij de finale.'

'Buitengewoon aardig,' zei Mister Betsy met een nuffig gezicht. Hij zat in de bestuurderscabine van het vluchtdek en was voor deze gelegenheid gekleed in een mauvekleurig vliegpak, helemaal bezet met gouden ritssluitingen, een opbollende rode pruik en een discreet kleine diadeem met gepolijste amethisten.

'Ik zie het liever als vertoon van kracht,' zei de koning, over zijn schouder grijnzend naar de Koninklijke Vluchtinstructeur.

Betsy zei: 'De achttien rekruten die nu hebben gevlogen hebben te veel gewaagd door zo recht en laag te komen overvliegen in formatie en jij weet dat ook. We zullen er goed aan doen ze voor het Toernooi nog een minimum aan vaardigheden bij te brengen . . . dan praat ik nog maar niet eens over de techniek van luchtgevechten.'

'Ik heb het volste vertrouwen in je,' zei de koning. 'Kijk eens hoe goed je Mij hebt onderwezen!' Hij pikte de communicatiemicrofoon op en zei tegen zijn squadron: 'Dank u zeer, dames en heren. Onze luchtshow was een groot succes. Laten we hopen dat het onze vrienden weer moed heeft gegeven en dat het de Aartsvijand de strijdlust in de schoenen heeft doen zakken. Jullie kunnen nu terug naar de basis in Goriah en neem de rest van de dag vrijaf.'

Mister Betsy stelde de buitenaardse radar in om te zien hoe ze vertrokken. Hij zuchtte. Wat een wanhopig slechte aftocht. Het zijn die verdomde vleugels. Alleen een *heel decadente* technologie zou vleugels zetten aan een rhomachine.'

'Maar aldus uitgerust,' zei Dougal, 'zijn ze heel wat afschrikwekkender voor het ongelovig oog . . . en die vleugels zijn bovendien een verrekt goeie plek om wat secundair schiettuig op te monteren.'

Mister Betsy snoof verachtelijk. 'Kanonnen, mijn lieve halvegare, zijn alleen maar bruikbaar als je ook competente schutters hebt. Mag ik je eraan herinneren dat alleen Stan en Taffy Evans de juiste opleiding hebben, terwijl de andere zes Bastaard-piloten en ik als het op vechten aankomt even onervaren zijn als de rekruten? Ik twijfel eraan of iemand van ons in staat zou zijn om de berg Mont

Doré te raken en Wang wordt al hysterisch als ze zelfs maar aan een vuurgevecht denkt.'

'Wanneer de clans van de Firvulag zich tussen haar en de tijdpoort plaatsen,' zei Aiken droogjes, 'krijgt ze misschien wat meer pit in haar ruggegraat.' Hij speelde met de controles en de hemel buiten de vliegmachine veranderde van kobaltblauw in sterbespikkeld zwart. 'Maar er is nog hoop voor jullie slomerikken. Yosh Watanabe is bezig wat robotdoelzoekers voor onze wapens in elkaar te flansen. Zolang de spoken geen Vliegende Jacht op touw zetten, moet dat een eind maken aan onze grootste zorgen als het gaat om richten vanuit de lucht naar de grond.'

'Dat zou waar zijn,' zei Betsy, 'als we krachtvelden hadden die *niet* bij elk salvo moesten worden geneutraliseerd!'

'Het spijt me,' zei de koning slecht op z'n gemak. 'We hebben alleen nog maar kleine sigma's over. De wapens die we beschikbaar hebben, zijn jammer genoeg niet aangepast. Je moet het veld afzetten voor je kunt vuren. Ik probeer een manier van metapsychische bescherming te bedenken, dan zouden er op elk schip een paar dappere jongens moeten zitten met een flink scheppend vermogen. Maar als er oorlog komt, ben ik bang dat ik ieder krachtig metavermogen nodig heb om in mijn metabundeling op te nemen. Bij een algemene aanval zal het Vliegende Korps zich waarschijnlijk moeten redden met conventionele wapens en afweerschermen.'

'Blaas, O wind! Kom maar, Wrake!' declameerde Dougal. 'We zullen tenminste in het harnas sterven!'

'Waarom houd je je waffel niet, anachronistische lummel!' siste Betsy. Toen leek hij pas voor het eerst op te merken dat ze zich hoog in de ionosfeer bevonden. De hele uitgestrektheid van de Noordelijke Vlakten strekte zich beneden hen uit als een bruin met gele kaart in laagreliëf, geaderd met donkergroene waterlopen. 'Waar neem je ons mee naar toe?' vroeg hij de koning kribbig. 'Ik ben helemaal niet in de stemming voor uitstapjes.'

'Dit is geen uitstapje,' mompelde de koning. 'Nu ik deze vogel enigszins aanvaardbaar kan vliegen, leek het me goed om eens voorzichtig een kijkje te nemen bij de Seine. Het is nu vier dagen geleden sinds Marc het slechte nieuws van Elizabeth hoorde en hij heeft nog geen kik gegeven. Dus is het tijd voor een beetje luchtverkenning.'

'God is dood!' snauwde de incarnatie van de Goede Koningin Bessie. 'Wat doen we als de bruut ons probeert omlaag te halen?'

'We bevinden ons buiten bereik van de nummer 414-kanonnen. En Hagen zegt dat ze op de Kyllikki niks zwaarders hebben nu de X-lasers zijn uitgeschakeld.'

'Remillard zou met een d-sprong aan boord kunnen komen.'

'Hij weet niet dat we hier zijn. We zijn te hoog om met het blote oog gezien te worden en hij heeft geen enkele reden om zijn vérziendheid hierheen te richten. Dus schei nou uit met dat gemompel, man, en zet de grondradar aan. Zoek de rivier maar af en begin bij de monding.'

Grommend deed Betsy wat hem opgedragen werd.

De koning ontspande zich in zijn stoel en keek peinzend naar de sterren. Na een tijdje zei hij tegen Dougal: 'Ik heb er de pest aan om het toe te geven, maar ik heb geen flauw idee meer wat Marc Remillards volgende stap zal zijn. Ik verwachtte geloof ik niet echt dat hij mijn uitnodiging voor het Toernooi zou aannemen. Het ligt nauwelijks voor de hand dat hij zijn plannen ineens zal vergeten waar hij zoveel jaren mee bezig is geweest, enkel omdat de kinderen hem nu in de steek laten. Elizabeth verwachtte dat hij pas op de langere duur zou toegeven. Maar ik heb met mijn eigen ogen gezien dat die vent echt van zijn kinderen houdt.'

'Liefde is geen liefde,' mompelde Dougal, 'wanneer het gemengd is met overwegingen die boven al het andere uitsteken. Dat zou jij moeten weten.'

'Ik houd van vijanden bij wie ik weet waar ik aan toe ben,' klaagde Aiken. 'Sharn en Ayfa! Nodonn! Zelfs Gomnol, die verdommeling. Maar Marc is een heel andere kluif. Zo verdomd charmant . . .'

'Sommigen glimlachen en glimlachen, maar blijven schurken.'

De koning leek tegen zichzelf te spreken. 'Ik kan me niet door Remillard laten uitputten. Ik moet doorgaan met mijn koninklijke verplichtingen, ook als dat zou inhouden dat hij op me afkomt op een moment dat ik er het minst op verdacht ben. Maar als ik nu uit kon vinden waar hij zich verborgen houdt . . .' Hij riep naar Betsy. 'Iets gevonden?'

'Negatief,' gromde de nagemaakte Elizabeth.

'De wil van een koning,' zei Dougal, 'is niet die van hemzelf. Hij mag niet, zoals mindere personen dat kunnen, zijn eigen voorkeuren volgen, want van zijn keus hangen veiligheid en welzijn van de hele staat af. Daarom, mijn Heer, wees bloeddorstig, doortastend en resoluut! Wees trots, heb de moed van een leeuw en sla geen acht op hen die sarren en schreeuwen of wie er ook maar samenzweren. Want als het waar is, dat het laatste oordeel nabij is, dan laat ons allen sterven, vrolijk en welgemoed.'

Hij plaatste zijn beide handen op het embleem van de gekroonde leeuw op zijn ridderkleed.

Aiken staarde naar de gouden afbeelding. 'Misschien had ik de leeuw als embleem moeten kiezen in plaats van de hand.' Zijn wenkbrauwen gingen omhoog. 'Dougie, dat heb ik eerder gezien. Thuis, op Dalradia, toen ik nog een jeugdige delinquent was die de vrede en gemoedsrust van de andere schapen verstoorde. Wat betekent dat leeuwe-embleem?'

'Dat is Aslan natuurlijk,' zei de gek. 'Het is een oud embleem,

383

ook onder onze Schotse verwanten. Het draagt als motto *'S Rioghal Mo Dhream* – Koninklijk Is Mijn Afstamming. Het is het teken van de Gregor Clan.'

Aiken haalde diep adem. 'En dat is de naam van jouw familie?'

'Nee, ik ben een geboren Fletcher, in de zevende graad aan de clan verwant. Maar hem die ik zoek is een MacGregor zonder het zelf te weten. Een vader is hij, en toch zelf vaderloos.' De gekke ridder glimlachte tegen de koning.

Aiken zonk achterover in de pilotenstoel en begon te lachen. 'Eerst geboren en vervolgens geworteld! Kostelijk!' Hij maakte een zak in zijn pak open, haalde er een witte zakdoek uit en veegde zijn gezicht af. 'Dank je wel, Dougie, dat had ik even nodig.'

De middeleeuwer zei zachtjes: 'Mijn Heer, kies elke vrolijkheid die u bemint. De nacht duurt lang die nooit een ochtend vindt.'

'Als je jezelf weer een beetje in bedwang hebt,' kwam Betsy's zure interruptie ertussen, 'wil je misschien de moeite nemen om hier even naar te kijken. Majesteit! Ik heb de hele rivier vanaf de Golf van Armorica afgezocht tot aan de plek waar hij samenkomt met de Nonol, net onder Nionel. Het enige voorwerp dat in de verte enigszins eigenaardig lijkt, dat ik met dit barbaarse zoekding kan oppikken, bevindt zich zo'n honderd kilometer landinwaarts.'

De koning keek gefronst naar het beeld. 'Stel de vergroting in. Nee, dat maakt het alleen maar waziger. Kijk es hoe dat verdomde ding tekeergaat en als een hobbelpaard over de rivier komt.'

'Ik zei toch dat het vreemd was,' zei Betsy. 'Het zou door een of ander onduidelijk gravomagnetisch effect kunnen worden veroorzaakt of er is iets mis met het circuit dat de beelden vormt. Ten slotte is dit arme kreng meer dan duizend jaar oud. Aan de andere kant . . .'

'Je krijgt nergens anders zoiets spookachtigs op de rivier te zien?'

'Nee. We zouden kunnen zakken natuurlijk of het met een detector of met vérziendheid proberen?'

'Ik denk niet dat we dat moeten riskeren,' zei de koning. 'Als dat de Kyllikki is, dan merken ze de kieteling misschien.'

'Het beste deel van moed is behoedzaamheid,' citeerde Dougal.

'En over een uur heb ik een bijeenkomst van de Hoge Tafel in kasteel Doortocht,' voegde Aiken eraan toe. 'Als Marc zich wil blijven verstoppen, laat hem dan voor het moment maar zijn gang gaan.'

Er waren nog andere reizigers op het vasteland behalve zij die zich naar het toernooi op het Veld van Goud haastten en Mary-Dedra, gastvrouwe en hoofd van de huishouding op het jachthuis op de Zwarte Piek, kwam Elizabeth inlichten over de laatste groep aangekomenen.

'Nog eens zes na de lunch. Te voet, zonder voorraden en ze hebben hun escorte teruggestuurd voor ze aan het laatste deel van de klim begonnen. Bij elkaar zijn het er nu tweeëntwintig. Negen mensen, de rest Tanu.'

'Maar er is niets wat we voor hen kunnen doen,' riep Elizabeth uit. 'Heb je hun dat niet verteld?'

'Ze wensen geen nee als antwoord te accepteren.'

'Oh hemeltje. Ik neem aan dat ik hen zelf zal moeten spreken.' Elizabeth drukte een paar vingers tegen haar kloppende slapen en probeerde zo een zelfgenezende impuls op te roepen. Maar ze was te lang en te intensief op grote afstand met haar metavermogens in de weer geweest om te ontdekken waar Marc en de schoener verborgen zouden kunnen zijn en de vermoeidheid en een perverse mentale blokkade verhinderden de genezing. Over de persoonlijke golflengte verstuurde ze een oproep om hulp aan Creyn en zei toen tegen Dedra: 'Je kunt hen maar beter allemaal hierheen brengen – *zonder* de kinderen – en dan zal ik proberen alles zo vriendelijk mogelijk uit te leggen.'

De menselijke vérvoelende knikte en verliet de suite. Elizabeth zat in een stoel bij een van de grote ramen dat openstond om de koele bries uit het noorden binnen te laten. De heide was aan haar tweede bloei begonnen en verhelderde de stoffige groene helling met vegen karmijn en delicaat roze. Broeder Anatoly rommelde beneden in de keuken en hemelsblauwe duiven koerden onder de dakspanten van het grote huis.

Creyn deed de deur achter zich dicht. Ze stuurde hem een woordloos verzoek en hij beende naar haar stoel en spreidde zijn handen boven haar hoofd. Het bonzen in haar slapen hield op.

'Dankjewel.' Ze deed haar ogen dicht. De handen daalden af tot ze op haar haren lagen terwijl hij achter haar stond.

'Heb je iets gevonden?' vroeg hij.

'Geen spoor. Marc moet een of ander kunstmatig scherm gebruiken. Geen sigma, dat zou als baken direct herkenbaar zijn, maar iets absorptiefs dat mijn mentale straal in zich opneemt in plaats van hem te weerkaatsen. Ik heb vroeger in het Bestel maar weinig met dit soort dingen te maken gehad, dus ik ken geen tegenprogrammering. Het meeste van mijn vérvoelende en vérziende vermogen werd communicatief gebruikt, spreken met andere leraren en het uitwisselen van informatie binnen het Menselijk Staatsbestel. Vérvoelenden die op iemand joegen bewogen zich op een heel ander niveau.' Ze werd er zich van bewust dat ze maar wat voor zich heen praatte en zweeg daarom. Nadat een paar ogenblikken waren voorbijgegaan, zei ze: 'Misschien heeft Marc ten slotte toch het onverwachte gedaan. Weggegaan naar een andere planeet,

385

de anderen met zich meegenomen.'

'Dat betwijfel ik. Zijn levensdoel is hem ontnomen – of dat zal zo zijn wanneer hij de weigering van zijn kinderen gaat aanvaarden. Hij zal zich niet tevreden voelen voor hij heeft ontdekt waaruit het nieuwe werk bestaat dat de plaats van de oude droom moet innemen. Ik zou het hem hebben verteld – ik zou hem zelfs het lenigende programma hebben gegeven waardoor dat werk mogelijk zou worden. Maar ik was dom en probeerde met hem te onderhandelen.'

Elizabeth was afgeleid en had daardoor geen flauw idee waar hij over sprak. Op de hoffelijke wijze van alle metapsychici opende hij zijn geest voor haar op een dieper niveau en gaf een herhaling van zijn laatste ontmoeting met Marc. Het verzoek. De weigering.

Verbijstering verhinderde Elizabeth hem te begrijpen. 'Een *nieuw* werk voor Marc?'

Creyn knikte. 'De Godin is zo goed geweest mij het inzicht te schenken. Maar het was verkeerd van me om het niet aan hem door te geven zonder iets terug te vragen. Mijn enige excuus was dat ik wanhopig was.'

'Jij wilde dat Marc het genezende programma dat we voor Brendan hebben gebruikt op jouw geest zou toepassen?' Haar stem klonk ongelovig. 'Maar dat zou nooit werken! Jij bent helemaal volwassen, beladen met de gewoontepatronen van jaren, van eeuwen! Oh, mijn beste, het spijt me. Je dacht . . . maar zelfs als iets dergelijks mogelijk was, zou er daardoor nooit iets tussen ons veranderen.'

'Dat weet ik nu.' Hij glimlachte geruststellend. 'Nog een inzicht dat Tana mij schonk en dat maar langzaam doordrong. En ik had toen nog niet jouw eigen rol in dat werk goed doorzien en zag weinig heil in de betekenis van die onvermijdelijke dualiteit. Opnieuw verduisterden mijn emoties mijn denkvermogen.'

Ze fronste. 'Je praat in raadsels, Creyn. Wat voor werk?'

Hij liet het haar zien.

'Mijn God!' riep ze uit. 'Ben je gek geworden?' Afschuw en angst stroomden uit haar geest voor ze krakend haar afweerschermen op hun plaats liet vallen. Ze hervond haar kalmte en zei bedaard: 'Je diepe teleurstelling heeft je oordeel nog sterker beïnvloed dat je je realiseert. Ik denk dat je dat over enige tijd zelf ook zult begrijpen. Maar ik moet je vragen – en ik eis die belofte van je – dat je *nooit* over dit idee zult spreken, met niemand! Vooral niet met Marc! Alsjeblieft Creyn. Als je iets om me geeft, beloof met dat dan.'

Zijn schermen gingen omlaag als getuigenis van zijn oprechtheid. 'Ik beloof het. Het is genoeg dat jij het weet.'

'Het hele idee is belachelijk. Afgezien daarvan, we weten allebei hoe Marcs beslissing eruit zou zien. En wat de rest betreft . . .' Ze schudde haar hoofd. 'Je bent aangestoken door die verwarde helderziendheid van de Scheepsgade, niet aangeraakt door de wijsheid van Tana.'

'Misschien.' Hij keerde zich om. 'Vergeef me als ik je beledigde. Maar als mogelijke oplossing leek het een elegante onontkoombaarheid te bezitten . . .'

'Praat er niet meer over. God weet dat ik al genoeg heb om me zorgen over te maken.'

Er werd op de deur geklopt, voorafgegaan door een gedachte van Dedra. Elizabeth kwam overeind terwijl de deur openging en wapende zich tegen de ontmoeting met de moeders van de zwartringbaby's.

6

Aiken ging de donkere koelte van het privé-vertrek van de Stadsheer van Roniah binnen waar de leden van de Hoge Tafel bijeen waren gekomen. Van hen die destijds nog de Thagdal hadden gediend, waren enkel Kuhal Aardschudder, Bleyn de Kampioen en Alberonn Geesteter over. Celadeyr, die op het strijdveld van de laatste Grote Veldslag tot de Tafel was benoemd en daarna van dat voorrecht vervallen werd verklaard door zijn deelname aan Nodonns verraad, was nu eindelijk weer waardig bevonden om opnieuw te worden geïnstalleerd. Hij stond met de zeven andere nieuwgekozen Groten klaar om zijn eed van trouw af te leggen.

AIKEN: Het is passend dat de Hoge Tafel compleet is bij de viering van ons eerste Grote Toernooi zodat ons Hoge Koninkrijk de Aartsvijand één gemeenschappelijk gezicht kan laten zien. Om dat te bereiken heb ik door nieuwe benoemingen ons aantal volledig gemaakt . . .

ALLEN: (Verrast gemompel.) Maar twee zetels zijn leeg?

AIKEN: Een volledige bezetting, heb ik gezegd. Maar voor ik jullie eden in ontvangst neem, draag ik jullie op de nagedachtenis te eren van die leden der Hoge Tafel die in Tana's Vrede zijn overgegaan sinds onze laatste bijeenkomst tijdens het Grote Liefdesfeest: Heer Aluteyn, Meester der Vaardigheden, de Tweede Heer der Scheppers; Artigon van Amalizan,Tweede Heer der Bedwingers; Armida van Bardelask.

ALLEN: Moge de Vrede van Tana met hen zijn.

AIKEN: En laten wij uit medeleven ook hen gedenken die Mijn gunsten door verraad onwaardig zijn geworden en aldus stierven: Thufan Donderhoofd van Tarasiah; Diarmet van Geroniah; Moreyn de Glasmeester van Var-Mesk.

ALLEN: Moge de Vrede van Tana ook met hen zijn.

AIKEN: (Pijn.) En de overleden koningin Mercy-Rosmar.

ALLEN: Vrede zij met haar.

AIKEN: Vrede zij met haar. En met mijn zo nobele tegenstander Nodonn de Strijdmeester.

ALLEN: Vrede zij met hem.

AIKEN: En laat ons ten slotte iemand gedenken die niet in Tana's Vrede rust, opdat de Godin hem te zijner tijd ook vrede zal schenken: Culluket de Ondervrager, Heer der Genezers.

ALLEN: (Afschuw.) Tana schenke hem verlossing. (Het lied.)

(Stilte.)

AIKEN: Nu zullen de zittende Groten hun eed van trouw opnieuw bevestigen

MORNA-IA DE KONINGMAAKSTER + SIBEL LANG-VLECHT + BLEYN DE KAMPIOEN + KUHAL AARDSCHUD-DER + CONDATEYR DE BLIKSEMENDE + ALBERONN GEESTETER + EADNAR VAN ROCILAN + NEYAL VAN SASARAN + LOMNOVEL HERSENBRANDER + ESTELLA-SIRONE VAN DARASK: Slonshal aan de Glanzende, Aiken-Lugonn, Hoge Koning van ons Veelkleurig Land.

AIKEN: Slonshal aan jullie allen. Laat nu de Groten die benoemd zullen worden hun eed van trouw afleggen. Celadeyr van Afaliah, Tweede Heer Genezer.

CELADEYR: Ik zweer bij mijn halsring.

AIKEN: Boduragol van Afaliah, Heer Genezer en Vrouwe Credela, Tweede Genezeres.

BODURAGOL + CREDELA: Wij zweren bij onze halsring.

AIKEN: De Stadsheren Ochal de Harpist, Parthol Snelvoet van Calamosk, Ferdiet de Hoffelijke van Tarasiah, Heymdol Horen-blazer van Geroniah en Donal van Amalizon.

OCHAL + PARTHOL + FERDIET + HEYMDOL + DONAL: Wij zweren bij onze halsring.

AIKEN: En nu zal ik de laatste twee zetels toewijzen.

(Speculeren. Verbazing.)

AIKEN: We leven in moeilijke tijden vol voortekens, worden in aantal verre overtroffen door onze Aartsvijand en bedreigingen uit het buitenland richten zich op ons. Toch zijn wij niet zonder vrien-den en onder hen zijn er die zich nu nog niet openlijk aan onze zijde kunnen scharen. Deze vrienden hebben Mij goede raad gegeven en zij verdienen het te zamen met deze Groten te zitten vanwege de liefde die zij ons land toedragen, de goede wil jegens de koning van dat land en hun eigen koninklijke waardigheid. Voorlopig zullen zij in het geheim aan onze Tafel zitten. Laten zij zichzelf in naboot-sing hier manifesteren om hun eed af te leggen.

KATLINEL DE DONKEROGIGE EN SUGOLL: Wij zweren bij de liefde die wij elkander toedragen en bij onze liefde voor land en volk dat wij koning Aiken-Lugonn zullen ondersteunen in elke rechtvaardige onderneming. Wij zullen zijn bondgenoot zijn in de strijd, mocht de Oorlog der Schemering werkelijk uitbreken. Wij verwerpen ons vroegere vazalschap onder de troon der Firvulag. En gij, Teah, zijt onze Getuige.

AIKEN: Slonshal en slitsal voor elk van ons.

(Pandemonium.)

AIKEN: Bestrijdt iemand mijn recht om deze twee zitting te doen nemen?

(Stilte.)

AIKEN: Broeders en Zusters, wanhopige tijden vragen om wanhopige maatregelen. Sugoll en Katy hebben me verteld dat Sharn openlijk loopt op te scheppen over een plan om de Oorlog der Schemering op het hoogtepunt van ons Toernooi te laten ontbranden.

CELADEYR: Ik wist het! En dan noemen ze mij een ouderwetse doemdenker!

AIKEN: Sharn heeft zijn dapperen nu al maandenlang geoefend in de techniek van de metabundeling. En Ayfa draagt daaraan bij door de geesten te dwingen van hen die zich bleven vasthouden aan de oude, individualistische patronen. Het Kleine Volk beschikt over nieuwe wapens en nieuwe technieken. Ze gebruiken cavalerie en in beslag genomen wapens uit het Bestel en zelfs bloedmetaal omdat zij niet zo vatbaar zijn voor het ijzergif als de Tanu.

DONAL VAN AMALIZAN: Maar dit is monsterachtig! Sharn en Ayfa moeten gek zijn om de Oorlog der Schemering zelf te willen beginnen! Ze zijn beiden nog jong, ze hebben kinderen en die oorlog betekent het einde van onze beide rassen!

CELADEYR: Alleen maar volgens de orthodoxe opvatting van de Tanu, mijn zoon. De Firvulag hebben zichzelf wijsgemaakt dat de Oorlog der Schemering de overwinning betekent voor één partij: zijzelf. En in onze eigen heilige geschriften is er voor zo'n uitleg enige rechtvaardiging te vinden voor wie snel denkt en enigszins vrijelijk wil interpreteren.

KUHAL AARDSCHUDDER: En laat dat maar aan de Firvulag over. Dat is hun wel toevertrouwd.

OCHAL DE HARPIST: Wij vertrouwen erop dat de Glanzende de Nacht zal weten te voorkomen.

AIKEN: En daar zal ik mijn verdomde best voor doen! Ze zijn met veel meer dan wij, maar wij zijn gedisciplineerder in onze metabundeling en wij beschikken over een efficiënter programma dat veel meer vermogen per bewustzijn oplevert. En daarnaast hebben we de Speer, een goede voorraad hoog ontwikkelde wapens en het Koninklijke Vliegende Korps dat jullie deze middag in actie hebt gezien.

(Bewondering.)

SUGOLL: Zijn *alle* vliegende machines bewapend, net als het vlaggeschip?

AIKEN: Daar werken we aan. Een rhomachine opnieuw uitrusten is een riskante aangelegenheid vanwege het speciale netvormige veld dat de huid bedekt. Maar met wat geluk zal het merendeel van de vloot tegen de tijd van het Toernooi met stralers zijn uitgerust.

MORNA-IA DE KONINGMAAKSTER: Wee ons! O Godin behoed ons! Dat ik, een Eerstkomer leven moet om een hernieuwing van die schrikwekkende vijandelijkheden weer mee te maken, waarvoor Breede de Scheepsgade ons trachtte te behoeden.

CELADEYR: Hoe jammer dat *wij* enkel over Elizabeth beschikken.

AIKEN: Jullie hebben Mij.

ALLEN: Ja.

SUGOLL: En dan is er nog de tijdpoort.

(Consternatie.)

CELADEYR: Geen enkele waarachtige krijger uit Tana's strijdcompagnie zou zich afwenden en de Aartsvijand ontvluchten.

AIKEN: Er zijn erger gevaren dan het Kleine Volk. (Beeld.)

KATLINEL DE DONKEROGIGE: Door mijn aderen stroomt bloed van Tanu en mensen en mijn hart is verbonden met het ras der Firvulag via mijn echtgenoot. Hoe goed herinner ik mij de woorden van die voorvechter voor vrede, Dionket, Heer Genezer, toen hij Sugoll en mij vroeg een brug te zijn. Wij zijn graag bereid een bemiddelende rol te vervullen en zullen dat blijven doen tot aan het Grote Toernooi. Wanneer Tana dat wil, zullen wij wellicht de harten van het Kleine Volk raken zodat ze afzien van oorlog. Wellicht zal de Nacht toch niet vallen.

SUGOLL: Maar mocht zij komen, dan zal ons volk gebruik maken van de mogelijkheid die koning Aiken-Lugonn ons heeft geboden in ruil voor onze trouw: wanneer die dag van doem niet kan worden afgewend, zullen mijn onderdanen, mensen en Huilers, toevlucht zoeken in het Bestel.

CELADEYR: Galopperende Godin! Wat gebeurt er wanneer dat verrekte ding klaar is *voor* het Toernooi begint?

AIKEN: Da's verdomd onwaarschijnlijk. Er is een probleem. Ik zal me daar later op de dag mee bezighouden.

KUHAL AARDSCHUDDER: Broeders en zusters, laten we het aanbod van de Heer en de Vrouwe van de Huilers met dankbaarheid aanvaarden om te bemiddelen tussen ons en hun verwanten. Laten we ons tegelijkertijd voorbereiden op het ergste en al onze dappere geesten scharen onder de leiding van de Glanzende, hem volgend zonder aarzelen of vragen. Dat is niet onze Levenswijze geweest in de dagen van weleer, want we vormen een trots en stijfhoofdig volk, begerig naar beroering en belust op strijd. Maar nu moeten wij gezamenlijk handelen of anders ondergaan. En ik wil de gelovigen eraan herinneren dat als de Oorlog der Schemering komt, het de hand van de Tegenstrever zal zijn die haar veroorzaakt, niet die van Tanu of Firvulag. *Hij* is onze werkelijke Aartsvijand.

(Stilte.)

AIKEN: Dank jullie allen voor je komst hier. Ik zal jullie bij de spelen in Nionel weerzien.

Gezwollen door de zware regens boven de oerwouden in het zuiden, stroomde de Nonol diep en snel onder de Regenboogbrug door. Bovenstrooms was de waterloop bezaaid met kleine bootjes die sportliefhebbers van al de drie rassen naar de landingsplaatsen bracht bij het Veld van Goud. Maar de kleine steiger aan de voet van de brug op de rechteroever was verlaten, op een zwaar beladen kano van decamole na die aan zijn meertouw trok en waar in de schaduwen van de namiddag twee mensen bij stonden, hun geesten verbonden door hun gouden halsringen. De ene was een onberispelijk geklede halfbloed vrouw, elke lijn tekende haar Tanu-afkomst op haar bruine ogen na. De ander was een massieve Noordamerikaanse Indiaan met verward staalgrijs haar die enkel een broek droeg en mocassins en op zijn pols een ingewikkelde naviagatieset.

Somberheid vermengde zich even met de overwegend hoopvolle stemming van Katlinel de Donkerogige. 'Ik wilde dat we je een van die sigmavelden mee konden geven naast de wapens, Commandant Burke.'

Hij glimlachte en straalde ironische geruststelling uit. 'Wanneer Marc Remillard werkelijk op de schoener zit die ik achternajaag, dan zou een klein sigmaveld evenveel bescherming bieden als een velletje durofilm. Maar maak je niet ongerust, Vrouwe Katy. Amerikaanse Roodhuiden zijn van nature vertrouwd met kruipen en sluipen en mijn opleiding in de rechten heeft me nog sluwer gemaakt dan de meesten. Ik zal ervoor zorgen dat de bemanning op de Kylliki me niet in de gaten krijgt, aangenomen dat ze inderdaad de Seine opzeilt.'

'De koning denkt dat het heel waarschijnlijk is. Hij onderzocht het vanuit zijn vliegtuig, maar die waarneming was niet beslissend.'

'Ik noem dat nogal raar,' zei Burke, 'dat de koning, met zoveel hoogwaardige geesten en technische smokkelwaar tot zijn beschikking, die boot alleen maar vinden kan door middel van een paar ouwe, menselijke ogen als de mijne . . .'

'Toch schijnt dat zo te zijn. En het lijkt ook heel onrechtvaardig dat jij deze verkenning moet ondernemen met de kans je leven te verliezen en daarmee de mogelijkheid om door de tijdpoort te gaan . . .'

Burke haalde de schouders op. 'Als Remillard zijn zin krijgt, komt er helemaal geen poort. Nee, de argumenten van de koning waren zeer indringend en hij heeft beslist de juiste man voor het karwei uitgezocht. Zoals de rivier nu is, moet ik dat hele stuk van zo'n vijfhonderd kilometer tussen hier en de zee in een dag of tien kunnen uitkammen. Ik houd de koning telepathisch op de hoogte op afgesproken tijden. Als de schoener er niet is, dan heb ik een mooi uitstapje gehad om mijn laatste dagen in het Plioceen op te vrolijken.'

'Als je hem wel vindt . . .?'

'Ik ben Crazy Horse niet. Ik zal alleen zijn positie rapporteren en vervolgens op volle kracht maken dat ik daar wegkom. Van de monding van de Seine is het overzee een week reizen naar Goriah. Met een beetje geluk hoef ik zelfs het Grote Toernooi niet mis te lopen.'

Hij maakte de lijn los, sprong met een licht gebaar in de kano, die maar nauwelijks schommelde terwijl hij op zijn hurken ging zitten, en stak zijn peddel ten groet omhoog.

'Moge Tana je leiden,' zei de Vrouwe van de Huilers.

Burke tilde zijn met instrumenten bedekte onderarm omhoog. 'En de firma Plath.'

'Nou, wat is er aan het handje?' vroeg de koning aan Tony Wayland. De metallurg schoof een verzegelde fles die een zilverig staafje bevatte onder de neus van de koning. 'Dit. Het mijnwerkersteam heeft al die tijd nodig gehad om een bruikbare vindplaats van dysprosium te vinden; ze hadden verspreide en gedegenereerde Huilers tegen zich die ze moesten ontwijken en de lokale Noorse bevolking bestond uit luie lummels. Nu zijn ze dan eindelijk geïnstalleerd en eindelijk *hebben* we dan een grote voorraad delfstof en nu sturen die stomme klootzakken me drek als dit.'

'Wat is de moeilijkheid?' De koning bedwong zijn ongeduld.

'Verontreinigd,' zei Hagen somber.

'Gewoon vol met holmium,' zei Tony. 'En alle soorten verontreiniging in het dysprosium verpesten de resistentiefactor van de draad voorgoed, ik bedoel, nogal ernstig.'

'Ligt het aan hun uitrusting, of wat?' vroeg de koning.

'De machines die we gestuurd hebben, zijn goed genoeg voor het karwei,' zei Tony. 'Ze hebben een Ramsgate-extractor voor hoge snelheden die de ionen scheidt en een mooi klein elektrolyse-apparaat voor de produktie van het metaal. Ik denk dat ze het ergens met de kwaliteitscontrole niet zo nauw nemen. Misschien al aan het begin als er nog met de ruwe grondstof wordt gewerkt.'

'Ik heb de Snoeperd, onze industriële chemicus gestuurd,' zei Hagen. 'Maar hij heeft het probleem niet kunnen vinden. Hij is trouwens in de eerste plaats een organisch specialist. Maar de ploeg die daar aan de gang is, bestaat uit ervaren mijnwerkers. Ze zouden in staat moeten zijn . . .'

Tony keek duister en boos. 'Je herinnert je dat ik bepaalde bezwaren had toen ik hoorde dat Yobbo Ruan en Trevarthen daar de leiding zouden hebben. Ze waren misschien goed genoeg toen ze in de goudmijnen van Amalizan aan de gang waren, maar het winnen van zeldzame metalen vraagt om finesse.'

'De niobium-dysprosiumdraad is van vitaal belang voor het project,' zei Hagen. 'Deze narigheid betekent op zijn minst vertraging en zelfs mislukking als we geen kans zien het probleem op te lossen.'

De koning bestudeerde de fles met het gietsel ter grootte van een potlood. 'Is het niet mogelijk het zuiveringsproces hier in de laboratoria van kasteel Doortocht te voltooien?'

Hagen zei: 'Dan zouden we de extractor bij hen weg moeten halen, want we hebben er maar één. We hebben ongeveer veertig kilo van dat spul nodig en de basisprocedure neemt ongeveer drie weken . . .'

'Ah, shit,' zei de koning geïrriteerd. 'Jullie weten dat er maar één oplossing is. Zorg dat je daar goed gezuiverd metaal vandaan krijgt. Los het probleem op bij de bron.'

Hagen knikte.   'Ik wil er zeker van zijn dat je je bewust bent van het risico. Er leeft daar een slag reusachtige Huilers. Yotunag worden ze genoemd en ze zijn van een heel ander soort dan die van Sugoll. We hebben Stosh Nowak al verloren en John-Henry King terwijl ze overvallen deden op onze kampen. Ik wil jouw persoonlijke toestemming voor we Tony daarheen sturen. Ten slotte heb je een hoge prijs voor hem betaald.'

'Hoho!' schreeuwde de metallurg ineens gealarmeerd. 'Wacht verdomme es even!'

De koning keek hem ijzig aan. 'Kun jij ervoor zorgen dat het raffinageproces goed verloopt wanneer we jou daarheen sturen?'

'Ik ben hier nodig!' Zweet brak uit op Tony's voorhoofd. 'Ik ben op een kritiek punt bij het ontwerp van het ding dat voor de bekleding zorgt, da's eigenlijk het ding dat de draad moet trekken en maken!'

'Geef antwoord op mijn vraag,' eiste Aiken. 'Zie jij kans het pure materiaal te krijgen of niet.'

'Waarschijnlijk wel,' gaf Tony deemoedig toe.

'Precies,' zei de koning. 'Begin maar te pakken.' Hij draaide zich op zijn hakken rond en verliet het vertrek met Hagen achter zich aan.

Hagen zei: 'Een van mijn mensen, Chee-Wu Chan kan de bekledingsmachine net zo goed afmaken.'

'Prima,' zei de koning. 'En nu ik hier toch ben, zal ik even vlug op inspectie gaan om te zien hoe jullie het hier in Doortocht inmiddels maken.'

De deur ging dicht.

'Oh godverdegodver,' kreunde Tony. Hij klemde zijn handen zweterig rondom zijn gouden halsring op zoek naar troost. 'Daar ga ik weer.'

In de koelte van de avond hengelde de visser naar grote zeewolf vanuit een sloep die achter aan de Kyllikki was vastgemaakt. Die vissoort was nauwelijks te vergelijken met de vechtende gekken van tarpoens in Florida, maar ze wogen door elkaar toch zo'n tweehonderd kilo en waren dikwijls meer dan vier meter lang. Ze waren happig genoeg op een lege maag en beten dus graag. En als leuke bijkomstigheid waren ze smakelijk om te eten.

Vissen op zeewolf was een rustige bezigheid en dat kwam de visser heel goed uit. Zijn kleine boot dreef onder het mentale afweerschild en zo kon hij zijn vérziendheid over heel het Veelkleurig Land laten uitzwermen. En op die manier was er meer dan genoeg tijd om na te denken over zijn persoonlijke dilemma zonder last te hebben van de toenemende spanningen aan boord van de schoener.

Hij moest de zaak onder ogen zien. Het moreel onder zijn oude medestanders nam zienderogen af en dat lag voor de hand nu zijn eigen vastbeslotenheid aan het wankelen was. Te veel van de rebellen hadden er moeite mee om de idee van de Mentale Mens te verbinden met Hagen en Cloud in plaats van met Marc. Tientallen jaren geleden was de droom nieuw geweest en zorgde voor fanatieke trouw. Nu had het de status gekregen van een bekende overtuiging, een dogma dat zonder vragen werd geaccepteerd, totdat het project zelf Marc nu sceptisch had gemaakt. Alleen Patricia en Cordelia Warshaw stonden er nog steeds onvoorwaardelijk achter.

En ikzelf? vroeg hij zich af. Moet ik me werkelijk laten verleiden door de beloften van een simpele oude man? Heb ik in mijn hart het visioen al verworpen voor ik het zag? En als hiermee alles afgelopen is, wat is dan het doel van dit leven zonder einde?

Er werd zachtjes aan de lijn getrokken. Hij gebruikte zijn vérziendheid om in het modderige water te kijken en zag dat er enkel een boomstronk aan de haak zat. Met de aanraking van zijn PK maakte hij hem los en haalde de lijn in om nieuw aas aan de haak vast te maken.

Was er geen enkele manier om ondanks alles de kinderen te overtuigen en hen aan zijn kant te krijgen? De poort. Als die nu eens niet open kon gaan. Als het Guderian-project gedoemd was te falen . . .

Hij gooide ver naar achteren uit, vierde de lijn en liet het aas op de goede diepte zakken. Aan weerskanten van de oliegladde Seine was het oerwoud veranderd in matzwarte muren die de besterde hemel scheidden van het zwak verlichte water. De gordel van bos was vol met lawaai van insekten en apen en naar voedsel zoekende olifanten. Het was een kleine oase te midden van verder ongastvrij moerasland.

Kracht, dacht hij. Het enige alternatief voor overtuiging was kracht. Eens zou hij niet hebben geaarzeld.

Een verre telepathische stem riep: Marc.

Elizabeth? (Vlug een persoonlijk diffusiescherm opgericht zodat ze niet zijn positie kon bepalen.)

God zij gedankt dat je eindelijk antwoord geeft. Ik . . . we hebben je hulp nodig.'

?

Moeders met andere zwartringkinderen komen naar het jachthuis. Ik denk dat ik te naïef was om er geen rekening mee te houden dat het nieuws zou uitlekken. Er zijn er nu al meer dan twintig hier. Ik heb geprobeerd hun uit te leggen dat Brendans genezing een speciaal geval was. Dat jij . . . dat jij voor die ene keer om persoonlijke redenen met me meewerkte. Maar ze willen niet weggaan, Marc. Ze zeggen dat ze hier blijven, hopend, wachtend, desnoods laten ze hun kinderen hier sterven . . .

Elizabeth er zijn andere zaken die mijn aandacht nodig hebben. Het spijt me dat je in zo'n beroerde situatie bent geraakt. Maar ik moet mijn eigen situatie oplossen.

Dat weet ik. Maar ik heb nagedacht. Over Basils genezing. Je hebt ons programma zo gewijzigd dat verschillende genezers de behandeling met Huid kunnen versnellen. Is het mogelijk om een dergelijke aanpassing te bedenken voor het genezen van zwartringen? Een metabundeling met groepen bedwingers en genezers in plaats van jij en ik?

. . . Dat is een interessant probleem.

In het Bestel was niemand jouw meerdere in het ontwerpen van metabundelingen.

Daar vergis je je in.

Oh ja . . . natuurlijk. Maar wil je erover denken?

Zeker. Maar ik kan je niets beloven . . . Ik neem aan dat de Tanu Dionket ongeveer de top vertegenwoordigt van het genezende vermogen van zijn ras en dat de anderen minder zijn dan hij.

Dat is juist. En Minanonn zou de beste bedwinger zijn die we beschikbaar hebben. Afgezien van Aiken natuurlijk.

Natuurlijk.

Wel, bedankt dat je het wilt proberen. Tot ziens.

Vaarwel Elizabeth.

. . .

Hij zat in de sloep, de grote hengel vastgezet in een dwars geplaatste houder en probeerde te voelen waar zijn kinderen waren. Maar hij kon geen spoor van hen vinden in de omgeving van Roniah en dus kwamen zijn metavermogens onvermijdelijk bij de spiegelende hemisfeer die kasteel Doortocht overkoepelde. Was het maar mogelijk daar in te breken! Had hij maar genoeg geesten tot zijn beschikking . . .

Tijdens de Rebellie had hij miljoenen bevolen. Nu waren er nog vierentwintig en hij was niet langer Abaddon maar de zwak geworden Anfortas, vissend in de Seine terwijl zijn laatste hoop op overwinning zich verschool onder een ondoordringbare zilveren bol.

Door zijn vérziendheid zag hij een vliegtuig opstijgen van achter het door de maan verlichte sigmaveld. Ongetwijfeld de koning, op weg naar huis na een drukke dag. De inzittenden van de machine waren onzichtbaar, verborgen achter een kleiner sigmascherm. Marc keek nietsdoend toe hoe de machine haar inertie verloor en als een pijl naar het noordoosten koerste met een snelheid van 12 000 kilometer per uur. Vreemd. In elk geval was Aiken blijkbaar niet van plan *hem* opnieuw te bespioneren, maar waar ging hij dan heen? Blijkbaar naar een zeer ver afgelegen plek in Zweden! Daar was een of andere menselijke nederzetting, weggedoken in een kleine vallei waar niemand haar snel zou opmerken. Merkwaardig en het werd steeds merkwaardiger!

Het vliegtuig landde. Vijf minuten later steeg het weer op en koerste naar Goriah en vloog daarbij zonder het te weten over de Kyllikki heen. Maar Marc besteedde daar geen aandacht aan. In plaats daarvan luisterde hij vol verbazing naar de incompetente gedachtenprojectie van een mens met een gouden halsring die uitstraalde vanuit een vergelegen voorpost egens in Scandinavië. Het was de schreeuw van een hart dat hunkerde naar iemand die Rowane heette, vermengd met vervloekingen gericht tegen een zeldzaam element dat dysprosium heette.

Abrupt werd de gedachte afgebroken.

Op dat moment slikte een grote zeewolf de haak van Marc naar binnen en liet de lijn krijsend gieren.

7

Broeder Anatoly plukte de laatste van de Mangetout-bonen uit de tuin van het jachthuis terwijl Elizabeth op een bank zat onder een verwrongen pijnboom en een gat herstelde in zijn bruine wollen overkleed. Ze wachtten op Marc die, zonder te zeggen waarom, hen buitenshuis had willen ontmoeten en kibbelden over de geruchtmakende absolutie die de monnik de aartsrebel had gegeven.

'Enkel een sentimentele naïeveling zou hebben kunnen denken

dat Marc Remillard spijt had van zijn Metapsychische rebellie,' zei Elizabeth. 'Hij zou hetzelfde nu weer doen zonder er langer dan een halve seconde over na te denken.'

'Ik vergeet steeds maar weer hoe goed jij gedachten kunt lezen,' zei Broeder Anatoly.

'En hem absolutie geven zonder dat hij zelfs maar uit eigen beweging biechtte . . .!'

'Waarom denk je dat hij wilde dat ik erbij bleef en luisterde naar wat hij zijn kinderen te vertellen had? Verwacht je van een man als hij soms dat hij op zijn knieën valt en zegt: "Zegen me, Broeder?" Hij deed wat zijn trots hem toestond te doen, de arme khuy en als jij ook maar enig psychologisch inzicht had, dan zou je weten dat hij al zevenentwintig jaar lang spijt heeft zonder het zelf te weten.'

'Kletskoek!' Ze stak woedend de stopnaald in het weefsel en miste maar ternauwernood haar eigen vinger. 'Je zou net zo goed kunnen praten over de verzoening met Adolf Hitler of een ander soortgelijk onmenselijk monster.'

'Kijk toch eens hoe hier het mededogen wordt vertekend . . . door ene mejuffrouw Scrupules die Ameries oren en geduld zelf tot het uiterste heeft uitgeput. Eentje die veel te bang is om iemand anders te vertrouwen dan zichzelf.'

Anatoly wierp een handvol knapperige bonen in zijn mond en kauwde woest.

'We voeren geen discussie over mij,' snauwde ze. 'We hebben het over een man die een planetaire oorlog begon, die verantwoordelijk was voor de dood van vier miljard mensen en die bijna het Bestel vernietigde ter wille van zijn eigen zieke ambitie. Hoe kon je er zelfs maar aan *denken* hem vergiffenis te schenken . . .'

'Nou, nou, de Verloren Zoon zou in jouw huis een kil welkom worden bereid . . .'

'Maak je niet belachelijk.'

'Weet je wat belachelijk is, een hoge machtige pizda die grenzen probeert te stellen aan het medelijden van God.'

'Wanneer jij denkt,' zei ze koud, 'dat je kunt voorkomen beleefd te zijn door me scheldwoorden in het Russisch toe te voegen, laat me je er dan aan herinneren dat elke metapsychica kan . . .'

De woorden bestierven in haar keel. Anatoly draaide zich snel om en zag toen hoe een verschijning vorm kreeg aan het einde van de tuin waar een bleek was die met grind was bestooid. Niet één maar twee vormen van zwart kerametaal manifesteerden zich daar; hun grote massa veroorzaakte een knarsend geluid toen de kiezels daaronder in de aarde werden gedrongen. Achter hen verscheen een grote console vol computerapparatuur en een hele collectie kasten vol instrumenten waardoor nu het merendeel van het bleekveld in beslag werd genomen.

'Bozhye moi!' fluisterde de priester.

De rechtse bepantserde vorm leek even doorzichtig te worden. Toen stond Marc erbuiten en was het kerametaal weer even substantieel als tevoren.

'Goedemorgen, Elizabeth. Broeder.'

De monnik glimlachte bleekjes en wuifde. Elizabeth knikte enkel. Marc wees op de twee identieke hersenversterkers en de apparatuur die erbij hoorde. 'De andere is leeg. Dit is bij wijze van demonstratie om je mijn vooruitgang te laten zien in teleportatie, hoewel ik nog niet in staat ben de energievoorziening ook helemaal zelf te transporteren.'

'Is . . . eh . . . deze demonstratie de enige reden waarom je gevraagd hebt mij te kunnen ontmoeten?' vroeg Elizabeth.

'Natuurlijk niet.' Marc liet zijn glimlach flitsen. 'Ik kom je ook de aanpassing brengen voor het programma van Brendan.'

Ze gaf een kreet van vreugde, liet het priesterkleed en haar naaigerei vallen en rende naar de in het zwart geklede figuur. Maar vlak bij hem stopte ze ineens en liet haar armen langs haar zijden vallen. De glimlach van Marc verdween.

Anatoly hees de mand met bonen omhoog, pakte en passant zijn gevallen overkleed op, liet er in de richting van Elizabeth een verontwaardigd 'V'yperdka!' uitkomen en beende weg naar de keuken.

Elizabeth bloosde. Ze zei tegen Marc: 'Het spijt me wanneer ik ondankbaar lijk.'

'Dat is in orde. Ik begrijp het wel. En Anatoly is een boerse ouwe kinkel, waar of niet. Als het voor jou wat uitmaakt, hij heeft mij voor erger uitgescholden. Schelden lijkt zijn belangrijkste spirituele techniek te zijn om iemand raad te geven: zoiets als de harde korst over de romige pastei . . . Hij maakt zich zorgen over je, Elizabeth.'

Ze gingen samen op de bank onder de boom zitten en Marc trok zijn handschoenen uit. Zijn drukpak was volkomen droog en er was nergens een spoor te zien van de gebruikelijke wondjes op zijn slapen en voorhoofd. Zijn geest wekte de indruk van diepe opwinding.

Elizabeth zei: 'Nadat we na een week nog niets van je hadden gehoord, ging ik ervan uit dat het je niet was gelukt de oplossing voor de genezing te vinden.'

'Het spijt me dat het zo lang duurde. Ik werd afgeleid door andere zaken en de aanpassing bleek een hele uitdaging te zijn. Ik wilde niet alleen de tijd die voor de genezing nodig is, bekorten, maar het moest ook uitgebreid worden zodat het toepasbaar werd voor een nog te hanteren metabundeling. Dit is wat ik heb gedaan.'

Hij liet haar de constructie zien.

'Maar dat is zo eenvoudig!' riep ze uit. 'De manier waarop je die slopende teruggangen hebt bekort terwijl de handelingen toch worden ondersteund . . . en hoe je het zelfstandige metavermogen als resultaat hebt opgenomen in het doorgaande genezingsproces! Waarom heb ik daar zelf niet aan gedacht? Natuurlijk, iedere grote oplossing ziet er simpel uit als je erop terugkijkt, waar of niet? Marc . . . dank je wel. Dit is geweldig.'

Het elegante mentale bouwsel leek tussen hen in te zweven. Ze borg het met oneindige zorg weg in haar geheugen en toen stond Marc op.

'Je hebt ongetwijfeld gemerkt,' zei hij, 'dat jijzelf bij de metabundeling niet inbegrepen bent.'

Ze keek een andere kant op. 'Dat is maar beter zo.'

'Ben je er zo op gebrand naar het Bestel terug te keren?'

Zijn stem en geest hadden nu iets waarschuwends en ineens voelde ze hoe haar hart koud werd. 'Je gaat je ten slotte toch tegen ons verzetten! Je hebt een of andere manier gevonden om te voorkomen dat de tijdpoort opengaat.'

Zijn overreding dwong haar hem aan te zien. 'Ik moet wel.'

Haar mentale stem schreeuwde het uit: Anatoly ik heb je nog zo gezegd . . .

Hij had haar bij de hand genomen en voor ze zich realiseerde wat er was gebeurd, wandelden ze samen naar het andere einde van de tuin. De vroege middagzon scheen hel en de twee pantsers torenden in de trillende hitte gezichtsloos hoog boven haar uit.

Ze hoorde hem zeggen: 'Ik zou je een andere wereld kunnen laten zien waar je echt nodig zou zijn. Opvoedend werk dat zijn weerga niet kent. Uitdagingen zonder tal.'

'Nee, Marc.' Haar stem klonk vast. Ze trok haar hand weg.

Hij zei: 'Op de een of andere manier zal ik toch winnen. Vertel Anatoly maar dat de verleiding te groot was.'

'Ja, dat weet ik,' zei ze.

Hij deed een stap achteruit in de zwartheid en een ogenblik later was het met grind bestrooide bleekveld leeg.

Jordan Kramer liep met duidelijke tegenzin naar de brug van de Kyllikki, deed de deur achter zich dicht en liet een korte uitroep van verbazing horen toen hij Alex Manion ontdekte die achter de kaartentafel stond, uit het zicht van het achterdek.

'Verdomme, Walter, wat doet *hij* hier?'

'We willen allebei met je praten, Jordy,' zei Saastamoinen.

'Ik behoor bij Gerry te zijn in het achterruim. Marc kan ieder ogenblik terugkomen van Zwarte Piek.'

'Daarom willen we nu met je praten. Er is weinig tijd meer.' Hij drukte verschillende knoppen in op het paneel dat automatisch de zeilen kon bedienen. 'We krijgen wat wind pal tegen en de zeilen zijn te zwaar. Kans dat ze met het anker gaan slepen. Dat is een nadeel van zeilen met zonnepanelen.'

Manion, de hoofdset die hem volgzaam hield keurig op zijn plaats, fixeerde zijn ogen vastbesloten op Kramer en zei: 'Marc . . . heeft bevolen . . . batterijen . . . herladen . . . vol vermogen. Hij is . . . klaar . . . om te . . . vertrekken.'

'Jezus, hij kan die onderwerping ongedaan maken!' riep Kramer uit.

'Maar het kost hem veel moeite,' zei Walter. 'Laat hem eruit, Jordy. Jij kent de code.'

'Ben je gek geworden?' vroeg de geschokte arts.

Manion zei: 'Dat . . . ben . . . jij . . . als . . . je . . . denkt . . . dat . . . Marc . . . de kinderen . . . zal . . . laten . . . leven.' Hij haalde ineens diep en sidderend adem. Zweet stroomde van zijn voorhoofd en maakte vlekken op zijn lichtgeweven hemd. 'Houd . . . jij . . . meer . . . van . . . Marge . . . Becky . . . dan . . . van . . . Marc . . . of . . . niet?'

'Wat hebben mijn kinderen hiermee te maken?' Jordan was spierwit geworden. 'Walter, wat zijn jullie tweeën voor de donder van plan?'

'Niet alleen wij tweeën, Jordy,' zei de schipper, 'maar de hele bemanning van voren. En nu willen we jou en Gerry. Van Wijk heeft geen kinderen, maar jij kunt hem onder druk zetten zodat hij meewerkt. Desnoods met bedreigingen, als niks anders wil werken. Maak Alex vrij. Hij zal niets tegen ons proberen met overreding. Aan een geest die zo wordt bedwongen, heb je niks in een metabundeling.'

'Dit is verdomme *muiterij* of niet soms?' vroeg Kramer.

'Heel slimme gevolgtrekking. Veroorzaakt door Marcs opdracht om de batterijen te laden voor hij deze morgen wegging. Hij is blijkbaar van plan de kinderen achterna te gaan en hen te dwingen zich te onderwerpen. Hij zal Hagen doden en Cloud als dat nodig is en ieder ander die hem in de weg staat. Hij zal de genen van de Mentale Mens uit de dode lichamen van zijn eigen kinderen halen en de overlevenden dwingen met hem mee te gaan naar die Doelwereld. Hij heeft maar zeven of acht levenden nodig om zijn fokprogramma uit te voeren.'

'Jij kunt niet weten wat zijn plannen zijn!'

'Het laden van de grote energievoorziening kan maar één doel hebben, Jordy. Marc is blijkbaar klaar om de hele machinerie van de Kyllikki naar een veilige schuilplaats te teleporteren zodat hij vandaaruit kan handelen zonder last te hebben van onze wankelende loyaliteit. Denk je dat hij de veranderende stemming aan boord gedurende de laatste twee weken niet in de gaten heeft gehad? De enigen die nog steeds achter Marc en zijn plan van de Mentale Mens staan zijn Castellane, Warshaw en Steinbrenner.'

'Je zult van mij geen verrader maken,' snoefde Kramer. Toen

veranderde de uitdrukking op zijn gezicht. 'Probeer je me te vertellen dat Ragnar Gathen zich bij deze samenzwering heeft aangesloten?'

Manion zei: 'Elaby . . . was . . . een . . . van . . . de . . . eersten . . . om . . . mijn . . . inzichten . . . te . . . delen.'

'En Ragnar doet met ons mee ter wille van de nagedachtenis van zijn zoon . . . en om Cloud,' zei Walter. 'Zo zou jij met ons mee moeten doen om der wille van Marge en Becky. Marc zit een of ander nieuw plan uit te broeden, dat weet ik zeker. Boem-Boem Laroche liep hem in de bibliotheek tegen het lijf toen hij bezig was de specificaties te bestuderen van het ontwerp van Guderian. En twee avonden geleden maakte hij een losse opmerking tegenover Ragnar dat hij de Firvulag had gadegeslagen die zich voor dat toernooi boven aan de rivier verzamelen. Zei iets over die kabouters die rare, onhandige pogingen deden om tot een metabundeling te komen. Realiseer jij je wat dat kan inhouden?'

Manion zei: 'Tachtig . . . duizend . . . Firvulag . . .'

Kramers ogen vlogen van de een naar de ander.

'Dit is allemaal pure speculatie.'

Walter leunde verder voorover, woede tekende zijn gelooide gezicht.

'Luister naar me, Jordy! Wanneer Marc al die machines eenmaal van boord heeft geteleporteerd, staan wij machteloos om het tegen te houden. We moeten nu handelen en een geestversmelting tot stand brengen die sterk genoeg is om Castellane en die andere twee in bedwang te houden. Daarna kunnen we de krachtmodulen saboteren.'

'Zet . . . Marc . . . voorgoed . . . gevangen . . . in . . . de . . . grijze . . . leegte.'

Ze bleven beiden staan waar ze stonden en wachtten af. Kramer had zijn hand op de klink van de deur. Zijn tanden stonden in zijn onderlip en een wervelwind van tegenstrijdige gedachten sijpelde door zijn ondermijnde mentale afweer.

'Laat me even nadenken . . . Godnogantoe, je kunt toch niet verwachten dat ik zo'n beslissing hier eventjes neem!' Hij trok aan de deur. Die bleef stevig gesloten.

Alex Manion zong:

Wat maakt het uit als nacht te vroeg zou komen
We hebben jarenlange middagen om te dromen . . .!

'We hebben je nodig, Jordy,' zei Walter. 'Jij bent een van de magnaten,de laatste eenheid die we nodig hebben om een offensief programma te vormen. Zonder jou kunnen we niets beginnen en het moet nu meteen gedaan worden.'

Een telepathische gedachte raakte alle drie hun geesten. Het was de roep van Gerry van Wijk uit het achterruim die met typische slordigheid half over de algemene golflengte kwam in plaats van over de persoonlijke.

Marc zit aan de rand van de gewone tijdruimte. Jordy, kom hierheen man!

'Nou?' vroeg Walter aan Kramer. 'Wij zijn klaar om in actie te komen zodra hij de d-sprong maakt. Als jij meedoet.'

Kramer haalde diep adem. Toen stapte hij weg van de deur en kwam voor Alexis Manion staan. Met een complex signaal zette hij diens hoofdset buiten werking en ondersteunde daarna even de naar de oppervlakte komende geest tot die weer in staat was zelf al zijn vermogens te beheersen.

De deur van het bruggedek ging vanzelf open.

Walter zei: 'Dank je, Jordy.'

'Begin maar,' zei Kramer en haastte zich weg.

Manion masseerde zijn slapen en knipperde met zijn ogen. Hij deed geen poging om de hoofdset van zijn hoofd te halen en zijn ogen stonden even zachtmoedig en ongericht als altijd. 'Wanneer het veilig is,' zei hij tegen Walter, 'probeer dan van Jordy aan de weet te komen wanneer Marc zijn volgende uitstapje heeft gepland. Ik zal ervoor zorgen dat de anderen klaar zijn.'

Omdat de uitworp van de electrolysemachine zich buiten het vijfmeterbereik van het kleine sigmaveld bevond, konden Tony Wayland en zijn medegevangenen, Kalipin de Huiler en Alice Greatorex, een vrouwelijke chemisch ingenieur van middelbare leeftijd, de tijd doorbrengen door dysprosiumchloride om te zetten in het pure element. Buiten het krachtveld stond een bende Yotunagmenseneters die vol onmachtige woede hun bloedige slagtanden op en neer bewogen en onverstaanbare vervloekingen huilden.

'Te zijner tijd krijgen ze er wel genoeg van en gaan weg,' voorspelde Kalipin. Maar dat beweerde hij nu al drie uren.

'Wanneer we niet op het vluchtschema van zes uur verschijnen, zal de koning hulp sturen,' zei Alice.

Tony lachte hol. 'Als de batterij op dit klotesigmading het niet eerst begeeft! En met het soort geluk dat ik meestal heb . . .'

De tijdklok op de machine belde. Tony opende het kleine luikje en haalde er met een tang de potloodgrote cilinder van metaal uit. Alice hield hem een open fles voor. Hij liet het gietsel erin glijden, voegde er een hoeveelheid deox aan toe en deed de sluiting dicht.

Alice nummerde de fles en zette die bij de andere vier. 'Realiseren jullie je, jongens, dat dit onze tweehonderdachtenvijftigste ruwe klomp is van dysprosium? Nog maar vijfenvijftig meer van deze kleine donderstenen en dan kunnen we gaan pakken en dit prachtige Scanidinavië en zijn zonderlinge inboorlingen verlaten.'

402

Buiten was het verwoeste mijnwerkerskamp vaag zichtbaar als door een eenzijdige spiegel. Een nieuwe groep gedeformeerde monsters kwam aanhollen uit de richting van de delfplaats en voegde zich bij hun makkers door met hamerbijlen van graniet op het meegevende en slipperige oppervlak van het krachtveld in te hakken.

'Heel volhoudend,' gaf Tony als commentaar. 'Denken jullie dat ze uiteindelijk Amathon en die andere Tanu die in de tunnel opgesloten zitten, toch te pakken hebben gekregen?'

Kalipin liet zijn illusoire uiterlijk een uitdrukking van berusting aannemen. 'Mijn woeste verwanten houden doorgaans niet met een karwei op voor het is geklaard.'

Hij gooide de droesem uit de machine en begon hem gereed te maken voor de volgende lading. De vage reuk van chloor zweefde door de benauwde ruimte van de bol waarbinnen ze waren opgesloten, voor het oploste door het semi-doordingbare veld. 'Die veren daar lijken op de veren die op de helm van Heer Amathon stonden. Het blauw van het Gilde der Overreders. En hij was ongetwijfeld de dapperste onder hen die in de schacht waren opgesloten. Daarom vrees ik het ergste. Jullie zullen ook de verse spatten hebben gezien op de hamers van de Yotunag die net zijn aangekomen.'

'Ik kijk maar liever niet,' zei Tony. Hij zette het kleine elektrische fornuis weer aan en zakte achterover in zijn stoel. Buiten lekten de vlammen aan een hoek van het verwoeste laboratoriumonderkomen. Na een paar minuten werd het kleine beeldschermpje van het elektrolyse-apparaat blanco. 'Shit! Daar gaat de energietoevoer.'

'Wees nu maar blij dat de sigma op batterijen werkt,' zei Alice geruststellend.

Kalipin keek met belangstelling naar het zich verspreidende vuur. 'Zullen we binnen deze bescherming veilig blijven?'

'Zo veilig als in moeders schoot,' antwoordde Alice. 'Als de vloer van het laboratorium doorbrandt, mijn kleine vriend, dan zullen we wat lager komen te zitten, dat is alles.'

De vuurgloed begon behoorlijk helder te worden. Sommigen van de Yotunag wierpen brandende brokstukken naar de frusterende bol van het sigmaveld, maar dat haalde niets uit.

'Verdomme,' mompelde Tony. 'Ze kunnen ons niet zien. Waarom blijven ze ons voor de donder belegeren? We kunnen er, voor zover zij weten, al lang onder vandaan zijn gekropen!'

'Zij vérvoelen onze aanwezigheid,' zuchtte Kalipin. 'Het krachtveld is, zoals je al zei, niet van beste kwaliteit.'

Alice raakte met een fatalistisch goed humeur haar gouden halsring aan. 'Maar sterk genoeg om te voorkomen dat we telepathisch om hulp kunnen roepen.'

Ze controleerde de kleine sigmagenerator die midden op de

overvolle werkbank stond. 'Is iemand van jullie erin geïnteresseerd hoeveel krachtsap we nog over hebben?'

'Nee,' gromde Tony.

'Ik denk dat de brand de zaak gaat uitputten. Dit is een van die dagen, vrees ik ... En ik zag er nog wel zo naar uit om naar het Bestel terug te gaan en ze daar es even een poepie te laten ruiken. Wat jij, Wayland?'

Tony was bezig het elektrolyse-apparaat leeg te halen en borg de neergeslagen zouten in een trommel. Hij zei suffig: 'Ik hoopte hier in vrede te leven met mijn vrouw. Ze is in Nionel.'

'Zuur,' zei Alice. 'Woeps ... de vloer gaat het begeven. Houd je vast aan de uitrusting.'

De vlammen reikten hoger en de gebroken muren van het laboratorium stortten rond hen neer. Terwijl de brand minder werd, kregen ze een beter uitzicht over het kamp. De vliegmachine die was geland kort voor de aanval van de Yotunag begon, was een rokende ruïne. Er lagen een paar lichamen van mutanten in de buurt, maar nergens was er een teken te zien van mensen of Tanu.

Alice klemde de kleine sigmagenerator bezorgd tegen zich aan terwijl Tony het fornuis omarmde en Kalipin de veiligheid van de flessen met dysprosium in het oog hield. De werkbank wankelde toen de vloer het begaf. Kleine gereedschappen en de trommel met chloorzouten vlogen rond. De stoelen vielen om en een krukje rolde weg. De monsters buiten, die de consternatie binnen aanvoelden, sprongen en klauwden en spleten verwoeste vloerplaten met hun hamers doormidden om het verwoestingsproces te versnellen. Maar het sigmaveld hield en na een korte poos stonden zij daarbinnen stevig op een paar intact gebleven vloerdelen, te midden van rokende rommel.

'Vuur lijkt die geestverschijningen niet al te veel te doen,' zei Alice tegen Kalipin.

De Huiler haalde zijn schouders op. 'Hun voeten zijn harder dan hoorn en er wordt gezegd dat ze geregeld voor branden zorgen om wild op te jagen in deze noordelijke uitgestrektheid. De Yotunag zijn de verschrikkelijkste van onze mutante broeders. Zelfs de Huilers uit de bergen van Bohemen zijn niet zo wreed en onhandelbaar. Deze schepselen lachten om de invitatie van mijn meester Sugoll om zich bij hem in Nionel te voegen en zij hebben het zelfs gewaagd enkelen te verslinden die over hun gebieden heen vanaf de Barnstenen Meren naar het zuiden en het Toernooi probeerden te komen. Oh zeker ... Yotunag zijn door en door slecht. Daar is geen twijfel aan. En even slim als strijdlustig, zoals de sluwheid van hun overval van vandaag heel goed bewijst. Het is voor Huilers namelijk helemaal niet makkelijk om zich onzichtbaar te maken, weet je.'

'Waarom konden ze ons verdomme niet met rust laten!' jankte Tony. 'We deden niemand kwaad.'

Kalipin hield een handvol van de glazen buizen met het dysprosium omhoog. 'We haalden iets uit de aarde. Iets wat voor hen ongetwijfeld waardeloos was. Dat is waar. Maar het was hun eigendom. Ilmarin en Koblerin de Knokker hebben aan die vent Trevarthen geprobeerd uit te leggen dat we beter konden betalen voor de gestolen mineralen met edelstenen die de Yotunag erg op prijs stellen. Maar hij wilde niet luisteren, zelfs niet toen John-Henry en Stosh in de val liepen en werden gedood. Zijn antwoord – en dat van koning Aiken-Lugonn trouwens ook – was het sturen van nog meer soldaten en nog meer wapens om het kamp te bewaken. Wel, we hebben gezien wat het gevolg is van Trevarthens kwalijke oordeel.'

'Die is uit zijn lijden,' zei Tony, 'samen met de anderen die buiten de sigma waren.'

Alice bestudeerde de aflezing op de krachtveldgenerator. 'En dat geldt voor ons allemaal, over ongeveer tien minuten, grof geschat.'

De monsters gingen tekeer, rondcirkelend in de rook. Er waren er veertig of vijftig, zwaaiend met speren van brons en hamerbijlen met stenen koppen die het formaat hadden van hoofdkussens. Er ontstond vrolijke opwinding toen een groep van de bruten beladen met uitpuilende leren zakken uit het gebied van de delfplaats kwam. De zakken werden op de grond leeggegooid en bleken vol te zitten met geroosterde verversingen voor de strijders. De Yotunag vielen er begerig op aan en gooiden van tijd tot tijd afgekloven botten of andere bloederige restanten naar het sigmaveld. Tony en Alice werden groen in hun gezicht en Kalipin hurkte neer om zijn ziel in de genade van Teah aan te bevelen.

Toen riep Alice uit: 'Hé, kijk daar es!'

Ze zagen blauwwitte flitsen achter de resten van de schuur waar het primaire winningsproces had plaatsgevonden. Twee grote trollen renden elkaar voor de voeten lopend om de ruïne heen, maar werden geveld door verblindende vuurstoten die hen tot skeletten verbrandden.

'Zoete shit!' riep Tony uit. 'Daar zit er eentje met een Bosch 414-kanon of iets soortgelijks van zwaar kaliber. Ga me niet vertellen dat de mariniers zijn geland.'

De belegerende monsters draafden allemaal in de richting van de hernieuwde vijandelijkheden. Een aantal van hen werd onzichtbaar. Ze werden ontvangen door een salvo dat de gevangenen in het sigmaveld bijna verblindde, ondanks het werende effect van het dynamische veld.

'Zie hoe onze redder zelfs de onzichtbare Aartsvijand neerschiet!' riep Kalipin. 'De Godin zij gedankt!'

Het was waar. Toen de zichtbare reuzen waren neergeknald, zette de onzichtbare schutter zich aan het werk om ook de onzichtbare doelen één voor één onder vuur te nemen. Binnen vijf minuten was de ruimte tussen het verwoeste laboratorium en de schuur dik bezaaid met verkoolde buitenaardse beenderen en zwart geworden metalen versierselen.

Het vuren stopte.

Het sigmaveld suisde en stierf uit toen de batterij was uitgeput.

Een groot menselijk wezen kwam over de open vlakte aanlopen, het wapen vrolijk over zijn schouder en er bemoedigend mee wuivend. Tony en Alice en Kalipin stapten van hun houten eiland en renden naar hun redder toe terwijl ze telepathisch kreten van opluchting en dank lieten horen.

'Het was de moeite niet waard,' zei de man. Hij tilde een beveiligend gelaatsscherm omhoog waardoor zijn diepliggende ogen zichtbaar werden en schoof het boven op zijn grijze, krullende haar. Hij droeg een nauwsluitende zwarte coverall die overal bezet was met metalen sensoren. 'Het werkte op m'n zenuwen dat die schepsels me voor waren. Ik had de zaken hier beter in de gaten moeten houden.'

'Moeder van de paarlen!' riep Alice zachtjes. 'Het is Remillard zelf!'

Zij en Tony probeerden tegelijk telepathisch een schreeuw om hulp te laten horen. Toen dat mislukte, probeerden ze tevergeefs te vluchten. Alleen de kleine Kalipin ging de uitdager van een hele Melkweg vastbesloten tegemoet.

'Wel, heb je ons enkel van de Aartsvijand gered om onze geesten te verwoesten, mens?'

Marc lachte. Toen werd zijn toon onbuigzaam. 'Ik heb geen tijd te verspillen. Jullie koning zal zijn geplande bezoek voor de avond heel snel maken. Waar is het dysprosium?'

Tony kon zijn mentale overreding niet weerstaan. 'Vijf staven, alles wat we vandaag hebben kunnen produceren. In Kalipins zak.'

De Huiler gaf de flessen zonder een woord te zeggen.

'En het concentraat?' eiste Marc. 'En de ionenextractie?'

'Er is één kan met $DyCl_3$ op de plek waar we onder de sigma zaten. De rest is in dat onbeschadigde gebouw tussen de bomen. Daar is ook het extract.'

Marc zei tegen Alice en Kalipin: 'Haal de machine en de zouten en breng ze hierheen.' Beroofd van hun eigen wil, renden ze weg. Marc vroeg aan Tony: 'Zijn er nog andere hoogwaardige extractie-machines die de werkers van het Guderian-project kunnen gebruiken?'

'Zover ik weet niet,' zei de metallurg onverschillig. 'Als je deze meeneemt, is het met het project gedaan. Het zal mij een zorg zijn.'

Marc hief een verbaasde wenkbrauw.

Tony likte zijn lippen, keek om zich heen om er zeker van te zijn dat de anderen veilig buiten gehoorsafstand waren en zei: 'Luister, ik ben geen bondgenoot van de koning en zijn bende Noordamerikaanse fanaten. Ik werd gedwongen om aan het project mee te doen. Doorzoek mijn geest maar, je zult zien dat ik de waarheid spreek! Ik wil alleen maar terug naar mijn vrouw in Nionel. Ik . . . zou je me niet kunnen laten leven?'

Marc zei: 'Het lijkt verstandig om te zorgen dat Aiken geen gebruik kan maken van jouw unieke bekwaamheden. Er zijn andere manieren om die lanthanide-elementen te maken.'

Tony's ogen liepen over. 'M-maar het duurt maanden om het dysprosium te winnen via gewone chemische technieken en de koning zou mij daar niet voor nodig hebben. Je hoeft enkel maar de ionenextractor te verwoesten en het geaccumuleerde concentraat en het hele project is hopeloos uitgesteld.'

'Ik houd mijn mogelijkheden in deze zaak maar liever helemaal open.' Marc glimlachte tevreden toen hij Alice en Kalipin uit het gebouw onder de bomen zag komen. De Huiler duwde een volgeladen kruiwagen en de vrouw had haar armen vol bussen en trommels. 'Maar hoe dan ook, je hoeft niet bang te zijn dat ik je hier direct van kant maak. Het dysprosium en de uitrusting gaan met mij mee naar het schip via een d-sprong. En dat geldt ook voor jou.'

Tony's wereld wankelde. Een enorme, donkerkleurige massa die hem deed denken aan diepzee-duikapparatuur materialiseerde achter de rebellenleider. Als in een droom hoorde Tony dat Alice en Kalipin de opdracht kregen hun voorraden dicht bij de bepantserde machine neer te zetten. Toen zei een stem in zijn eigen hersens:

Sta heel stil. Het zou het beste zijn als je je adem inhield en je ogen sloot, hoewel de overzetting door het grijze niets in dit geval niet meer dan een fractie van een seconde in beslag neemt.

Tony schreeuwde: Niet doen! Neem me niet mee! Ik wil niet in de hyperruimte sterven! JezushelpmeOhGodRowane . . .

Zeng.

Tony voelde de verschrikkelijke pijn die voorafging aan de penetratie van de tijdruimteplooien die hij kende uit zoveel ruimtereizen tussen de werelden van het Bestel. Gedurende de kortst denkbare seconde voelde hij zich bevroren, stikkend, op het randje van het exploderen van elke cel in zijn lichaam.

Zoeng.

Hij kwam wijdbeens op handen en knieën terecht, opende zijn ogen en zag Alice en Kalipin gapend van verbazing staan. Een rokend Scandinavisch landschap. Verspreide botten. Geblakerde

rommel. Een overdonderend groot zwart pantser met een Bosch-
straalkanon ertegen aan. De gestolen uitrusting en de containers en
Tony zelf waren weer precies terug waar ze waren begonnen!

Zeng.

GodGodGodneeeAAAAAGH! Oooh.

Zoeng.

Stoffig stoppelveld bedekt met roet en as. Een afgesneden menselijke pink (niet de zijne) waar twee vliegen overheen kropen.
Gewauwel van de Huiler en Alice, schreeuwend om hulp van de
koning op de vérdragende golflengte. Veel dichterbij een metalen
bulderende grafstem:

Quel putain de gâchis wat zijn ze daar thuis aan het doen? . . .
Rubberband-effect . . . nog eens proberen zonder de extra lading . . .

De bewapende vorm verdween en liet Tony en de lading achter.

Bevend en huilend, zijn ogen krampachtig dichtgeknepen,
wachtte hij tot hij weer weggesnaaid zou worden naar die pijn en
dat grijze niets toe. Maar er gebeurde niets. Hij tilde zijn hoofd op
en zag die lieve oude Alice die naast hem neerknielde en een mengelmoes van afschuw en verleidelijke ontspanning op hem
afzond.

Ze zei: 'Ik denk dat hij verdwenen is, baby. Maar als hij uit die
hyper weer te voorschijn komt, kook ik hem gaar met zijn eigen
wapen.' Ze tilde de Bosch omhoog. 'Ik heb met de koning gesproken. Hij stuurt een vliegtuig met hulp.'

Tony liet heel zachtjes zijn gezicht naar de grond zakken en
begon diep te ademen.

Binnen de matrix van het grijze niets probeerde de geest zich
vast te houden aan een pseudoplaats en concentreerde zich op het
verste einde van de reeks. Het eindigde waar het hoorde. Hij had de
curve niet verkeerd berekend en evenmin de coëfficiënt van de
doordringing. Hij voltooide de sprong, drong door de tijdruimte en
vormde met zijn wil het ypsilonveld dat een toegang vormde tot
het normale universum.

Niets. Het ging niet open. *Er was geen veld.*

Rubberband terug! Naar de antiterminus dwing het y-veld het
y-veld het y-veld.

Niets. Er was niet genoeg energie. Het gloeiende brein voelde
hoe het afkoelde; levensondersteunende noodvoorzieningen begonnen onafhankelijk te werken van het circuit van de hersenversterker en de transdimensionale krachtbron kwam ertussen en
ondersteunde hem. Hij zou niet bevriezen, verdrinken, stikken of
wegrotten gedurende tenminste vijf dagen. Totdat de interne bronnen van het pantser waren uitgeput.

Nu met enkel zijn eigen hersens gleed hij langs de reeks terug naar het einde bij de Kyllikki. De weg leek zwak te gloeien in het bedrieglijke grijs. Hij duwde en wrong tegen de koppige afscheiding, maar die wilde niet meegeven. Hij was opgesloten in het niets.

De volle maan die boven een zee van droog gras opkwam, leek zelf haast een zon, gezwollen, onder en boven lichtjes afgeplat. En hij had een afschuwelijk rode kleur in de dikke nevels.

Commandant Burke gebruikte zijn peddel als een wrikriem terwijl de kano door een wijde bocht van de Seine liep die nu naar het noorden wees in plaats van naar het oosten. Er stonden maar weinig bomen en door de droogte hadden ze het merendeel van hun bladeren verloren. Behalve de alomtegenwoordige krokodillen en maar een paar vogels waren er nergens landdieren te zien. Hij wist dat hij spoedig een veilige plek moest vinden om zijn kamp op te slaan, maar iets dwong hem ertoe nog een klein eindje verder te gaan, helemaal de bocht door te komen zodat hij een goed uitzicht zou hebben over de waterweg die hem morgen te wachten stond.

Toen zag hij het voor zich, rijdend op het bloedrode water: een kolossaal koopvaardijschip, volledig getuigd met glinsterende gouden zeilen, midstrooms voor en achter verankerd.

Vloekend peddelde hij de kano naar de rechteroever waar een gedeeltelijk ondermijnde boom zijn takken in het water liet hangen en daardoor een dunne bescherming bood. Het moest de Kyllikki zijn. Hij haalde zijn verrekijker te voorschijn en bestudeerde haar. Ze was minder dan tweehonderd meter verwijderd en lag bewegingloos in de avondstilte. Er was geen enkele aanduiding dat ze achter enig mechanisch of psychisch scherm verborgen lag. De dekken leken verlaten.

Burke liet de kleine kijker in de houder terugglippen, raakte zijn gouden halsring aan en riep:

Aiken. Ik heb haar gevonden.

. . . Dank je commandant. Ik ben onderweg.

Binnen het gebarricadeerde achterruim van de schoener, rees Patricia's stem tot een wanhopige schreeuw.

'Ze hebben hem afgesneden! Hij kan er niet meer uit! Help me . . . Jeff . . . geef me alles wat je hebt. Ze hebben nog niets kapotgemaakt. Enkel de hoofdleiding van de machine bij de overvloeiterminal opengezet. Dat kan ik wel overbruggen! Geef me energie – belast me tot het uiterste, verdomme – met alles wat je hebt. Marc, kom erdoor! *Marc!*'

Het ruim, dat inktzwart was geworden door het uitvallen van de energie, werd ineens flikkerend hel verlicht toen er drie lichamen verschenen die gehuld waren in kronkelende ontladingen van psychisch licht. Een drievoudige geestschreeuw sneed als een mes door de ether. Herstelde beeldschermpanelen lieten zien dat de uitrusting weer functioneerde. Een zwart fantoom flikkerde en kreeg toen weer massa op zijn gebruikelijke houten wieg.

Uit de luidspreker van de computer bulderde een onmenselijke stem:

JULLIE DAAR IN HET KRACHTSTATION. GA UIT DE WEG OF STERF. IK BEVEEL NU DE HERAANSLUITING VAN DE HOOFDLEIDING VAN DE HERSENMACHINE.

Jeff Steinbrenner en Cordelia Warshaw vielen tegen het dek. Patricia wist zichzelf met moeite tegen een computerpaneel staande te houden en fluisterde, 'Het is in orde. De energie is er weer. Je bent veilig, Marc . . .'

Een simulacrum van zijn gezicht glimlachte tegen haar vanachter de blinde, zwarte helm. 'Dankjewel, Pat. Lieve Pat.'

Een hand werd naar hem opgeheven. 'Ga. Je moet alles weg teleporteren. Al de anderen . . . hebben zich tegen ons gekeerd. Vlucht, Marc. Dan is het de moeite waard geweest.'

Voor de laatste keer glansde zijn geest van dirigerende kracht, scheppend en bedwingend tegelijk, toen werd alle denken gedoofd en lag haar lichaam naast dat van de anderen op de ruwe eiken planken.

Marcs versterkte stem echode door de scheepsromp:

VERLAAT HET KRACHTSTATION. ALLEMAAL.

Buiten de Kyllikki klonk een verschrikkelijke explosie van geluid. De schoener schommelde heftig.

Hij zoog energie naar binnen zonder acht te slaan op het risico. Hij absorbeerde een grotere hoeveelheid dan hij ooit eerder had gedaan in deze Pliocene verbanning. Ja! Nu volledig geladen, spon hij het ypsilonveld en maakte de hyperruimtelijke doorgang enorm groot. Zijn geest ontwierp al de uitrusting die overgebracht moest worden: het hele complex van de hersenmachine, wapens, voorraden, samen meer dan elf ton aan massa. Hoe makkelijk was het te tillen! Hoe nonchalant duwde hij zichzelf en zijn lading door de gapende plooi en sloeg die dicht in het gefrustreerde gezicht van zijn Gouden Tegenstrever.

Zeng.

. . . Een perfecte schuilplaats, weken geleden al voorzien.

Zoeng.

De materialisatie diep binnen in die droge waterbedding zou voor het blote oog minder dan een seconde te zien zijn geweest. Daarna trad het absorberende camouflagesysteem in werking dat eerder de Kyllikki had verborgen; het verboog en verwrong de stralen van de maan tot er een illusie was geschapen die, wanneer ze van boven werd waargenomen, de indruk wekte dat de geul bedekt was met vaste aarde.

Na een paar uren werd de camouflage afgezet en leek de droge watergeul even ontdaan van alle leven als ooit tevoren. Maar de kleine holte waarin Madame Guderian en Claude Majewski verborgen waren geweest, was nu aanzienlijk vergroot om ruimte te bieden aan een nieuwe bewoner. Kort na middernacht kwam hij voor korte tijd naar buiten en zat onder een oude acacia die zich aan de rand van de helling vastklemde. Hij keek naar de bol van het krachtveld dat kasteel Doortocht versluierde, ginds tegen de helling op in het zuiden. Een paar hazen en andere nachtdieren kwamen naar hem toe gekropen voor een onderzoek, maar ze vluchtten snel zodra ze de koude, verschrikkelijke aanraking van zijn geest voelden.

8

Minanonn de Ketter opende de deur van de vroegere feestzaal van het jachthuis, die nu veranderd was in een ziekenzaal voor zwartringbaby's. De kamer werd enkel verlicht door een reeks rode sprookjeslichten. Hij zag een dubbele rij smalle bedjes waar tien genezers op krukjes voor zaten. De moeders stonden achter de kinderen en keken toe. Dionket stond ter zijde, hij leidde de hele operatie en was maar flauwtjes zichtbaar achter een karmijnrode uitstraling. Basil Wimborne speelde een rustige melodie op zijn fluit en een aura van genezende kracht begon de kamer te doordringen.

Het gaat werken, dacht Minanonn. Dit nieuwe programma begint die arme kleinen nu al te helpen, nog voor het dwingende deel van de metabundeling in werking is gezet. Ze zouden worden genezen, hun geesten zouden weer heel worden, binnen een paar weken al. En niet alleen dat, maar ze zouden de eersten worden van een generatie niet van halsringen afhankelijke meta's, die Breede de Scheepsgade had voorzien.

Zij mochten niet achtergelaten worden om onder te gaan in de Schemering! Gelukkig leek het advies van de koning de volmaakte oplossing in te houden . . .

Minanonn wachtte. Hij kreeg Elizabeth in het oog die in een donkere hoek zat, haar geest afwezig, haar gezicht in haar handen verborgen, ze was niet nodig. Toen kwam de voorbereidende sessie tot een einde; de jonge geesten baadden in verzachtende halfdroom en de pijn was niet langer voelbaar. Basil zong afwezig in de geest een menselijk wiegelied terwijl hij zijn fluit bespeelde:

Vreugde zal komen in de morgen,

411

zonsopgang en hoop verdrijven de zorgen
van boze dromen onverwacht
in heel de nacht.

De laatste klanken van het lied stierven uit. Dionket en het gezelschap genezers keken elkander glimlachend aan, daarna stonden de genezers op en verlieten het vertrek. Een urgente roep van Minanonn bracht de Heer Genezer en Elizabeth naar hem toe. Samen verlieten ze het chalet door een zijdeur en liepen naar de schemerig verlichte rotstuin waar een volle maan net boven de heuvels uitrees.

'Er zijn belangrijke ontwikkelingen,' zei de Ketter. 'Ik wilde het werk binnen niet onderbreken. Maar hier is een boodschap die de koning mij het afgelopen halve uur heeft gezonden.' Hij liet hen een beeld zien van de belangrijke gebeurtenissen die boven aan de Seine hadden plaatsgevonden.

Elizabeths geest werd duister van wanhoop. Dan is Marc dus ergens en onvindbaar met heel zijn geestversterkende uitrusting bij zich!'

'Maar zonder zijn gebruikelijke basis en zonder zijn metgezellen,' zei Dionket. 'En dat is beslist bemoedigend nieuws. Zelfs met zijn duivelse machine kan de Tegenstrever niet in kasteel Doortocht inbreken. En de koning zal ongetwijfeld maatregelen nemen om een hernieuwde aanval tegen de mijnwerkers te voorkomen.'

Elizabeth fronste haar voorhoofd. 'Ik vraag me af of het Guderian-project kwetsbaar is onder andere, indirecte aanvallen?'

'De koning zegt van niet,' antwoordde Minanonn. 'Op dat ene kritische element na, zijn alle andere grondstoffen en gereedschappen veilig op kasteel Doortocht. Over een paar dagen is de operatie in Scandinavië voltooid. Volgens de koning moet de tijdpoort kunnen worden voltooid ergens gedurende de week van het Toernooi.'

'Heel toepasselijk.' Elizabeths geest was andermaal verborgen en onpeilbaar. 'Het Veld van Goud ligt niet zo dicht bij kasteel Doortocht, maar er zijn natuurlijk de vliegtuigen . . .'

Ze kwamen gedrieën bij een romantische grot, een ondiepe holte waar een bronnetje ontsprong, omringd door varens en 's nachts zacht geurende vrouwenmantel en reseda. Een olielantaarn die aan een boom hing, wierp een warm licht op de omringende rotsen en op een tweetal rustieke banken. Ze gingen zitten.

Dionket zei: 'Broeder Ketter, je houdt iets voor ons achter. Wat bevatte de boodschap van de koning nog meer?'

De houding van de vroegere Strijdmeester verried zijn neerslachtigheid. Zijn massieve schouders zakten voorover en hij pakte kiezelstenen op van het pad die hij in het kleine stroompje gooide. 'De koning heeft het grote zeilschip van de Tegenstrever in beslag

412

genomen. Hij heeft de tweeëntwintig overlevende Noord-Amerikanen aan boord ondervraagd, zij die tegen Remillard in opstand kwamen. Een zekere rebel die Manion heet, gelooft dat de volgende fase van de Tegenstrever de Firvulag in zijn plan zal betrekken. Als deelnemers in een aanvallende metabundeling, aangevoerd en gedirigeerd door Remillard.'

Dionket barstte in lachen uit. 'Het idee is belachelijk! De Aartsvijand zou zich nooit door een mens laten aanvoeren, laat staan door *hem*.'

'Dan wil ik je toch bepaalde geheiligde overleveringen in herinnering brengen,' zei Minanonn kwaad. 'De Tegenstrever is geen toeschouwer bij de Oorlog der Schemering.'

Zijn vertrouwen was geschokt. Toch zei de Heer der Genezers: 'Het Kleine Volk is niet gek! Zichzelf onderwerpen aan Remillard in een Organische Geestverbinding betekent dat ze de kans lopen op permanente mentale slavernij. En zoals de zaken nu staan commanderen Sharn en Ayfa een bewustzijnsstrijdmacht die misschien wel superieur is aan die van Aiken. Ze hebben geen hulp nodig van deze menselijke onderkruiper . . .'

'Niet wanneer de Firvulag werkelijk weten hoe ze een metabundeling goed in elkaar moeten zetten,' zei Elizabeth met een zachte stem. 'Als ze de structuur zo op kunnen zetten dat de som van het totaal groter is dan dat van de afzonderlijke delen, vooral de zwakkere en wanneer daarmee dan efficiënt kan worden gewerkt. Maar we hebben al voldoende aanwijzingen gehad dat hun kennis van die samenvoegingstechniek nog maar heel onvolkomen is. Ze hebben de neiging elkaar los te laten, er ieder voor zich op af te gaan, wanneer ze in een hoek worden gedreven. Dat was het punt dat Katlinel en Sugoll hoopten te onderstrepen bij hun pogingen tot verzoening: Sharn en Ayfa waarschuwen en erop wijzen dat ze nooit op zouden kunnen tegen de gedisciplineerde en efficiënte tegenkracht van Aiken. Maar als Marc langskomt en hun belooft de metabundeling van de Firvulag te verbeteren in ruil voor hulp bij het doorbreken van de defensie rondom kasteel Doortocht . . .'

'Dat is wat de koning vreest,' zei Minanonn. 'De Tegenstrever hoeft dan alleen maar op het goede ogenblik te wachten. Dan zijn aanbod doen. Suggereren dat het koninklijke paar best met hem kan samenwerken en toch zijn onafhankelijkheid kan bewaren. Hij kon wachten tot de onvermijdelijke fouten in de mentale samenwerking zich bij de Firvulag openbaren en dan nog eens zijn aanbod doen. Op den duur zullen Sharn en Ayfa die verleiding onweerstaanbaar vinden.'

'Onweerstaanbaar,' herhaalde Elizabeth. Ze staarde naar haar handen, naar de kleine, smalle diamanten ring die het symbool was geweest van haar beroep in het Bestel. Lawrence had destijds de tweelingring gedragen. Nu leek de glans van de steen in het lamplicht verloren te gaan.

'Wat gaan we doen?' vroeg Dionket.

'Vluchten,' zei Minanonn ronduit.

'Naar het Bestel?' Elizabeth lachte. 'Marcs samensmelting met die tachtigduizend Firvulag maakt aan die droom voorgoed een eind, dat verzeker ik jullie. Hij heeft het Kleine Volk niet eens nodig om daar bij kasteel Doortocht ter plekke aanwezig te zijn. Hij kan hun psycho-energie vanaf afstand kanaliseren – vanuit Nionel als dat moet – precies zoals hij dat deed toen hij Gibraltar verwoestte en Felice ten val bracht.'

'Ik dacht niet aan vluchten door de tijdpoort, Elizabeth,' zei de Ketter. 'Ik heb de koning, in naam van de Vredesfactie, gevraagd om het grote schip, de Kyllikki. Hij heeft erin toegestemd dat aan ons te geven nadat het merendeel van de bewapening is verwijderd. Een bemanning van Tanu en mensen is bezig het schip zo snel mogelijk naar de monding van de Seine te brengen. Het zal in Goriah van proviand worden voorzien voor een terugreis over de oceaan naar de Gezegende eilanden. De overlevende Noord-Amerikanen hebben erin toegestemd volledig mee te werken en de beslissingen van de Vredesfactie te accepteren.'

Elizabeth was sprakeloos.

Dionket hief langzaam zijn beide handen. 'De Eilanden! Maar natuurlijk. De vrijplaats uit onze oude legenden . . . het Land van de Jeugd! We kunnen het werk aan de zwartringkinderen voltooien in de week die ons nog rest voor het Toernooi begint en hen dan met ons meenemen.'

Minanonn zei: 'Ons Vreedzame Volk kan van Nionel in de richting van Goriah gaan. Ze moeten dan reizen over de westelijke weg en met boten de Laar afgaan. Er is nog tijd. Ik zal de koning vragen om een vliegende machine om hen te evacueren die in de Pyreneeën door de sneeuw worden vastgehouden. En wij hier op de Zwarte Piek . . .'

Elizabeth fronste ironisch: 'Kunnen rustig wegglippen terwijl Aiken de Oorlog der Schemering uitvecht en Marc Remillard zijn eigen kinderen ombrengt.'

'De koning vond ons plan uitstekend,' protesteerde Minanonn. 'Hij vertelde me dat het hem goed zou doen wanneer hij wist dat hij en de kinderen en het Vreedzame Volk beschermd zouden zijn tegen de komst van het duister. Als er iemand is die dit arme Veelkleurig Land kan redden, dan is hij het. Hij wil graag terugbetalen wat hij als een drievoudige schuld aan ons beschouwt, het redden van zijn leven bij de Río Genil en het redden van zijn geest bij de Kwikzilver Grot.'

'Ik ga niet met je mee op de Kyllikki,' zei Elizabeth.

'Maar dat moet!' riep Dionket uit. 'We hebben je nodig om onze nieuwe, onafhankelijke kleine meta's tot volledige ontplooiing van hun vermogens te brengen.'

Ze had zichzelf van hen afgesloten. 'Heer Genezer, ik heb de moed niet om helemaal van voren af aan te beginnen op jullie Gelukzalige Eilanden. Ik heb genoeg van mijn ballingschap. Ik zal jou en Creyn vooraf zoveel leren als ik kan over de grondregels, de educatieve bekortingen en de speciale geestverruimende technieken die jullie niet zelf kunnen veroorzaken of in gang zetten. En met Marcs aanpassing van het programma van Brendan moeten jullie in staat zijn het brein van ieder pasgeboren kind zo aan te passen dat ze nooit meer halsringen nodig zullen hebben. De kinderen zullen niet gelijkwaardig worden aan de adepten van het Bestel, maar ze zullen goed genoeg zijn.'

'Maar wij hebben *jou* nodig!' riep Dionket.

'Dat doen jullie niet,' wierp ze tegen. 'Waarom willen jullie het niet begrijpen? Is het omdat jullie niet willen? Moet ik mezelf dan naakt aan jullie laten zien voordat jullie accepteren wat ik je vertel? Wil je me pas dan met rust laten?'

Minanonn zei: 'Elizabeth, we houden van je en willen je bij ons hebben.'

'Dat geldt ook voor Aiken,' zei ze. 'Ik heb besloten bij hem te blijven en hem alle hulp te geven die ik kan in deze oorlog.'

'Dat heeft hij niet van je gevraagd,' antwoordde Dionket. 'Die keuze om je eigen ondergang te zoeken komt voort uit wanhoop, niet uit de behoefte je vriend te helpen.'

'En wat dan nog?' gaf ze vinnig terug. 'Het is mijn leven, of niet soms? Ik heb geprobeerd mijn best te doen voor jullie allemaal, God mag het weten. Maar ik kan niet meer verdragen. Ik wil Aiken juist helpen omdat hij er me niet om gevraagd heeft. Hij weet dat ik niet een of andere moederlijke abstractie ben, geen door en door wijze personificatie van jullie Godin om jullie bij te lichten, te bewaken, te regeren en te gidsen. Ik ben gewoon zijn vriend. En ik zal zorgen dat ik naast hem kom te zitten tijdens de spelen om een paar dagen al mijn zorgen te vergeten en aan niemand anders te denken dan aan mijzelf.'

'Elizabeth, denk er nog eens over na,' smeekte Minanonn. 'Je zou voor ons zo'n grote hulp betekenen. Het zou heel bevredigende arbeid zijn . . .'

'Oh ja?' vroeg ze kalm en voor ze zich realiseerden wat er gebeurde, had ze al haar mentale afweerscherm laten vallen en liet hen de cocon van vuur zien. 'Ik heb dat geprobeerd, vrienden. Heel erg mijn best gedaan, precies zoals ik beloofde toen ik het Huis der Genezers in Muriah na de Vloed verliet. Het beetje dat ik af en toe bereikte, heeft me goed gedaan, maar het vuur bleef altijd net uit het gezicht, wachtend, tot de slinger zich weer naar de falende zijde zou begeven. Jullie wilden dat ik Breede was, maar ik was enkel een mislukkelinge, hier precies in dit Veelkleurig Land even slecht op mijn plaats als Marc Remillard in het Bestel.'

En net als ik had hij zoveel kunnen doen zoveel goeds zijn droom zijn onsterfelijkheid allemaal verknoeid waarom was hij Jack niet waarom werd ik gescheiden van Lawrence waarom ben ik te zwak waarom is hij te vastbesloten om alleen sterk te zijn waarom als er een God is laat hij de misvormden lijden omdat ze zichzelf niet begrijpen en dus weigeren de aanraking van liefde waarom was ik bang zelfs terwijl ik wist dat het hem speet naar mij reikend zachter geworden door Brendan waarom kon ik hem niet aanraken zelfs niet op het laatst hem vertellen wat zijn echte opdracht was (Creyn wist het!) hem helpen het te vinden ondanks de angst nu is het te laat hij is verloren ik ben verloren laat het voorbijgaan laat het allemaal voorbijgaan laat mij gaan vrienden als jullie om me geven laat mij wegvliegen . . .

'Niet doen!' schreeuwden ze beiden. Maar ze was het tuinpad al afgerend, de nacht in en haar mentale waarschuwing om haar niet te volgen leek met noodlottige somberte in de lucht geschreven.

'Dus Creyn had ten slotte toch gelijk,' zei Minanonn. 'Hoe buitengewoon merkwaardig.'

Dionket zuchtte. 'Ik heb een moeilijke dag gehad en morgen zal nog moeilijker worden wanneer ik jullie en de andere bedwingers bij de genezing moet inschakelen. Maak je over Elizabeth geen zorgen. Ze zal vannacht niets overhaast doen. Ik ga naar bed. Neem mijn raad aan en doe hetzelfde.'

Getweeën gingen ze terug naar het huis. Ergens speelde iemand op een fluit.

9

De ochtend was bijna aangebroken. De Eerste Dag van het Grote Toernooi stond op het punt te beginnen.

'Ik kan het niet doen!' zei ze protesterend tegen de Meester der Genetica. 'Ik ben zo'n eer niet waardig.'

Maar hij zei: 'Stel je niet aan, meisje. Je bent mijn gast en mijn triomf . . . je zult aan mijn zijde rijden en ervan genieten.'

En dat deed ze. En daar waren ze dan in een grote processie die door de westelijke stadspoort van Nionel trok op weg naar de Regenboogbrug onder een rituele nevel die voor een paarlen zonsopgang zorgde.

Sugoll ging als gastheer van deze spelen voorop, rijdend op een witte chaliko in een melkkleurig pantser met gedreven zilver. Achter hem reed Katlinel in een japon met de kleur van de dageraad en aan haar rechterhand reden Sharn en Ayfa in maliënkolders van obsidiaan, zwaar met juwelen bezet. Links van haar reed Aiken Lugonn de Glanzende met Elizabeth aan zijn zijde die de zwart met rode gewaden en het glinsterende masker van Breede droeg. Na de koningshuizen, geflankeerd door marcherende Huilers die hun meest aantrekkelijke illusoire lichamen droegen, reden de leden van de Hoge Tafel en de Raad van het Kleine Volk in wisselende dubbele rijen. Zij werden gevolgd door de Groten van de Huilers (en zij en Greg-Donnet in het midden daarvan!) en de overige hoge adel van het dimorfe ras, allen vier aan vier, alle ridders maar ook de niet-strijdenden in luisterrijke kleding. De overigen van de gewone Huilers marcheerden waardig achteraan en droegen groene takken en bundels bloemen die aan met linten versierde stokken werden meegevoerd. Ditmaal waren er nergens met schedels versierde strijdstandaards of strijdlustige vaandels te zien.

De lucht gonsde van een diep geneurie; het gewone volk van de Firvula op de volgepakte tribunes over de rivier liet zijn traditionele ouverture horen die aan het Openen van de Hemel voorafging. In vroeger jaren, op de zoute vlakten van de door de Tanu gedomineerde Witte Zilvervlakte, had dat geluid bitter en prikkelend voor de geest geklonken. Hier was echter geen steriele, uitgestrekte zeebodem maar een groene weide en duizenden vogels zongen hun lied van de dageraad dat vrolijk omhoogklom tegen de van tekens beladen dreun der Firvulag. Zelfs de edelen onder de Firvulag merkten dat ze glimlachten terwijl ze de Nonol overstaken en het Veld van Goud opreden. Dat landschap van vroegere glories had één tribune voor het Kleine Volk, die zo overvol was dat iedereen was uitgestroomd langs de zijlijnen; de andere tribune daarentegen die voor de Tanu en de mensheid was bestemd, was nauwelijks voor driekwart bezet.

'Wat ziet alles er vreemd helder uit,' riep ze naar Greg-Donnet. 'En zo duidelijk! Het lijkt alsof ik iedere kleine bloem in de kransen van ons volk kan zien, iedere edelsteen op de pantsers van de Groten en iedere versiering op elk vaandel dat op de tribunes wappert.'

'Binoculair gezichtsvermogen, liefje. Je ziet nu met twee ogen, twee ogen zien veel beter dan één. En daar komt bij, je bent gelukkig.'

Het koninklijk gezelschap besteeg het centrale podium voor de tweelingtribunes en ging zo staan dat ze het gezicht gekeerd hadden naar de oostelijke heuvelrij achter Nionel.

'Ik ben zo gelukkig en jou zo dankbaar, Greggie,' zei ze. Ze gluurde even acher de met juwelen bezette bruidshoofdtooi vandaan. 'Ben ik nu echt mooi?'

Greg-Donnet kuste haar vingertoppen in een extravagant gebaar. 'Meer dan dat. Je bent *prachtig.*'

Haar geest was daar nog niet helemaal zeker van. 'Oh, Greggie, was mijn Tonie maar hier om mij te zien. Hoe moet ik het wachten nog langer doorkomen?'

'Nog maar een paar dagen,' troostte hij haar. 'De koning heeft me verteld dat Tony snel met zijn werk klaar is. Hij zal nog voor het einde van het Toernooi bij je zijn . . . Kijk nu maar liever hoe de koningen samen de hemel openen. Dit is iets heel nieuws, om die zogenaamde Wapenstilstand te vieren.' Hij giechelde verdrietig. 'Maar mooi sentimenteel is het wel.'

De kleine figuur in de gouden wapenrusting en de reusachtige in scherp gefacetteerd zwart hieven de Speer en het Zwaard. De fotonenwapens zonden smaragdkleurige vuurstralen schuin de hemel in en de wolken werden gescheiden zoals ze dat ongetelde eeuwen op het verloren gegane Duat hadden gedaan en nu al duizend jaren op de Pliocene Aarde. Terwijl al de verzamelden hun scheppend vermogen gebruikten, werd de mist verdreven en een straal zonlicht scheen neer op beide monarchen. Tanu en Firvulag, mensen en Huilers mengden hun stemmen en zongen het Lied:

Er is een land dat schijnt door tijd en leven,
Een vriendelijk land in werelds lange jaren,
Veelkleurige bloesems bedekken het
Uit de oude bomen waarin de vogels zingen.
Iedere kleur gloeit, verrukking allerwegen
Muziek doorstroomt de Zilveren Vlakte
Op de zoetgestemde Vlakte van het Veelkleurig Land,
Op het Veld van Goud in het Noorden.

Daar zijn geen tranen, geen bedrog, geen verdriet,
Daar is geen ziekte, geen zwakheid of dood,
Daar ligt de rijkdom in talrijke kleuren,
Zoete zang voor het oor, speelse wijn voor de tong.
Gouden strijdwagens meten zich op de Vlakte van Wedijver.
Kleurige rossen rennen in gelijkmatig klimaat.
Een heir van strijders zwermt uit over het Toernooiveld,
schoon om te zien, machtig in hun wedijver.

Er zal een dageraad komen en een ster in de morgen,
die het land verlicht, rijdend op de golvende vlakten,
beroerend de zeeën die veranderen in bloed.
De legers staan op voor de Zingende Steen.
En de Steen zingt het Lied voor de heirscharen
De muziek zwelt aan onder de zang van tallozen.
Noch de dood noch het ebben van de tijd
Bedreigt hen in het Veelkleurig Land.

Elizabeth zei tegen Aiken: 'De woorden waren anders.'

Hij zei: 'Morna-Ia de Koningmaakster heeft gezegd dat dit de woorden waren die we dit keer moesten zingen.' Hij schonk haar een raadselachtige glimlach. 'Kijk, daar komen de ambachtslieden van de Firvulag met de nieuwe trofee, de Zingende Steen. Gesneden uit één grote aquamarijn. De geruchten gaan dat het ding al helemaal is afgesteld op de aura's van Sharn en Ayfa. Wat denk je van zo'n onbeschaamdheid?'

Ze zaten in de koninklijke loges van de Tanu en keken naar het voorprogramma. Er was een vorstelijk ontbijtbuffet uitgestald waar de meeste leden van de Hoge Tafel en hun gasten gretig van namen. Maar de koning knabbelde enkel aan een onbeboterde croissant. Elizabeth, wier gezicht nog steeds gedeeltelijk verborgen was achter Breedes zwaar met edelstenen bezette gelaatsmasker, at niets.

Ze zei: 'Die regel in het Lied over de ster in de morgen was een beetje te dicht bij de rauwe waarheid naar mijn smaak.'

Aiken haalde zijn schouders op. 'Marc zit misschien wel ergens hier in de menigte en lacht zichzelf een beroerte om dat snoezige volksdansspelletje dat de Firvulag opvoeren rondom die Zingende Steen. Florida moet heel wat anders zijn geweest.'

'Ik neem niet aan dat hij geprobeerd heeft contact met jou te leggen?'

'Om een handeltje af te sluiten?' Aiken schudde zijn hoofd. 'Zoveel fatsoen had-ie nog wel, dat moet ik hem nageven. Geen kik. Geen ultimatum over het openen van het sigmaveld rondom Doortocht in ruil voor een beëindiging van zijn Götterdämmerung.'

'Hij weet dat jij de kinderen niet zou verraden nu ze eenmaal onder jouw bescherming staan. En hij lijkt zo zijn eigen eergevoel te hebben.'

'Niet dat het geen simpele oplossing zou zijn voor deze strontzooi,' zei Aiken grof. Hij trok een brok van een pastei en kauwde een paar minuten in stilte. 'Alles wat ik kan doen is hopen dat Hagen en de zijnen het ontwerp van Guderian klaar hebben voor Marc de Firvulag aan zijn kant weet te kletsen. Wanneer de kinderen eenmaal door de tijdpoort in het Bestel zijn, is onze huisbakken Lucifer afgetroefd. Ik durf mijn kansen in de Oorlog der Schemering wel te nemen tegenover de Firvulag zolang Marc hen niet in een metabundeling aanvoert.'

Ze zei: 'Wat er ook gebeurt, ik wil je graag helpen. Je weet dat ik een mentale blokkade heb die agressieve acties verhindert, maar ik heb mijn vérziende vermogens en ik kan genezen . . .'

Ze brak af, tranen stroomden uit haar ogen. De kleine man in de maliënkolder van goudluster nam haar beide handen in de zijne. 'Waarom ga je niet mee op de Kyllikki?'

Ze keek een andere kant op, schudde haar hoofd en probeerde haar handen los te maken. Maar de koning greep haar nog steviger vast.

'Ik wil je hier niet hebben, Elizabeth. Ik wil dat je veilig bent. De Kyllikki vaart morgen uit Goriah af. Ik zal je erheen vliegen zodat je bij de anderen bent.'

'Nee! Ik wil hier blijven en jou helpen . . . en als er een kans is dat de tijdpoort weer opengaat . . .'

'Dus je zou naar het Bestel terug willen als je kon?'

'Jij dan niet?' vroeg ze woedend, haar ogen glinsterend boven het diamanten masker.

Hij liet haar zo plotseling los dat ze terugviel in haar stoel. Er klonken toejuichingen uit de menigte en een storm van applaus en gelach. Nu de pompeuze formaliteiten achter de rug waren, was een gezelschap Firvulag-komedianten begonnen en zij staken de draak met de Zingende Steen en de onvermijdelijke rivaliteit die deze zou veroorzaken. Bijna iedereen in de loges van de Tanu sloeg de pret gade en niemand besteedde enige aandacht aan Aiken of Elizabeth.

Hij beantwoordde haar vraag. 'Ik ben de koning en dit is mijn land en ik zal hier blijven tot ik sterf.'

'Laat me je helpen,' smeekte ze. 'Dat wil ik heel graag, Aiken.'

'Goed.' Zijn instemming kwam onverwachts. 'Als je dat masker afneemt.'

'Nee,' zei ze koppig. 'Deze mensen willen dat ik Breede symboliseer en dat ga ik doen ook, in vol ornaat. Met twee gezichten, net als zij.'

'Zet het af.' Zijn ogen werden onweerstaanbare centra van overreding. 'Denk je dat ik niet weet wat er in je hoofd omgaat? Jij wilt helemaal niet Breede zijn, jij speelt de heilige Illusio de Martelaar! En ik ben een beetje langzaam van begrip, dus ik begin het nu pas door te krijgen en waarom. Maar daar krijg je je zin niet in, meisje. Ik heb niets aan je wanneer jij zieke spelletjes gaat spelen en metapsychisch verstoppertje. Als je met mij wilt meedoen, best, maar op mijn voorwaarden. Begrijp je dat?'

'Ja.' Ze kwam overeind, maakte de riempjes van het ademhalingsmasker los, liet het zakken en glimlachte naar hem met duidelijke opluchting. 'Dat begon heel heet te worden,' gaf ze toe. 'Ik weet niet wat me bezielde. Het leek een passend gebaar. Geruststellend. Ik denk dat ik me onbewust inderdaad wilde schuilhouden.'

'Dat is juist.' Hij schonk gekoelde wijn in een kristallen beker en hield haar die voor. 'En wanneer jij ontdekt waarvoor jij je verbergt, dan ben je vrij. Drink dit nu maar op en ontspan je. Ik zie je later nog. Ik moet ervandoor, het is mijn tijd om te beginnen met ons aandeel in de voorbereidende grappen en spelletjes.'

Er waren 900 ridders die deelnamen aan het gezamenlijke dressuurrijden en ze kwamen vol trots het Veld van Goud opgereden, geformeerd naar hun Gilden en aangevoerd door de in goud geharnaste koning op zijn zeldzame zwarte strijdros. De chaliko's van de strijdcompagnie hadden hun vachten geverfd in de heraldieke kleuren en al hun tuig was rijkelijk met edelstenen bezet. De hoofdstellen van de rijdieren droegen pieken die hen op eenhoorns deden lijken en daaraan waren doorschijnende linten bevestigd van goud en zilver die pasten bij de mantels en met vaandels versierde lansen van de ruiters. Achter Aiken-Lugonn reden op de ereplaatsen de in violet en goud geklede ridders van het Gilde der Vérvoelenden, want hoewel zij gering in aantal waren, hadden zij tot de eersten behoord die de koning als verwant erkenden. Daarachter kwamen in rood en zilver de Genezers en vervolgens de veel talrijker Psychokinetici in schitterend roze en goud, gevolgd door de stoutmoedige saffierkleuren van het Gilde der Bedwingers. Ten slotte kwamen de Scheppers in hun veranderende, luisterrijke pasteltinten van geel en amber, olijfkleur en diep ultramarijn. De Glanzende nam positie in op het midden van het veld en al de ruiters reden om hem heen op de maat van de muziek, van gedraaide glazen hoorns en machtige trommen. De met schrikwekkend dreigende klauwen uitgeruste chaliko's draafden heen en weer in tegengestelde richtingen, beschreven grote kringen en maakten korte boogsprongen. Ze voltooiden halve zwenkingen en dansten in telkens wisselende kleurrijke patronen rondom de beweginloze koning. Bloemen bloesemden, regenboogkleurige sterren ontploften en werden veranderd in abstracte, wervelende patronen waarbij de Tanu en de menselijke toeschouwers van harte juichten en kreten van bewondering en verbazing slaakten bij ieder nieuw en verbazingwekkend vertoon van rijvaardigheid.

'Allemaal heel fraai,' spotte Sharn, 'al is het uit oogpunt van krijgskunst nauwelijks bijzonder indrukwekkend.' Hij gooide het bier uit zijn schedelbeker met één machtige slok naar binnen en wenkte een dwergachtige bediende om zijn beker opnieuw te vullen. 'Wil jij een nieuw glas limoenkwast, Neef?'

'Nee, dank je, Ontzagwekkende Koning,' antwoordde Sugoll.

'Het opkalefateren van die chaliko's door ze te verven en te bleken is een tamelijk nieuwigheidje dat jij misschien niet eerder hebt gezien, Neef. Die Minderen die goud dragen zijn er ongeveer dertig jaar geleden in Muriah mee begonnen toen zij de Aartsvijand hielpen om het overwicht te krijgen tijdens de Grote Veldslagen. Maar jouw volk heeft zich nooit erg bekommerd om die rituele gevechten, is het wel?'

'Dat is zelfs de reden waarom wij ons in de tijden van mijn grootvader van de overige Firvulag hebben verwijderd en naar het achterland trokken. De jaarlijkse slachting van de Veldslag begon in onze ogen zinloos te worden.'

Met een lage stem antwoordde Sharn: 'Zeg dat maar niet tegen die herrieschoppers van mijn Raad, maar Ayfa en ik dachten er net zo over. Oorlog is alleen maar goed als je daardoor zelf aan de macht komt.'

'Ik heb trouwens de spelen in Muriah eenmaal eerder meegemaakt,' zei Sugoll, 'dat was verleden jaar en ik was incognito. Mij was verteld dat menselijke geleerden die aan de Tanu onderworpen waren, wellicht de technologie bezaten om de afwijkingen van mijn volk te verminderen. Dank zij Téah in haar Grenzeloze Medeleven is mij gebleken dat dat waar is.'

Sharn knipoogde naar de mutant. 'Wanneer die kleine Rowane een goed voorbeeld is van zo'n ombouw, dan zul je de vrijers van mijn Firvulag volgend jaar met een stok bij jouw meisjes vandaan moeten houden op het Grote Liefdesfeest! Ik neem aan dat je nu zelf ook kandidaat bent voor de Huidtank?'

'Ik zal zelf de laatste zijn, zoals het hoort.'

Sharn bestudeerde het schuim in zijn beker. 'Oh. Ja, natuurlijk. Maar weet je, nadat we de Oorlog der Schemering hebben gewonnen, zullen we heel wat meer Huid tot onze beschikking hebben dan jij gebruiken kunt. En we zullen de niet-strijdende genezers van de tegenstander sparen om jullie bij de genezing te helpen. Als ze beloven zich te gedragen.'

Sugolls illusoire ogen bekeken de koning rustig. 'Zoals Teah wil.'

'We hebben je aan onze zijde nodig in deze oorlog, Neef. Ben je met ons?'

'Ik moet doen wat de Godin me ingeeft.'

Sharn leunde voorover. Zijn gezicht binnen de drukbewerkte zwartglazen helm was dreigender geworden. 'Zij wil dat we overwinnen, Neef. En je moet hier maar eens goed over nadenken voor je tot wat anders besluit! Oh, ik weet wel waar jouw Vrouwe mee bezig is geweest. Invloed uitoefenen op Ayfa, verhalen vertellen hoe slecht de kansen zijn van de Firvulag in zo'n oorlog en almaar vertellend dat wij in onze broek zullen schijten wanneer die Gouden Kever met zijn metabundeling op ons afgaat . . . Nou ja, ik ben ruimhartig en voor Katy wil ik best verontschuldigingen vinden. Ze is ten slotte half Tanu, half menselijk en misschien nog wel in het geheim een medestandster van de Vredesfactie op de koop toe. Maar *jij hebt* de ziel van een Firvulag, Neef, onverschillig hoe je lichaam eruitziet. En jij behoort bij ons!'

Sugoll zei: 'We zijn allemaal kinderen van de Godin, allemaal van hetzelfde bloed, verbonden binnen één groot mysterie. Het volk van Duat en het volk van de Aarde door het noodlot verbonden om elkaars bestemming te delen!'

'Gelul!' schreeuwde Sharn. 'Mystiek van de kouwe grond! Terwijl jij met de jouwen in de wildernis mooie ideeën zat uit te broeden, werd onze geest en veerkracht door de Tanu en hun menselijke slaven neergeslagen! Nu is het onze beurt! Wij hebben nu het voordeel en we gaan winnen!'

'Kijk,' zei de Heer van de Huilers, wijzend naar het toernooiveld, 'Aiken-Lugonn gaat zijn demonstratie besluiten.'

'Een Vliegende Jacht,' gromde Sharn. 'Dat ligt voor de hand.'

De koning van de Firvulag en de mutant stonden nu naast elkaar te kijken. Op het gouden zand was de kleine figuur op zijn zwarte chaliko het centrum geworden van een regenboogkleurige wenteling. De bejuweelde ridders op hun sprookjesdieren rezen in een grote spiraal boven hem uit, hoog de blauwe hemel inrijdend terwijl de gestoken hoorns en de trommen een daverend crescendo lieten horen.

'Negenhonderd ridders,' zei Sharn bitter, 'en hij tilt ze allemaal zelf omhoog, op eigen kracht, zonder een metabundeling.'

'Er komen vliegtuigen aan,' merkte Sugoll op.

Zesentwintig donkere vliegtuigen met het opengewerkte gouden blazoen rangschikten zich tot een groot diamanten patroon binnen de binnenwaarts gerichte kegel van de leviterende ridders. De rhomachines daalden vervolgens verticaal tot ze op een kleine tweehonderd meter hoogte boven de tribunes zweefden. Toen was het krioelende purperen netwerk van de krachtvelden, die de zwaartekracht teniet deden, rondom de vogelachtige vormen duidelijk zichtbaar.

Ineens stopte de muziek.

De kleine gouden man steeg van zijn chaliko en hief zijn armen hoog boven zijn hoofd. De spiralende ridders kwamen tot stilstand alsof ze in de heldere, transparante lucht bevroren. De toeschouwers lieten een laag geluid horen, toen werden ze allemaal doodstil.

De rhovelden die de vliegtuigen omhulden, gingen uit en ondanks dat bleven die donkere vogels in de hemel hangen.

'Grote Godin,' fluisterde Sharn.

Zachtjes begonnen de hoorns het Lied van de Steen te zingen. Toen was het afgelopen. De vliegtuigen kregen hun violette mantels van vuur weer terug en zwenkten weg als een zwerm bladeren. De Vliegende Jacht keerde op haar spiraalvorm terug en daalde naar de aarde, waar ze zich in rijen formeerde en op de snelle maat van de trommen wegdraafde.

'Nog steeds zo vol vertrouwen op de overwinning, Ontzagwekkende Koning?' vroeg Sugoll op milde toon.

De menseneter nam een haastige slok van zijn bier. De dwerg met de schenkkan kwam aandraven, een aarzelende uitdrukking op zijn appelkleurige gezicht.

'Majesteit, ik wil u niet lastig vallen . . . maar hij weigert weg te gaan.'

'Wie?' snauwde de koning. 'Waar klets je over, Hofgarn?'

423

'Een Mindere vraagt om een onderhoud, Sire. Een potig soort bandiet met onbeschofte manieren die zichzelf de Morgenster noemt. Hij schijnt te denken dat u hem verwacht.'

'Ik geloof,' zei Sharn heel langzaam, 'dat dat inderdaad zo is.' Hij keerde zich naar Sugoll. 'Dank je voor je aanwezigheid, Neef. Ik hoop je na de lunch weer te zien bij de dierenrennen en natuurlijk bij het feest van vanavond, samen je Vrouwe. Je hebt mijn toestemming om je terug te trekken.'

De mutant stond op, boog zijn hoofd en liep weg om zich bij de anderen te voegen die zich verder vooraan in de loges bevonden. Sharn wenkte bevelend om nog meer bier. Hij zette zijn zware glazen helm af, haalde zijn vingers als een kam door zijn zweterige haren en zei tegen de dwerg: 'Breng die Mindere hierheen, Hofgarn. En zorg ervoor dat we niet gestoord worden.'

Laat die avond, nadat Minanonn telepathisch met de basis in Goriah had gesproken om door te geven dat de zwartringkinderen eindelijk waren genezen, steeg vandaar één enkel vliegtuig op om de bewoners van Zwarte Piek te evacueren. Het stond op lange poten in de tuin onder een gezwollen Allerheiligenmaan, de neus met de cockpit naar beneden wijzend als een slaapdronken kraanvogel, terwijl de opgewonden moeders hun kinderen aan boord droegen. Ze werden gevolgd door de kleine teams genezers en bedwingers van de Vredesfactie, die doodvermoeid waren, maar uiterste tevredenheid uitstraalden en de staf van het jachthuis en nog enkele andere inwonenden die achtergebleven waren nadat Elizabeth met de mensen die haar omringden naar Nionel was gegaan. Basil hield het toezicht op het inladen van de laatste bagage terwijl Minanonn het al afgesloten huis voor een laatste maal inspecteerde.

Toen de Ketter in de tuin terugkeerde, stonden Creyn en Broeder Anatoly en Basil al te wachten aan de voet van de trap. Mister Betsy stak zijn bepruikte hoofd uit het luik van de laadruimte en zei: 'Schiet een beetje op! Ik kan niet de hele nacht wachten. Ik heb de helft van de barbecue van de Firvulag toch al gemist zoals de zaken er nu voor staan en met mijn duimen lopen draaien terwijl jullie de hersentjes van deze rakkers kamden.'

Creyn zei tegen Minanonn: 'We weten dat jij van plan bent naar het Grote Toernooi te vliegen om je dan later bij ons op de Kyllikki te voegen wanneer die al op zee is. Anatoly en Basil en ik willen met je meegaan.'

'Ik heb die stijfkoppige durachoka gevraagd om me mee te nemen,' mopperde Anatoly. 'Vertelde haar dat ik niet dwars zou liggen. Maar ze ging ervandoor en liet me achter.' Hij grinnikte listig. 'Maar blijkbaar was het toch voorbestemd.'

Betsy riep spinnijdig: 'Komen jullie of komen *jullie niet!'*

Minanonn hief een grote hand. 'Ga maar. Het ziet ernaar uit dat wij vieren nog andere zaken te doen hebben.'

Betsy snoof. 'Uit de weg dan.'

De ladder werd ingetrokken en het luik schoof dicht. De twee Tanu en de twee mensen weken achteruit terwijl het vliegtuig de aandrijving opvoerde en langzaam zijn sprookjesomhulsel van netvormige lichten herkreeg. Sliertjes zurige rook kwamen van de verkoolde plekken rondom het landingsgestel. De vogel leek zijn hoofd op te tillen en naar de hemel te kijken. Een ogenblik later verhief hij zich recht omhoog de duisternis in.

De tuin was rustig op een enkele sjirpende krekel en de wind in de pijnbomen na. Minanonn zei: 'Ik ga naar de spelen omdat ik een ouwe, nooit bekeerde zoeker naar opwinding ben. Op de een of andere manier verdenk ik jullie ervan heel andere motieven te hebben.'

'We houden van Elizabeth,' zei Creyn. 'En we willen haar tegen zichzelf beschermen. En misschien kunnen we zodoende tegelijk de oorlog voorkomen.'

Minanonns goed gehumeurde aura verdween. 'Genezende Broeder, ik wil niet dat ze lastig gevallen wordt, hoe nobel jullie intenties ook mogen zijn.'

'We zullen geen woord tegen haar zeggen,' verklaarde Anatoly. 'Wij zitten achter Remillard aan. We zullen hem opsporen – hij moet daar ergens zijn – en een laatste beroep doen op zijn geweten.'

De ogen van de priester schoten naar Creyn. 'Gebaseerd op een nieuw ontvangen informatie.'

'Zijn jullie gek geworden?' riep de vroegere Strijdmeester uit.

Creyn bleef geduldig. 'Wij drieën kennen Remillard waarschijnlijk beter dan wie ook op Zwarte Piek, Elizabeth uitgezonderd. We zijn niet bang voor hem.'

'En wat wij van plan zijn hem te vertellen,' zei Basil, 'is nauwelijks van dien aard dat het zijn vijandelijke wraak zal oproepen. Integendeel. Het zou hem tot een andere overtuiging kunnen brengen.'

'Om Tana's liefde, wat is het?' vroeg Minanonn.

Anatoly haalde zijn schouders op met Slavisch vertoon van weigerachtigheid. Opnieuw wees hij naar Creyn, wiens geest grondig was afgesloten. 'We kunnen het je niet vertellen, tenzij Elizabeth deze arme beschonken lozhn'iy ontslaat van een al te vlug gedane belofte.'

'Maar blijkbaar,' zei Minanonn tegen Anatoly en Basil, 'delen jullie tweeën het geheim.'

De priester schudde een benige vinger. 'Creyn had het Basil al verteld voor hij zijn belofte aan Elizabeth deed. En wat mij betreft . . .'

De genezer zei: 'Ik heb de raad van Broeder Anatoly gezocht om

mijn geweten te ontlasten toen het ernaar uitzag dat sommige overwegingen zwaarder moesten wegen dan de belofte die ik Elizabeth
gedaan had. Zijn oordeel – en wij hebben daar uitgebreid over
nagedacht – is dat ik de verplichting heb mijn informatie aan de
Tegenstrever door te geven.'

'Alles is toegestaan in liefde en oorlog,' mompelde de oude franciscaner, 'en in dit geval is sprake van beide, dai Bog!'

Minanonn keek met groeiende opwinding van de genezer naar
de monnik en van hem weer naar de alpinist. 'Als ik geen man des
vredes was, dan zou ik jullie in ellendige kwallen veranderen om de
waarheid eruit te krijgen.'

'Breng ons maar gewoon naar het Grote Toernooi,' zei Basil.
'We zullen Remillard wel vinden.'

Anatoly zei: 'Creyn en Basil kennen beiden zijn mentale signatuur en ik kom net zo ver met mijn Siberische sluwheid. Zij zullen
hem aanwijzen en ik speel de openingsmelodie.'

'En dan zal hij je doden,' zei Minanonn, 'net zo makkelijk als hij
vliegen doodslaat.'

'Hij is niet de demon uit jullie Tanu-legenden,' zei Anatoly tegen
hem. 'Hij is gewoon maar een mens. Hij heeft mijn kleren gedragen
en met mij in de tuin gewerkt. We hebben met elkaar gepraat . . .
over de gekste dingen. Ik verzeker je dat er echt een kans is dat we
hem van idee kunnen laten veranderen.'

De Ketter keek hem somber aan. 'Jullie zijn een stel idioten,
maar ik zal jullie het voordeel van de twijfel gunnen. Laten we gaan
vliegen. Het is nog een lange weg naar Nionel.'

10

Op de Tweede Dag nam de rivaliteit tussen de Tanu en de Firvulag toe en de bookmakers hadden een gouden dag doordat menselijke sportfanaten hun geld vergokten alsof er nooit meer een andere dag zou komen. Onopvallend verborgen in de menigte, sloeg de
grote man in de witte zeilbroek en het zwarte T-shirt de korjaal-
wedstrijden gade op de rivier (behendig gewonnen door de Firvulag), de vliegergevechten (gelijkspel) en de eerste ronde van de
wagenmennersrace (meeste punten voor Kuhal Aardschudder en
zijn team). De man glimlachte toen hij Cloud in het oog kreeg
boven in de koninklijke loges, die vermomd als krijgsmaagd in het
harnas van een bedwingster haar held de hele lange ren toejuich-
te.

In de avond volgde het hamerwerpen en het paalwerpen die
gedomineerd werden door de zwaarder gespierde leden van het

Kleine Volk en een gestileerd gevecht van vrouw tegen vrouw tussen de menseneetsters en de vrouwelijke Tanu waarbij de eerste slachtoffers op dit Grote Toernooi vielen.

Na een wandeling door het paviljoen met de verversingen keerde de man terug naar de staanplaatsen aan de rivier om nog meer watersport te zien. De windsurferraces trokken, hoewel het vooraf beschouwd werd als een onbelangrijk onderdeel van het programma, een onverwacht groot aantal prachtig uitziende en hartstochtelijk juichende dames van de Tanu aan, die als gekken applaudisseerden toen de official een deelnemer met een zilveren halsring aankondigde die Niccolò MacGregor bleek te heten. Dit personage, helemaal opgetut als kemphaan, vernietigde de tegenstand van het Kleine Volk en eindigde in de winnende race als eerste, terwijl hij op zijn handen op zijn zeilplank stond en de buitenaardse vrouwen een regen van gele rozen op zijn plank deden neerkomen.

'Dat is de koning natuurlijk,' zei een stem bij de elleboog van de grote man. Hij wendde zich iets om en zag een magere oude monnik in een bruinwollen habijt die naast hem op de bank was komen zitten, knabbelend aan een tournedos à la Rossini.

'Dat ziet er goed uit,' zei Marc.

'De verkoper staat net achter de tribunes. Moet ik er eentje voor je halen?' Anatoly liet de versleten beurs rinkelen die aan zijn ceintuur hing. 'Ik heb zat. Mooi gewonnen bij de strijdwagenraces.'

'Dank je wel, toch maar niet.'

De priester smakte met zijn lippen. 'Er zitten echte truffels in en ganzelever. Fantastisch! Weet je zeker dat je niks wilt?'

'Heel zeker.' Marc zat op zijn gemak en keek toe hoe de pseudo-Niccolò in triomf werd weggedragen door een afdeling statige schoonheden in pasteltinten. 'Dus de koning doet aan de wedstrijden mee?'

'Niet officieel . . . en natuurlijk zonder zijn metavermogens te gebruiken. Niemand mag mentale kracht gebruiken tot het touwtrekken begint op de vierde dag en het ongelimiteerde stokvechten op de laatste dag van het Toernooi.'

'Zelfs niet bij het steekspel?'

'Juist niet bij het steekspel.'

'Zal de koning morgen meedoen?'

'Ze beweren dat hij meedoet aan het springstokspringen. Om het vreedzaam gebruik van ijzer te stimuleren, zeggen ze.'

'En hij zal ongetwijfeld anoniem op de wedstrijdlijsten voorkomen.'

Anatoly's ogen twinkelden. 'Ik denk dat we er morgen gewoon maar moeten zijn en afwachten. Kom je vanavond naar de parade van Japanse lantaarns en het Bal van de Grondsterren?'

'Tenzij andere zaken mijn aandacht vragen.'

Anatoly at de rest van zijn lekkernij op en likte zijn vingers af.

427

Op de rivier waren helpers bezig een grote ring van witte drijvers uit te zetten. De wedstrijdcommissaris kondigde de volgende wedstrijd aan, iets dat een kelpie randan werd genoemd.

De priester zei: 'Dus de koning van de Firvulag heeft je aanbod afgewezen, is het niet?'

Marc keek hem scherp aan. Het tipje van een bedwingende en onderzoekende sonde gleed langs Anatoly's brein, waardoor zijn wangen opzwollen en het zweet langs de achterkant van zijn nek begon te lopen.

'Heeft Elizabeth je hierheen gestuurd om te spioneren?' vroeg Abaddon zachtjes.

'Ze weet verdomme niet eens dat ik op de spelen ben! Ruim me alsjeblieft niet op. Ik ben alleen maar de voorhoede. Creyn is degene met wie je moet praten, hij wacht bij de banken beneden op je, samen met Basil. Hij zou het prima vinden als je zijn hoofd ondersteboven haalt. Hij heeft belangrijke informatie voor je.'

De sonde trok zich een klein beetje terug. Maar de dwingende greep werd vaster. Uit de menigte steeg een luid gebulder op toen een team van groteske Huilers zich klaarmaakte om ten strijde te trekken tegen een afdeling mensen van de Koninklijke Elite in een woeste variant van waterpolo. Marc kwam overeind en leidde Anatoly naar de uitgang.

'Het ziet ernaar uit dat je de waarheid vertelt, Broeder. Ik denk dat ik maar eens zal luisteren naar wat je vriend Creyn te vertellen heeft. En op onze weg daarheen kan ik misschien toch nog zaken doen met die tournedosverkoper.'

Het koninklijke vlaggeschip, met Aiken achter de controles, landde dicht bij de rand van de grote zilveren hemisfeer en leek zijn eigen vervormde weerspiegeling in het bonte licht van de ondergaande zon te bestuderen. Bleyn en Alberonn, gewapend met grote chemische straalwapens stonden op wacht toen de tweeëntwintig metapsychische rebellen die tegen hun leider in opstand waren gekomen, de vliegtuigtrap afkwamen, gevolgd door de koning. Aiken gaf een onverstaanbaar mentaal commando en toen opende zich een luchtsluis in het oppervlak van het krachtveld. Hij wachtte tot de anderen erdoorheen waren, kwam er toen zelf door en sloot de barrière weer achter zich af.

De Kinderen van de Rebellie stonden voor de grote torenpoort van kasteel Doortocht te wachten, klaar om hun ouders voor de laatste maal vaarwel te wensen.

WALTER: Veikko! Zoon . . . je ziet er goed uit. En Irena ook. God, dit is geweldig. Ik kan het nauwelijks geloven.

VEIKKO: Je hinkt.

WALTER: Het is niets. De Tanu-genezers zeggen dat ze me weer in orde kunnen maken. Maar jullie . . .! Hebben jullie echt het Guderian-ontwerp gebouwd?

IRENA: Het is nog niet helemaal af, Walter. Misschien morgen.

VEIKKO: Het inwendige van de bekabeling moet nog iets worden opgevoerd, dat is alles. En er zijn wat problemen met het netwerk in de kernen van die superfijne bedrading, die verdomde rommel heeft ons vanaf het begin dwars gezeten. Maar wanneer die technische jongens dat hebben opgeruimd, starten we haar op, doen een korte test en dan . . . daar gaan we.

IRENA: Hagen en Cloud gaan natuurlijk als eersten, vanwege Marc. Wanneer zij eenmaal door de poort zijn, is de rest van ons veilig.

VEIKKO: Cloud haalde een riskante streek uit, vandaag. Of liever, haar Tanu-vriendje. Die vertelde de koning dat hij geen trek had om zijn aandeel in de grote wagenmennersraces te doen, tenzij Cloudie naar hem mocht kijken. Kerel wat was die Aiken Drum pisnijdig! Maar hij bond ten slotte in en nam haar met zich mee naar de koninklijke loges waar hij haar als een havik bewaakte.

IRENA: En Kuhal won de race ook nog.

WALTER: Ik neem aan dat jullie inmiddels weten dat de Vredesfactie Ocala opnieuw wil gaan bevolken? En waarom ze Europa willen gaan verlaten . . .

VEIKKO: Die Oorlog der Schemering vindt misschien nooit plaats, vader. Cloud heeft het laatste nieuws van Kuhal gekregen. De koning en de koningin van de Firvulag vertrouwen Marc niet genoeg om hen aan te voeren in een metabundeling. Ze denken dat ze Aiken en zijn Tanu-leer op eigen kracht kunnen verslaan. En misschien hebben ze nog wel gelijk ook.

IRENA: We zijn allemaal zo blij dat *jullie* veilig zullen zijn! Wat er ook met ons gebeurt.

WALTER: Jullie zullen ontsnappen! Ik weet het! Jullie zijn er zo dichtbij!

VEIKKO: Natuurlijk doen we dat. De goeien winnen altijd. En ik denk dat wij de goeien zijn . . . (Twijfel).

IRENA: Als we in het Bestel komen, dan zullen we proberen het op de een of andere manier goed te maken. Sommigen van ons hebben daar al over nagedacht. Plannen gemaakt . . .

WALTER: Ik hoop dat jullie dat kunnen. God, dat hoop ik toch zo.

VEIKKO: We zijn bang.

WALTER: Dat ben ik ook. Maar nu is het anders, of niet?

VEIKKO: We zijn tegen hem opgestaan, wij kinderen en jullie ook. We zullen zorgen dat ze dat in het Bestel aan de weet komen, Walter. Speciaal over jou en Alexis Manion . . .

AIKEN: *Kom.*

WALTER: Het is tijd. De Kyllikki zeilt vanavond bij vloed uit. Veel geluk, jullie beiden.
VEIKKO: Bon voyage, Walter. Waarheen dan ook.

Elizabeth danste met de koning, niet wetend of erom gevend wat voor muziek er werd gespeeld, tevreden om zich door hem te laten leiden, te rusten in zijn kracht.

De geweldige papieren neputa's waren in een cirkel rondom de dansvloer geplaatst en gloeiden zachtjes. Hun zijden toonden afbeeldingen van ieder soort landschap, elk soort schepsel of wezen dat karakteristiek was voor het Veelkleurig Land, allemaal ironisch weergegeven in de klassieke Japanse stijl van vrijwel doorzichtig schilderwerk. Achter de grote lantaarns stonden de oude bomen van de laaglandwouden waar miriaden gele, groene en roze vuurvliegjes door een of andere kunst van de Huilers waren verzameld om het beginthema te vormen van het Bal van de Grondsterren. Boven hun hoofden werden de echte sterren van de Pliocene november fletser naarmate een dralende maan langzaam steeg. De constellatie van de Trompet, die het Duat-stelsel in haar mondstuk verborg, stond in het zenit.

Aiken zei tegen Elizabeth: 'Je bent gelukkiger. Ik ben er blij om.'

'Het is goed om weer bij jou te zijn, mijn beste.'

'Gek,' zei hij, 'de manier waarop ik voor jou voel. Helemaal geen seks. En ook niet broederlijk. Ik weet niet hoe ik het noemen moet. Jij wilt dat ik je leid en ik wil dat graag doen. Zoiets als een vader en een heel klein meisje.'

'Hermes Psychopompos,' zei ze luchtig. 'Gids van de ziel. Inderdaad een zeldzaam archetype. Ik neem aan dat mijn onbewuste wel weet wat ik nodig heb.'

'Ik ben niet echt degene die je wilt, of wel? Maar ik wilde . . . ik wilde dat jij mijn koningin kon zijn. Ik zou van je kunnen houden en nooit bang zijn.'

'Op een dag zul je haar vinden, Aiken. Je bent nog zo jong.'

'Maar snel ouder wordend,' zei hij, lachend.

Hun geesten lieten elkaar voor een tijdje los en ze lieten simpelweg de dans bezit van hen nemen. Het was, realiseerde Elizabeth zich, bijna een voorafschaduwing van Eenheid . . . En toen zei hij:

'Ik wil dat je me vertrouwt. Laat me toe in het verborgenste deel van jezelf, al is het maar voor een ogenblik. Laat me achter het masker kijken dat je altijd hebt gedragen. Mag ik?'

Ze verstijfde in zijn armen en werd een angstaanjagende kilte gewaar.

'Waarom?'

De geest sprak, haar omsluitend, stevig, vertrouwd en sterk. Vertrouw me. Laat me kijken. Voor je eigen bestwil en voor ons allemaal. Alsjeblieft.

Ik kan het niet . . .

Alsjeblieft, ik moet de waarheid weten.

Er is vuur . . .

Ik weet het. Arme Elizabeth. Je bent zo trots en zo bang. Als je enkel leerde te vertrouwen.

Broeder Anatoly wil dat ik God vertrouw . . .

Vertrouw nu alleen Mij. Laat me binnen. Daar . . .

Ze leek te hangen in de stilte, helemaal alleen. De duisternis rondom haar was niet mentaal. Dat wist ze op de een of andere manier. Het was een verwijderd deel van het fysieke universum, intergalaktische ruimte, zonder sterren, zonder zelfs een sliertje gloeiend gas. Er was maar één enkel object waar haar geest zich op kon richten dat bescherming bood tegen de eeuwigdurende Nacht.

Een speldepunt van blauwwitte fonkelende wazigheid, klein en uitzonderlijk. Een werveling van zonnen, geïsoleerd van de andere groepen melkwegen. Een spiraal waarnaar ze zou kunnen reiken, die ze zou kunnen aanraken.

Ze deed haar ogen open.

Ze danste met Marc Remillard.

'Creyn heeft zijn belofte gebroken,' zei ze. 'Hij mocht het je niet vertellen. Het visioen is van hem, niet van mij. Onmogelijk.'

'Ik ben het met je eens. En toch . . . verleidelijk. Als ik niet zo gebonden was aan mijn eigen uitdaging en er nu zo dichtbij om het alsnog te realiseren. De jaren zijn hard geweest, Elizabeth. Ik kan me niet weerhouden het te proberen.'

'Ik weet het.' Ze durfde niet nog eens naar hem te kijken. Hij was niet, als de koning, gekleed in verfijnde buitenaardse kleding, maar droeg een bijna ouderwets klassiek avondkostuum met een van voren geplooid hemd.

Ze liet haar hoofd tegen zijn schouder rusten, onderwierp zich aan zijn leiding, maar zonder zich over te geven zoals ze dat bij de koning had gedaan.

'Je hebt drie volhoudende en dappere vrienden, Elizabeth.'

'Ik heb hun gezegd hier weg te blijven. Ze hebben niet het recht zich ermee te bemoeien. En Creyn had het beloofd!'

'Hij heeft me meer verteld dan zijn visioen over Duat,' zei Marc. 'Creyn vertelde me dat jij van me hield, Elizabeth. En Aiken zei hetzelfde. Is het waar?'

'Het is onmogelijk,' zei ze vanachter de vlammen.

'Dat denk ik ook. Maar je vrienden zijn koppiger. Basil heeft zijn berg beklommen en Creyn heeft geholpen om die zwartringkinderen gezond te maken en tot onafhankelijke meta's. Anatoly heeft op mijn kosten een tijdelijke overwinning geboekt. Zoals ik al zei, ze zijn koppig. Ze vinden het leuk om te denken dat niets onmogelijk is.'

'Wij weten beter, Marc.'

'Ja,' zei hij en ze dansten in onverminderde duisternis. Maar toen was het Aiken weer die haar vasthield onder de bomen waar de vuurvliegen als sterren dansten en de muziek werd langzamer en stopte ten slotte.

11

Kort na de dageraad van de Derde Dag, terwijl de koning en zijn hele gezelschap van de Hoge Tafel en Elizabeth stonden toe te kijken, verzamelden de uitgeputte arbeiders aan het Guderian-project zich op de binnenhof van kasteel Doortocht voor het in werking stellen van de taugenerator. Zelfs de vijf kleine kinderen van de Noord-Amerikanen waren er, slaperig maar met ernstige gezichten en eigenlijk meer geïnteresseerd in de spectaculaire kledij van de Verhevenen van de Tanu dan in het voorwerp dat hen wellicht naar het Galaktisch Bestel zou transporteren.

Het apparaat was iets groter dan de originele machine die door Théo Guderian was gebouwd, maar het bezat nog altijd die griezelige gelijkenis met een ouderwetse pergola van latwerk, overhangen door druiveranken. Om te compenseren voor de terreinverhoging die over een periode van zes miljoen jaren zou zijn ontstaan, stond de machine op een platform van ongeveer twee meter hoog. Het frame was van transparant, glasachtig materiaal, op iedere kruising bevond zich een knobbelige component in zwart waarbinnen vaag duistere gloeiingen zichtbaar waren. De 'ranken', in werkelijkheid zware kabels van veelkleurige legeringen, kwamen uit de naakte grond onder het platform en kropen van daaruit in en uit het latwerk. Op een punt op vijftien centimeter boven het uitspringende dak leken de kabels te verdwijnen, om dan op een mysterieuze wijze weer te voorschijn te komen en verstrengeld te verdwijnen in het buiswerk aan de achterkant.

'Wat ga je eerst versturen?' vroeg Aiken aan Hagen.

De jongeman hield een kleine doos omhoog die uit rotskristal was gesneden en tilde het deksel eraf om een dun blad van metaal te laten zien waarop een blauwzwarte vernis leek aangebracht.

'Kalium. Nadat het heen en weer is geweest, halen we het door een doodgewone dateringsmachine om vast te stellen of het inderdaad twaalf miljoen jaar ouder is geworden. Volgens de theorie is het bereik van de tijdpoort gefixeerd. Als de machine werkt, moet hij zijn lading afzetten op de gronden van de Auberge du Portail op

2 november 2111 volgens de klok van het Bestel en naar hier terugkomen als het tauveld de cyclus heeft voltooid.'

'Goed,' zei de koning. 'Laten we dan maar beginnen.' Hij stak zijn hand uit en nam die van Elizabeth, die naast hem stond met een gezicht waarop alle uitdrukking ontbrak en een volkomen ontoegankelijke geest.

Hagen ging de treden van de verhoging op. Een van zijn medewerkers gaf hem een doodgewone kruk met vier poten die hij precies in het centrum van de machine plaatste. Daarna zette hij de kristallen doos erop en trok zich terug naar de eerste rij van toeschouwers om daar toe te kijken met Diane Manion, Cloud en Kuhal Aardschudder. Tegen een jonge vrouw achter het controlepaneel zei hij: 'Doe maar, Matiwilda.'

Zij zei: 'Het gaat op weg.'

Er was geen geluid toen het ontwerp van Guderian werd geactiveerd. Het energieverbruik was zo minimaal dat de schijnwerpers die rondom waren opgesteld geen tel iets van hun helderheid verloren. De machine leek te flikkeren, toen werd het inwendige ondoorzichtig alsof er binnenin plotseling spiegelpanelen in werking waren getreden.

'Ik weet dat de overzetting verondersteld wordt ogenblikkelijk te zijn,' zei Aiken, 'maar laten we toch een minuutje wachten.'

De tweehonderd mensen die toekeken hielden hun adem in.

'Goed,' zei de koning ten slotte.

Matiwilda haalde een hendel over en het spiegeleffect doofde uit. Met een komeetachtige sprong was Aiken op het platform en hurkte neer voor de ingang. Binnenin zag hij twee doorgesneden stukken van de kruk die ieder aan één kant van een met as overdekte kristallen doos waren gevallen.

'Lijdende Christus!' zei de koning. 'Het tauveld is veel te smal geweest! Kijk jij hier eens naar, Hagen.'

Vloekend rende de jonge Remillard naar het platform. De andere toeschouwers fluisterden en mompelden en zonden telepathisch een mengelmoes van angst en afschuw uit.

'Anastos, kom hierboven!' bulderde Hagen.

Een getaande man met een gezaghebbend gezicht drong zich door de menigte. Na een korte inspectie van het inwendige begon hij met de vrouw achter het bedieningspaneel te overleggen. Ergens liet een schrille kinderstem zich horen. 'Betekent dat dat we nu niet kunnen gaan, papa?'

Aiken overhandigde de kristallen doos aan Bert de Snoeperd, die vlakbij stond met de dateringsmachine. De chemicus maakte de container voorzichtig open tot er een krans van wit, enigszins vuil poeder te voorschijn kwam. Hij schonk de koning een scheve glimlach. 'Wel, het is in elk geval *ergens* geweest, Majesteit!'

Er kwamen nu meer technici naar het platform voor een inspectie, die ernstig met Hagen en de koning en de expert op het gebied van de dynamische velden, Dmitri Anastos, begonnen te overleggen. Cloud Remillard en Kuhal Aardschudder keken toe hoe Bert de Snoeperd verder ging met zijn analyse. De koning eiste de onmiddellijke aanwezigheid van Tony Wayland via een geestschuddende oproep. De metallurg, die er weggetrokken uitzag, werd nu ook in het overleg betrokken.

Na een discussie van ongeveer een kwartier werd er blijkbaar plotseling iets besloten. Al het technische personeel trok zich van het platform terug zodat enkel de koning naast de machine achterbleef. Hij hield de twee helften van de stoelkruk omhoog met één hand en de lege kristallen doos met de andere. Zijn geest beval: *Stilte!*

Een kind dreinde. Iemand begon te hoesten en een ander onderdrukte een snik.

'Het is alleen maar een tijdelijke tegenvaller,' zei de koning. 'Hier is het goede nieuws. Bert zegt dat het plaatje met kalium in deze kleine doos nu geschat wordt op een ouderdom van elf punt zeven acht plus of min nul punt twee miljoen jaar. Dat is zo dicht in de buurt als maar mogelijk is op de spreekwoordelijke tijdschaal. We hebben dus een poort naar het Bestel.'

Iedereen keek verrast, toen klonk er zwak gejuich.

De koning wuifde met de overblijfselen van de gekloofde kruk. 'Maar het is een heel *kleine* tijdpoort tot nu toe. Het moet het hele binnenste van de machine vullen, maar in plaats daarvan beslaat het tauveld niet meer dan een strook van een handbreedte. Dat is jammer, maar we denken dat we weten hoe dat komt. Het is misschien maar één enkele kabel waarvan de kern niet deugt en die zullen we eruit halen en direct door de testbank voeren.'

Berustend gemompel. Een kind vroeg: 'Kunnen we dan morgen gaan, Koning?' Gespannen gelach.

'Dat hoop ik, Riki,' zei Aiken. Hij keek een ogenblik over zijn schouder naar het glinsterende buiswerk van de machine voor hij de stukken hout wegwierp en de lege doos in een van zijn vele zakken stopte. Hij liep naar de rand van het platform. De koninklijke wijsvinger wees onverbiddelijk naar Tony Wayland, die stokstijf aan de voet van de trap stond. De metallurg gaapte van verbijstering toen de koning hem een mentaal beeld toezond over zijn persoonlijke golflengte. En Aiken zei zachtjes: 'Tachtigduizend Firvulag, Tony, plus de Engel van de Afgrond. Je *zult* toch je best doen met die kernbedrading, of niet?'

Klauwend naar zijn halsring, slaagde Tony erin te knikken.

Hij kwam met een d-sprong direct in de beschaduwde nissen van de vrijwel verlaten koninklijke appartementen. De enige die hem zag materialiseren was de jonge Sharn-Ador, die daar voor een verplicht slaapuurtje in de hete namiddag was achtergelaten.

'Vader! Moeder! De Aartsvijand!' gilde de jongen, die uit zijn kampeerbed tuimelde en tussen de verspreide onderdelen van zijn jongenspantser naar zijn ceremoniële zwaard begon te zoeken.

Sharn en Ayfa kwamen haastig binnen, terwijl hun geesten spreekwoordelijk vuur en zwavel uitbraakten. Maar ze barstten in lachen uit toen ze de indringer hadden herkend.

De koningin bukte zich om haar zoon te knuffelen. 'Dat is alleen maar onze Min . . . onze menselijke vriend, Smeerlap. Hij is geen Aartsvijand. Geen enkel gevaar. Ga maar weer slapen.'

Met wijdopen ogen liet het kind diepe verontrusting uit zijn geest stromen.

'Maar hij kwam zo uit de lucht! Niet van onzichtbaar geweest, maar *echt* zomaar uit de lucht!'

Marc Remillard lachte.

'Dat is één van de dingen die hij kan,' zei de koning droogjes. 'En nu luister je naar je moeder, anders mag je straks niet naar de wedstrijden kijken.'

Het koninklijke paar leidde Marc naar de stoelen vooraan in hun loge. Sugoll was daar en de zeer geëerde dwergen Finoderee en Mabino Droomspinster die tot de niet-strijdende leden van de Raad der Firvulag behoorden. Maar al de andere edelen bevonden zich nu in of rond het strijdperk, of omdat ze zelf gingen deelnemen aan het Treffen der Edelen of omdat ze anderen gingen aanmoedigen.

'Jammer dat je niet eerder bent gekomen, Remillard,' zei Sharn hartelijk.

Hij bracht zijn gast naar een zetel en gaf Hofgarn een teken dat hij het voedsel en de drank moest aanvullen. 'Je hebt een paar stevige knokpartijen gemist.'

'Zeventien Aartsvijanden behoorlijk verminkt en een dozijn op punten neergeknuppeld,' kakelde de lieve oude Mabino, 'de telling begint eindelijk in ons voordeel uit te vallen.'

Ayfa schonk zelf voor Marc sangria in en bood hem die met een gracieuze glimlach aan. Buiten op het Veld van Goud weerklonken trompetten. De mentale stentorstem van Heymdol Horenblazer, Maarschalk van de Spelen, annonceerde de komende wedstrijd en de regels voor de puntentelling.

'Dit kan leuk worden,' zei de koningin. 'De deelnemers moeten de helmversieringen van hun tegenstanders afslaan om punten te maken. Het zou mij niet verbazen als er een paar keer te laag werd geslagen.'

Vrouwe Mabino giechelde.

Sugoll, die de illusie droeg van een kale maar goed uitziende man, zei: 'Misschien vindt onze gast, net als zoveel andere mensen, bloedvergieten afstotelijk.'

'Ik heb zelf het een en ander op mijn geweten wat dat betreft,' zei Marc, terwijl hij een stevige slok nam van de gekruide punch. 'Zelfs in het Galaktisch Bestel waren wij mensen een rauw stelletje en maakten vaak de andere, meer beschaafde rassen beschaamd . . . Het toeval wil trouwens dat ik juist vanmorgen een bezoekje heb gebracht aan een zeer beschaafde wereld om een geschenk uit te proberen dat iemand mij gisteren gaf.'

Sharn en Ayfa verborgen hun verbijstering, maar de twee edele dwergen lieten onbeschaamd van hun verrassing blijken. Finoderee piepte: 'Té's tanden . . . bedoel je dat je naar een andere planeet bent gevlogen, Mindere?'

Marc gaf een korte mentale verklaring van het principe van de d-sprong.

'Kortgeleden werd mij een verzachtend programma geschonken – een techniek die afrekent met het merendeel van de pijn die het doorkruisen van de hyperruimte altijd vergezelt. Ik was er erg op gebrand om dat over een lange-afstands-sprong uit te proberen. Ik ben naar een wereld geweest die ik Doel heb genoemd en die veertienduizend lichtjaren hier vandaan ligt.'

'Godin,' fluisterde de koningin.

'De verzachter werkte perfect,' zei Marc. 'Hij werd me gegeven door een Tanu bij wijze van poging mij om te kopen. Hij zei dat het ook deel uit moest maken van de mentale erfenis der Firvulag. Het was, zei hij, een legaat van Breedes Schip dat jullie allemaal een duizend jaar geleden hierheen bracht.'

'Dat was voor onze tijd,' zei Sharn.

De verschrompelde Finoderee knikte met zijn hoofd, verloren in bespiegelingen. 'Maar wij herinneren het ons toch nog, is het niet, moeders?'

Mabino's lippen trilden.

Marc zei: 'Doelwereld is de plek waar ik mijn kinderen heen hoop te brengen . . . nadat jullie me hebben geholpen onze gezamenlijke vijand te verslaan die hen nu in kasteel Doortocht gevangen houdt.'

Sharn fronste zijn wenkbrauwen, kneep zijn lippen op elkaar en legde de spitsen van zijn vingers tot een torentje tegen elkaar. Hij zorgde ervoor niet in de grijze, hypnotische ogen van de Tegenstrever te kijken. 'We zijn er nog steeds over aan het nadenken, Remillard. Weet je, we zijn erg onder de indruk van je vermogens, misschien een beetje te veel onder de indruk. Ha, ha! Wij van het Kleine Volk zijn maar een simpele barbaarse natie en al die dure technologie van jou vinden we nogal moeilijk te slikken.'

'Ons idee van technische vooruitgang,' zei Ayfa, 'is het gebruik van dieren voor transport.'

'En veroverde wapens uit het Bestel voor . . . eh . . . zelfverdediging,' voegde Sugoll er brutaal aan toe.

Marc leek niet van zijn stuk gebracht. 'Ons bondgenootschap zou heel voordelig voor jullie kunnen zijn. In ruil voor eenmalige medewerking, zou ik jullie een hoog ontwikkeld aanvallend programma geven voor een metabundeling die vijf maal zo sterk zou zijn als alles wat jullie zelf kunnen bedenken. Jullie creatieve potentieel zou boven de duizend uitkomen als het goed gericht werd.'

De oude Finoderee liet een bulderend, tevreden gelach horen. 'Met tachtigduizend van ons aan elkaar verbonden zou dat Aiken Drum het idee geven dat hij wat meer voor zijn kop kreeg dan een handvol gehakte levertjes.'

'We stellen je aanbod zeer op prijs,' zei Sharn in diepe ernst. 'En we denken er heel zorgvuldig over na.'

Marcs glimlach verstrakte. 'Er is misschien niet veel tijd meer over. Wanneer de geleerden van Aiken in kasteel Doortocht kans zien de tijdpoort te heropenen, zal er ongetwijfeld een nieuwe lading menselijke tijdreizigers uit het Galactisch Bestel hierheen komen. Ze zouden nieuwe wapens voor Aiken kunnen meenemen. Er kunnen zelfs meta's bij zijn die ons mentaal kunnen weerstaan.'

'Het is een ernstige zaak,' stemde Sharn in. 'En ik twijfel niet aan je woorden. Maar er gaan geruchten dat die tijdpoort dienst moet doen als een ontsnappingsluik voor ons Gouden Miertje. Als die zijn glanzende, kleine reet hier vandaan haalt, dan zou ons dat verdomd goed uitkomen.'

'Als de tijdpoort weer opengaat,' zei Marc, 'betekent dat jullie einde.'

'En het jouwe,' voegde Sugoll eraan toe. Hij leunde over de balustrade van de loge en keek naar de strijd die op het gele zand plaatsvond. 'De Tanu lijken de overhand te hebben. Die laatste dwarsaanval van de menselijke vechters onder de Flesseridder lijkt de dwergen van Pingol uit het strijdperk te hebben geveegd.'

Marcs mond trok verbaasd omhoog. De Flesseridder?'

Sugoll wees op een bizar uitgemonsterde strijder die een gestreepte hipparion bereed. In plaats van de gebruikelijke oplichtende glazen maliënkolder was hij geharnast in een samenraapsel van maliën die uit de bodems van talloze verschillende flessen leek te bestaan. Zijn ledematen werden omsloten door ruw in cilindervorm afgehakt materiaal, door draad grofweg bijeengehouden. Zijn helm zag eruit als een doorgezaagde mandfles waar een bosje stro als versiering in de resten van de hals was gestoken. Een op een snuit lijkend vizier, gemaakt van een grote wijnfles, zat rondom de rest van zijn gezicht. De Flesseridder droeg een zeer lange glazen lans, doodgewoon en praktisch en een slanke, frontaal schuin toelopend schild met een kijkgat en een sleuf aan de rechterzijde waar de lans eventueel doorheen kon bij het aanvallen. Deze Flesseridder, informeerde Sugoll Marc, droeg enkel zilver en was qua postuur nauwelijks indrukwekkend. Toch had hij ruim baan voor zich gemaakt in de vier eerdere steekspelen. Hij hield zich aan de regels, daagde enkel de kleinere Firvulag uit of die van ongeveer menselijke grootte. Maar hij won steeds.

'We denken dat het de koning is,' merkte Ayfa op. 'Kijk wat een dwerg het is. En wie anders zou de onbeschaamdheid hebben om in zo'n bezopen uitrusting op het veld te komen?'

'Argh!' kreunde Finoderee. 'Hij heeft Shopiltee Bloedgutser onderuit gehaald.'

'Hij vecht niet eerlijk,' jankte Vrouwe Mabino. 'Hij behoort de pluimen eraf te slaan met een zwaard. In plaats daarvan smijt hij onze jongens en meiden van hun rijdieren en trekt ze er dan met wortel en al uit.'

'In de regels staat nergens dat dat niet mag,' gromde Sharn tussen opeengeklemde tanden.

'Kijk eens naar het puntenbord,' huilde Ayfa. 'Wij liggen vooraan bij de zwaargewichten, maar die kleine kotskop maakt al onze lichtgewichten af. En aangezien wij twee keer zoveel . . .'

'Yaach!' treurde Finoderee. *'Hij heeft Mimee van Famorel eronder!'*

'Zoete Té op toost,' schreeuwde de misnoegde Sharn. Glazen trompetten bliezen een muzikale finale en daarmee eindigde de wedstrijd. De tribune met de Tanu explodeerde toen de totalen van de halve finales zichtbaar werden op het elektronische scorebord van Yosh Watanabe.

'Dichtbij,' mompelde koningin Ayfa, 'veel te dichtbij. De Aartsvijand heeft slechts een minimaal voordeeltje, maar er is een goeie kans dat ze bij de manifestatie der Dapperen verder uitlopen.'

'Wat zijn dat?' wilde Marc weten.

Sugoll antwoordde: 'Bravourestukjes door de kampioenen uit voorgaande wedstrijden. Ze mogen individueel door iedere strijder persoonlijk worden uitgedaagd, die tot dezelfde gewichtsklasse behoort.'

'Ze dragen Mimee weg,' treurde de koningin. 'Die vervloekte nar van de Minderen heeft het linkersleutelbeen van die arme Famorel gebroken alsof het een vogelbotje was. Niemand van de onzen zal de Flesseridder nu nog durven uitdagen.'

'Mogen enkel volbloed Firvulag onder jullie banier inschrijven?' vroeg Marc.

De koning en de koningin staarden hem aan.

Sugoll zei: 'Technisch gesproken is iedere menselijke inwoner van mijn stad, Nionel, een lid van het Kleine Volk. We zijn echter een vreedzaam soort, zowel de Huilers als de menselijke stadsburgers, en als gastheren van dit Grote Toernooi doen wij aan verreweg de meeste wedstrijden niet mee omdat het verlenen van gastvrijheid veel verplichtingen met zich meebrengt.'

Marc stond met zijn handen op zijn heupen en keek met een duivelse grijns neer op het spektakel in de arena. 'Ik neem aan dat je er niets voor voelt mij tot ereburger van Nionel te benoemen, Heer Sugoll?'

'Reken verdomme maar van wel!' schreeuwde Sharn. Maar toen liep zijn enthousiasme weg als lucht uit een half opgeblazen ballon. 'Denk je dat je hem aankunt? Metakrachten mogen niet worden gebruikt. Maar je ziet er stevig gebouwd uit . . .'

'Ik heb veel op grote vissen gejaagd. En dit steekspel ziet er tamelijk simpel uit. Je hoeft alleen maar richting en kinetische reactie te schatten. Ik neem aan dat de strijdenden wel geestvermogens mogen gebruiken om hun rijdieren te beheersen?'

'Oh ja,' zei Sugoll. 'Dat is toegestaan. Hij wees naar een rek vol doorzichtig glaspantser, glanzend als maansteen en met zilver ingelegd. 'Als je wilt kun je mijn kolder en rijdier gebruiken.'

Nog steeds glimlachend maakte Marc een buiging. 'À la bonne heure.'

'En ik zal je schildknaap zijn!' riep de enthousiast geworden Firvulag-koning. 'Laten we je gaan inschrijven. We moeten wel een naam voor je verzinnen.'

'Jack Diamant is goed genoeg,' zei de Tegenstrever.

Marc steeg van zijn briesende, met schuim overdekte strijdros, gooide schild en lans van zich af en trok het uitdagende bosje stro van de belachelijke helm van de Flesseridder. De Firvulag-toeschouwers vervulden de lucht met een kakofonie van juichkreten.

Aiken trok zijn hoofdbedekking weer recht, schetste een sarcastisch saluut in de lucht en zei: 'Wel gedaan, Witte Ridder. God, wat een kloppartij. Ik voel me alsof ik recht tegen een asteroïde ben aangelopen.'

Marc tilde zijn vizier op. 'Toegepaste mathematica.' Hij stak een gehandschoende hand uit en trok zijn verslagen tegenstander hoffelijk overeind. 'Ik ben bang dat de verleiding te groot voor me was.'

'Daar hoopte ik al op,' zei de koning.

Marcs rechter wenkbrauw ging een millimeter omhoog.

'Zie je, ik moest aan die steekspelen meedoen. Kwestie van moraal. Maar het zou Mij erg slecht staan wanneer ik fysiek in de prak werd geslagen door iemand van de Aartsvijand. Maar een flink uit de kluiten gewassen mens is heel wat anders.' De ogen van de Bedrieger glinsterden. Hij gebaarde naar een te voorschijn springende horde Firvulag die luid juichten bij deze overwinning. 'Zie je hoe vol vertrouwen en gelukkig je hen hebt gemaakt? Onoverwinnelijk! Vast ervan overtuigd dat ze ons Tanu een laatste vaarwel kunnen bezorgen zonder zich al te veel in te spannen. En

439

zonder hulp van getalenteerde maar misschien wel bedrieglijke Minderen.'

Abaddon zuchtte. 'Heel slim.' Hij pakte zijn geleende uitrusting weer van de grond en steeg opnieuw op om zich bij de parade der overwinnaars te voegen. 'Maar de tijdpoort is nog steeds gesloten, of niet?'

'Zou je het graag willen weten?'

'Wat staat er voor morgen op het programma?'

'Het belangrijkste is het touwtrekken,' zei Aiken. 'Met geestkracht. Geen kans op foefjes. We zullen het eerlijk moeten spelen. Dat ben ik tenminste van plan.'

'Dat blijft het voordeel bij de goddelozen,' zei Marc. 'Tot morgen dan.' Hij tilde zijn lans omhoog waar de pluim van de Flesseridder aan de punt was gestoken en reed weg.

12

De geruchtenmachine had duchtig gewerkt onder blootnekken en toeschouwers met een grijze halsring vanaf de dag dat het Grote Toernooi begon en er waren twee onderwerpen die deze minst geprivilegeerde bezoekers het meest bezighielden: de kans op het uitbreken van een oorlog en de mogelijkheid van een ontsnappingsluik door de tijd naar het Bestel. Maar pas op de ochtend van de Vierde Dag kregen die geruchten, de toespelingen, de angst en het wantrouwen grond in een paar onweerlegbare feiten.

Item: Vijfentwintig rhomachines van het Koninklijke Vliegende Korps hingen permanent op 4000 meter hoogte boven het Veld van Goud *(Kersverse geruchten:* Een hoge piet onder de technici hield vol dat het scheepsgeschut pal op de tribunes van de Firvulag was gericht.)

Item: Het kampement van het Kleine Volk onder de bomen aan de noordkant van het veld, waar bezoekende Minderen gedurende de eerste drie dagen van het toernooi welkom waren geweest, was nu afgesloten door een kordon glimlachende maar vastbesloten menseneetsters. *(Kersverse geruchten:* Huilers zowel als mensen werd de toegang ontzegd omdat hun trouw aan de zaak van de Firvulag twijfelachtig was.)

Item: Koning Aiken-Lugonn zat niet in zijn koninklijke loge na de eerste ronde duels in de Heldhaftige Manifestaties van Kracht. Zijn gebrek aan koninklijke hoffelijkheid verhinderde niet dat Bleyn, Alberonn en Celadeyr van Afaliah betekenisvolle overwinningen boekten op Galbor Roodkap, Tetrol Bottenbreker en Betularn met de Witte Hand waardoor de Tanu in punten ver voor kwamen te liggen. *(Kersverse geruchten:* Een ex-navigator onder de blootnekken met scherpe ogen beweerde dat hij de koers van Aiken-Lugonns vertrekkende vlaggeschip had kunnen bepalen en dat die koers een rechte lijn vormde met kasteel Doortocht! De tijdpoort stond op het punt open te gaan! Het ontwerp voor de tijdpoort deugde van geen kant! De koning stond klaar om naar het Bestel te vluchten! Er was nooit zoiets geweest als een Guderian-project waar aan een nieuwe tijdpoort werd gewerkt!)

Item: De Huilers hadden zich 'met de grootst mogelijke tegenzin' teruggetrokken van deelname aan het zo belangrijke touwtrekken dat voor die namiddag op het programma stond, als verontschuldiging aanvoerend dat de druk van de plichten bij het toezien op organisatie en uitrusting van dat belangrijke evenement te groot voor hen was. *(Kersverse geruchten:* De koninklijke Firvulag waren razend van woede bij het horen van dit verraad! Menselijke inwoners van Nionel suggereerden dat er een geheime overeenkomst bestond tussen Sugoll en Aiken-Lugonn waardoor de geesten van de Huilers verbonden werden met de zaak van de Tanu! De stoken balgevechten die op de Vijfde Dag zouden worden gehouden, waren niets anders dan de buitenaardse versie van een oude Gallische vorm van voetbal en iedere beschaafde sportgek wist dat zulk soort wedstrijden onherroepelijk eindigden in knokpartijen van man tegen man. Die wedstrijd moest de inleiding worden op de Oorlog der Schemering!)

Item: De mysterieuze vrouw die zo lang in afzondering had geleefd, Elizabeth Orme, zat nu in de koninklijke loge aan de zijde van een onbekende man. *(Kersvers gerucht:* Die man was niemand anders dan Marc Remillard, aanstichter van de Metapsychische Rebellie, de beruchte Tegenstrever in eigen persoon!)

De gebeurtenissen van die ochtend bereikten hun climax in de finale van de Heldhaftige Manifestaties van Kracht. De Huiler-helpers rondom het veld gebruikten blaasbalgen en zorgden ervoor dat fonteinen van vuur hemelhoog reikten. De rook ervan was zwart en roze gekleurd. De monsterachtig grote ijzeren Spaanse ruiter in het midden van de vlammen, gloeide witheet. Glazen trompetten lieten een fanfare horen, de trommen donderden en toen deed de Maarschalk der Spelen zijn aankondiging:

'De Held der Tanu, Kuhal Aardschudder, die in deze laatste manifestatie zou moeten strijden tegen Medor, Strijdmeester der Firvulag, heeft zich teruggetrokken.'

Een machtig gebulder van teleurstelling ging op onder de Tanu-toeschouwers. Het Kleine Volk lachte uitbundig en de bookmakers renden als gekken om op het allerlaatste moment nog weddenschappen af te sluiten.

Daarna verklaarde de Maarschalk: 'Met toestemming van het

Comité der Scheidsrechters zal de plaats van Heer Kuhal worden ingenomen door Minanonn de Trotse, ook wel de Ketter geheten, vroeger Strijdmeester van de Tanu.'

Nu steeg een juichend tumult op onder de menselijke en de Tanu-toeschouwers, terwijl de Firvulag woedend floten en spotten en allerlei obscene gedaanten aannamen om hun ergernis te luchten. De punten die bij deze finale op het spel stonden waren ruim voldoende om het Kleine Volk een voorsprong te geven als Medor mocht winnen, en die had tot nu toe de beste papieren gehad omdat Kuhal beschouwd werd als een nog maar nauwelijks herstelde zieke. Nu echter moest Medor het opnemen niet tegen een herstellende, maar tegen iemand die vroeger de meest vooraanstaande metapsychische krijger van zijn volk was geweest, voor hij vrijwillig in ballingschap ging.

De rook van de centrale brandstapel veranderde. Blauwe en groene rook zwierde omhoog, samen met wolken roze-rood en zwart. De twee helden betraden het veld. Medor was gepantserd met gitzwarte platen waarin oranje diamanten en cirkels van topaas waren gezet. Minanonn droeg een prachtige wapenrusting die symbolisch zijn drievoudige metapsychische vermogens weergaven, de scheppende, de bedwingende en de psychokinetische. Dat driebenige symbool was in goud uitgewerkt op een massief kuras en een dolfijn met gouden vleugels bekroonde zijn helm. De kampioen van de Firvulag en die van de Tanu namen elk een positie in aan weerskanten van het grote vuur. Officials van de Huilers gaven elk van hen het uiteinde van een stevige ketting van vuurbestendig glas die door het centrum van de vlammende fontein werd gehaald en de withete ijzeren gepunte egelvormen in het hart daarvan. Toen gaf de Maarschalk een teken, de menigte schreeuwde en de finale in de Manifestatie van Krachten was begonnen.

In de loges van de Tanu keken ze getweeën toe, maar hun ogen en geesten waren afwezig.

Zij zei: Zo was het eens tussen Lawrence en mij.

Hij zei: Zo was het eens tussen mij en Cyndia.

Ze waren het met elkaar eens: Zo'n perfecte overeenkomstige zieletrilling kan maar eens worden bereikt en elke poging tot een herhaling daarvan was bij voorbaat futiel. Als dat al waar was onder de geringeren van geest, hoeveel onvergefelijker is het dan onder grootmeesters. En driewerf tot hopeloosheid gedoemd wanneer beiden te trots zijn en elkander niet vertrouwen.

Gebruik makend van zowel metapsychische als fysieke kracht trokken Medor en Minanonn ieder aan een einde van de glazen ketting. Hun eerste rukken aan de ketting waren standvastig en gelijkmatig, maar toen merkte de held van de Firvulag dat hij dichter en dichter naar het inferno van vuur toe werd getrokken en dus ook naar die twee withete gevallen van gloeiend bloedmetaal daar-

442

binnen. De Tanu en de mensen onder de toeschouwers sprongen al bijna overeind in de hoop op een snelle overwinning. Maar de listige Medor liet zichzelf voor een ogenblik helemaal in de vlammen trekken. De menigte gilde woest. Minanonn moest daardoor zijn balans herstellen om weer kracht te kunnen zetten doordat de glazen ketting ineens niet meer strak stond.

Medor gaf een machtige ruk achteruit terwijl zijn geest tegelijkertijd het zand bedekte met ectoplasmisch vocht. De held van de Tanu wankelde en gleed uit. Zijn eigen scheppingskracht ging aan het werk om de creatie van zijn tegenstander teniet te doen. Medor trok woest, met plotselinge, onverwachte rukken, er vooral op belust te voorkomen dat Minanonn opnieuw stevig greep kreeg op het glibberig geworden glas. (Wanneer de Ketter die uit handen liet glippen, was de wedstrijd verloren.) Onafwendbaar werd de vroegere Strijdmeester van de Tanu in het vuur getrokken. Nu hij zijn metavermogens in tweeën delen, want zijn lichaam moest worden beschermd tegen de ondraaglijke hitte en hij moest Medor naar het vuur trekken voor deze erin slaagde hem tegen de withete punten van giftig ijzer te trekken.

De twee mensen merkten van dat alles niets.

Zij zei: We leefden en hadden elkander lief in Eenheid. We werkten hard, vormden de jonge geesten, legden veilige funderingen zodat ze in volwassenheid konden functioneren. Het was allemaal zo goed. Hij vulde mijn leven volstrekt.

Hij zei: Ik bracht duizenden niet-menselijke wezens voort, ik bestuurde het grote plan en zij leek daar in liefhebbende rivaliteit aan mee te werken. Uit liefde voor haar schiep ik de kinderen van haar lichaam en zaaide het zaad van liefdes dood.

Ze waren het eens: Zulke herinneringen vormden een onoverkomelijke hinderpaal tussen hen beiden.

Minanonn dwong de vlammen omlaag. Hij klauwde zich vast in zijn einde van de glazen ketting en gaf een herculische ruk. Medor werd uit zijn balans getrokken. De Ketter kreeg nu weer steviger greep op de ketting en liet de vlammen rondom hemzelf en zijn tegenstander weer hoger oplaaien. Medor uitte een telepathische schreeuw die door zijn landgenoten op de tribunes werd herhaald. Beide helden waren nu geheel door de vlammen omgeven, maar het was Minanonn die bleef staan terwijl Medor dichter en dichter naar de ijzeren punten werd toegetrokken.

De man en de vrouw waren zich er niet van bewust.

Zij zei: We koesterden zelfs vrees te midden van ons geluk omdat we wisten dat het leven niet meer de moeite van het leven waard zou zijn als wij werden gescheiden. Vast en zeker wist de liefhebbende God daarvan en zou ons beiden nemen. Wij hadden vertrouwen. In het ongeluk verloor ik mijn metavermogens en daarmee de Eenheid. Hij werd gedood. Maar ik stierf de ergste dood.

Hij zei: In de daad van de liefde zelf bedroog zij mij. Door het vermoorden van de Mentale Mens huilde ze en zei dat ze het deed uit liefde voor mij en de gehele mensheid. Dit is in mij voor altijd gestorven en enkel de Kinderen kunnen Hem weer doen opstaan.

Ze waren het niet met elkander eens.

Minanonn, die nu de ketting stevig vasthield voor een laatste, beslissende ruk, schreeuwde met zijn geest en zijn stem: 'Geef je over, Medor de Strijdmeester! Geef je over of spies jezelf aan het schrijnende bloedmetaal waardoor je Tana's Vrede zult verkrijgen, maar waardoor je tot je schande het Kleine Volk zult beroven van een groot aanvoerder.'

Medor liet de ketting uit zijn handen slippen.

De vlammen stierven. Minanonn stond overeind in een door het vuur verkleurde en met roet overdekte wapenrusting, maar hij hield de volledige glazen ketting boven de halfgesmolten bekroning van zijn helm. De Tanu riepen zijn naam keer op keer en schonken hem een overdonderend slonshal.

De twee in de koninklijke loge waren zich enkel van zichzelf bewust.

Zij zei: Het visioen waar jij je aan vasthoudt is zo overduidelijk kwaadaardig. Dat is niet alleen maar mijn oordeel of dat van Anatoly. Na zevenentwintig jaren is het oordeel van de Galactische Geest nog steeds unaniem. Als je niet kunt inzien dat Cyndia gelijk had en dat jij ongelijk had dan ben je precies wat Anatoly je eerder heeft genoemd: arrogant en onweerstaanbaar onwetend, maar desondanks verkeerd verkeerd verkeerd.

Hij zei: En hoe zit dat met jou? Mijn afwijking is tenminste groots, de jouwe is enkel pathetisch. Je ontloopt verantwoordelijkheid en weigert te kiezen uit pure lafheid. Je geeft voor te lijden onder nobele wanhoop terwijl je eenvoudigweg klaagt en medelijden hebt met jezelf. Je veroordeelt mijn onwetendheid en arrogantie terwijl de jouwe minstens even groot is . . . en je zegt dat je nooit kunt liefhebben maar je liegt liegt liegt.

Zij zei: Wat weet een harteloos monster als jij van liefde?

Hij zei: Laat me in je geest kijken en durf dan nog eens te zeggen dat je niet van me houdt.

Zij zei: Nooit! Dat is onmogelijk!

Hij zei: Dan is ook de rehabilitatie van de Geest van Duat onmogelijk.

Ze waren het met elkaar eens.

'Nou, Medor?' brulde de Firvulag-koning.

Helpers en trainers en nietsdoende toeschouwers namen de benen uit de kleedkamers van de verslagen kampioen toen ze de woede van Sharn gewaar werden. Maar toen hij alleen was met zijn Strijdmeester, maakte de monarch het zich gemakkelijk en hielp met het aanbrengen van verzachtende olie op de blaren van Medor, die hij daarna met een spray uit het Bestel behandelde die een pijnstiller bevatte waarvan werd gezegd dat hij bijna even goed was als de Huid van de Tanu.

'Ik heb mijn best gedaan,' zei de in smart ondergedompelde generaal. 'Maar ik wist dat ik verloren was zodra Heymdol aankondigde dat de Aartsvijand de Ketter had aangewezen als finalist. Niemand, behalve Pallol-Eenoog, was van zijn klasse.' Na een ogenblik voegde hij daar diplomatiek aan toe: 'Behalve jijzelf natuurlijk, Hoge Koning.'

Sharn vloekte door zijn opeengeklemde tanden. 'En we zijn nog niet uit de ellende. Ik heb natuurlijk geprotesteerd bij de scheidsrechters, maar er is geen enkele geldige reden om Minanonn of een ander lid van de Vredesfactie uit de spelen te houden, ervan uitgaand dat hun kostelijke gewetens hun vertellen dat dit Grote Toernooi geen rituele oorlog is, maar gewoon en rechtuit vermaak. De verbanning van de Ketter was destijds een politieke zaak. Maar wanneer Aiken hem nu in de ploeg van de Tanu wil accepteren, is er niets dat we kunnen doen om dat te voorkomen.'

'Doet Minanonn ook mee aan het gezamenlijk touwtrekken, later op de middag?'

'Dat ligt zwaar voor de hand,' zei de koning. Hij hielp Medor bij het aantrekken van een beschermende onderlaag waar een nieuwe wapenrusting overheen ging. 'Maar trek je dat niet al te veel aan, mijn zoon. In die wedstrijd telt vooral de metabundeling van de geesten, niet de spieren. En zij zijn met maar dertienduizend tegen tachtigduizend van ons.'

Zowel Elizabeth als Marc zagen het vlaggeschip landen op een haastig afgebakend terrein zo dicht mogelijk bij de tribunes van de Tanu. Niet lang daarna kwam de koning naar de koninklijke loge op zoek naar Elizabeth. Hij was vergezeld van Creyn, Basil Wimborne, Peopeo Moxmox Burke en Broeder Anatoly.

'Ik ben bang dat je de rest van de spelen zult moeten missen, meid,' zei Aiken tegen haar. 'We gaan een klein ritje maken.'

Ze sprong overeind uit haar zetel. 'Is het . . . is het klaar?'

'Kom maar mee,' zei de koning alleen maar.

Marc leunde achterover met een onbekommerde glimlach op zijn gezicht. Hij droeg, met opvallend veel stijl, het parade-uniform van de Koninklijke Elite Garde, compleet met een gouden halsring en de insignes van een bevelhebber. Hij zei: 'De tijdpoort is nog niet in werking, Elizabeth. Maar de koning gaat er al wel van uit. Of misschien hoopt hij er enkel het beste van. Als de tijdpoort al werkte, dan zou heel het Veelkleurig Land dat nu weten.'

Aiken antwoordde duister: 'Kom nu maar mee.'

'Ik hoop dat je vlug terugkomt,' zei Marc. 'Jouw helden hebben je gemist tijdens de Heldhaftige Manifestatie van Krachten.'

'En hebben even zo goed gewonnen,' zei Aiken vinnig. 'En nu staan we in punten ver voor.'

'Toch zou het niet goed zijn als jij bij het touwtrekken ontbrak. Zelfs niet voor . . . eh . . . strategische redenen. Je onderdanen zouden dat niet pikken. Ik ben werkelijk benieuwd om straks te zien hoe jouw techniek van metabundeling het opneemt tegen die van Sharn en Ayfa.

'Soms van plan om weer aan de kant van de Firvulag in het touwtrekken mee te doen?' vroeg Aiken liefjes.

'Ik moet er niet aan denken. Je hebt me mijn lesje heel secuur bijgebracht.'

De koning leidde Elizabeth en de anderen naar de uitgang. Over zijn schouder zei hij: 'Het is niks persoonlijks, Marc, maar als ik terugkom, kun jij maar beter weg zijn. We zijn zo ongeveer aan het eind gekomen van onze vriendschappelijke omgang in deze oorlog. Ik heb je van tevoren en bij deze gewaarschuwd.'

Marc knikte. 'En garde dan, kleine Koning.' En tegen Elizabeth: 'Au revoir.'

De werkelijke ongelijkheid in aantallen tussen Tanu en Firvulag werd zichtbaar toen de voorbereidingen voor het mentale touwtrekken voltooid raakten. Ontdaan van alle mensen zonder bruikbare metafuncties, vertoonde de tribune van de Tanu grote lege plekken vol onbezette zitplaatsen terwijl die van de Firvulag meer dan overvol was.

Greggie en Rowane waren uit de koninklijke loges van het Kleine Volk verwijderd samen met de andere niet-meestrijdende Huilers. Maar in plaats van zich bij Sugoll en Katlinel langs de zijlijnen te voegen, slipten ze tussen twee tribune delen in waar zich de controlekamer bevond van de staf die de gebouwen en het materiaal onderhield.

'Een beetje status *heeft* toch bepaalde privileges,' kraaide de Meester der Genetica vergenoegd tegen zijn overdonderde protégé. 'Van hieruit zien we niet alleen de draken vliegen, maar kunnen we ook de beeldschermen in de gaten houden die precies aangeven welke geesten bezig zijn het te begeven en zich uit de metabundeling losmaken.'

'Oooo!' riep Rowane uit.

Buiten op het Veld van Goud was een verbazingwekkend bouwsel ontstaan op de plaats van de vlammende fontein van die ochtend. De basis bestond uit een kunstmatige heuvel, aan de voet even wijd als beide tribunes en zo'n vijftien meter hoog. Het was min of meer konisch van vorm met op de rechter- en linkerflank grote, grotachtige openingen en een krater van boven.

De nagebootste berg herbergde monsterachtige tweelingslangen.

De ene aan de kant van de Firvulag glinsterde duister en bezat klauwen en ogen die zo rood waren als karbonkels. De slang aan de andere zijde had gouden schubben en ogen en tanden van het helderste amethist. De koppen van beide slangen hadden de bekken wijd open boven de holen waaruit ze deels te voorschijn kwamen. Het wekte de indruk dat ergens in de diepten van de berg hun lichamen elkaar ontmoetten, met elkander verstrengeld waren, om dan vanuit de centrale kratermond in een grote knoop hoog in de lucht te rijzen.

Vanuit die knoop in de hemel kwamen de staarten van de slangen in identieke bochten naar beneden, de zwarte staart opgeslokt door de gouden slang en de gouden staart door de zwarte. De algemene indruk die dit decorstuk maakte was dat van een enorm wiel, half goud, half zwart, dat recht overeind stond en gedeeltelijk in de imitatierots was begraven.

'Ik noem het de dubbele Ourobouros,' zei de oudste van de twee menselijke technici, die de leiding had van dit spektakel, tegen Greggie en Rowane. 'Maar de oude Lars, die bij de hoofdtribune staat bij de monitoren, voelt meer voor een Siamese Mithgarthsormr.'

'Zou u de werking ervan willen uitleggen, Meester Baghdanian?' vroeg Rowane. 'U moet me mijn onwetendheid vergeven, maar het lukt me niet te begrijpen hoe zo'n constructie gebruikt kan worden in een wedstrijd metapsychisch touwtrekken.'

'Ik snap er ook geen bal van!' giechelde Greggie. 'Mijn gouden halsring is maar een eerbewijs, weet je. Maar ik moet zeggen dat dat ding er *razend* indrukwekkend uitziet.'

'Wacht maar tot je het elektrisch in werking ziet,' beloofde Lars met een ernstige glimlach. 'Ik zou willen dat het voltage hoog genoeg was om al die buitenaardse klootzakken te bakken in plaats van ze enkel in hun geesten te kietelen.'

Baghdanian schonk zijn collega een berustende blik. 'Sla maar geen acht op Lars' vreemdelingenangst, beste mensen. Let maar liever op de beeldschermen vóór hem, die de tribunes van Tanu en Firvulag in de gaten houden. Rode lichten voor het Kleine Volk, amberkleurige voor de Tanu en de mensen met halsringen. De intensiteit van elke lamp komt ongeveer overeen met het vermogen van hun hersens.'

'Die twinkelende gele vlek op het beeldscherm van de Tanu is ongetwijfeld onze Glanzende Hoop, Aiken-Lugonn in eigen persoon,' zei Lars.

De oudere man luisterde naar een boodschap die via zijn koptelefoon binnenkwam. Hij haalde een paar hendels over, controleerde een paar zaken en zei toen: 'We kunnen maar beter opschieten, jongens. We zijn bijna klaar om te beginnen. Oké . . . alle aanwezigen op beide tribunes zijn nu in het elektrische circuit van dit spel opgenomen, zolang ze op hun stoelen blijven zitten. Zodra ze opstaan, betekent dat dat ze zich uit de strijd terugtrekken.'

'Mmm,' zei Greggie, een giechelbui onderdrukkend, 'dit is fundamenteel antagonisme.'

'Je bent toch op de hoogte van geestkracht en het feit dat metavermogens uit elektromagnetische componenten bestaan?' vroeg de technicus twijfelachtig.

Greggie zuchtte. 'In mijn minder irrationele ogenblikken ben ik doctor in de medicijnen, de genetica, de filosofie en eredoctor in de letteren.'

'Goed,' zei Baghdanian. 'Kijk nu eens zorgvuldig naar dat slangenbouwsel daarbuiten. Dat is in feite een gigantische ring die recht overeind staat als een dun reuzenrad. De staarten van de slangen verdwijnen in de bekken en maken zo een complete cirkel door het binnenste van de berg en de slangenknoop boven de top. Het centrale, in elkaar verstrengelde deel verbergt alleen maar het framewerk waardoor die grote ring van schubben wordt gedragen die uit elektrisch geleidend materiaal bestaat.'

'Niet de hele ring is geleidend,' onderbrak Lars.

Baghdanian keek hem nog eens aan. 'Zoals ik net wou gaan zeggen, wordt de geleiding van de ring onderbroken door isolerend materiaal – glas om precies te zijn – en wel op twee plaatsen: boven in de knoop waar je het niet kunt zien en net binnen de kaken van de twee slangekoppen. De hele boogsectie door het centrale deel van de berg is op dit ogenblik niet geleidend. *Maar!* Als de ring gaat draaien, laten we zeggen naar rechts, dan zal het lijken alsof de zwarte Firvulag-slang de staart van de Tanu-slang uit zijn bek laat glippen. Tegelijkertijd gaat natuurlijk het lichaam van de Firvulag-slang dieper en dieper in de bek van de gouden slang.'

'Maar in werkelijkheid verdwijnen ze in de berg,' zei Greggie wijs.

De ogen van de technicus kregen een vreemde glans. 'Binnen in de heuvel zijn veelvoudige Van de Graaff-reeksen opgesteld, vergelijkbaar met de generatoren die in de ouwe Frankensteinfilms werden gebruikt. Wanneer de staart van jouw slang net een beetje verder wordt ingeslikt, dan voel je een mentale schok. Maar hoe verder de staart in de slang van je tegenstander verdwijnt, des te heviger wordt die schok.'

'Genadige hemel!' riep Greggie uit.

Baghdanian zei: 'Let eens op die grote, met juwelen bezette boeien die om de staart van elke slang zitten ongeveer op drie meter afstand van de vijandelijke tanden. Wij noemen die de armbanden. Dat zijn de plaatsen waar de geesten moeten vastgrijpen en trekken. Hoe krachtiger een team op die plaats trekt, des te verder zal de staart van de andere ploeg worden opgeslokt.'

'En hoe kwellender het voor de ander wordt om toch te blijven vasthouden,' voegde Lars daaraan toe.

Greggie sidderde. 'Wat een volmaakt beestachtig stukje vindingrijkheid!'

Baghdanian haalde bescheiden de schouders op: 'Tweeëntwintig jaren in de speciale-effectenafdeling van de Firma Licht en Magie.'

'Hoe wordt de winnaar bekend?' vroeg Rowane.

'De knapen wier armband wordt verslonden,' zei Lars, 'verliezen niet alleen, maar blijven zitten met een kop vol half gefrituurde neuronen.'

Baghdanian keek afwezig terwijl hij naar zijn koptelefoon luisterde, keek op een digitale klok en stuurde af en toe de flikkerende patronen op de beeldschermen van de Tanu en Firvulag bij. 'Nog twee minuten.'

'Begin maar te bidden,' zei Lars tegen Greggie en Rowane. 'Als de Firvulag flink verliezen, zien ze misschien van hun Oorlog der Schemering af. Dan zullen wij mensen vrij zijn om door de tijdpoort naar huis te gaan en vergeten dat we deze mesjokke plek ooit hebben gezien.'

'Niet alle mensen willen weg,' protesteerde Rowane ongemakkelijk. 'Sommigen haten die wereld van de toekomst en bezitten liefhebbende banden met deze.'

'Geloof er maar niks van,' schimpte Lars. 'Laat elk geestelijk gezond mens een tijdpoort zien die naar het Bestel voert en ze komen hardlopend aangerend. Zelfs de koning met zijn gouden broek! Dat is toch logisch!' Hij wees naar Greggie. 'Zou *jij* soms niet gaan?'

'Nou ja . . . eh . . .' weifelde de geneticus.

'Mijn Tonie zou niet gaan!' riep Rowane. 'Hij niet!'

De hoofdtechnicus zei: 'ESG's op vol vermogen. FX-ploeg klaar voor de pyrotechnische ouverture. Muziekband starten! Metabundeling van de Tanu gereed. Firvulag idem dito. Op je plaatsen . . . houd je vast . . . *daar gaan we!*'

Op het Veld van Goud leken de tweelingserpenten hun reuzenlijven te kronkelen onder een volle laag van veelarmige lichtflitsen. De bekken van de fabelachtige beesten braakten lichtende wolken groene rook uit die opsteeg tot aan de laaghangende bewolking die nu als een spookachtig gewelf over de toernooi-gronden hing. Nog eens tien centimeter zwarte staart verdween in de gouden luchtpijp.

'Houd vast, Tanu, houd vast!' gilde de menigte langs de zijlijnen die uit mensen en Huilers bestond. De mutanten deden niet langer moeite te verbergen aan wiens kant zij stonden.

Boven in de loge van Aiken-Lugonn was de gecombineerde aura van de triomferende Groten als een zonnegloed waarbinnen de ondergeschikte geesten een gouden zwerm van gonzende bijen vormden. De astrale arm die de armband van de Tanu vastgreep, leek steeds verder aan te trekken.

De koninklijke loge van de Firvulag vertoonde een donkerrode nimbus van onbehagen. De dicht opeengepakte verbonden geesten pulseerden in een onregelmatig ritme, verlangzamend en dan weer versnellend, hier en daar opvlammend in nerveuze uitbarstingen van vermiljoen en kwaadaardig wit. De astrale arm van de Firvulag was veel groter dan die van de Tanu, maar de kleur was die van een dof karmijn.

'Het Kleine Volk bezwijkt,' merkte Katlinel op tegen haar echtgenoot. Haar gezicht stond bezorgd, in tegenstelling tot haar juichende onderdanen die er rond hingen.

Sugoll zei: 'Zoals we hadden verwacht. Toen hun aanvankelijke voordeel verloren ging op het moment dat Aiken zijn onverwachts herstelde metavermogens invoerde, raakten ze op de rand van paniek. De pijn maakt hen zenuwachtig en een metabundeling is voor hen nog te ongewoon om vertrouwen te hebben in de overmacht van hun aantallen . . . Hoor! Kun je die wanhopige samenspraak horen over hun ras-golf-lengte? Ze vrezen dat het met hen gedaan is. Maar koningin Ayfa stelt een stoutmoedig plan voor. Ze wil de helft van al hun verzamelde geestenergie overbrengen naar de armband van de Tanu om *te duwen,* terwijl Sharn met de anderen doorgaat met trekken.'

'Firvulag hebben altijd hun twijfels gehad over het volgen van vrouwen,' zei Katlinel. 'Ik vraag me af . . .'

De toeschouwers krijsten.

De astrale arm van de Firvulag spleet plotseling in tweeën. Maar de Tanu reageerden met woeste, wringende rukken die de armband van de Firvulag tot op een halve meter afstand van de amethisten slagtanden van de gouden slang deden komen. De tweede arm van de Firvulag reikte onmachtig naar de basis van de armband der Tanu.

'De blunderaars!' riep Sugoll uit. 'Het toenemen van de pijn doet hen de moed verliezen. Velen achter koningin Ayfa laten haar in de steek om Sharn te helpen de staart van de zwarte slang uit de bedreigende kaken van hun rivaal weg te halen. Het plan van de koningin is tot mislukken gedoemd! Ze trekt zich in wanorde terug.'

De tweede astrale arm, aangevoerd door de ongelukkige Ayfa, loste op in verdwijnende vonken en de koningin haastte zich om het verband met haar echtgenoot weer te herstellen. Overal op de tribunes van de Firvulag gaven de dwergen de strijd op. Kleine rode vonkjes doofden uit naarmate de Firvulag uit hun stoelen overeind kwamen en zich gewonnen gaven.

Aiken en de zijnen veroorzaakten een overweldigende zonneuitbarsting. Met een laatste machtige beweging trok de gouden arm de staart van het zwarte serpent door de kaken van de Tanu-slang. De donker bejuweelde armband verdween achter de glinsterende purperen slagtanden. Een laatste geweldige boog van licht vormde een halo over en rondom de ineengestrengelde slangelijven. Toen leek de zwarte slang vlam te vatten en verslonden te worden door geel vuur. De kop werd in de berg teruggetrokken. Het kronkelende lichaam maakte zichzelf los van de overwinnende tegenstander. De brandende zwarte slang viel tot as uiteen en enkel de gouden cirkel bleef over, overeind staand op de kunstmatige berg als een overmatig grote halsring van de Tanu.

'Jouw volk zal een paar uur nodig hebben om zijn kracht te herwinnen,' zei Marc tegen Sharn en Ayfa. 'We kunnen die tijd goed gebruiken. Mijn programma voor een metabundeling zal niet al te moeilijk voor jullie op te nemen zijn, wanneer jullie je beiden onderwerpen aan mijn bedwingende vermogen en mij de gegevens laat besturen.'

'Aan jou onderwerpen?' riep Sharn vol afschuw uit. 'Ik wist het! Je bent van plan ons tot slaven te maken!'

'Wat voor goeds zou dan zelfs een overwinning in de Oorlog der Schemering nog inhouden,' schreide Ayfa, 'wanneer aan het eind toch de Tegenstrever over allen heerst.'

'Gekken,' zei Abaddon. 'Heb ik jullie niet gezegd dat ik geen belangstelling heb voor deze miserabele wereld? Wanneer jullie geesten mij helpen in te breken in kasteel Doortocht, dan laat ik jullie vrij en ik zal blij toe zijn! Geen verplichtingen, geen banden. Jullie bezitten dan mijn programma voor een metabundeling en daarmee het vermogen om echte discipline uit te oefenen over die onbeheerste breinen van jullie bende. En *ik* zal hebben wat ik wil . . . veilig op een wereld die veertienduizend lichtjaren van jullie verwijderd is. En kies nu!'

De beide monarchen staarden als verdoofd naar de donkere, gepantserde massa die tegen de achtergrond van de nu verlaten koninklijke loge oprees. De onmenselijke geest van het ding opende zich voor hen, liet hen een tantaliserend ingewikkelde glimp opvangen en wenkte.

Samen begaven zij zich in de leegte.

13

Het was na vier uur in de ochtend. Enkel het genezende vermogen van Cloud hield nu Tony Wayland nog overeind terwijl hij voortdurend met de hand wijzigingen aanbracht in de niet goed werkende bedradingsapparatuur die de zijdeachtig dunne draden van niobium en dysprosium spon.

'Je doet het prima, Tony,' zei Cloud. 'Nog maar vijfhonderd meter meer. Je kunt het . . .'

Het specificatie-alarm van de machine ging weer af. Hij kreunde: 'God . . . niet nog eens.'

Opnieuw spoelen. De draad aan het einde afsnijden en de doorvoer schoonmaken. Kleine microscopische wijzigingen aanbrengen in de niet goed werkende verdampingskamer. Nog meer verzegelende olie op de lekkende nippeluitgang.

'Werken jullie! Werken verdomme!' schreeuwde hij. De toeschouwers boven die slordige kubus in de kloosterachtige ruimte van kasteel Doortocht hadden onbeweeglijke gezichten en ontoegankelijke geesten. Cloud. De roodhuid met de woeste wenkbrauwen, commandant Burke. Kuhal Aardschudder. De incompetente amateur-ingenieur Chee-Wu Chan, wiens slechte werk vooral verantwoordelijk was geweest voor die defecte bedragingtroep. 'Werrrk!'

Vinger op start. Tolerantie invoeren: ± 0,005 micron. Voeding aan. *Gaan!*

Hij kreunde. 'En blijf nou goed, verdomde rotzak!' Cloud streelde zijn door vermoeidheid vergiftigde zintuigen. Een visioen van zijn zoete Rowane leek net achter de zwoegende machine te zweven, haar slanke, geschubde armen uitgestrekt, het ene oog nat van tedere tranen.

Chee-Wu greep een nieuwe spoel terwijl de machine de volle afleverde en rende ermee weg naar de ploeg die de kernen spon. Hagen Remillard stak zijn hoofd naar binnen en zei tegen zijn zuster: 'Aikens diepzicht heeft iets ongewoons in de gaten gekregen net buiten het kasteel. Het staat op de plek van de oude tijdpoort. Ondoordringbaar, tweehonderddertig centimeter hoog. De massa komt overeen met die van vaders hersenmachine.'

'We kunnen dit niet haasten,' zei Cloud. 'Ga andere werkers maar opjagen.'

'We zetten al de kleine sigma's die de koning heeft meegenomen rondom het binnenplein,' zei Hagen. 'Op die manier krijgen we iedereen onder de beschermende paraplu die in de buurt is van het Guderian-ontwerp en de werkbanken. We activeren de schermen zodra jullie klaar zijn met de laatste spoel met snoer. Met wat geluk houden we genoeg tijd over om de laatste kabels te repareren.'

Tony liet een manisch gelach horen. 'Mooie hoop! Jonah zelf is bezig jullie ontsnapping te verhinderen, jong! Rampen volgen de oude Tony Wayland als hyena's achter een gewond hert. Jullie komen heus niet bij je vader vandaan. Niemand van ons heeft een kans! De zwarte Nacht komt steeds dichterbij en de horden demonen sluiten ons in . . .'

De machine spoog de laatste spoel met draad uit.

'Grijp Tony!' zei Hagen tegen Kuhal Aardschudder. 'En iedereen naar het binnenplein.'

'We zullen een psychocreatief veld proberen,' zei Aiken tegen de menigte die rondom het platform verzameld was. 'Misschien geeft dat ons een laatste uitstel van tijd nadat hij de grote koepel heeft gekraakt en vervolgens de aaneengesloten ring sigmavelden. Maar ik kan de tijdpoort niet tot het uiterste verdedigen. De oorlog die komen gaat heeft mijn allereerste prioriteit. Dat begrijpen jullie toch?'

Hagen en Cloud gaven tegelijk hun mentale goedkeuring. Ze stonden samen met Kuhal Aardschudder en Diane Manion binnen de transportruimte van het Guderian-ontwerp. Iedereen in de doodstille menigte wist dat de strijd voorbij zou zijn zodra de kinderen van Marc Remillard zich buiten zijn bereik bevonden. Maar als Hagen en Cloud er niet in slaagden te ontsnappen . . .

Elizabeth zei tegen hen: Hebben jullie de verdediging in uiterste nood volledig geassimileerd?

Cloud zei: Ja, en we zullen die gebruiken. Vader zal ons niet levend krijgen.

Hagen zei: Ik wilde dat er een manier was waardoor we onze lichamen konden vernietigen!

Aiken zei: Hij zal dat weten tegen te houden, als het zover komt. Het spijt me. Elizabeths zelfmoordprogramma is jullie laatste bastion.

Kuhal en Diane zeiden: En wij blijven samen.

Elizabeth zei: Jullie gelukkigen. In het Bestel zou een dergelijke troost niet zijn toegestaan om der wille van het grotere goed der Eenheid.

Anatoly zei: 'En terecht! Arme kinderen. Maar God begrijpt de geliefden en vergeeft hen. Zij die weigeren lief te hebben zijn wat anders.'

Elizabeth schreeuwde: *Hoe kun jij ons horen? Waar haal je het lef vandaan?*

'Hij hoort het via het oor van mijn geest,' antwoordde de koning. En over haar persoonlijke golflengte zei hij tegen haar: Dood is niet de laatste verdedigingslinie van de kinderen, Elizabeth. Dat ben jij.

Buiten het kasteel stond de gepantserde vorm gereed in het sterreloze duister. Het lichaam stond ter zijde, in onderkoelde stasis losgekoppeld van de gewone levensprocessen. Het brein ervan woedde toen de naaldelektroden het belastten met een energie die voor gewoon vlees en bloed niet te verdragen zouden zijn. Het was nu volledig opgeladen met een aanvallend psychocreatief vermogen. Ver weg in Nionel, wachtten de gehoorzame cellen van de Organische Geest, 80 000 geesten sterk, op zijn commando.

Het raakte de koepel van kracht die kasteel Doortocht overkapte. Het grote sigmaveld werd leeggezogen tot in het bodemgesteente door middel van honderd metapsychische aardingskanalen. Er weerklonk een diep gebulder en de aarde schokte. Terwijl de laaghangende wolken de blauwwitte corona van de aanvallende Tegenstrever reflecteerden, schudde kasteel Doortocht op zijn grondvesten, gebroken door de schokken die door het rotsplateau voerden, viel het langzaam tot puinhopen ineen. Maar in het hart daarvan bevond zich een kleinere, zilveren hemisfeer, stevig overeind te midden van de verwoesting.

Het gloeiende brein lachte, bracht zijn energie over naar het vermogen tot de d-sprong en teleporteerde naar de stoffige ruïnes. Toen sloeg het weer toe, hamerend op de minder sterke sigma's en tegen het interne psychische krachtveld van de koning. Het krachtveld werd zwakker en smolt weg als ijs op een ontdooiend vensterglas.

Het brein ontdekte de twee vertrouwde geesten, ving hen terwijl ze zich op de rand bevonden van de afgrond, verhinderde hun zelfmoord en eiste hen voor zich op.

Nu, schreeuwde het. *Nu!*

De bepantserde zwarte vorm maakte plaats voor het lichaam van een levende man. Hij ontsloeg de onderworpen geesten der Firvulag van hun diensten en liet ook de versterkende energieën van de machine achter zich. Toen stond hij op het platform voor de machine van Guderian en keek naar zijn als verlamde zoon en dochter. De ene hoek van zijn mond was omhooggetrokken in een vriendelijke glimlach. Toen wendde hij zich tot Elizabeth. Zij knielde neer op de gebroken plavuizen naast het controlepaneel, aan drie kanten omringd door bewegingloze arbeiders. Aiken lag bewusteloos op de grond voor haar.

'Zoals je ziet,' zei Marc. 'Heb ik gewonnen. Je wist dat ik winnen zou.'

Elizabeth tilde het hoofd van de koning omhoog en streek zijn verwarde haren glad. 'Nog tien of vijftien seconden en ze zouden vertrokken zijn. De machine is klaar. Had Aiken mij maar toegestaan de controles te bedienen.' Ze was zeer kalm. 'Ik zou je om genade moeten smeken, Marc.'

'Open je liever voor mij.'

Haar ogen werden groot. Hij knikte enkel. Aikens hart begon weer te kloppen en de pulsen in zijn brein herkregen het gestage ritme van de droomloze slaap. Ze kuste zijn wenkbrauwen en legde hem voorzichtig op de stenen terug. Toen stond ze op en keek Marc recht aan. 'Heel goed dan.'

Haar mentale muren trokken op. Er was geen angst, geen onderwerping, enkel een doorgang die vrij toegang gaf nadat het trotse masker was afgezet.

Marc zei alleen maar: 'Ah.' Hij stapte naar het controlepaneel over Aikens lichaam heen, activeerde de taugenerator en zond de vier mensen die binnen de machine stonden door het grijze niets naar de rozentuin van Madame Guderian in de heuvels boven Lyon, naar het Frankrijk van het Galaktisch Bestel.

De dageraad brak aan over het Veld van Goud en de afdeling scheidsrechters van de Huilers wankelden terwijl zij de grote leren bal omhooghielden die met zand was gevuld. Hij was wit met zwarte markeringen en in de treurige nevels van die spookachtige dageraad leek het een misvormde schedel die overal met bloed was bedekt.

De Maarschalk der Spelen kondigde aan: 'Deelnemers aan dit grote Toernooi! Deze laatste wedstrijd, die door sommigen balvechten en door anderen voetbal wordt genoemd, markeert het hoogtepunt van de wedstrijden van dit jaar. Zoals iedereen weet, is de winnaar van deze wedstrijd tevens de winnaar van het Toernooi als geheel en zal worden beloond met de Zingende Steen. De strijd wordt uitgevochten over een tijdsduur van tien volle uren, te beginnen zodra de zon boven de horizon komt. De wedstrijd eindigt bij zonsondergang. Speelveld is het hele Veld van Goud, zestien vierkante kilometer. De Firvulag hebben de doelpalen in het noorden en de doelpalen in het zuiden zijn die van de Tanu. Er mag zowel fysieke als metapsychische kracht worden gebruikt. Wapens zijn niet toegestaan. Het team dat het grootste aantal doelpunten maakt, heeft gewonnen. Er zijn geen andere regels of beperkingen . . . Laat nu de aanvoerders van elk team de tegenstander groeten.'

Een tumult van jewelste begroette Ayfa en Sharn toen die aan het hoofd van hun dapperen naar het middenveld liepen. Daarna kwamen de helden van de Tanu naar voren . . . zonder aanvoerder.

Heymdol Horenblazer kondigde aan: 'Aangezien koning Aiken-Lugonn op dit ogenblik niet in staat is aan de strijd deel te nemen, zal het team van de Tanu worden aangevoerd door Bleyn de Kampioen.'

De mensen en de Huilers onder de toeschouwers kreunden van ontzetting, maar uit de donkerkleurige menigte der Firvulag steeg een schel gefluit op terwijl ze allemaal door elkaar lopend als een zwerm glinsterende zwarte kevers een plekje zochten op de stroken zanderige grond voor de tribunes. Plotseling was er een flits amberkleurig licht en een oorverdovende donderslag deed de aarde trillen. Een vliegmachine met het blazoen van een open hand hing ineens boven de Regenboogbrug. Uit het open laadluik tuimelde suizend een kleine gouden komeet naar beneden.

Bleyn zei: 'Vol vreugde geef ik het aanvoerderschap van het Tanu-team over in handen van koning Aiken-Lugonn.'

De geestschreeuwen van de mensen en de mutanten gingen verloren in het woedende getoeter van de Firvulag.

Nadat hij was geland, beende Aiken naar de middencirkel en lichtte het vizier van zijn helm op. 'Morgen, Ayfa. Morgen, Sharn. Klaar voor ons kleine knokpartijtje?'

'Je zou dood moeten zijn!' schreeuwden beiden.

De Glanzende haalde met een treurig gezicht zijn bejuweelde schouderstukken op.

'De Tegenstrever had andere spelletjes te spelen. Zijn jullie tweeen klaar om te beginnen?'

Het mensenetende tweetal begon te grijnzen, ze lieten beiden hun witte, gepunte snijtanden zien. Sharn merkte op: 'Dus die Remillard is ervandoor, hè? Wel hij heeft voor ons een mooi souvenir achtergelaten en wij zullen er groot genoegen aan beleven jou dat te demonstreren.'

'Je zou het een winnend-spelprogramma kunnen noemen,' voegde Ayfa eraan toe. 'En ik denk dat je ook bijzonder onder de indruk zult zijn van de feestelijkheden na de wedstrijd.'

Aiken stak een gouden vinger omhoog. 'Laat me even een kleine aankondiging maken.' Toen rolde de stem van zijn geest echoënd over het Veld van Goud en bracht heel het opgewonden publiek en de beide teams tot volkomen stilte.

Ik spreek tegen de mensen, zei Aiken, *en tegen alle andere personen van goede wil die leven willen in een vredelievende wereld. De tijdpoort die naar het Galaktische Bestel voert, is nu open.*

Sensatie! Sharn en Ayfa keken elkaar met open mond aan alsof ze door een donderslag waren getroffen.

Gedurende de hele Vijfde Dag van dit Grote Toernooi zal mijn vliegtuig heen en weer pendelen tussen deze plek en de plaats van de tijdpoort. De vliegtuigen zullen iedereen transporteren die vertrekken wil. Je kunt alleen dat meenemen wat je in één arm kunt meedragen en alles wat aan mij toebehoort, dien je achter te laten. Zelf ben ik van plan hier te blijven en te regeren over dit Veelkleurig Land als Hoge Koning nadat ik mijzelf als overwinnaar heb neergezet op de Zingende Steen aan het einde van deze dag. Allen die deze plek werkelijk liefhebben, nodig ik uit om te blijven.

'Jij, Mindere!' tierde Sharn. 'Pedante bluffer!' krijste Ayfa.

De reusachtige bal rees hoog in de lucht, gedragen door de psychokinese van Katlinel, Sugoll en de Huilers. Toen hij een hoogte van ongeveer veertig meter had bereikt, gaf de Maarschalk der Spelen het aanvalssein: 'Speel de bal!'

'Krak!' De zware bolvorm smakte op de aarde. De elkaar bestrijdende teams drongen naar voren, de menigte schreeuwde en de finale van het Grote Toernooi was begonnen.

Tien personen per trip, twintig trips per uur.

Nadat de jonge Noord-Amerikanen waren geteleporteerd en al de anderen die aan het Guderian-project hadden gewerkt en ook naar het Bestel terug wilden, werd de exodus door de tijdpoort een routinekarwei, georganiseerd door commandant Burke die het oppertoezicht had en verder door Basil en al de anderen van de Bastaards die geen dienst hadden op de korte vliegroute. De commandant van het garnizoen in Roniah, een vrolijke kleine Waal die LeCocq heette en goed was in psychokinese, hielp bij het handhaven van de orde, bijgestaan door een peloton grijzen.

Tony Wayland werd betrapt toen hij op een terugkerend toestel naar Nionel probeerde te ontsnappen. Burke liet hem aan armen en benen naar de tijdpoortmachine terugdragen en liet hem daar onder de hoede van een gewapende bewaker die de opdracht kreeg dat Tony bij de staf van technici moest blijven die erin hadden toegestemd voorlopig achter te blijven voor het geval de apparatuur het mocht begeven.

'Maar de koning heeft beloofd dat ik naar mijn vrouw mocht!' protesteerde Tony.

Burke pakte hem bij zijn lurven en tilde hem omhoog tot zijn gezicht tegenover het zijne hing. 'Ik herinner me nog steeds de Vallei der Hyena's, Witoog, en voor een paar armzalige centen zou ik je door die tijdmachine heen en weer laten reizen zodat je als as terugkwam. Ik zou er mijn strijdbijl mee kunnen polijsten. Dus je blijft hier zitten met de anderen en je wacht af, verdomme!'

Tony wachtte.

Die vroege ochtend waren de machines die van Nionel kwamen steeds maar halfvol en vervoerden enkel diegenen die het meeste heimwee hadden en die vaak al jaren ernaar hadden verlangd naar de Oude Aarde terug te keren. Zolang koning Aiken-Lugonn en de Tanu het er goed afbrachten in het spel, leek er geen reden om al te veel haast te maken met het nemen van een zo belangrijke beslissing.

Maar op een gegeven ogenblik, ergens vroeg in de middag, begonnen Sharn en Ayfa eindelijk de fijnere kneepjes van het mentale programma door te krijgen dat Marc Remillard hun had gegeven en vanaf dat ogenblik begonnen ze het efficiënter te gebruiken. De Firvulag kregen niet alleen een voorsprong in punten, maar ze begonnen ook leden van het Tanu-team ernstige verwondingen toe te brengen. Daarbij kozen ze steeds die helden uit die extra goed waren in het transporteren van de bal, helden als Celadeyr van Afaliah, Lomnovel Hersenbrander en Parthol Snelvoet die alle drie grondig werden toegetakeld en het veld moesten verlaten om in Huid te worden behandeld.

Toen het tij der fortuin leek te keren ten gunste van het Kleine Volk, veranderde de stemming onder de menselijke toeschouwers. Ze begonnen zich de geruchten te herinneren over een op handen zijnde oorlog – niet langer kortstondige acties en overvallen zoals bij Bardelask en Burask, maar een conflict waar het hele continent bij betrokken kon raken. Terwijl ze nadachten over die sombere verwachtingen, zagen de Minderen hoe dolzinnige groepen Tanu en Firvulag als in een ziedende maalstroom tegen elkaar tekeergingen op de kapotgetrapte gronden van het Toernooiveld. Overal waren Firvulag te zien in hun bloedstollende vermommingen. De lucht echode van hun helse gejoel. Mentale vuurstoten, misselijk makende psychische erupties en namaakprojectielen vlogen in alle richtingen. Dol geworden menseneters probeerden de ver in de minderheid zijnde Tanu in stukken te scheuren. Horden uitzinnige dwergen vertrapten gevallen menselijke strijders met halsringen en al in de grond. De genezers van de Tanu en de rondscharrelende kleine verpleegsters van de Firvulag zagen amper kans de gewonden van het veld te slepen en liepen daarbij de kans zelf zwaargewond te raken.

De voorsprong van de Firvulag in doelpunten nam steeds sneller toe. Tegen twee uur in de middag leidde het Kleine Volk met 50 tegen 33. Een uur later was hun voorsprong toegenomen tot 87 tegen 36. De hemel werd steeds duisterder en drukkender en was nu geladen met giftige positieve ionen, ozon en de kwalijke reuk van zwavel die nog bijdroeg aan de atmosfeer van dreigende psychische trillingen.

Nieuwe geruchten begonnen zich onder de uitdunnende menigte te verspreiden. De Mont Doré was bezig uit te barsten! (Maar het was maar een kleine eruptie.) Onweersstormen hadden grasbranden veroorzaakt op de kurkdroge prairies in het westen! (De dichtstbijzijnde brand was echter twintig kilometer ver weg.) De tijdpoort begon energie te verliezen! (Waanzin! De machine ontleende het merendeel van de benodigde energie aan de tellurische stromingen in de planeetkorst zelf. Het overige verbruik aan energie was minimaal.) Koning Aiken-Lugonn was klaar om de handdoek in de ring te gooien! (Oh ja, wel, er waren nog steeds vijfenveertig minuten over voor het spel afgelopen was en er kon nog van alles gebeuren zolang de Glanzende deelnam aan de knokpartij.)

AIKEN: Elizabeth.

ELIZABETH: Ja, mijn beste.

AIKEN: Allemachtig! Ik ben verrast om te merken dat je nog steeds hier bent, meid . . . Besloot je om toch maar niet weg te zweven?

ELIZABETH: Marc en ik zijn dingen aan het bespreken.

AIKEN: Ik had zo'n soort idee in die richting . . . Meid, dat metaprogramma dat hij de Firvulag heeft gegeven, is bezig ons kapot te maken. We gaan deze balwedstrijd verliezen en het Kleine Volk is nog niet eens begonnen hun hele mentale potentieel op ons te richten. Ik denk dat ze zich inhouden voor een soort genadeklap die dan meteen het signaal moet zijn voor de Oorlog der Schemering.

ELIZABETH: Oh, Aiken! Maar als duidelijk wordt dat hun aanvallen dodelijk bedoeld zijn, dan heb jij toch het volste recht om je andere wapens en de vliegtuigen te gebruiken?

AIKEN: Tegen die tijd zijn we er misschien al geweest. Of anders ik in elk geval, wat voor iedereen op hetzelfde neerkomt. Als ik Sharn en Ayfa was, zou ik hun hele aanvallende vermogen op Mij richten net even voor die ouwe Heymdol de Laatste Trompet steekt.

ELIZABETH: Marc, kun jij niets doen?

MARC: Ik heb de Firvulag beloofd dat ik mijn destructieve potentieel nooit tegen hen zou gebruiken.

ELIZABETH: Die metabundeling dan . . .

MARC: Ik kan die niet herroepen en ze is ongevoelig voor sabotage. Ik heb eerlijke afspraken met het Kleine Volk gemaakt en me daaraan gehouden, net als bij jullie.

AIKEN: Daar was ik al bang voor. Wel . . . dat is dan dat. Dank je wel voor de herinneringen, alle twee. Denk aan Mij wanneer jullie je kleine zonden uitboeten gedurende de volgende zes miljoen jaar.

MARC: Wacht nog even. Ben je aan een bepaalde kleding gebonden voor dit spel?

AIKEN: ? We dragen allemaal de gebruikelijke uitrusting voor een Grote Veldslag, maar ik denk dat alles is toegestaan. Maar wat heeft dat te maken met het tegenhouden van Ragnarok?

MARC: Dat zal ik je laten zien.

Nog maar nauwelijks zichtbaar in de rokerige nevel, zakte de zon naar de beboste westelijke horizon. Maar de wedstrijd zocht zich waanzinnig een weg in tegenovergestelde richting, naar de Regenboogbrug en Nionel. Aiken Drum en zijn sterk verminderde legioen verdedigers, omgeven door een mentaal schild, renden er met de bal vandoor.

Woest geworden dwergen en menseneters vertrapten de kraampjes en bliezen de zitplaatsen op die langs de rivier waren aangebracht en stroomden vervolgens als een demonische vloed over de lege picknickplaatsen en andere plekken van vermaak om de Tanu aan te vallen die de toegang tot de brug hadden afgesloten. De spectrale kleuren van die grote brugboog gloeiden onnatuurlijk. Eén enkele laag invallende straal zonlicht brak door het wolkendek en verlichtte de gouden koepels van Nionel.

Op het midden van de brug bevond zich de beschermende bol van de koning en boven op dat flexibele oppervlak stuiterde de enorme bal die beledigend onbereikbaar bleef ondanks de gecombineerde mentale kracht van de Firvulag die vergeefs probeerden de bal in hun macht te krijgen.

'Haal hem naar beneden!' eiste Ayfa van haar echtgenoot.

'Wat is er mis met ons? Hoe kan die kleine deugniet ons gebundelde vermogen op zo'n manier tegenhouden?'

'Hij krijgt hulp!' hijgde Sharn. 'Ergens van de andere kant van de rivier. Té's tonsillen! Het zijn de *Huilers* die hem hun kracht lenen.'

'De verziekte misgeboorten!' raasde de koningin. 'Er is niets meer aan te doen, Sharn. We zullen hem moeten raken met alles wat we hebben. Nu! Voor de Laatste Trompet.'

'De bal zal erdoor barsten en wij verliezen de wedstrijd door de regels te overtreden!'

'En zo winnen we de Oorlog der Schemering, jij grote stomkop!' krijste ze. 'Geef nu het bevel voor de aanvallende metabundeling in de uiteindelijke rangschikking zoals de Tegenstrever die heeft onderwezen. Nu!'

'Vrouw toch, vrouw toch, onze Heilige tradities . . .'

'*Wil jij dan verliezen?* Als we hem niet onverwachts overvallen, voor het einde van de wedstrijd, dan komen de vliegtuigen met hun wapens uit het Bestel van alle kanten op ons af. Zijn wij knap genoeg om die tegen te houden en tegelijk met Aiken Drum af te rekenen? Vooruit, roep die aanval op!'

Sharn deed wat hem gezegd werd.

Op het midden staand van de Regenboogbrug, voelde Aiken hoe de psychische druk toenam en tegelijkertijd werd hij zich bewust van de verschrikkelijke coherentie die de geest van de Aartsvijand op het Veld van Goud nu begon te verzamelen.

Hij zei tot zijn volk: Slonshal voor ons allen. Het is ten slotte toch een grootse wedstrijd geweest.

Toen zag hij hoe de twee zwarte, gepantserde vormen zich binnen de mentale bol materialiseerden en naast elkaar op het brugdek kwamen te staan. Uit de rechter hersenversterker kwam Marc Remillard, schemerend door het ondoordringbare kerametaal alsof hij de niet-substantiële projectie van een driedimensionale tv was. De andere machine spleet open en de blinde helm liet zien dat die hersenversterker leeg was.

'Schiet op,' zei Marc tegen hem. 'Ga naar binnen. De coverall is niet nodig en je eigen wapenrustig past er goed in. Ik zal de Firvulag niet rechtstreeks weerstaan, maar ik ben *wel* bereid jou te laten zien hoe je de hersenversterkende energie van de machine zelf kunt gebruiken. Je zult pijn hebben. Let daar niet op. Haast je nu!'

Zonder na te denken dook Aiken in de openstaande linker machine. Het simulacrum van Marc was al weer in de ander verdwenen. Terwijl beide helften zich sloten, moest Aiken leviteren om zijn hoofd boven de verzegeling rond de nek te houden. Ergens diep binnenin stak iets hem aan weerszijden in de liezen. Hij voelde hoe zijn benen koud werden, zijn hele lichaam verdoofd, toen begon hij te verdwijnen . . .

Dat is enkel een zijtak van de circulatie in het dijbeen en het begin van de afkoeling. Heb je je beschermende schild nog rondom je?

Ja. Aagh! Het raakte mijn halsslagader!

Klopt. De eerste aftakking. Nu komt de helm. Raak niet in paniek. Zorg dat jouw mensen zo goed mogelijk met je verbonden blijven. Over een paar seconden is dit achter de rug.

Neerdalende duisternis. Bang! Vloeistof die omhoogkwam, vulde neus en mond. Ik zal verzuipen! Ik wil het niet . . . Ik ben koud, geen adem. God . . . nee . . . lasers doorboren mijn hersens . . . mijn geest ziet een kroon van naalden die in mijn hulpeloze brein verzinken, er komen vezels uit, ze doen me pijn terwijl de energieën beginnen toe te stromen . . . Marc zorg dat dit ophoudtOhstopOhGodlaathet ophouden nee nee . . .???Jezus.

Kun je nu zien? Vérvoelen?

Oh ja. JA!

Zoek de vijand die de aanval dirigeert. Je vermogens tot vérvoelen blijven perifeer. Zoals gewoonlijk. Laad al je kracht uitsluitend in de psychocreatieve metafunctie. Nu voortmaken . . . dit is de manier om dat vermogen met de versterker te vergroten. Ik zal je laten zien . . . merde alors jij bent een sterk klein opdondertje of niet? Christus, ze maken zich gereed om toe te slaan! Heb je Sharn en Ayfa in het vizier? Schiet op in godsnaam Aiken raak ze met alles wat je hebt raak ze raak ze vergeetdemetabundelingManraakzenumetenkeljeeigenkrachtraakzeraakze . . .

Dat deed hij.

Het voelde zo goed. Hij sloeg toe en de Aartsvijand brandde. De naderbij sluipende Nacht werd teruggeworpen door de intensiteit van het vuur. Was het spel al voorbij? Had de trompet al geblazen? Was de zon al onder? Hij wist het niet. De Regenboogbrug leek in te storten, samen met de gouden, uivormige koepels en de trotse torenspitsen. Hij was zich bewust van geesten die vluchtten en geesten die stierven en van geesten die als een vonkende werveling zich rondom de Glanzende schaarden. Laat mijn Brein op hen schijnen! Dit is zoals het moet zijn. Dit is de manier waarop ik win, ik versla hen allen, ik neem ze allemaal op in mijn fornuis en voed me met hun energieën!

Laat dit nooit ophouden.

Nu houdt het op. En net op tijd denk ik . . .

Aiken werd wakker. Hij lag op een smeulende ondergrond en droeg een bevlekt en volkomen doorweekt pak van gewatteerde onderkleding. De grote Dougal zat naast hem, tilde zijn hoofd op en hield hem een beker lauw, naar modder smakend water tegen de lippen. Het was buitengewoon donker op een dofrode gloed na langs heel de noordelijke horizon.

'De prairiebrand is voorbij, mijn Heer. En hoe vaart gij?'

Aiken probeerde te gaan zitten. Pijnscheuten snerpten door zijn hoofd tot hij veelkleurige sterretjes zag. Daarna kreeg hij zichzelf weer in bedwang en zag kans een armoedig straaltje vérziendheid te produceren. Hij en Dougal leken de enige overlevenden te zijn te midden van een verbrande en geteisterde vlakte die bezaaid lag met lichamen. 'Nee!' fluisterde hij, 'Nee nee nee!'

'Houd moed, Aslan. Velen van ons volk leven. Zij bevinden zich aan de overzijde van de opgeblazen brug en krijgen hulp van hen die eerder zijn gevlucht. Men zei dat jij omgekomen was in die ijselijke brandhaard, maar ik wist dat dat niet zo was. Ik ben gaan zoeken en ik vond je en nu gaan we naar een kleine boot die op ons ligt te wachten en daarna naar een vliegende machine die je thuis zal brengen.'

'Sharn . . . Ayfa . . .'

'Die zijn dood en meer dan de helft van hun clan ook. De rest is gevlucht voor de steppebrand die jouw geest heeft aangestoken. Ze vluchtten naar het noorden en het westen en de jungles in het zuiden. Maar niemand durfde de Nonol over te steken naar onze wijkplaats en niemand sprak de Tegenstrever tegen toen hij jou Hoge Koning noemde.'

'Weg. Marc is weg.' Ineens moest Aiken grijnzen. 'Oh, dat was een ontsnapping op het nippertje! Geen wonder dat die hersenmachines in het Bestel absoluut verboden zijn.'

Dougal droeg een olielantaarn bij zich die al lang geleden was uitgebrand. Met een zwakjes herlevende creativiteit schiep Aiken een mager spookachtig licht dat dunnetjes rondom hem heen scheen zodat ze de weg konden vinden. Arm in arm hinkten ze naar de rivier. Ze maakten maar heel langzaam voortgang. Geleidelijk aan kreeg de oostelijke horizon een veelbelovende grijze schemertint waardoor ze de silhouetten konden zien van de resten van beide ineengestorte grote tribunes en de geblakerde afgebroken boomstompen bij de rivier. Wolken rook dreven her en der en werden zichtbaar wanneer de lantaarn erop scheen.

Toen ontdekten ze iets anders, een hardere, helderder glans te midden van een groot hoop lichamen van Firvulag. Ze kwamen er dichterbij en ontdekten een voorwerp dat leek op een troon zonder rugleuning, verfijnd gesneden uit een doorzichtige groene steen en geornamenteerd met zilverglanzend metaal. De zitting was tot as verbrand, maar voor het overige was de Zingende Steen onbeschadigd.

Dougal hield de lantaarn hoger en verbaasde zich. 'Zou je erop willen gaan zitten, Hoge Koning?'

Aiken liet een vermoeid lachje horen. 'Een andere keer misschien.' Hij keerde de trofee zijn rug toe en liet zijn vérziendheid verder buitenwaarts reiken, treurend om al die vergane schoonheid, al die verspilde levens. En nu zou hij voor de derde maal weer helemaal van voren af aan moeten beginnen? Was hij daartoe in staat? Had hij zelfs maar lust om dat te proberen? Of moest hij deze hele rotzooi gewoon maar de rug toekeren en de anderen volgen die het al hadden opgegeven om terug te keren naar de veiligheid van de Oude Aarde?

In het oosten kondigde de dageraad zich nu definitief aan. 'Wie weet wat ik zal doen?' zei Aiken tegen Dougal. 'Het ziet eruit alsof de Nacht voorbij is. Laten we zien die boot van jou te vinden en dan gaan we naar de overkant om te zien hoe het er daar bij staat.'

Tony Wayland was erin geslaagd aan de waakzaamheid van commandant Burke te ontsnappen toen het verschrikkelijke nieuws over de gebeurtenissen op het Veld van Goud het terrein van de tijdpoort bereikte. Doodsbenauwd om het lot van Rowane, verborg hij zichzelf in een machine die naar Nionel terugvloog. De resterende uren van de nacht bracht hij door met te zoeken onder de bijeengekropen mutanten die in kleine groepjes rondom uitgedoofde vuren dommelden op de oostelijke weiden. Maar hij zocht tevergeefs. Pas toen de zon al volledig boven de horizon stond, vond hij Greggie die naast een kleine stroom zat, leunend tegen de stam van een wilgeboom. Het hoofd van een slapende vrouw in zijn schoot.

De Meester der Genetica giechelde zachtjes. 'Wel, wel! Eindelijk terug, is het niet? We hadden je inmiddels al opgegeven, weet je. Die arme Rowane heeft zichzelf in slaap gehuild.'

'Waar is mijn vrouw?' vroeg Tony. 'Wat heb je met haar gedaan?'

'Hoezo? Ze is hier!' zei Greggie sluw. Hij liet het topje van een vinger zachtjes over een ooglid strijken van de slapende schoonheid. De ogen gingen open. Zagen Tony. Hij stond daar als een brok hout met stomheid geslagen toen zij opstond en voor hem ging staan. Haar lippen beefden, haar handen waren ineengeknepen.

'Ze is het echt,' zei Greggie. 'Ze is in mijn nieuwe Huidtank geweest. Als eerste. Ik ben er zo trots op.'

Ze zei met een zachte stem: 'Ik hoop dat je me zo mooi vindt. Ik hoop dat je nu wilt blijven.'

'Ik hield van je zoals je was,' zei hij met gebroken stem en raakte toen zijn gouden halsring aan. 'Ik hield te veel van je. Ik was toen niet sterk genoeg. Maar nu heb ik mijn halsring en het komt allemaal in orde, Rowane.'

'Maar *vind* je me werkelijk mooi zoals ik nu ben?' vroeg ze smekend.

'Ik houd van je. Je bent heel mooi. Het mooiste dat ik ooit heb gezien. Maar het zou er niet toe hebben gedaan wanneer je was gebleven zoals je was, Rowane. Geloof me.'

'Niet alles aan mij is veranderd,' fluisterde ze en begon toen plagend te lachen. Tony snakte naar adem, maar hield haar nog steviger tegen zich aan. Zij zei: 'Ik vraag me af of de baby op jou zal lijken of op mij.'

Tony keek stomverbaasd over haar schouder en zag Greg-Donnet, de Meester der Genetica, tegen hem knipogen. 'Maak je geen zorgen, kerel. Denk er niet meer aan.'

Diep in de moerassen van het Parijse Bekken ontwaakte de jongen toen de peddels in het water plasten en het luchtgevulde voertuig door het ritselende riet op een open plek aan stuurde. Hij zag het vriendelijke gezicht van Vrouwe Mabino Droomspinster op hem neer kijken. Toen hij probeerde overeind te komen, zag hij ook de oude Finoderee die slapend in de achtersteven lag en twee rimpelige dwergen in een halve wapenrusting van obsidiaan die zich uitrekten, hun muggebeten krabden en lange teugen namen uit een drinkhuid.

'Moeder? Vader?' riep de jongen. Toen keerden de herinneringen terug en hij snakte naar adem toen de daarmee verbonden angst zich hernieuwde. 'Waar zijn ze? En al mijn broers en zusjes? Wat is er gebeurd?'

Mabino keek hem bestraffend aan. 'Gedraag jezelf, Sharn-Ador. Je bent geen kind meer, maar een Jeugdig Krijger. Je verwanten zijn veilig genoeg bij Habetrot, de vrouw van Galbor. Maar omdat zij niet erg goed is in vérspreken, zullen we . . .'

'Waar zijn mijn moeder en vader?' vroeg de jongen met strakke stem.

'Zij zijn veilig in Té's Vrede, zij hebben de Weg van de Krijger afgelegd. We zijn allemaal zeer trots op hen. Nu mag je een korte tijd huilen, dat is passend.'

Later tilde hij zijn roodgeworden gezicht op en keek over het zonverlichte moeras. Er zwommen wilde eenden en onvolwassen grijze ganzen en één enorme knobbelzwaan die al de andere domineerde. 'Hij is hun koning,' zei het kind, terwijl hij zijn tranen wegveegde. Hij bleef kijken hoe de zwart en witte vogel met de trots gebogen nek rondzwom en van tijd tot tijd zijn vleugels ver achteruit omhoogstak. 'Op een dag zal ik ook koning zijn! Hebben jullie mijn zwaard en wapenrustig gered?'

De dappere dwergen bulderden van het lachen en bogen zich weer over de peddels. Mabino kreeg een strak mondje van voorgewend ongenoegen. 'Het ligt achter in de boot. Maar ik wil niet dat je over papa Finoderee heen kruipt en hem wakker maakt. Hij is net na een heel moeilijke nacht voor het eerst even in slaap gevallen.'

'Ja, mijn Vrouwe,' zei Sharn-Ador. Hij ging weer tegen de opgeblazen zijkant van de boot zitten en bleef de zwaan nakijken totdat die uit het gezicht was verdwenen.

De Ketter leek uit het hart van de rijzende zon te vliegen, recht over het kielzog van de grote schoener en landde daar op het achterdek waar Alexis Manion hem zonder veel verbazing begroette.

Ze stelden zich voor. Alex zei: 'Ik heb je spoor al drie uur lang in de gaten. Welkom op de Kyllikki.'

'Mij waargenomen tegen de zon in?' Minanonn verborg zijn verbazing niet. 'Dat is geen geringe prestatie. Je moet iemand zijn om rekening mee te houden.'

Alex grijslachte. 'Eens was dat zo. Maar dat is nu geschiedenis.'

'Gek, ik zou hetzelfde over mijzelf kunnen zeggen.'

De man die eens Marc Remillards naaste vertrouweling was geweest in de Metapsychische Rebellie keek naar de vroegere Strijdmeester van de Tanu. 'Trek in koffie, Hoge Jongen?'

'Als je geen bezwaar hebt, garnaal. Jullie Minderen hebben een ellendig corrupte invloed.'

'Het lijkt me dat ik die zin al eens eerder heb gehoord.' Alex draaide zich om en wenkte. 'Rechtuit naar de kombuis. Daar kunnen we praten. Geniet van de rust zolang je nog kunt. Wanneer de vrouwen en kinderen wakker worden, is dit verdomde schip net een drijvend circus.'

Basil Wimborne keek naar commandant Burke en commandant Burke keek naar commandant LeCocq die de schouders ophaalde.

'Is dat de laatste?' vroeg Burke zonder het te geloven. 'Echt de allerlaatste?'

'Het lijkt erop,' zei de officier.

'Hoeveel?' vroeg Basil. 'Ik ben de tel na de derde dag kwijtgeraakt.'

'In totaal elfduizend driehonderdtweeëndertig,' antwoordde

465

LeCocq. 'Nogal wat minder dan we hadden gedacht. En maar een handjevol Huilers en Tanu.' Hij stond zichzelf een superieure glimlach toe. 'De meesten van de terugkerende mensen waren uiteraard blootnekken.'

'Dan blijven wij met ons vieren over,' zei Burke. Hij keek naar de machine van de tijdpoort die nu overdekt was door een gestreept tentdak.

Phronsie Gillis aan het controlepaneel gaapte. 'Iedereen die een kaartje heeft gekocht, kan maar beter opschieten. Het is een lange, lange ruk geweest en ik ben helemaal klaar voor een beetje rust en genezend herstel. Vooral dat laatste.'

Basil bestudeerde de machine van Guderian en fronste nadenkend. 'Ik zou een verdomd sensationeel boek kunnen schrijven als ik terugging.'

Burke zei: 'Ik neem aan dat de jonge Mermelstein mij wel weer in de firma zou opnemen, daar in Salt Lake City.'

Basil zei: 'Maar LeCocq zegt dat er in de Pyreneeën een paar hoogst interessante bergtoppen te vinden zijn. Eén of twee ervan kunnen boven de achtduizend meter liggen.'

Burke zei: 'En wie heeft er behoefte aan de laatste der Wallawalla's die door het kantoor loopt te smoezen en iedereen de kop gek zeurt met verhalen die onmogelijk waar kunnen zijn. En het jong praat nog geen Jiddisch ook.'

'Zet maar af, Phronsie,' zei Basil. 'Het ziet er naar uit dat we toch hier blijven.'

'Misschien is Mister Betsy zo vriendelijk om ons allemaal naar Roniah te vliegen voor de thee in mijn huis?' stelde commandant LeCocq voor.

Phronsie zette de energietoevoer van de Guderian-machine af, trok er de elektromagnetisch gecodeerde glazen sleutel uit en gaf die aan de officier. 'Ik denk dat die ouwe Betsy roze wordt bij het horen van dat voorstel!' Hij dacht even na. 'Roze of misschien wel donkerbruin.'

Hij zei: We komen voor de laatste maal aan de oppervlakte.

Zij zei: God zij gedankt. Zeven van deze reusachtige stappen en elk daarvan steeds erger dan de voorgaande, zelfs met de verzachter . . . hoe het Schip van Breede die reis ooit in één keer kon afleggen ontgaat me volkomen.

Hij zei: Daar heb ik minder moeite mee. Breedes Schip probeerde aan gevangenschap te ontkomen. Onder dat soort omstandigheden wordt men geïnspireerd.

Zij zei: Het Schip . . . het wist het allemaal van tevoren. Over de Aarde en de mensen daar. Het had misschien wel een instinct om een wereld te zoeken met vergelijkbaar genenmateriaal en een gelijkend metapsychisch patroon, maar misschien was het ook wel doodgewoon weten.

Hij zei: Anatoly zou zeggen dat het schip geleid werd. Maar zijn filosofie is nogal simplistisch. En toch aantrekkelijk, er gaat bepaald iets kalmerends van uit.

Zij zei: Iets kalmerends? Voor jou?

Hij zei: Zelfs voor mij. Zoals je vriend Creyn al opmerkte, de uitdaging is groter dan die van mijn visie op de Mentale Mens. De heroriëntatie van een hele Galaktische Geest die anders veroordeeld is tot een doodlopende weg in de mentale evolutie vanwege de gouden halsringen. Dat moet onze aandacht enige tijd kunnen boeien.

Zij zei: Tijd? Hebben we dat?

Hij zei: Daar vertrouw ik op. Wij beiden.

Zij zei: Je komt aardig bij het simplisme in de buurt.

Hij zei: Jack had daar vaak opmerkingen over. De manier waarop onze geest tijdens de jeugd wordt gevormd, wordt blijkbaar niet straffeloos verworpen. Zullen we maar, Elizabeth?

Zij zei: Ja. Ja Marc . . .

Hij zei: Kom dan. Ik ondersteun je wel als we erdoorheen breken. Houd moed. Het is de laatste etappe.

Zij zei: De eerste, lijkt me.

Zij kwamen te voorschijn en toen wentelde het sterrenstelsel van Duat om hen heen, kleiner dan de Melkweg, maar nog altijd meer dan elfduizend dochterwerelden bevattend in zijn uitgestrekte sterre-armen. De twee zwart bepantserde machines hingen in de ruimte en de daarin opgesloten geesten zagen dichtbij de uitgestrektheid van een nevelvlek die rood en koninklijk blauw opgloeide door de dubbele ster die er het hart van vormde. Deze twee sterren bezaten nog steeds geen planeten en evenmin een geest. Maar in elke richting bevonden zich sterren met levende werelden, een aantal te groot om te kunnen tellen.

'Luister!' riep Elizabeth uit. 'Het is geen waarachtige Eenheid, maar ze komen er heel dichtbij, Marc. Misschien zal het achteraf helemaal niet zo moeilijk zijn.'

'Het zal moeilijk zijn, maar we zullen slagen.'

Hij riep.

De met sterren bezaaide hemel was ineens vol enorme kristallijne schepsels en de ether werd doordaverd door het Lied.

Zo eindigt de sage van de Pliocene Ballingschap.

AANHANGSEL

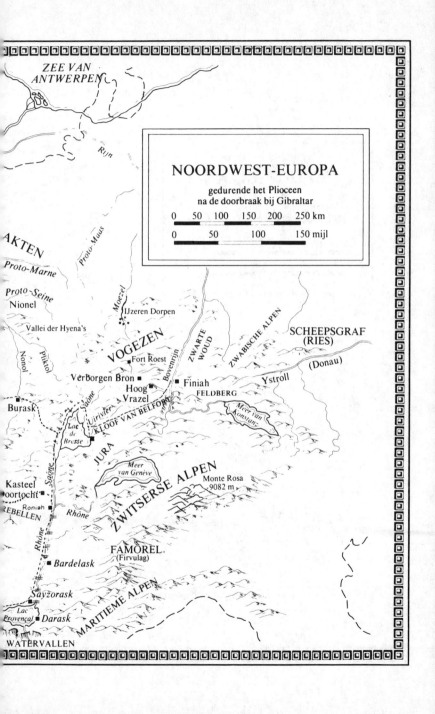

ZEE VAN
ANTWERPEN

Rijn

NOORDWEST-EUROPA

gedurende het Plioceen
na de doorbraak bij Gibraltar

| 0 | 50 | 100 | 150 | 200 | 250 km |

| 0 | 50 | 100 | 150 mijl |

Proto-Maas

...AKTEN

Proto-Marne

Proto-Seine
Nionel

Moezel

IJzeren Dorpen

Vallei der Hyena's

VOGEZEN

Fort Roest

Nonol

Piikol

Verborgen Bron

Hoog
Vrazel

ZWARTE WOUD

Bovenrijn

ZWABISCHE ALPEN

SCHEEPSGRAF
(RIES)

(Donau)

Finiah
FELDBERG

Ystroll

Burask

Saône

Uirivier

KLOOF VAN BELFORT

Lac
du
Bresse

Meer van
Konstanz

JURA

Meer
van Genève

ZWITSERSE ALPEN

Monte Rosa
9082 m

Kasteel
oortocht

Roniah
REBELLEN

Saône

Rhône

Rhône

FAMOREL
(Firvulag)

Bardelask

MARITIEME ALPEN

Sayzorask

Lac
Provencal

Darask

WATERVALLEN

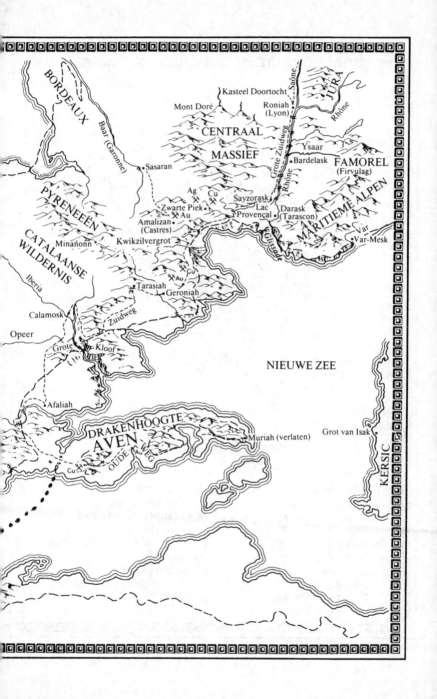

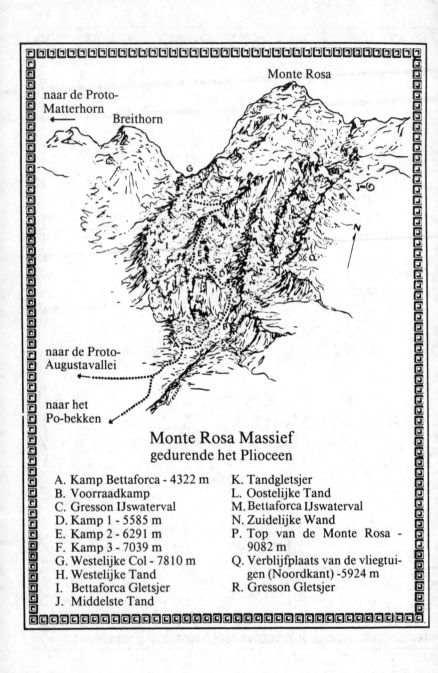

naar de Proto-
Matterhorn

Breithorn

Monte Rosa

naar de Proto-
Augustavallei

naar het
Po-bekken

Monte Rosa Massief
gedurende het Plioceen

A. Kamp Bettaforca - 4322 m
B. Voorraadkamp
C. Gresson IJswaterval
D. Kamp 1 - 5585 m
E. Kamp 2 - 6291 m
F. Kamp 3 - 7039 m
G. Westelijke Col - 7810 m
H. Westelijke Tand
I. Bettaforca Gletsjer
J. Middelste Tand

K. Tandgletsjer
L. Oostelijke Tand
M. Bettaforca IJswaterval
N. Zuidelijke Wand
P. Top van de Monte Rosa - 9082 m
Q. Verblijfplaats van de vliegtuigen (Noordkant) -5924 m
R. Gresson Gletsjer

Aspecten van transport door de hyperruimte en de d-sprong

In het Galaktisch Bestel werd het transport met een snelheid groter dan die van het licht bereikt door het 'krommen' van de gewone ruimte door middel van een ypsilonveld. Zo'n veld kan mechanisch worden teweeggebracht en wordt dan een *hyperruimte-overzetter* genoemd (of ook wel: y-veldgenerator, enz.) Uiterst zelden kan het worden veroorzaakt door een individu met sterk ontwikkelde metapsychische vermogens, speciaal die van de 'teleportatie'.

Op een normale reis bewerkstelligt een sterreschip een y-veld om door het oppervlak te breken dat de normale ruimte scheidt van de *hyperruimte-matrix.* Vaak wordt de naam hyperruimte gebruikt, maar ook wel kortweg 'hyper', subruimte, de matrix of het grijze niets. Denkende wezens ervaren tijdens de overzetting pijn in verschillende gradaties.

Eenmaal binnen de hyperruimte, programmeert de navigatiecomputer van het schip een zogenaamde *hyperruimte-aftakking,* of subruimtevector (in de volksmond: de Nietspoorlijn of Hyperplak, enz.) Gedurende een hoeveelheid subjectieve tijd beweegt het schip met de inzittenden zich voort langs de aftakking. Hun positie op elk subjectief ogenblik wordt de *pseudolokatie* genoemd. Schepen zijn in staat tijdens het reizen door de matrix tot stilstand te komen of de richting van de aftakking te veranderen. Dat is aan zekere beperkingen gebonden. Wanneer de aftakking volledig is beschreven en gevolgd, heeft het sterreschip zijn bestemming bereikt en breekt andermaal door het vlak dat normale en hyperruimte van elkaar scheidt. Onderbreking van de energie gedurende het deel van de reis waarin het schip zich in de hyperruimte bevindt, zou het schip in die matrix doen stranden. Op gelijke wijze zou een persoon die een d-sprong onderneemt, in de matrix stranden wanneer het hem of haar niet meer lukte zich te blijven concentreren op de juiste vector, d.w.z. hij of zij slaagt er niet langer in het beoogde doel te 'visualiseren.'

Het rubberbandeffect is een ingewikkeld verschijnsel dat mechanisch of door mentale programmering moet worden geneutraliseerd, anders wordt het sterreschip of de d-springer teruggetrokken naar het punt van vertrek nadat de overzetting door de hyperruimte eerst is voltooid.

Sterreschepen gebruiken generatoren voor de overzetting van verschillend vermogen. Voor transport langzamer dan het licht, dat zich steeds afspeelt binnen de atmosfeer van bewoonde planeten, gaan de schepen over op *inertieloze aandrijving,* die mogelijk wordt gemaakt door de rhoveldgeneratoren die werken volgens gravomagnetische principes. Binnen een planetaire atmosfeer wordt een ypsilonveld doorgaans niet opgewekt. Om een schip in de hyperruimte toe te laten, dient de 'toegangspoort' van zo'n veld tamelijk groot te zijn en daardoor worden elektromagnetische fenomenen veroorzaakt (vooral ionisatie) die vervelend of zelfs ronduit nadelig kunnen zijn voor beschaafde wezens en hun vaak kwetsbare machinerieën en instrumenten. Het veel kleinere veld dat wordt opgewekt door een individu dat een d-sprong onderneemt, veroorzaakt dezelfde gevolgen, maar die zijn volstrekt te verwaarlozen, tenzij grote aantallen personen daaraan tegelijk zouden deelnemen. Aangezien dat vermogen zo zeldzaam is, kan die factor buiten beschouwing blijven.

Wanneer de kapitein van een sterreschip een reis onderneemt, moet hij de volgende vragen in overweging nemen. (a) Hoe ver moet ik gaan? (b) Hoe snel wil ik daar zijn? (c) Hoeveel pijn willen en kunnen passagiers, bemanning en ik verdragen?

Een 'langzame' overzetting, of *diepe aftakking* vraagt de meeste subjectieve tijd, maar veroorzaakt de minste pijn bij de doorbraak. Een snelle overzetting bereikt eerder de bestemming, maar stelt nogal wat eisen aan het zenuwsysteem. Zij die vaak en veel door de hyperruimte reizen, maken gebruik van medicijnen en andere middelen om de pijn te bestrijden. Deze doorgewinterde stoutmoedigen noemen de langzame reizigers *konijnespringers*.

Op zeer lange reizen zal het gemiddelde sterreschip dat passagiers vervoert zijn bestemming bereiken via een reeks langzame sprongen. De *verplaatsingsfactor* (vf) langs de vector door de hyperruimte, die voor gewone reizigers als aanvaardbaar wordt beschouwd, komt neer op 40 vf. Dat is het equivalent van 40 lichtjaren per subjectieve dag die in de hyperruimte wordt doorgebracht. Hare Majesteit Queen Elizabeth III zou dus twee subjectieve dagen nodig hebben om naar een sterrenstelsel te reizen dat 80 lichtjaren ver verwijderd lag. Ook buiten de hyperruimte in de Grotere Werkelijkheid zijn dan twee dagen voorbijgegaan. Voor een reis van 12 000 lichtjaren zouden overeenkomstig 200 subjectieve dagen nodig zijn. En bij elke afzonderlijke sprong zouden de inzittenden pijn lijden.

De tolerantie voor de pijn van de overzetting varieert van individu tot individu. Buitenaardse rassen kunnen doorgaans meer verdragen dan mensen. De stoere Krondaku kunnen 370 vf weerstaan en dat wordt beschouwd als de grens die voor de rassen uit het Bestel aanvaardbaar is. Richard Voorhees verdroeg 250 vf gedurende 136 dagen op zijn langste reis naar de Hercules Groep (M13 of NGC 6205 in de huidige catalogi). Toen hij vele jaren later naar Orissa reisde, waagde hij erg veel door 110 vf gedurende 17 dagen te ondergaan.

Het is duidelijk dat de factor tijd en de factor pijn het transport door de hyperruimte aan beperkingen onderhevig maken. In het Bestel hebben de buitenaardse rassen het overgrote deel van de Melkweg in kaart gebracht en onderzocht en zij hebben daarbij meer dan 1000 potentieel koloniseerbare planeten gelokaliseerd binnen een afstand van 20 000 lichtjaren van de Aarde. Het is duidelijk dat er daardoor weinig aanleiding is om reizen over nog grotere afstanden te ondernemen. Extragalaktische reizen worden door de factor tijd vrijwel onmogelijk gemaakt. De Andromeda Galaxie, onze dichtstbijzijnde buur, ligt 2,2 miljoen lichtjaren van ons verwijderd. De meest geharde menselijke reiziger zou het vierentwintig jaar kosten om er te komen en nog eens zo'n aantal om terug te keren. Zelfs in een tijdperk van meervoudige verjongingen oefent zo'n reis maar op weinigen werkelijk aantrekkingskracht uit, tenzij ze tot de werkelijk onvermoeibaar reislustigen behoren. Enkelen hebben het wel geprobeerd, de resultaten waren onzeker.

De buitenaardse wezens die bekend staan als Schepen en waarvan er één, die de gezel was van Breede, de Tanu en Firvulag uit het verre Duat naar de Aarde bracht, beschikken over een uitzonderlijke weerstand tegen de gevolgen van hoge aantallen vf. De Schepen gebruiken een *verzachter*, een speciaal mentaal programma dat de verschrikkelijke pijn van de overzetting letterlijk 'verzacht'. Schepen onderwijzen hun passagiers, die binnen hun lichamen meereizen in capsules die het formaat hebben van een conventioneel sterreschip, hoe ze individueel deze verzachtende programma's zelf kunnen opwekken. Dit betekent dat reizen binnen de Duat Galaxie vrijwel pijnloos is voor alle passagiers van Schepen. Het schip is bovendien in staat d-sprongen te maken over zeer grote afstanden. De meeste bestemmingen binnen dat sterrenstelsel kunnen daardoor in minuten, hooguit enkele uren worden bereikt. De d-sprong bestaat uit één enkele beweging en nooit uit een serie kortere sprongen zoals dat bij de 'langzame' sterreschepen het geval is. Hier moet worden opgemerkt dat het Schip van Breede zichzelf fataal overbelastte door een sprong te maken van Duat naar de Melkweg en daarbij in één keer 270 miljoen lichtjaren overbrugde. Zelfs de hoogst ontwikkelde geesten zijn onderworpen aan beperkingen.

Bij het maken van zijn eigen d-sprongen, gaat Marc ongeveer te werk als het Schip van Breede. Zijn korte sprongen op aarde zelf voltrekken zich vrijwel direct en er is niet meer dan een fractie van een seconde subjectieve tijd voor nodig die in het grijze niets wordt doorgebracht. (Het proces van het doorbreken van de vlakken die gewone ruimte en hyperruimte overal scheiden, kan echter veel meer tijd kosten.) Wanneer hij d-sprongen maakt door de Melkweg, wordt Marc beschermd door het pantser van de hersenversterker, die heel zijn lichaam in een soort onderkoelde stasis houdt, op het hyperenergetische brein na. De daarmee verbonden pijn komt ongeveer overeen met wat hij te verduren zou hebben bij een overzetting met mechanische hulpmiddelen. Hij verklaarde dat de sprong naar Poltroy ongeveer de grens aangaf van zijn normale vermogen. Dat zou inhouden dat zijn persoonlijke vf-drempel ongeveer bij 18 000 ligt.

De verzachter zou theoretisch ook op gewone sterreschepen kunnen worden toegepast, mits de passagiers allemaal metapsychisch werden getraind in het gebruik van een dergelijk programma. Er zijn dan tevens buitengewoon krachtige generatoren nodig om de daardoor mogelijk geworden grotere afstanden te overbruggen. Theoretisch is er geen reden waarom zulke ultragalaktische sterreschepen niet zouden kunnen worden gebouwd. De ontwerpen die binnen het Bestel worden geproduceerd, hebben een limiet die bepaald wordt door de kwetsbaarheid van de geesten die zij vervoeren, niet door mechanische factoren.

De pers over <u>Het Veelkleurig Land</u>:

Een merkwaardige mengeling van Keltische sagen, science-fiction en fantasy. Spannend, avontuurlijk, buitengewoon goed geschreven en ook nog uitstekend vertaald.
BRABANTS DAGBLAD.

De originaliteit, niet zozeer van het gegeven, maar wel van de aanpak, de uitwerking van plot en karakters, de verrassende wendingen, de voortreffelijke, rijk gevarieerde schrijfstijl van Julian May plakken op <u>Het Veelkleurig Land</u> spontaan de kwalificatie „meesterwerk".
NIEUWE APELDOORNSE COURANT.

F